First Edition

외래마취학

대한외래마취연구회

Anesthesiology
and Pain Medicine for Ambulatory Anesthesia

군자출판사

대한외래마취연구회
The Korean Society for Ambulatory Anesthesia

외래마취학

첫째판 1쇄 인쇄 | 2018년 1월 3일
첫째판 1쇄 발행 | 2018년 1월 10일

저　　　　자 대한외래마취연구회
발　행　인 장주연
기　　　획 조은희
편집디자인 김영선
표지디자인 김재욱
제　　　작 신상현
발　행　처 군자출판사(주)
　　　　　 등록 제 4-139호(1991. 6. 24)
　　　　　 본사 (10881) **파주출판단지** 경기도 파주시 회동길 338(서패동 474-1)
　　　　　 전화 (031) 943-1888　　팩스 (031) 955-9545
　　　　　 홈페이지 | www.koonja.co.kr

ISBN 979-11-5955-240-3
정가 38,000원

집필진

회장

도상환　분당서울대학교병원

편집위원장

민상기　아주대학교병원

편집위원

유영철　신촌세브란스병원
이재우　강동경희대학교병원
정경운　서울아산병원
최근주　중앙대학교병원
최성욱　고대안암병원

집필진

강 현　중앙대학교병원
구승우　서울아산병원
김종엽　아주대학교병원
김진수　아주대학교병원
김태엽　건국대학교병원
나효석　분당서울대학교병원
도상환　분당서울대학교병원
민상기　아주대학교병원
손일순　건국대학교병원
손혜민　분당서울대학교병원
신현정　분당서울대학교병원
신혜원　고대안암병원
안현주　삼성서울병원
유영철　신촌세브란스병원
유정희　분당서울대학교병원
윤지욱　양산부산대학교병원
이재우　강동경희대학교병원
임채성　충남대학교병원
정경운　서울아산병원
정홍수　성빈센트병원
주은영　서울아산병원
최근주　중앙대학교병원

발간사

대한외래마취연구회가 2016년 초에 발족된 이후 이사회에서 체계적인 교육을 위한 교과서의 필요성에 공감하여 곧바로 외래마취학 교과서의 발간에 착수하게 되었습니다. 여기에는 이미 2000년대 초에 "당일수술을 위한 마취와 진통"을 발간하신 바 있는 양홍석 교수님의 관심과 격려가 큰 힘이 되었습니다.

최근까지도 국내에서는 외래마취를 필요로 하는 당일수술의 건수가 많지 않았으나, 현재 미국이나 유럽의 경우 전체 수술건수에서 당일수술이 차지하는 비율이 50~70%에 이르는 것을 보면 조만간 국내에서도 외래마취의 건수가 급증할 것으로 생각됩니다. 또한 최근 의료기관 인증평가와 관련하여 각 병원에서 진정법이 주목을 받고 있는 상황에서 감시마취관리(monitored anesthesia care) 수가의 신설도 올바로 시행되는 외래마취의 필요성을 더욱 부각시키고 있습니다.

저희 연구회에서 각 챕터의 저자 및 감수자로 20여분의 교수님들을 위촉한지 1년여의 산고 끝에 본 교과서를 출간하게 되었습니다. 그 동안 편찬위원장으로 수고해주신 민상기 교수님, 간행이사를 맡아주신 최근주 교수님과 그밖에 저자 및 감수자로 수고해주신 여러 교수님들의 노고에 감사 드리며, 아무쪼록 이 교과서가 여러 전문의 및 전공의 선생님들에게 안전하고 회복이 빠른 외래마취 입문서로 길잡이 역할을 할 수 있기를 기대합니다.

대한외래마취연구회
회장 도 상 환

축사

외래마취와 수술은 창세기에 하느님이 아담과 이브를 창조하면서 시작되었으며 국내에서 외래수술과 마취를 시작하게 된 것은 50년이 지나고 있습니다. 과거 외래환자들의 수술과 마취는 의료행위의 복잡성으로 인해 입원을 선호하게 되었습니다. 그러나 환자와 보호자의 의료비 부담 문제, 병원생활에서 벗어나 하루빨리 가정으로 돌아가고, 빠른 사회생활로 복귀를 원하게 되는 경향이 커지며 외래수술과 외래마취는 의료정책으로서 뿐만 아니라 병원과 환자에게 선호되는 방법이 되었습니다. 우리나라에서는 병원 경영에 불리하게 책정된 의료보험 수가라든지 국민들의 의료 환경에 대한 협력부족 등으로 인하여 외래수술과 마취는 아직 미미한 수준에 머물고 있습니다. 다행히 근래에는 대형병원에서부터 시작된 외래수술과 마취에 대한 관심이 빠르게 확산되고 있습니다.

마취약물, 감시장비의 발달, 외과수기 및 진단법의 발달로 조기진단과 함께 외래수술과 마취가 안정된 궤도에 진입하여 각 외과분야뿐만 아니라 정신건강의학과의 전기경련치료법, 내과와 영상의학과 분야의 수면내시경, 심장검사 및 스텐트 시술과 응급실 등에서도 외래수술과 마취가 적용되면서 그 범위가 점차 넓어지고 있습니다. 이와 같이 적용범위의 확장으로 수술실 밖에서 시행하는 수술과 마취가 늘어나며 감시마취관리(monitored anesthesia care)의 필요성도 증가하고 있습니다.

외래마취와 수술이 증가하려는 시점에서 외래마취의 길잡이 역할을 할 대한외래마취연구회의 발족과 함께 지침이 되는 교과서의 출간은 매우 반가운 소식이 아닐 수 없습니다. 의학의 발전과 시대 변천에 따른 빠른 적응을 위하여 전문의뿐만 아니라 전공의에게도 많은 도움이 될 것으로 기대됩니다. 더욱 새로운 모습으로 발전하는 대한외래마취연구회의 교과서 발간을 진심으로 축하합니다.

울산대학교 의과대학 서울아산병원 마취통증의학과

교수 양 홍 석

목차

집필진 ·· iii

PART 01 서론 Introduction

Chapter 1. 당일수술 마취의 역사

1. 초창기 ·································· 3
2. 발전기 ·································· 4
3. 중흥기 ·································· 5
4. 국내 현황 ······························ 6

Chapter 2. 당일수술실의 기본 구성

1. 당일수술실 운영························· 9
2. 당일수술을 위한 수술실의 운영체계 ······· 10
3. 수술실의 구조 ························· 12
4. 빠른 퇴원의 적용 ····················· 14

Chapter 3. 당일수술에서의 비용과 질적인 균형

1. 임상 질적 지표 ······················· 17
2. 비용 효율성 ·························· 20
3. 결론································· 20

Chapter 4. 당일수술 마취의 미래 및 마취통증의학과 의사의 역할

1. 당일수술 활성화의 장점과 주의사항 ········· 23
2. 확대되는 마취통증의학과 의사의 역할 ······· 24

PART 02 수술 전 준비사항 Preoperative preparation

Chapter 5. 환자 선택

1. 일반적인 고려사항······················ 29
2. 나이 ······························· 29
3. 어려운 기도 ·························· 31
4. 심혈관 질환 ·························· 31
5. 고혈압 ······························ 33
6. 당뇨병 ······························ 33
7. 호흡기 질환 ·························· 33
8. 흡연 ······························· 35
9. 폐쇄성수면무호흡증 ···················· 35
10. 비만 ······························ 36
11. 임신 ······························ 37
12. 모유 수유 ·························· 37
13. 신 질환 ···························· 37
14. 간 질환 ···························· 37

15. 갑상선 질환 ·················· 38

16. 류마티스 관절염 ·············· 39

17. 신경계 질환 ·················· 39

18. 발작 ························ 39

Chapter 6. 당일수술의 종류 및 수술 전 검사

1. 당일수술의 종류 ··············· 41

2. 수술 전 검사 ················· 44

Chapter 7. 수술 전 금식

1. 수술 전 금식과 관련된 용어 정리 ········· 53

2. 식도와 위의 해부학적 특성 ·········· 54

3. 금식과 수술에 따른 생리적 변화 ········ 57

4. 수술 전 금식의 역사적 변천과정 ·········· 57

5. 현재의 수술 전 금식 지침 ··········· 59

6. 결론 ························ 67

Chapter 8. 성인 당일수술 환자의 전투약

1. 전투약 ····················· 69

2. 전투약을 위한 약물들 ··········· 71

3. 수술 전 금식과 수액 공급 ········· 72

4. 위산 역류와 흡인의 예방 ·········· 72

5. 항구토제 ···················· 72

6. 진통제 ····················· 73

7. 항콜린성 약물 ················ 73

8. 기타 약제 ··················· 73

PART 03 외래마취

Chapter 9. 외래마취–성인

1. 당일 수술을 받는 성인 환자에서의 마취 시
   유의할 점 ··················· 79

2. 흡입마취제를 사용한 전신마취 방법 ·········· 80

3. 마취 약제 ··················· 80

4. 수액 요법 ··················· 84

5. 요약 ······················ 84

Chapter 10. 외래마취–노인

1. 당일수술과 노인 ··············· 87

2. 노화에 따른 생리적 변화 ·········· 88

3. 노화가 마취 약제에 미치는 영향 ········ 90

4. 수술 전 환자 평가 ·············· 91

5. 마취 방법의 선택 ·············· 92

6. 노인 환자의 당일수술 중, 후 발생할 수
   있는 문제점 ·················· 94

7. 수술 후 통증조절 ·············· 95

8. 당일수술 후 입원 ·············· 96

9. 결론 ························ 96

Chapter 11. 외래마취–소아

1. 수술 전 준비 ················· 99

2. 수술 전 환자 평가 ············· 100

3. 마취유도 및 유지 ············· 102

4. 수술 후 회복 ················ 105

5. 맺음말 ···················· 107

Chapter 12. 전정맥마취

1. 전정맥마취를 위한 정맥마취제 ·········· **109**
2. 목표농도 조절주입 ····················· **111**
3. 마취 심도의 감시 ····················· **113**

Chapter 13. 감시마취관리(Monitored Anesthesia Care, MAC)

1. MAC의 소개 ·························· **117**
2. MAC 중 환자 감시 ··················· **118**
3. 약물 ································ **119**
4. MAC으로 진행되는 수술 및 시술 ········ **122**

Chapter 14. 신경근차단제

1. 신경근차단제의 작용 ·················· **125**
2. 신경근차단제의 종류 ·················· **126**
3. 근이완의 길항 ······················· **129**
4. 길항제의 종류 ······················· **130**
5. 신경근전달 감시 ····················· **131**
6. 신경근차단제에 영향을 주는 요인들 ······ **136**
7. 잔류 근이완 ························· **137**
8. 근이완 재현 ························· **138**
9. 악성고열증 ························· **138**

Chapter 15. 기도유지기

1. 후두마스크 ························· **142**
2. 상후두 기도유지기의 종류 ·············· **147**
3. 결론 ······························ **150**

Chapter 16. 부위마취

1. 부위마취의 중요한 장점 ················ **153**
2. 당일수술 부위마취의 준비를 위한 실질적인 계획 ······························ **154**
3. 부위마취 방법 ······················· **155**

PART 04 수술장 외 마취 Non-operation room anesthesia

Chapter 17. 개론

1. 수술장 외 마취와 마취통증의학과 전문의의 참여 ····························· **173**
2. 환자의 선택과 평가 ··················· **174**
3. 마취 방법의 계획과 적용 ··············· **174**
4. 기도 관리 ··························· **175**
5. 안전 관리 ··························· **175**
6. 부작용과 합병증의 예방 및 관리 ········· **176**
7. 숙련된 의료진 ······················· **176**
8. 환자 감시 및 장비 ··················· **176**
9. 환자의 만족 ························· **177**
10. 마취 후 관리 ······················ **177**

Chapter 18. 소화기내시경 시술 마취

1. 마취 전 준비 및 환자 평가 ············· **179**
2. 호흡 관리 ··························· **179**
3. 시술에 따른 마취관리 ················· **180**
4. 회복 관리 ··························· **182**

Chapter 19. 신경중재치료의 마취

1. 개론 ·· 185
2. 뇌동맥류 ··· 186
3. 동정맥기형 ····································· 187
4. 경동맥 스텐트···································· 187

Chapter 20. 심혈관중재시술의 마취

1. 경피적 대동맥판막치환술 ················ 189
2. 심방중격결손 ·································· 193
3. 혈관내동맥류재건술 ······················· 194

Chapter 21. 진단적 목적의 영상 검사를 위한 진정치료

1. 정의 및 목적 ·································· 197
2. 대상 ··· 197
3. 감시 ··· 198
4. 산소 공급 ······································ 199
5. 환자의 준비 ··································· 200
6. 진정 전 평가 ································· 200
7. 진정제의 선택··································· 202
8. 비약리학적으로 환자의 진정을 도울 수 있는 방법들··································· 204
9. 진정 치료의 실패 ·························· 205
10. 진정 후 회복 관리 ······················ 205
11. 특수 환경 및 고려 사항 ··············· 205
12. 앞으로의 미래 ····························· 207

Chapter 22. 전기경련요법(Electric Convulsive Therapy, ECT)을 위한 마취

1. ECT의 치료 기전 ·························· 211
2. ECT에 따른 생리적 변화 ··············· 212
3. ECT를 위한 마취약물들 ················· 212
4. ECT를 위한 일반적인 마취관리 ········ 213

PART 05 의원 마취 Office-based anesthesia

Chapter 23. 의원 마취

1. 수술 전 평가 ································· 217
2. 마취 장비 및 준비사항 ··················· 218
3. 마취 방법의 선택 ·························· 219
4. 마취약제 ······································ 219
5. 주술기 관리 ··································· 221
6. 의원 마취가 가능한 시술의 종류 ······· 222
7. 수술 후 환자 관리 ························· 226
8. 응급 상황 관리 ····························· 227

PART 06 수술 후 고려사항 Postoperative consideration

Chapter 24. 회복과 퇴원

1. 환자 회복 과정 ····························· 231
2. 회복실의 단계적 운영 ···················· 231
3. 퇴실 기준 ····································· 232
4. 환자의 퇴원 ·································· 235

Chapter 25. 외래마취 후 합병증과 통증관리

1. 외래마취 후 합병증의 종류와 관리 ………… **243**

2. 외래마취 후 통증관리 ……………………… **247**

인덱스 ……………………………………… **253**

PART **01**

Introduction

Chapter 1 당일수술 마취의 역사

Chapter 2 당일수술실의 기본 구성

Chapter 3 당일수술에서의 비용과 질적인 균형

Chapter 4 당일수술 마취의 미래 및 마취통증의학과 의사의 역할

당일수술 마취의 역사

170여 년 전 흡입마취제를 이용한 현대적인 마취가 시작된 이래 한동안 마취의 대상은 당일수술을 받는 환자였다. 얕은 의학지식과 함께 의료기술이 발전하지 않은 상태에서는 간단한 수술이나 시술을 위한 마취가 시행되어 왔다. 이후 의학지식과 의료기술이 점차로 발전하면서 입원환자를 대상으로 한 심도 깊은 수술이 유행하면서 20세기 초까지 당일수술은 별다른 관심을 받지 못하게 된다.

20세기 초에 영국과 미국의 선구자들이 당일수술에 대한 관심을 다시 불러일으키며 현대 당일수술의 초석을 놓게 된다. 여러 가지 새로운 마취약제들과 수술 및 마취장비들이 새로이 도입되면서 수술 후 더욱 빠른 회복이 가능해져 당일수술의 범위와 대상환자들은 더욱 넓어지게 되고, 이러한 추세는 의료비 절감이라는 현대 의료정책의 방향과 맞아떨어지면서 구미 선진국에서는 최근 들어 확고한 추세로 자리잡게 된다.

1. 초창기

19세기 중엽 미국에서 ether나 아산화질소를 이용한 마취가 최초로 시행되었을 때 그 대상수술은 당일수술이었다. 즉, 현대적인 마취의 초창기에 마취의 역사가 곧바로 당일수술 마취의 역사인 것이다. 그 당시의 수술은 농양배액술, 표재성 종양절제술, 감염부위 절제술 등과 열악한 구강위생에 기인한 치과시술이 대부분이었다. 1842년 1월에 William Clarke가 발치 시에 ether를 최초로 사용하였으며, 같은 해 3월에는 Crawford Long이 경부 종양 수술 시에 ether를 사용하였다. 1844년 Gardner Colton이 강의 중에 아산화질소의 진통작용을 시연하는 것을 본 Horace Wells가 다음 날 본인의 발치에 아산화질소를 사용하였다. 이후 Wells는 환자진료에 아산화질소를 널리 사용하였으며, 다음 해에 그의 동료인 William Morton과 함께 보스톤으로 가서 아산화질소

의 마취제로서의 효능을 시연하게 되었다. 하지만, 그 과정 중에 환자가 통증을 호소하는 등 예기치 않은 결과가 나오는 것을 보고는 더욱 강력한 마취제의 필요성을 절감하게 되었다. 이후 Morton은 ether를 이용한 여러 동물실험을 거쳐 1846년 10월 16일 Massachusetts General Hospital의 Ether Dome(추후 명명됨)에서 ether를 이용한 마취 시연을 여러 청중을 대상으로 최초로 시행하였으며, 이것이 현대 마취의 탄생을 알리는 시발점이 되었다.

Gardner Colton은 치과 영역에서 아산화질소의 사용을 대중화시켰다. 특히 이 시기에 발치 등의 치과시술이 성행하여, 당일시술의 선두주자가 되기에 이르렀다. Chloroform의 마취작용은 1847년 스코틀랜드의 산과의사인 James Simpson에 의해 발견되었다. 향긋한 냄새가 나는 이 마취제는 19세기 후반에 인기를 끌었는데 특히 분만이나 소아 외래수술에서 인기가 있었다. 영

국의 Glasgow에서 외래수술 클리닉을 운영했던 James Nicoll이 chloroform에 대해 상세히 기술한 바 있다. 그는 1899년에서 1908년의 10년간 다양한 정형외과 및 일반외과 시술을 시행했는데, 9,000명의 외래수술 중 절반이 3세 미만의 소아환자였으며, 특히 여기에는 1세 미만의 유아가 큰 비중을 차지했다. 그는 당일수술의 선구자라고 할 수 있는데, 아이를 어머니와 떼어놓으면 수술의 위험성이 증가하는 점을 관찰하여 수술 후에 통상적으로 하는 입원의 단점을 인식하였으며, 집에서 회복하는 것의 장점, 특히 어린이와 간병하는 어머니의 측면에서의 장점에 대해 주장하였다. 그는 병원감염의 위험성에 대해 기술하였고, '보다 지적인 어머니'는 자녀를 수술 후에 집에서 돌볼 수 있어야 한다고 역설하였다.

19세기 후반에 cocaine과 그 밖의 국소마취제가 도입되면서 국소마취나 부위마취 하에 여러 소수술(minor operation)들이 의원급에서 당일수술로 진행되는 경우도 적지 않았으나, 이 시기에서부터는 조기보행이나 집에서의 회복보다는 수술 후 충분한 입원에 대한 중요성이 더욱 부각되었다. 이후 20세기 전반에 이르러서, 위생이 개선되고 소독법이 좋아지면서 병원에서 정규수술을 시행하는 것이 더 낫다는 생각이 더욱 굳어지게 되었다. 게다가, 수술기법이 더욱 복잡해지면서 의원보다는 병원이야말로 더욱 안전하고 수술의 질적 관리 측면에서도 더 우수한 것으로 인식되게 되었다.

2. 발전기

19세기 후반이래 20세기 초반 Ralph Waters가 등장하기까지 수십 년간 당일수술은 침체에 빠져있었다. 당일수술이 다시 각광을 받게 된 것은 과학적, 사회적, 경제적, 정치적 등 여러 요인이 복합적으로 작용한 결과였다. 즉, 비용 및 시간 절감에 더해서 집에서의 회복이라는 편의성과 병원감염의 회피라는 장점이 복합적으로 영향을 미쳤다. Ralph Waters는 1915년에 당일수술의 전반적인

관리체계를 확립하였는데, 그는 당일수술이 경제적으로 장점이 있고, 외과 의사와 환자 모두에게 접근이 더 쉽다는 점을 설파하였다. 또한, 그는 공학적인 재능도 뛰어나 아산화질소의 자가생산이나 수술실 및 회복실 장비의 적정 유지 및 보수 등도 강조하였다. 그는 1918년 아이오와주의 Sioux City에 당일수술 시설을 개설하였으며, 저명한 논문인 1919년 작 "The Down-town Anesthesia Clinic"에서 그는 전신마취의 경험을 기술하였는데, 이는 1차세계대전 이후 보편화된 소규모 당일수술의 시작을 알리게 된다.

1920년대 이후 응급병동이나 당일 수술클리닉과 개인의원에서 국소마취나 아산화질소를 이용한 전신마취 하에서 간단한 수술이 시행되기 시작하였다. Ralph Waters가 개척한 이래 당일수술 마취는 여러 선각자들이 다양한 기법과 마취관련 기초과학 지식을 전파하면서 더욱 과학의 모습을 지니게 되었다. Lewis Ferguson은 1947년에 발간한 당일수술에 관한 기념비적인 교과서에서 다음과 같이 기술하였다. "당일환자의 수술은 현대의학에서 상당히 간과되는 분야야. 환자를 많이 보는 외과의사는 편의상 간단한 수술을 받는 환자를 입원시키는 경우가 종종 있다. 당일수술은 사망률이 없고, 보조자가 거의 필요 없으며, 대부분 의원이나 외래에서도 시행할 수 있다."

1940년대에는 항생제의 발견, 개선된 마취기의 제작, 새로운 정맥제제 및 신경근차단제의 사용, 기도관리의 기법 향상, 기계환기법 등 의료계 및 마취통증의학과 분야에 괄목할만한 여러 발전이 이루어졌다. 이는 당일수술에도 적지 않은 영향을 미치게 되었다. 신경근차단제는 1942년 curare가 처음 도입된 이래 1950년대에 succinylcholine과 d-tubocurarine 등의 속효성 제제가 임상에 사용되기 시작하였는데, 이 약제들은 마취통증의학과 의사로 하여금 마취가 얕은 상태에서 외과의사가 절개를 작게 해도 수술이 가능하도록 해주었다. 또한 흡입마취제에 대한 연구가 진전되면서 methoxyflurane, halothane 등 새로운 세대의 비인화성 흡입마취제가 개발되어 ether와 cyclopropane 등을 대체하기 시작하였다. 이 약제들은 또한 기존 약제에 비해 신속한 마취유도 및 각성과 같은 장점을 보유하였다. Lidocaine과 mepivacaine 같은 새로운 국소마취제도 개발되어 부위마취에 사용되게 된다. John Lundy는 thiopental의 소용량 반복주입을 이용한 진정법을 도입하였고, Niels Jorgensen은 치과수술에 pentobarbital, meperidine, scopolamine을 혼합한 진정법의 사용을 대중화시켰다. Jorgensen은 pentobarbital 전처치가 narcotic 사용으로 인한 오심에 대해 예방효과가 있다는 것을 관찰하였으며, 이는 현재 당일수술에서 흔히 사용되고 있는 monitored anesthesia care의 시작과도 연결될 수 있다.

3. 중흥기

1959년에 Eric Webb과 Horace Graves가 당일수술환자의 10년간의 마취경험에 관한 논문을 출간하여 당일수술 마취에 큰 관심을 불러일으키게 된다. 1950년대 말과 1960년대 초 사이에 미국과 유럽에서 현대적인 모습의 당일수술 시설이 등장하기 시작하였다. 1962년 UCLA의 두 마취통증의학과 의사인 David Cohen과 John Dillon은 당일수술에 대한 프로그램을 정립하여 병원의 병상이용을 개선시켰다. 이것은 당일 수술센터의 최초 모델로서, 그들은 시설보다는 정도관리, 적절한 환자평가, 적절한 장비획득이 더 중요하다고 하였으며, 당일수술에 필요한 환자선정, 수술 전 평가, 회복, 퇴원교육, 수술취소 등의 지침을 마련하였다. 2년 동안 3.9%의 낮은 입원율과 함께 환자와 보험사 양측에 상당한 비용절감을 가져왔으며, 2년간 1,000 patient-days의 병상을 절약한 효과를 보였다.

1966년에 George Washington 대학병원에서 당일 수술센터를 개설하면서 당일수술 마취는 비약적인 발전을 계기를 맞게 된다. 하지만, 곧 이어서 당일수술은 기존의 병원체계를 벗어나서 또 다른 도약의 발판을 마련하게 되는데, 이는 소위 독립적 당일 수술센터(free-standing ambulatory surgical center)로써 1960년대 후반에 출현했다. 1969년에 John Ford와 Wallace Reed가 Arizona주의 Phoenix에 개설하였는데, 이는 건축, 행정처리절차, 장비, 환자안전 등을 망라한 선구적인 모범 사례로서, 이러한 시설이 기존의 병원을 대체할 만큼 편리하고, 저 비용의, 효율적이고 안전한 시설이라는 점을 입증하기에 손색이 없었다. 이렇게 당일수술이 활성화되면서 1984년에는 미국마취통증의학과학회(American society of anesthesiologists, ASA)의 분과학회로써 미국외래마취학회(Society for ambulatory anesthesia, SAMBA)가 창립되었다.

미국의 경우 1980년대 이후 당일수술의 폭발적인 증가는 표 1-1에서 보는 바와 같다. 1980년대 이전에 10% 미만에 머물던 당일수술의 비율은 1980년대 후반에 40%를 상회하더니 1990년대에 절반을 넘어선 다음 2000년 이후에는 70%가 넘는 높은 수치를 보여주고 있다. 이러한 입원수술에서 당일수술로의 전환은 수술술기의 발전과 함께 부작용이 거의 없이 빠른 회복을 가능케 해주는 개선된 마취제에 기인하였다. 여기에 또한 환자의 선호와 함께 의료비 절감을 위한 정부와 보험사의 노력도 큰 몫을 하였다. 이러한 변화에 힘입어 미국에서 독립적 당일 수술센터는 1983년에 293곳에서 20년만에 3,300곳으로 10배 이상 증가하였으며, 거기에서 시행된 수술건수는

표 1-1 미국에서 당일수술의 성장

시기	당일수술의 비율
1979년	< 10%
1980년대 초	16 ~ 18%
1987년	40 ~ 45%
1990년	50%
1997년	60 ~ 70%
2000년	> 70%

1983년에 380,000건에서 1996년에 31,500,000건으로 폭발적으로 증가하였다.

이미 1940년대에 Lewis Ferguson은 당일수술의 장점에 대해 언급하였는데, 당일수술 환자는 집에 머물기 때문에 돈을 절약할 수 있고, 회복하면서 고용상태를 유지할 수 있다. 또한 합병증이 거의 없으며, 병상을 차지하지 않음으로써 중증환자가 이용할 수 있게 되는 점 등을 언급하였다. 사망률이 없다는 주장은 좀 과한 것이기는 해도, 그는 당일수술이 더욱 확대될 수 있는 합리적 이유를 명쾌하게 설명한 셈이다.

1950년대와 1960년대를 거치면서 위에 제시한 장점들 이외에도 감염률이 더 낮고, 환자의 불안이 더 적으며, 편의성이 더 높다는 점도 정립되기에 이른다. 그밖에 당일수술이 더욱 확대된 이유는 다음과 같다.

첫째, 새로운 마취제의 개발로 환자가 더욱 신속하게 회복될 수 있게 됨으로써 더 긴 수술을 포함해서 시행 가능한 당일수술의 건수가 늘어났으며, 폭발위험성이 있는 마취제가 배제됨으로써 수술실 환경이 더욱 안전해졌다.

둘째로, 외과수술의 여러 단계를 거쳐 환자를 안전하게 집으로 이송하는 과정이 개발되었다.

셋째로, 마취 중에 환자를 더욱 세심하게 감시하여 병증이 더 깊고 전신상태가 더 취약한 환자도 당일수술이 가능하게 되어, 더 높은 비율의 환자에게 당일수술이 가능하게 되었다. 마지막으로, 의료에 있어서 비용문제가 더욱 부각되면서, 입원환자의 증가하는 병상요구에 당일수술이 활성화됨으로써 좀 여유가 생기게 되었다. 당일수술이 의료비용을 절감시킴으로써 보험사 및 사회가 의료비용 증가문제에 대한 해결책으로 기능하게 된 것이다.

1990년대 이후로 당일수술이 가능한 대상수술의 종류가 더욱 증가할 뿐 아니라 ASA class 3 이상의 환자도 당일수술이 가능해질 정도로 대상환자의 폭도 더욱 늘어나게 되었다. 이는 회복이 빠른 마취제와 후두마스크 등 새로운 진료재료의 도입으로 말미암아 당일수술환자의 주술기적인 관리가 개선되었기 때문이다. 이와 더불어 당일수술 후에 환자가 가장 힘들어하는 오심 및 구토의 관리와 초음파 유도 하에 신경차단을 통한 수술 후 통증관리 등도 최근에 당일수술이 한층 더 활성화되는 데 큰 역할을 하였다.

4. 국내 현황

우리나라에서는 1980년에 처음으로 대학병원에서 현대적인 의미의 당일수술을 시행하였으며, 1997년에는 10개의 대학병원에서 당일수술을 시행한 것으로 조사되어 있다. 이중 중앙수술장에서 입원환자의 수술과 당일수술 환자를 같이 시행했던 경우가 9개 병원으로서 대다수를 차지했다. 하지만 이때까지만 해도 전체 수술건수 대비 당일수술의 비율은 미미한 수준에 그쳤다.

당일수술에 대한 개념이나 관심이 상대적으로 크지 않던 시기에 새로 개원한 대형 종합병원에서 개원초인 1995년 3월에 독립된 건물 전체를 당일수술센터로 사용한 것은 국내 당일수술 역사에 있어서 획기적인 사건이었다. 이후 이 병원에서의 당일수술 비율은 개설초기의 30%대에서 오히려 이후 2008년에서 2010년 사이에는 18%대로 점차 줄어든 것으로 조사되었다. 현재(2017년) 국내에서는 상당수의 대학병원에 당일수술센터가 개설되어 있는 것으로 파악되며, 병원과 관련이 없는 독립적인 당일수술센터는 아직 없는 상황이다.

1990년대 말에서 2000년대로 넘어오면서 미국이나 유럽 등의 의료선진국에서 당일수술이 큰 인기를 얻고 있다. 미국에서는 앞서 살펴보았듯이 전체 수술건수의 70%가 넘는 수술이 당일수술로 진행되고 있으며, 유럽에서도 이 수치는 40-60%가 넘는 실정이다. 하지만 국내에서는 아직 여기에 크게 못 미치는 상황이다. 이에 대한 정확한 국내 통계는 없으나 국민건강보험공단에서 발표한 2014년도 주요수술통계연보의 국내 병원종별 수술건수 등을 감안할 때 국내의 전체 수술건수 대비 당일수술의 비율은 미국이나 유럽의 수치에 훨씬 미달하는 것으로 보인다.

　최근 들어 국내에서도 당일수술이 활성화될 수 있는 환경이 조성되고 있다. 2015년 9월부터 마취통증의학과 의사가 시행할 경우 monitored anesthesia care (MAC)에 대한 수가가 산정되고 있으며, 2017년 2월부터는 개인병원에서 일반마취뿐 아니라 MAC을 시행할 경우에도 마취통증의학과 의사에 대한 초빙료를 산정할 수 있게 되어, 개인병원에서도 마취통증의학과 의사를 초빙하여 MAC을 이용한 당일수술 마취를 시행할 수 있는 길이 열렸다. 하지만 아직도 제도적으로 보완해야 할 부분이 많이 남아있다. 아직 당일수술에 대한 입원료는 따로 책정이 되어 있지 않아 6시간 이상 입원을 기준으로 기본입원료를 부과하고 있어 간단한 당일수술의 경우에도 건강보험의 적용을 받으려면 환자가 병원에 6시간 이상 체류해야 하는 불편이 있다. 또한 수술 전 환자준비, 수술 후 회복관리, 퇴원준비 및 안내, 복약지도 등 일반적인 외과 병동에서 이루어지는 수술환자 관리가 집중적으로 시행되는 당일수술센터의 특징이 고려되지 않은 낮은 수가가 당일수술 활성화의 발목을 잡고 있는 상황이다.

　이와 더불어 마취통증의학과 의사와 수술 집도의사의 인식변화도 당일수술 활성화의 또 하나의 관건이다. MAC 수가가 신설되었음에도 불구하고 마취인력이 부족하다는 이유로 아직도 많은 병원에서 MAC을 시행하지 않고 있다. 또한 수술 후 환자를 지속 관찰해야 한다는 이유로 당일수술 보다는 입원수술을 선호하는 외과의도 있다. 2016년에 대한외래마취연구회가 창설되어 마취통증의학과 의사들에게 당일수술 마취를 포함한 외래마취에 대한 지식전파 및 홍보에 일대 전환점이 마련되었다. 수술환자의 빠른 회복과 비용절감 및 병원재원분배의 효율화 등 MAC과 당일수술의 장점을 지속적으로 전파함으로써 국내에서도 가까운 장래에 당일수술이 더욱 활성화될 수 있을 것이다.

참고문헌

1.　국민건강보험공단. 2014 주요수술통계연보. 2015.
2.　Aylin P, Williams S, Jarman B, et. al. Trends in day surgery rates, Br Med J 2005; 331: 803.
3.　Cho HS, Lee S, Seo JO et al. An Experience in Anesthesia for Ambulatory Surgery. Korean J Anesthesiol. 1997; 32: 289-96.
4.　Cohen DD, Dillon JB. Anesthesia for outpatient surgery. JAMA 1966; 196: 1114-6.
5.　Ferguson LK. Surgery of the ambulatory patient. Philadelphia: Lippincott; 1947. Pp. 18-59.
6.　Ford JL, Reed WA. The surgicenter. An innovation in the delivery and cost of medical care. Arizona Med 1969; 26: 801-4.
7.　Fuchs-Buder T. Ambulatory anesthesia 2015. Curr Opin Anaesthesiol 2015; 28: 615-6.
8.　Johnson TK, Holm CE, Godshall SD. Ambulatory surgery: next-generation strategies for physicians and hospitals. Healthc Fincnc Manage 2000; 54: 48-51.
9.　Kim JY, Lee BD, Park SH, et. al. Ambulatory surgery and unanticipated admission rate. Anesth Pain Med 2013; 8: 199-202.
10.　Kim JY, Lee BD, Park SH, et. al. Day surgery in Korea, a single center experience for 15 years. Kor J Anesthesiol 2013; 65: S101-2.
11.　Nicoll JH. The surgery of infancy. Br Med J 1909; 18: 753-4.
12.　Pandit SK. Ambulatory anesthesia and surgery in America: a historical background and recent innovations. J Perianesth Nurs 1999; 14: 270-4.
13.　Poole EL. Ambulatory surgery: the growth of an industry. J Perianesth Nurs 1999; 14: 201-6.
14.　Pregler JL, Kapur PA. The development of ambulatory anesthesia and future challenges. Anesthesiol Clin North America 2003; 21: 207-28.
15.　Reed KL. A brief history of anesthesiology in dentistry. Tex Dent J 2002; 119: 219-24.
16.　Seung IS. Current Status of Outpatient Anesthesia in University Hospitals in Korea. Korean J Anesthesiol. 1997; 33: 1192-8.
17.　Urman RD, Desai SP. History of ambulatory surgery. Curr Opin Anaesthesiol 2012; 25: 641-7.
18.　Waters RM. The down-town anesthesia clinic. Am J Surg 1919; 39(Suppl): 71-3.
19.　Webb E, Graves HB. Anesthesia for the ambulant patient. Anesth Analg 1959; 38: 359-63.

Chapter 2

당일수술실의 기본 구성

1997년 우리나라 39개 대학병원을 대상으로 외래마취에 대한 설문조사를 실시한 보고에서는 1개의 대학병원을 제외하고는 당일 수술, 즉 통원 수술을 위한 외래마취가 활성화되고 있지 않은 것으로 확인되었다. 20년이 지난 현재는 당일 수술의 필요성 및 중요성이 높아짐에 따라 모든 대학병원에서 당일 수술을 진행하고 있으며, 병원마다 상황이 다르기 때문에 병원에 따라 당일 수술실은 다양한 형태로 운영되고 있다. 그러나 당일 수술을 제대로 적용하기 위해서는 병원의 운영과 시설에서 입원환자와는 다른 일부 구조적인 변화가 필요하다. 따라서 이 장에서는 당일 수술실의 운영 요건과 시설의 특징에 대하여 설명하고자 한다.

1. 당일수술실 운영

성공적인 당일 수술센터를 운영하려면 먼저 준비하기 전에 당일수술에 대한 기능적인 분석과 함께 환자와 병원 및 의사들이 필요로 하는 것이 무엇인가를 확실하게 파악하고, 어떻게 지역사회와 환자들에게 알릴 것인가와 효과적인 운영을 위한 계획이 필요하다.

1) 당일수술이 제공될 수 있는 지역사회의 범위

당일수술이 제공될 수 있는 지역사회의 범위에 따라서 당일 수술센터 운영에 차이가 있을 수 있다는 것을 감안하여야 한다. 그러나 국내에서는 전국이 하루생활권 이므로 당일수술의 선택에서 지역사회 구조와 범위 등의 영향이 크지 않을 것으로 추측된다.

2) 지역사회의 인구

지역사회의 인구와 주요 질병의 분포에 따른 차이를 감안하여야 한다.

(1) 남녀의 성비와 나이에 분포에 따른 영향을 분석한다.
(2) 대상 환자는 주로 어린이, 사춘기 및 여성 등으로 나이는 15-44세가 적합하다.
(3) 노인환자 특히 65세 이상의 환자가 많으면 입원 환자로 전환될 가능성이 높다.

3) 의료진의 특성

의사의 전문성을 감안하여 적용한다. 주로 일반외과, 산과, 부인과, 이비인후과, 정형외과, 성형외과, 안과, 치과 등이 선호된다. 또한 의사의 연령이 증가되면 수술 수기가 느려지기 시작하여 수술 시간이 길어질 수 있으므로 당일수술을 담당하는 것은 고려되어야 한다.

4) 제공될 수 있는 환자 수와 수술의 종류

위의 사항들과 함께 병원의 지리적 및 사회적 위치와 과거 내원 환자의 수와 제공되었던 수술의 종류를 감안하여 계획 한다. 환자에게는 안전하고 효과적이며 편리하고 경제적 부담이 적어 정서적으로 편안함을 느끼게 될 것이다. 당일 수술에 적합한 수술들은 침습 정도가 낮고, 출혈 위험이 적으며 수술 시간이 짧고, 수술 후 통증과 합병증 발생률이 낮으며 수술 시간이 평균 2시간 이내의 소수술을 대상으로 하게 된다.

5) 당일 수술을 위한 수술의 계획과 실행

당일 수술센터의 운영을 위한 각 과의 수술을 적절하게 운영할 수 있도록 각 수술의 순서를 정하고, 수술에 따른 인원 배치를 하여 대기 시간의 지연과 수술의 지체 및 취소 등이 없도록 하여 서로에게 만족감을 줄 수 있어야 한다. 마취통증의학과 의사는 외과 의사, 간호사, 환자에 대하여 잘 알고 있고 서로 조화를 유지할 수 있는 역할을 하여야 한다. 예를 들면

(1) 수술 계획은 수술 전 확인과 함께 예정된 수술시간을 고려하여 배치한다.

(2) 하루에 전체 지연 시간이 45분 이상 되지 않도록 한다.

(3) 전체 수술의 취소율은 5% 이하가 되도록 한다.

(4) 수술 계획이 각 환자에서 10분 이상 지연되는 경우가 전체의 10% 이내를 유지하고

(5) 다음 수술로 전환되는 시간(turnover time)을 25분 이내로 유지한다.

(6) 수술실 요원들의 비용(staffing cost) 부담이 5% 이하가 되도록 한다.

(7) 수술 전환시간이 60분 이상 지연되는 경우는 10% 이하가 되도록 한다.

위와 같이 적용하여 첫 수술부터 예정된 시간에 마취와 수술을 시작하고 마칠 수 있도록 하여 환자, 의사, 간호사 등 근무자들의 만족도를 높일 수 있어야 한다.

수술 계획을 정확하게 운영을 하여도 다양한 원인에 의하여 수술의 시작이 지연되는 원인은 다음과 같다.

(1) 예측하지 못한 수술의 연장(unexpected overrun time)

(2) 수술실에서 대기시간의 연장(unused block time)

(3) 수술 환자의 전환시간 지연(prolonged turnover time)

(4) 첫 번째 수술의 지연(first case delays)

(5) 새로운 수술의 추가

안정된 수술실 운영을 위하여 이러한 지연 사유들을 고려하여 수술 시간의 지연을 최소화 할 수 있도록 하여야 한다.

2. 당일수술을 위한 수술실의 운영체계

수술실의 운영 방법에 따라서 통합운영, 분리운영, 위성운영, 자유설립 체계로 분류할 수 있다.

1) 통합운영체계(integrated system)

외래환자의 수술을 기존의 입원환자에 포함하여 운영하는 방법으로 새로운 수술실의 건립 없이 입원 환자와 같이 수술 전, 중, 후를 관리한다.

(1) 장점

① 분리에 따른 추가되는 투자 없이 운영을 할 수 있다.

② 추가 요원(의사, 간호사, 보조원 등)의 필요 없이 기존의 종사자들이 쉽게 할 수 있다.

③ 대부분의 경우에서 기존의 시설을 이용하므로 설립에 필요한 시간이 짧다.

④ 외과 의사는 수술 중에 소견의 변화에 따른 더 복잡한 외과적 시술을 계속 진행할 수 있다. 예: 유방생검 후 악성종양으로 판명될 경우 곧 이어 유방절제술을 할 수 있다.

(2) 단점

① 입원환자와 외래환자의 중복으로 수술실 배치에 문제점이 있다.

② 입원환자 관리에 초점을 두게 되므로 외래환자에게 소홀히 하기 쉽다.

③ 외래환자 수술로 입원환자 수술과 응급환자의 처치

가 지연될 수 있다.

④ 술전 환자 대기실과 술후 회복실이 입원환자를 기준으로 설계 관리되므로 상태가 나쁜 입원 환자와 함께 간호하는 경우 외래환자에게 정신적인 충격을 줄 수 있다.

⑤ 입원환자와 함께 간호하므로 병원 감염의 위험성이 있다.

2) 분리운영체계(separated system)

독립된 외래환자 수술실을 만들어서 입원환자와 분리하여 운영하지만 기존의 수술실과 연결되어 운영하는 방법으로 당일수술 환자의 관리를 목적으로 수술실을 병원 내 또는 부속건물을 설계 건립한 경우이다.

(1) 장점

① 환자의 관리가 쉽다.

② 수술의 계획이 쉽고, 수술실을 차지하기 위한 경쟁이 없다.

③ 환자뿐만 아니라 의사, 간호사 등 외래수술실 근무자들의 만족도가 높다.

(2) 단점

① 새로운 수술실 운영을 위한 인원 구성이 필요하며 의료기구의 이원화가 필요하다.

② 수술실 운영에서 유연성이 적다. 외래수술실의 목적 변경에 따른 설계 변경이 필요한 경우에 추가 투자가 필요하다.

통합운영 체계와 분리운영체계의 완충형으로 술전 대기실, 수술실, 회복실 중의 일부를 입원환자와 당일수술 환자를 분리하여 사용하는 방법도 있다. 환자의 등록과 대기실은 분리하여 운영하는 것이 환자 관리에 효과적이다.

외래환자 수술실을 응급실 내에 구성하여 간단한 응급 또는 외래수술을 하는 방법을 권장하는 경우도 있는데,

이러한 방법은 응급실에 계속적인 의료진의 대기와 함께 기구 등을 함께 사용할 수 있는 장점이 있다. 그러나 단점으로는 응급수술과 외래수술이 중복될 경우에 조절의 문제점이 있으며 응급실의 긴장된 분위기로 환자에게 불안감을 조장할 수 있다.

3) 위성운영체계(satellite system)

병원과 일정거리 떨어져서 분리 독립되어 외래환자의 수술 및 마취를 할 수 있도록 설계된 방법으로 특별한 지역에서 건강관리를 목적으로 하며, 비용이 많이 들고 유연성이 결여될 수 있다.

4) 자유설립체계(free standing system)

병원과는 다른 형태로 의사에 의하여 운영되지만 대부분이 건강관리를 목적으로 하는 단체에서 운영하는 경우가 많다. 예를 들면 1970년에 Wallace Reed와 John Ford가 Arizona주의 Phoenix에 설립한 surgicenter가 있다. 병원과는 독립되어 관리되므로 당일수술의 시행은 쉽지만 어떤 병원에서나 적용이 쉬운 것은 아니다. 운영 방법에 따라서 병원과 제휴하거나 협력을 유지하는 방법이 적용될 수 있다.

(1) 장점

① 운영에 따른 비용이 적게 든다.

② 병원 나름의 관료적인 관리에서 벗어날 수 있다.

③ 주거지와 근접된 구조로 구성원들의 근로의욕이 높다.

④ 독립된 외과 의사와 그룹접근이 가능하다.

⑤ 환자의 가족이 병원 규정의 대상이 되지 않는다.

(2) 단점

① 비용이 증가될 가능성이 있다.

② 병원에서와 같이 응급처치를 할 수 있는 곳과 거리가 있다.

5) 의원에서의 당일수술(Office-based anesthesia)

이는 개원의가 의원의 수술실에서 직접 실시하는 방법(office-based surgery)도 적용될 수 있다. 미국에서는 1996년 마취통증의학과학회에서 office-based anesthesia를 위한 기준을 제공하여 적용할 수 있게 하여 더욱 증가하는 추세이다. 국내에서도 통계 자료와 분석은 없으나 개원의가 실시하는 당일수술이 차지하는 범위가 크며 점차 증가되고 있는 추세로 예측된다.

의원에서도 수술 전 환자병력, 가족력 청취, 정확한 분석평가를 위한 검사방법, 환자선택 기준을 적용해야 한다. 수술 및 마취 중에 환자 상태를 감시하고 마취 및 심폐소생술을 할 수 있는 여러 장비가 개선되고 발전 되었다. 마취와 보조 약물들이 개발되어 작용 발현이 빠르고 작용시간이 짧아서 빠른 회복이 가능하며, 부작용과 합병증의 빈도가 감소하게 되었다.

당일수술을 할 수 있는 안과, 피부과, 정형외과, 성형외과, 산부인과, 소화기내과, 소아과, 치과 등 각 과의 의료 인력뿐만 아니라 의원에서 국소마취, 감시마취관리 및 전신마취가 가능하도록 마취통증의학과 의사 수가 늘어난 것이다. 그러나 마취 관리에서 환자의 안전을 위한 기준은 병원 또는 자유설립 체계와 같이 적용하여 감시와 응급 처치를 위한 장비와 약품들은 구비하고, 외과 의사가 직접 시행하는 국소마취와 감시마취관리에 따른 위험 부담을 해소하기 위하여 지속적인 교육과 명확한 기준의 적용과 함께 대비하여야 한다. 또한 응급 처치 및 입원을 위한 병원 단위로 후송을 위하여 서로 연결을 유지하는 것도 중요하다.

의원에서 안전을 확인할 수 있는 자료가 없으며, 환자의 유병률과 사망률 만으로 안전을 확인할 수 없으므로 24시간 이내, 7일 또는 30일 이내에 재입원율, 유병률과 사망률 등을 적용하고 있다. 그리고 항상 환자의 안전을 위한 의료진의 교육과 장비의 점검이 이루어져야 할 것이다.

(1) 장점

① 대부분이 간단한 수술이므로 위험 부담이 적다.
② 수술실 운영에 따른 비용이 적게 든다.
③ 주거지와 근접되어 치료가 지속적으로 유지될 수 있어 환자의 만족도가 높다.
④ 감염의 위험이 적다.
⑤ 자유설립체계와 같이 병원의 관료적인 관리에서 벗어날 수 있으며
⑥ 환자에게 비용 부담이 적다.

(2) 단점

① 질환의 종류에 따라서 큰 수술로 전환이 어렵다.
② 응급상황에서 병원에서와 같은 처치의 어려움이 있다.

3. 수술실의 구조

수술실은 환자와 보호자의 수술 전 면담실과 대기실과 수술실 및 2단계의 회복실로 구성된다.

1) 수술 전 면담실

면담실의 설치는 당일 수술센터 내 또는 다른 전공과의 외래 진료실과 가까운 곳에 위치하여 환자의 이동이 적고 쉽게 찾을 수 있어야 할 것이다. 환자와 면담과 검사가 가능하며 보호자 교육을 할 수 있는 충분한 공간이 필요하다. 수술이 결정되면서 대게 수술 2-3일 전에 마취통증의학과 의사와 환자의 면담에서 환자와 가족의 병력, 당일수술이 필요한 질환의 상태, 수술의 종류와 부위, 수술 전 검사소견, 동반 질환의 유무와 심한 정도 등을 환자와 의무기록에서 확인하고, 마취통증의학과 의사는 마취방법 및 마취와 수술 후 회복 과정, 수술 후 통증 치료 등에 관한 내용과 환자의 의문사항에 대하여 교육과 설명을 하고 informed consent를 받게 되는 과정이다. 일부에서는 이러한 과정을 시간과 비용 절감을 위하

여 간호사가 하거나 전화 또는 컴퓨터를 이용하여 수술 전 환자 교육과 함께 문진 등이 시도될 수 있으나 수술과 마취의 마지막 결정은 마취통증의학과 의사가 하여야 할 것이다. 이러한 과정은 환자의 불안감을 낮추고 만족감을 증진시킬 수 있는 중요한 과정이다.

2) 대기실

수술 및 마취의 준비를 위한 환자 대기실과 보호자 대기실로 나눌 수 있다. 수술을 준비하고 대기 중인 환자들은 공포와 불안을 느낄 수 있으므로 수술과 마취에 대하여 정확한 정보 제공과 함께 최대한 정서적으로 안정된 분위기를 조성하도록 보호자 또는 친구와 대화, 미리 준비한 음악을 듣는 등 환자의 나이, 성별 등에 따라서 다양하게 제공될 수 있어야 할 것이다.

3) 마취유도실

수술실 운영에서 시간과 용량에 따른 효과를 크게 하기 위하여 전신마취의 유도 또는 부위마취의 시술을 위하여 수술실과는 분리되지만 인접하여 마취유도실 또는 마취준비실을 마련하여 마취와 수술에 필요한 시간을 단축하려는 노력을 하고 있다. 이와 같이 마취 유도실 또는 준비실은 전신마취 유도와 부위마취의 작용발현에 필요한 시간을 절약할 수 있을 것이다.

4) 수술실

수술실 운영은 앞에서 설명한 바와 같이 대수술을 함께 운영하는 방법과 당일수술 만을 분리하여 독립된 외래 수술실을 운영하는 방법이 있다. 수술실 운영 방법은 각 의원과 병원의 조건에 맞게 적용할 수 있을 것이다.

5) 회복실

2단계로 분리하여 운영한다.

(1) 제 1 단계 회복실

① 입원 환자에서 적용되는 것과 같이 수술 및 마취에서의 회복을 위한 회복실로. 완전 각성기까지 보호자와 격리, 감시 및 간호를 한다.

② 입원 환자와 같이 환자 침대 또는 운반용 침대를 이용한다.

(2) 제 2 단계 회복실

① 안정실이라고도 한다.

② 마취에서 각성된 후부터 사회생활로의 적응에 필요한 회복실로 보호자와 함께 있으면서 환자의 상태를 감시한다.

③ 감시 장치를 제거하고 보호자와 함께 의자에 앉아서 관찰한다.

④ 항상 만일의 사태에 대비한 응급처치 기구 및 약품의 준비와 하루 밤 관찰 또는 입원을 할 수 있도록 입원실의 준비가 필요하다.

⑤ 구조와 기능면에서 당일수술로 적용되는 수술의 종류에 따라서 조기 퇴원과 입원으로 전환 등과 같은 유연성을 가질 수 있도록 세밀한 준비가 필요하다.

제1과 2회복실에서 소요되는 시간은 평균 100-170분이며, 최근에는 수술 수기의 개선과 마취약물의 발달로 수술과 회복 시간의 단축으로 수술실에서 직접 제2회복실로 이송되는 경우가 증가되고 있다. 그러나 당일 수술과 마취에서 제1회복실은 매우 중요한 역할을 하므로 비용 효과적인 측면에서 분석이 필요하다.

회복 환자 관리에서 질적인 관리를 위하여 성인과 소아의 구분된 간호 관리가 필요할 수 있으므로 여러 가지 환경과 조건을 고려하여 결정하여야 할 것이다.

회복실 체류 시간은 대부분에서 6시간 이내의 과정에서 감시 및 관찰한 후에 퇴원하게 된다. 그러나 수술의 종류와 부위에 따라서 수술 시간과 마취 시간이 길어지거나 환자 상태의 변화, 합병증 발생의 위험 등으로 회복과 감시를 위한 시간이 길어질 수 있다. 이러한 경우에는 입원 환자로 전환될 수도 있지만 24시간 이내 긴 시간 밤을 지내면서 감시와 간호가 필요한 경우가 있다. 이와 같은 경우를 예측하여 간호 인력과 시설 및 장비뿐만 아니라 입원 가능성에 대한 준비가 필요할 것이다.

4. 빠른 퇴원의 적용

당일수술에서 빠른 퇴원(Fast-Tracking, Bypassing the PACU)의 목적은 외과 의사에게 적절한 수술 조건을, 환자에게는 빠른 회복과 함께 편안함을 제공하는 것이다. 이는 환자에게 회복실에서 감시와 간호를 위한 시간을 줄이고 빨리 회복되어 가정으로 돌아갈 수 있게 한다.

대부분의 당일수술 환자는 전신마취 또는 감시마취관리(monitored anesthetic care, MAC) 등으로 수술 후 회복과 퇴원 과정에서 앞서 설명한 바와 같이 2단계 회복실 과정을 지나게 된다. 여기서 제1회복실 과정을 단축시켜 환자에게는 안전과 만족감을 증진시키고 병원에는 경비를 절감시킬 수 있도록 한다. 결국은 당일수술의 효과와 효능을 증진시키고 장시간 감시 장비의 거치에 따른 지연 퇴원을 제거하여 인력과 노동량을 감소시켜서 경비

를 줄이기 위한 계획이다. 적절한 환자의 선택을 위한 기준으로 나이, 환자 상태(예; 미국마취통증의학과학회 신체등급 분류)와 수술의 종류와 시간 등을 적용할 수 있다. 마취에서는 새로운 빠른 작용발현과 짧은 작용시간의 마취제(예; desflurane, sevoflurane, propofol 등) 아편유사제(예; remifentanil), 및 신경근차단제와 길항제(예; sugammadex)를 적용할 수 있다. 기도유지에서도 가능하다면 기관내삽관보다는 성문상기도유지기를 적용하는 것이 마취 요구량과 환자에게 자극을 저하시킬 수 있을 것이다.

그러나 단지 빠른 회복을 목적으로 투여량을 조기에 감소시킨다면 수술 중에 각성의 위험이 있다. 또한 짧은 시간 내에 회복되기 위해서는 수술 후 통증, 오심과 구토, 기도폐쇄, 저환기, 혈압 상승 및 저하, 잔류 근이완 효과, 수술에 따른 합병증 등을 예방할 수 있어야 한다. 환자의 위험부담을 감소시키고 만족감을 상승시키고 노동량과 경비의 부담을 감소시킬 수 있도록 정확한 분석이 필요할 것이다. 빠른 퇴원은 수술의 종류와 마취 방법에 따른 차이가 있을 수 있으며 시간은 부분적으로 단축시킬 수 있으나 간호사의 일 부담은 줄일 수 없었다는 보고도 있다.

표 2-1 당일수술 후에 빠른 회복(facilitating fast-track recovery)을 위하여 수술기간 중에 치료 및 관리해야 하는 중요한 문제점과 방법

시기	내용
수술 전	• 동반된 질환(예; 고혈압 당뇨 등)의 안정과 재활운동 프로그램의 적용과 금연 • 불안과 불편함을 최소화하여 환자를 안정시킴 • 수분을 공급하여 안정 상태를 유지 • 수술 후 합병증(예; PONV, 통증, 장폐색 등)을 예방하기 위한 적절한 치료
수술 중	• 부작용을 최소화하고 빠른 회복과 안정된 수술 상태를 위하여 적합한 마취수기와 약물을 적용 • 말초신경 차단, 침윤마취 등으로 국소 진통 시행 • 여러 가지 방법을 병용하여 진통, 오심과 구토를 예방 • 경비 위식도관의 사용과 과도한 수분 공급을 자제
수술 후	• 빠른 회복과 퇴원을 위한 퇴원 조건에 적합한 환자에게 적용 • 아편유사제의 필요성을 최소화하기 위하여 비아편유사제(예; non-steroidal antiinflammatory agents, NSAIDs)를 처방하여 수술 후 통증 조절 • 조기 거동과 함께 일상생활에서 정상 활동을 할 수 있도록 권장

당일수술에서 fast-track을 효과적으로 적용하기 위한
마취통증의학과와 외과 의사의 역할은

(1) 당일 수술에 적합한 환자와 수술의 종류를 선택
한다.

(2) 효과적인 수술 전 처치를 한다.

(3) 적합한 마취 약물과 방법을 선택하고 적용한다
(예; 낮은 혈액가스 용해도를 갖는 desflurane,
sevoflurane 등, 짧은 작용시간을 갖고 빠른 회복
을 기대할 수 있는 propofol, remifentanil 등).

(4) 부작용(예; 통증, 오심과 구토, 어지러움 등)을 저하
시킬 수 있는 약물을 선택 투여한다.

(5) 수술 전과 중 및 후에 동반된 질병을 적합하게 처치
한다(예; 주요 장기의 기능 유지를 위한 보조 약물
의 투여).

(6) 수술 중에 최고의 수술 조건을 유지하며, 환자에게
수술 외의 자극을 줄일 수 있도록 한다.

(7) 마취에서 빠른 회복과 수술 후 부작용과 합병증을
최소화 할 수 있도록 하는 것이다(표 2-1).

과도한 마취약물의 투여와 안정된 마취 깊이를 유지하
고 빠른 회복을 위하여 bispectral index (BIS) 감시를
적용한다.

참고문헌

1. Apfelbaum JL, Walawander CA, Grasela TH, et al. Eliminating intensive postoperative care in same-day surgery patients using short-acting anesthetics. Anesthesiology 2002; 97: 66-74.

2. Baldini G, Carli F. Anesthetic and adjunctive drugs for fast-track surgery. Curr Drug Targets 2009; 10: 667-86.

3. Bellani ML. Psychological aspects in day-case surgery. Int J Surg 2008; 6 Suppl 1: S44-6.

4. Burn JM. Facility design for outpatient surgery and anesthesia. Int Anesthesiol Clin 1982; 20: 135-51.

5. Chung F, Mezei G. Factors contributing to a prolonged stay after ambulatory surgery. Anesth Analg 1999; 89: 1352-9.

6. Cooke M, Chaboyer W, Hiratos MA. Music and its effect on anxiety in short waiting periods: a critical appraisal. J Clin Nurs 2005; 14: 145-55.

7. Cronin AJ, Miller AJ. Office-based anaesthesia. Curr Opin Anaesthesiol 1998; 11: 425-8.

8. Dexter F, Macario A, Manberg PJ, et al. Computer simulation to determine how rapid anesthetic recovery protocols to decrease the time for emergence or increase the phase I postanesthesia care unit bypass rate affect staffing of an ambulatory surgery center. Anesth Analg 1999 ;88: 1053-63.

9. Duncan PG, Shandro J, Bachand R, et al. A pilot study of recovery room bypass ("fast-track protocol") in a community hospital. Can J Anaesth 2001; 48: 630-6.

10. Farhan H, Moreno-Duarte I, McLean D, et al. Residual Paralysis: Does it Influence Outcome After Ambulatory Surgery? Curr Anesthesiol Rep 2014; 4: 290-302.

11. Garcia-Marcinkiewicz AG, Long TR, Danielson DR, et al. Health literacy and anesthesia: patients' knowledge of anesthesiologist roles and information desired in the preoperative visit. J Clin Anesth 2014; 26: 375-82.

12. Halaszynski TM, Juda R, Silverman DG. Optimizing postoperative outcomes with efficient preoperative assessment and management. Crit Care Med 2004; 32: S76-86.

13. Hensel M, Schwenk W, Bloch A, et al. The role of anesthesiology in fast track concepts in colonic surgery. Anaesthesist 2006; 55: 80-92.

14. Jevtovic-Todorovic V. Standards of care for ambulatory surgery. Are we up to speed. Minerva Anestesiol 2006; 72: 13-20.

15. Jolliffe LJackson I. Airway management in the outpatient setting: new devices and techniques. Curr Opin Anaesthesiol 2008; 21: 719-22.

16. Klafta JMRoizen MF. Current understanding of patients' attitudes toward and preparation for anesthesia: a review. Anesth Analg 1996; 83: 1314-21.

17. Kurrek MM, Twersky RS. Office-based anesthesia: how to start an office-based practice. Anesthesiol Clin 2010; 28: 353-67.

18. Lew E, Pavlin DJ, Amundsen L. Outpatient preanaesthesia evaluation clinics. Singapore Med J 2004; 45: 509-16.

19. Millar J. II. Fast-tracking in day surgery. Is your journey to the recovery room really necessary? Br J Anaesth 2004; 93: 756-8.

20. Mulier JP, De Boeck L, Meulders M, et al. Factors determining the smooth flow and the non-operative time in a one-induction room to one-operating room setting. J Eval Clin Pract 2015; 21: 205-14.

21. Pash J, Kadry B, Bugrara S, et al. Scheduling of procedures and staff in an ambulatory surgery center. Anesthesiol Clin 2014; 32: 517-27.

22. Patel RI, Verghese ST, Hannallah RS, et al. Fast-tracking

children after ambulatory surgery. Anesth Analg 2001; 92: 918-22.

23. Reed WA. Freestanding surgical care facilities. Int Anesthesiol Clin 1982; 20: 109-23.

24. Saha P, Pinjani A, Al-Shabibi N, et al. Why we are wasting time in the operating theatre? Int J Health Plann Manage 2009; 24: 225-32.

25. Sandler NA. The controversial role of the surgeon-anesthetist: lessons learned from oral and maxillofacial surgery. Int Anesthesiol Clin 2003; 41: 91-102.

26. Seung IS. Current Status of Outpatient Anesthesia in University Hospitals in Korea. Korean J Anesthesiol. 1997; 33: 1192-8.

27. Song D, Chung F. Fast-tracking in ambulatory anesthesia. Can J Anaesth 2001; 48: 622-5.

28. Twersky RS, Sapozhnikova S, Toure B. Risk factors associated with fast-track ineligibility after monitored anesthesia care in ambulatory surgery patients. Anesth Analg 2008; 106: 1421-6.

29. Wetchler BV, Anesthesia for ambulatory surgery. 1st ed. Michigan: Lippincott Williams & Wilkins. 1985.

30. Wetchler BV. Online shopping for ambulatory surgery: let the buyer beware! Ambul Surg 2000; 8: 111.

31. White PFEng M. Fast-track anesthetic techniques for ambulatory surgery. Curr Opin Anaesthesiol 2007; 20: 545-57.

32. White PF, Rawal S, Nguyen J, et al. PACU fast-tracking: an alternative to "bypassing" the PACU for facilitating the recovery process after ambulatory surgery. J Perianesth Nurs 2003; 18: 247-53.

33. Wilmore DWKehlet H. Management of patients in fast track surgery. Bmj 2001; 322: 473-6.

34. Yen C, Tsai M, Macario A. Preoperative evaluation clinics. Curr Opin Anaesthesiol 2010; 23: 167-72.

Chapter **3**

당일수술에서의 비용과 질적인 균형

당일 수술은 입원 수술에 비하여 수술 전 신체 상태로의 빠른 회복, 적은 합병증, 그리고 일상으로의 조기 복귀 등을 가능하게 한다. 또한 의료 비용을 경감 시킬 수 있다는 큰 장점이 있다. 이와 같은 당일 수술의 장점은 의료 종사자들이 추구하는 저비용, 양질의 의료 서비스와 부합한다.

당일 수술은 이와 같은 긍정적인 측면을 바탕으로 전 세계적으로 급격하게 증가하고 있으며, 이와 더불어 당일 수술 프로그램의 효율성과 안전성을 높이기 위한 지속적인 노력이 필요하게 되었다. 현재 여러 나라에서 당일 수술에 관한 질 평가와 관리를 하고 있으며, 이는 환자의 만족도를 증가시키는 바탕이 되고 있다. 이에 본 장에서는 당일 수술을 효율적으로 운영하기 위한 질 지표와, 당일 수술을 통해 이루어지고 있는 다양한 수술들의 비용적인 측면에 관해 알아보고자 한다.

1. 임상 질적 지표

현대 의료 체계에서, 의료의 질을 평가하고 보고(report)할 수 있는 역량이 의료 시스템 전반에 걸친 건강 관리와 환자 치료 결과의 향상에 중요한 요소라는 인식이 커지고 있다. 임상 지표(clinical indicator)는 의료 서비스의 성과를 평가하는 데 유용한 정보를 제공한다는 점에서 중요성이 증가하고 있으며, 이에 따라 의료의 질 향상과 환전 안전에 중점을 두고자 하는 지표 개발의 필요성이 증가하고 있다. 1989년 호주 보건 의료 협의회(Australian Council on Healthcare Standards, ACHS)에서 임상 지표 개발 사업을 시작하여 매년 임상 지표에 관한 보고를 하고 있으며, 2016년에 2008년부터 2015년까지의 임상 지표 결과를 정리한 17번째 보고서가 출판 되었다.

당일 수술은 임상, 경제, 사회적인 이점으로 인해 지

속적으로 증가하고 있다. 또한 수술 중/직후의 부작용이나 합병증의 비율이 낮기 때문에 당일 수술의 증가는 더욱 가속화 되고 있다. 그럼에도 불구하고, 환자들에게 고품질의 의료 서비스를 제공하기 위해서는 당일 수술관련 체계가 지속적으로 모니터링 되어야 하며, 그러기 위해서는 당일수술 시스템에 맞는 임상지표를 적용해야 보다 안전하고 효과적이며 효율적인 환자 관리가 이루어 질 수 있다.

1) 임상 지표

임상 지표는 건강 관리의 질을 결정하는 데 있어서 사용할 수 있는 표준적인 방법이며, 의료 서비스에 대한 질적 및 양적인 정보를 제공한다. 그러므로 임상 지표는 지표가 의미하는 바가 정확하고 분석하기 쉬워야 하며, 측정 된 지표는 의료 질의 중요한 부분을 반영하여야 한다.

당일수술에 있어서 양질의 안전한 의료 서비스를 제

공하기 위한 프로세스 정착은 당일수술의 수요가 급격히 증가하고 있는 현대 사회에서 필수 요소이다. 그러므로 당일수술의 질을 보장하기 위한 임상 지표를 개발하는 일은 모든 의료 관련 기관이 관심을 가져야만 하는 일이다. International Association of Ambulatory Surgery (IAAS)에서는 이와 같은 사업의 중요성을 인식

하고 표준이 되는 임상 지표 개발 사업을 하고 있다.

IAAS가 제시하는 당일 수술에서 평가 되어야 할 필수 임상 지표는 표 3-1과 같다.

표 3-2는 약 30년간 임상 지표에 대한 조사와 평가, 그리고 보고를 해 온 ACHS에서 선택한 9개의 항목을 보여준다.

표 3-1 당일수술을 위한 필수 임상 지표

Access	평균 대기 시간
Process	당일수술 전 수술 전 평가를 받은 환자의 비율(%)
Output	당일수술을 통해 시행 된 정규 수술의 건 수
Outcome	당일 정규 수술 후 30일 내에 발생한 치명률(%)
	계획에 없던 입원율(%)
	계획에 없던 7일 이내의 재입원율(%)
Safety	잘못된 수술 부위, 잘못된 방향, 잘못된 환자, 잘못된 시술, 또는 잘못된 기구로 인한 입원율(%)
	수술 부위 감염률(%)
Patient's Satisfaction and Responsiveness	환자의 전반적인 만족도
Cost and Productivity	환자로부터 연락 없이 최소된 수술 비율(%)
	환자가 당일 수술센터에 도착한 후 취소된 수술 비율(%)

표 3-2 ACHS 임상 지표 항목

1.1 수술 전 환자 평가(Booked patients assessed before admission)
2.1 내원 전 취소된 경우(Booked patients who fail to arrive)
3.1 기저 질환으로 인해 내원 후 취소된 경우(Cancellation after arrival due to pre-existing medical condition)
3.2 급성 질환으로 인해 내원 후 취소된 경우(Cancellation after arrival due to an acute medical condition)
3.3 의료기관의 문제로 인해 내원 후 취소된 경우(Cancellation after arrival due to administrative/organizational reasons)
4.1 내원 기간 동안 부작용을 경험한 환자(Patients who experience an adverse event during care delivery)
5.1 계획에 없던 수술 당일 재수술(Unplanned return to operating room on same day as initial procedure)
6.1 시술과 관련된 계획에 없던 입원(Unplanned transfer or overnight admission related to procedure)
6.2 지속적인 처치를 위한 계획에 없던 입원(Unplanned transfer or admission related to ongoing management)
7.1 임상적인 이유로 발생한 1시간 이상의 퇴원 지연(Unplanned delayed discharge for clinical reasons-greater than 1 hour beyond expected)
7.2 비임상적인 이유로 발생한 1시간 이상의 퇴원 지연(Unplanned delayed discharge for non-clinical reasons-greater than 1 hour beyond expected)
8.1 보호자 없이 퇴원(Departure without an escort)
9.1 7일 이내 추적 전화가 이루어진 경우(Follow-up phone call within 7 days)
9.2 7일 이내 환자 또는 보호자에게 추적 전화가 온 경우(Follow-up phone call received by patient or carer within 7 days)

2) 유용한 임상 지표

(1) 수술 취소율(Cancellation of booked procedure)

이 지표는 당일수술 시설의 예약 체계의 효율성을 평가하는 근거를 제공한다. 예정된 수술 취소의 원인은 여러 가지가 있으며, 수술 당일 환자가 내원하지 않은 경우와 내원 후 수술이 취소된 경우를 구분하여야 한다. 취소는 다음과 같은 이유로 발생할 수 있다.

- 기저 질환(Pre-existing medical condition)
- 급성 질환(Acute medical condition)
- 의료기관의 문제(Organizational reasons)
- 기타(Other reasons)

Dimitriadis 등은 영국 NHS Foundation Trust의 자료를 바탕으로 당일수술의 주요 취소 원인으로 당일수술에 적합하지 않은 환자(33.73%), 병상 부족(21.79%), 수술장 운영 시간 부족(17.31%), 환자가 내원하지 않은 경우(6.87%), 그리고 수술이 불필요한 경우(4.08%)로 기술하였다. 2016년 ACHS에서 발표한 보고서에 따르면, 2015년도에 환자가 당일 수술 센터에 도착한 후 기저 질환으로 인해 취소된 비율이 지속적으로 개선되어 0.17%를 기록하였다. 당일 수술센터에 도착한 후 급성 질환으로 취소된 경우가 0.25%, 의료기관의 문제로 취소된 경우가 0.56%이었다.

이에 현재 수술 취소율을 낮추기 위한 다양한 시스템이 시도되고 있다. Basu 등은 설문지와 전화를 통한 스크리닝을 통해 당일 수술 취소율을 12%에서 2.25%까지 낮출 수 있었다고 보고 하였다. Haufler 등도 간호사가 수술 전 전화를 통해 수술 취소율을 6.01%에서 4.43%까지 낮췄으며, 환자의 만족도는 증가시켰다고 보고하였다.

(2) 재수술률(Unplanned return to operating room)

재수술은 매우 드문 경우로 ACHS에서도 수년간 약 0.04%대의 재수술률을 보고하였으며, 2016년에 발표한 17판 보고서에서는 2015년 취소율을 0.032%로 보고하고 있다.

(3) 입원율(Unplanned overnight admission)

당일수술 프로그램의 안정성과 효율성을 평가하기 위해 이환율과 관련된 합병증(마취, 수술 또는 기저질환 관련)에 대한 결과가 주요 변수로 선택되고 있다. 이러한 결과를 평가하기 위해 많은 연구자들은 입원율과 회복실 체류 시간을 주요 결과 변수로 조사하고 있다. Deutsch 등이 보고한 전반적인 계획에 없던 입원율은 1% 정도 이다. 2013년 Khan 등은 계획에 없던 입원율이 4.93%이며 주요 원인으로 여러 가지 원인으로 인해 수술 후 환자의 관찰이 요구되는 경우가 72%, 그리고 환자의 요구에 의한 경우가 18%라고 보고하였다. ACHS에서는 17판 보고서에서 당일 받은 시술 관련하여 입원한 경우가 0.95%, 지속적인 관찰이 요하는 경우가 0.38%라고 보고하였다.

(4) 환자 만족도(Patient satisfaction)

당일수술의 전반적인 효용성과 질을 심도 있게 평가 하기 위해 환자의 만족도를 결과 변수에 포함시키는 움직임이 있어 왔다. 또한 환자 만족도는 고객 평가의 하나이며 의료의 질을 개선시키는 데 있어서 매우 중요한 요소이다. 그러므로, 항상 환자의 의견을 청취하고 더 나은 의료 서비스를 제공하기 위해 노력해야 한다. 환자의 만족도를 증가시키기 위한 요소로 효과적인 수술 후 통증 조절, 짧은 대기 시간, 수술 전후 환자에게 유용한 정보 제공 등을 꼽을 수 있다.

환자 만족도를 정확하게 평가하는 것은 매우 어렵다. 왜냐하면 만족도는 환자의 인지와 감정적 반응에 대한 주관적 지표이기 때문이다. 그렇기 때문에 만족도를 조사하는 설문 내용이 기관마다 다르며, 표준화된 측정 값을 산출 하기 어렵다.

환자 만족도를 측정하는 설문 형식에는 Patient Satisfaction Questionnaire (PSQ), Patient Judgment of Hospital Quality Questionnaire (PJHQ) 등이 있다.

2. 비용 효율성

당일수술의 비용 효율성은 의료 비용에 있어 의료기관은 물론 환자에게 경제적인 이득을 주며, 당일수술의 비중이 증가하고 있는 주요 이유 중 하나이다. 당일수술의 경제적인 효율성을 높이는 요소로 다음과 같은 이유가 있다.

- 재원 기간의 단축으로 인한 입원비 절감
- 방사선 검사, 병원 시설 사용, 의료 처치, 약 처방 및 타과 의뢰 관련 비용 절감
- 수술장 사용의 효율성 향상
- 의료 인건비 절감

2007년 IAAS에서는 1972년부터 2003년까지 출판된 19개의 논문을 분석하여 보고하였으며, 5개국 8가지의 시술에 관한 내용으로 당일 수술이 입원 수술 환자보다 25~68%까지 의료 비용을 절감했다고 기술하였다.

1) 수술 종류별 당일수술 비용 절감

(1) 백내장(Cataract)

2015년 발표된 Cochrane review에서는 2개의 연구를 가지고 분석하였다. 1981년 250명의 환자를 대상으로 미국에서 진행된 연구와 2001년 935명의 환자를 대상으로 스페인에서 시행된 백내장 수술 연구이다. 위 보고에서는 당일수술로 진행한 백내장 수술의 경우 입원 수술보다 20%의 비용 절감 효과를 보인다고 보고하였다.

(2) 복강경담낭절제술(Laparoscopic cholecystectomy)

Ahmad 등은 1998년과 2006년 사이에 보고된 4가지 연구를 분석한 결과 당일 복강경담낭절제술이 입원해서 시행한 경우보다 비용을 낮췄다고 기술하였다. 2007년 250명의 환자를 대상으로 이탈리아에서 진행된 연구에서는 입원 환자보다 당일수술 환자에서 20%의 의료비

절감 효과를 보였다. Paquett 등이 진행한 후향적 연구에서는 2002년과 2003년 동안 4,040명의 환자의 의료 비용을 분석 비교하였으며 당일수술로 진행된 경우 약 50%의 비용이 절감되었다고 보고하였다. 2004년 269명의 환자를 대상으로 영국에서 진행된 연구에서는 당일수술의 경우 입원 수술보다 약 46%의 비용이 감소하였다.

(3) 정형외과 수술(Orthopedic surgeries)

정형외과 수술 영역에서 당일수술 프로그램을 이용하여 시행되는 관절경 시술이 점차 증가하고 있다. 미국에서는 당일수술로 시행하는 관절경 수술이 지속적으로 증가하여 무릎관절경시술(knee arthroscopic procedure)의 경우 2006년도에는 1996년도와 비교하여 49%의 증가율을 보였다. 프랑스에서 2016년 발표된 당일 정형외과 수술 관련한 데이터 보고에 따르면, 전체 정형외과 시술 건수의 41%가 당일수술로 이루어지고 있다.

Fabricant 등이 보고한 바에 따르면, 당일 프로그램으로 진행된 소아 정형외과 수술의 경우 시술마다 차이는 있지만 평균 17-43%의 비용 절감 효과를 보였다. 당일 관절경 하 Bankart repair의 경우, 입원 수술보다 약 21%의 비용이 절약되었다. 슬관절치환술(total knee arthroplasty)의 경우, 당일수술로 진행한 경우 통상적으로 진행되는 3일 이상 입원하여 수술한 경우보다 8,527 달러의 비용 절감 효과가 있었다.

3. 결론

의료 수요가 급증하면서 효율적인 병원 운영에 대한 필요성이 증가하고 있다. 중요한 변화의 하나로서 다양한 수술의 당일 스케줄을 통한 진행을 들 수 있으며, 본론에 언급한 바와 같이 당일 수술의 안전성, 효율성, 비용 절감 효과 등이 이러한 변화를 가속화시키고 있다. 아직 우리나라에서는 한정된 종류의 수술들만이 당일수술을 통해 이루어지고 있으며, 당일수술이 활발히 시행되고 있

는 다른 나라와 비교하면 미미한 수준에 불과하다. 하지만 앞으로 의료 서비스 체계의 개편을 기대하며, 이와 더불어 보다 다양한 수술들이 당일수술 프로그램을 통해 이루어질 것이라 예상한다. 그러므로, 환자 진료의 안전과 만족도를 높이기 위한 지속적인 질 관리가 요구되며, 체계적인 기록과 보고를 통한 양질의 서비스를 제공하여야 하는 의료 종사자들의 노력이 필요하다.

참고문헌

1. Ahmad NZ, Byrnes G, Naqvi SA. A meta-analysis of ambulatory versus inpatient laparoscopic cholecystectomy. Surg Endosc 2008; 22: 1928-34.

2. Australian Council on Healthcare Standards. Australian Clinical Indicator Report 2008-2015. 17th ed. Sydney: ACHS. 2016.

3. Basu S, Babajee P, Selvachandran SN, et al. Impact of questionnaires and telephone screening on attendance for ambulatory surgery. Ann R Coll Surg Engl 2001; 83: 329-31.

4. Castells X, Alonso J, Castilla M, et al. Outcomes and costs of outpatient and inpatient cataract surgery: a randomised clinical trial. J Clin Epidemiol 2001; 54: 23-9.

5. Deutsch N, Wu CL. Patient outcomes following ambulatory anesthesia. Anesthesiol Clin North America 2003; 21: 403-15.

6. Dimitriadis PA, Iyer S, Evgeniou E. The challenge of cancellations on the day of surgery. Int J Surg 2013;11:1126-30.

7. Doering ER. Factors influencing inpatient satisfaction with care. QRB Qual Rev Bull 1983; 9: 291-9.

8. Fabricant PD, Seeley MA, Rozell JC, et al. Cost Savings From Utilization of an Ambulatory Surgery Center for Orthopaedic Day Surgery. J Am Acad Orthop Surg 2016; 24: 865-71.

9. Galin MA, Boniuk V, Obstbaum SA, et al. Hospitalization and cataract surgery. Ann Ophthalmol 1981; 13: 365-7.

10. Haufler K, Harrington M. Using nurse-to-patient telephone calls to reduce day-of-surgery cancellations. AORN J 2011; 94: 19-26.

11. Hulet C, Rochcongar G, Court C. Developments in ambulatory surgery in orthopedics in France in 2016. Orthop Traumatol Surg Res. 2017; 103: S83-S90.

12. International Association for Ambulatory Surgery. Policy brief day surgery: making it happen. London: IAAS. 2007.

13. Jain PK, Hayden JD, Sedman PC, et al. A prospective study of ambulatory laparoscopic cholecystectomy: training economic, and patient benefits. Surg Endosc 2005; 19: 1082-5.

14. Khan M, Ahmed A, Abdullah L, et al. Unanticipated hospital admission after ambulatory surgery. J Pak Med Assoc 2005; 55: 251-2.

15. Kim S, Bosque J, Meehan JP, et al. Increase in outpatient knee arthroscopy in the United States: a comparison of National Surveys of Ambulatory Surgery, 1996 and 2006. J Bone Joint Surg Am 2011; 93: 994-1000.

16. Lawrence D, Fedorowicz Z, van Zuuren EJ. Day care versus in-patient surgery for age-related cataract. Cochrane Database Syst Rev 2015:CD004242.

17. Lovald ST, Ong KL, Malkani AL, et al. Complications, mortality, and costs for outpatient and short-stay total knee arthroplasty patients in comparison to standard-stay patients. J Arthroplasty 2014; 29: 510-5.

18. Marshall GN, Hays RD. The Patient Satisfaction Questionnaire Short Form (PSQ-18). Santa Monica, CA: RAND Corporation 1994: 7865.

19. Paquette IM, Smink D, Finlayson SR. Outpatient cholecystectomy at hospitals versus freestanding ambulatory surgical centers. J Am Coll Surg 2008; 206: 301-5.

20. Rubin HR, Ware JE, Jr., Hays RD. The PJHQ questionnaire. Exploratory factor analysis and empirical scale construction. Med Care 1990; 28: S22-9.

21. Shnaider I, Chung F. Outcomes in day surgery. Curr Opin Anaesthesiol 2006; 19: 622-9.

22. Thayaparan AJ, Mahdi E. The Patient Satisfaction Questionnaire Short Form (PSQ-18) as an adaptable, reliable, and validated tool for use in various settings. Med Educ Online 2013; 18: 21747.

23. Wang C, Ghalambor N, Zarins B, et al. Arthroscopic versus open Bankart repair: analysis of patient subjective outcome and cost. Arthroscopy 2005; 21: 1219-22.

24. Ware JE, Jr., Snyder MK, Wright WR, et al. Defining and measuring patient satisfaction with medical care. Eval Program Plann 1983; 6: 247-63

Chapter 4

당일수술 마취의 미래 및 마취통증의학과 의사의 역할

외래마취 및 당일수술의 확대로 인해 환자와 외과 의사의 만족도는 올라가고, 의료비 및 사회경제적 비용이 절감되며 수술실의 효율성은 증가할 것이다. 마취통증의학과 의사는 마취 전평가, 진정, 기도유지, 술후 합병증 관리 등 주술기 환자의 의학적 돌봄에 있어서 주도적인 전문가가 되어야 함은 물론이고, 새로운 수술관리조직과 경영의 측면에서도 가치 있는 변화를 선도적으로 이끄는 것이 필요하다.

1. 당일수술 활성화의 장점과 주의사항

당일수술을 가능하게 하는 외래마취는 그 장점을 십분 발휘할 경우 시대가 요구하는 이상적인 의료에 가까워질 수 있다. 마취통증의학과 의사는 환자와 외과 의사 모두가 안전하고 신속하게 수술할 수 있도록 적절한 마취와 주술기 환경을 제공한다. 환자는 수술이라는 큰 사건을 경험하면서도, 수술 전 준비는 간편하고 일상의 복귀는 빠르고 매끄럽게 하면서 수술 전후의 의료에 대한 만족도가 올라간다. 외과 의사는 원하는 수술을 최소한의 대기시간, 입원시간 및 비용을 투자하여 다양하고 많은 수술을 효율적으로 달성할 수 있다. 결과적으로 의료인과 환자 모두의 수술 경험 만족도가 올라가며, 사회경제적 비용을 낮출 수 있다.

'당일수술'이라고 하면 입원 및 수술, 퇴원이 모두 하루 이내에 이루어지는 것처럼 들린다. 하지만 당일 수술센터는 당일에 퇴원하는 환자만 입실하는 곳이 아니어서, 당일에 수술이 계획되어 있는 환자이지만 전날 미리 입원하여 검사 및 진행이 필요 없는 수술의 경우, 입원일수 1일을 감소시키는 용도로 활용될 수 있다. 즉 애초에 당일

에 퇴원할 계획이 없으나 수술 전 준비가 입원을 요하지 않는 경우, '당일수술 후 입원' 이라는 카테고리에 포함될 텐데, 이러한 환자수도 이전보다 증가할 것이다.

이 경우 경계해야 할 것은 수술 및 마취 준비의 미흡으로 수술이 연기, 취소되는 경우, 혹은 fast-track으로 진행되는 과정에서 환자가 외과 의사나 마취통증의학과 의사로부터 마취와 관련한 충분한 설명과 위험성에 대해 고지 받지 못하거나, 술후 합병증의 가능성이 높으나 미처 외과 의사로부터 병력청취 과정에서 발견되지 않아 검사 받지 못하는 경우가 증가할 수 있다. 이러한 과도기적 문제는 외과 의사와 긴밀한 대화 및 의견개진을 통해 체계적으로 보완해야 한다. 즉, 아침에 당일 수술센터로 내원한 이후 주치의에게 연결되는 과정, 동의서 등 수술준비가 미흡했거나, 마지막 외래 이후 새로 발생한 문제점(상기도 감염, 통증의 악화 등), 흔들리는 치아의 발견, 금식의 미비 등이 당일 수술센터 내에서 당일 아침에 반드시 발견될 수 있도록 절차를 잘 마련해야 한다.

2. 확대되는 마취통증의학과 의사의 역할

이러한 외래마취 환경의 정착을 위해서는 마취통증의학과 의사들이 해야 할 역할이 크다. 마취통증의학과 의사들은 10년 전만 해도 수술실 내에서 이루어지는 수술과 마취, 인력, 안전 및 환경 관리에 그 노력과 시간을 다해 왔다. 그러나 외래마취와 수술실 외 마취로 그 영역이 확대되어, 수술 전후의 환자를 의학적으로는 주치의, 경영적으로는 관리책임자로서의 역할을 해야 할 것이다.

마취통증의학과 의사는 그 동안 수술스케줄을 관리해왔고 수술실의 각 운영요소를 조직화하는데 적극 관여해왔으므로, 이러한 외래마취 및 당일수술센터 운영의 적임자라 할 수 있다. 다양한 외과 의사의 수술을 봐 왔고, 수술실이 효율적으로 운영되는 노하우를 쌓아왔으며, 수술실 내 외과 의사 및 간호사들의 업무를 잘 파악하고 있으므로 각 분야의 이해관계에 따른 균형을 잘 잡을 수 있다. 무엇보다 수술 전, 중, 후에 환자에게 일어나는 상황을 전반적으로 꿰뚫고 있으며, 특히 수술실 내에서 환자의 의학적 상태가 악화되었을 때 가장 잘 대처할 수 있는 사람도 마취통증의학과 의사이다. 즉 환자의 의학적 상태, 수술실의 인력, 장비, 시간, 외과 의사의 특징, 각 외과의 개별적 상황과 시스템을 동시에 고려할 수 있는 사람이다.

수술실이 의원, 병원, 종합병원, 상급종합병원에서 각자의 효율성과 경제성을 생각해서 운영되어 왔듯이, 외래마취와 당일 수술센터도 개인병원이나 대학병원을 막론하고, 새로운 수술관리조직의 형태로 발생할 것이다. 개인병원은 환자의 편의를 증대시키기 위해 각종 시술, 수술의 범위를 확장 시행하며 진정과 마취를 제공할 텐데, 이 때 마취통증의학과 의사가 아닌 사람이 마취를 제공하다가 발생해왔던 안전문제를 최우선으로 고려, 개선해야 할 것이다. 종합병원은 수술실 외 장소인 혈관조영술실, 내시경실, CT실, MRI실 등에서의 마취업무가 증가할 것이다. 이 때 잘 숙달된 마취통증의학과 간호사는 병원 내 각종 시술실을 이동해 다니면서, 필요한 장소와 시간에 배치되어 마취통증의학과 의사와 함께 마취의 준비부터 회복시점까지, 중대한 역할을 수행할 것이다. 이렇게 의사 및 간호사를 유동적으로 인력배치하고, 각종 시술실의 회전율을 높이며, 시술자들에게 우호적인 마취를 제공하여, 마취와 수술이 안전하고 공정하게 진행되도록 시스템을 확충해야 할 것이다.

가까운 미래에 당일수술을 시행하게 되는 환자의 폭은 엄격해지기 보다 완화될 것이다. 기존에 당일수술 대상이 아니라고 생각했던, 초고령층이나 미숙아 출신의 영아가 당일수술에 포함되어 가고 있다. 특히 갈수록 늘어나는 노인환자의 증가에 대해, 이제 노인환자의 수술제한연령은 거의 없다고 보아도 무방하며, 이는 노인환자의 사회적 부담의 증가를 반영하는 일이기도 하다. 또한 ASA class 3 이상이거나 수면무호흡증 기왕력이 있는 경우, 이전의 마취에서 문제가 있었던 경우, difficult airway가 예상되는 경우에도 마취전평가실을 미리 내원하여 상담을 진행하는 과정을 거쳐 점차 외래마취와 당일퇴원 범주 안에 들어올 것이다. 이렇게 되면 점차적으로 수술 후 합병증의 발생 등 안전관리의 폭도 늘어날 것이기 때문에, 양의 성장만큼 질적 관리에도 끊임없이 신경을 써야 한다.

수술장 외 마취 및 당일수술을 받게 되는 환자들의 건강상태는 아주 건강한 환자부터 중환자까지 다양할 것이다. 이 때는 중환자의 약물관리, 호흡, 혈역동학적 변화에 대처할 수 있는 경험 있는 마취통증의학과 의사가 필요하게 된다. 따라서 이들은 심폐소생술 교육을 정기적으로 이수하여야 한다. 환자에게는 퇴원 후에도 응급 상황이 발생할 수 있음을 고지시키고, 어떤 상황에서 병원에 재내원하거나 전화로 문의하거나 근처 병원을 찾아가야 하는지 지침을 전달해 주어야 한다.

당일 수술센터의 관리자이자 책임의사인 마취통증의학과 의사는 발전하는 기술에 맞추어 가장 이상적인 마취제와 가장 이상적인 기도유지 방법을 선택해야 한다. 수술 후 이환율을 잘 살피어 적절한 수술 종류를 제한하기도 해야 한다. 전공의, 전문의 및 간호사의 교육과 함께, 당일수술센터를 거쳐간 환자들의 단기, 장기 추적연구 결과의 확인 및 적용이 필요하다. 가령 부위마취와 각종 신경차단이 증가할 것이고, 각종 도관(catheter)혹은 무통주사(pain pump)를 유지한 채 집으로 귀가하는 환자수도 증가할 것이다. 이러한 변화를 수용하여 발전시키되 항상 질 관리와 안전을 염두에 두어야 한다.

진정의 영역에 있어서, 진정의 전문가(sedation experts)는 분명히 마취통증의학과 의사이다. 앞으로 다양한 규모의 의원과 더 다양한 시술에서 숱하게 진정이 적용될 텐데, 이러한 문제가 발생하거나 진정의 과정을 공론화시킬 때 마취통증의학과 의사는 주도적으로 명확한 목소리를 내야 할 것이다. 시대가 요구하는 의료를 제공할 때에, 그 분야의 전문가라면 정확한 방법을 정의하고 지침을 제시하며, 치료기준을 확립하는 등, 행위에 있어 정확한 가치를 부여하고 평가할 수 있는 리더가 되어야 할 것이다.

이처럼 과거 입원환자를 중요하게 생각하고 이에 대한 준비에만 철저하던 일괄적인 주술기적 돌봄의 패러다임에서, 개개인 환자의 안전, 편이, 만족감을 최우선으로 해야 하는 시대로의 변화가 일어나고 있는 것이다. 그에 따른 개별 환자마다 차이가 있는 돌봄, 사소한 불편일 수 있지만 전체 시스템의 문제점을 반영하는 환자의 지적에 더욱 관심을 가져야 한다. 마취통증의학과 의사, 외과 의사, 고도로 훈련된 간호사들을 포함하는 주술기팀원(perioperative team)들이 환자경험을 이해하고 이 만족감을 높이는데 집중할 때에, 당일수술환자에게 최고의 서비스를 제공할 수 있을 것이다.

현재 미국에서는 외래마취가 전체 마취의 70%에 육박한다는 보고가 있는 만큼, 한국에서도 더욱 많은 수술실 외 장소에서 다양한 수술 종류와 대상환자를 포함하며 외래마취가 확산될 것이다. 역사를 통해 보았듯이, 발전을 위한 변화는 필수불가결한 것이나, 끊임없는 의료환경의 변화를 감당해 내고, 오히려 가치 있는 변화를 먼저 이끌어 내는 일은 결코 쉬운 일이 아니다. 하지만 당일수술마취의 개방성과 환자치료를 지속적으로 개선한다는 임무에 전적으로 헌신하는 모습은 앞으로 외래마취가 한국에서 정착하고 진화하는 역사에서 중요한 부분을 차지할 것이다.

참고문헌

1. Dabu-Bondoc S. Ambulatory anesthesia in outer space, is it the future? Improving care and outcome in ambulatory anesthesia. Curr Opin Anaesthesiol. 2016; 29: 645-8.
2. Fosnot CD, Fleisher LA, Keogh J. Providing value in ambulatory anesthesia. Curr Opin Anaesthesiol. 2015; 28: 617-22.
3. Glance LG. The Cost Effectiveness of Anesthesia Workforce Models: A Simulation Approach Using Decision-Analysis Modeling. Anesth Analg 2000; 90: 584-92.
4. Jeffrey LA, Thomas WC. Ambulatory Anesthesiology, An issue of Anesthesiology Clinics, 1e, Elsevier. 2014.
5. Mark S. Weiss, Lee A. Fleisher. Non-operating room anesthesia: Expert consult, 1e. Elsevier. 2014.
6. Shapiro FE, Punwani N, Rosenberg NM et al. Office-based anesthesia: safety and outcomes. Anesth Analg. 2014; 119: 276-85.
7. Urman RD, Desai SP. History of anesthesia for ambulatory surgery. Curr Opin Anaesthesiol. 2012; 25: 641-7.

PART **02**

수술 전 준비사항
Preoperative preparation

Chapter 5 환자 선택

Chapter 6 당일수술의 종류 및 수술 전 검사

Chapter 7 수술 전 금식

Chapter 8 성인 당일수술 환자의 전투약

Chapter **5**

환자 선택

외래수술에서 환자 선택은 수술실에서 발생할 수 있는 비상 상황에서 전문가의 도움 연락 가능성, 장비의 접근성 및 계획되지 않은 입원에 대한 준비 등에 의하여 결정된다. 또한 환자의 ASA 신체등급, 수술수기, 마취방법, 가정에서 베풀 수 있는 간호의 질 등이 선택에 고려되어야 한다. 이 장에서는 외래수술 예정인 환자에서 환자 선택 시 고려해야 할 사항으로 다음과 같이 나이, 어려운 기도, 심혈관계 질환, 고혈압, 당뇨, 호흡기 질환, 흡연, 폐쇄성 수면 무호흡 증, 비만, 임신, 모유 수유, 신질환 및 간질환, 갑상선 질환, 류마티스 관절염, 발작 등의 동반질환을 가진 경우에 대하여 알아보고자 한다.

1. 일반적인 고려사항

환자가 외래수술에 적합한지를 평가할 때 미국마취통증의학과학회 신체상태분류법(American society of anesthesiologists physical status classification, ASA 신체등급)을 사용한다(표 5-1). ASA 신체등급 1과 2인 환자는 일반적으로 건강하여 외래수술에 적합하며 ASA 신체등급 3과 4인 환자는 외래수술이 적합한지에 대하여

표 5-1 미국마취통증의학과학회 신체등급 분류법

ASA 1	정상적으로 건강한 환자
ASA 2	경한 전신질환을 가진 환자
ASA 3	심한 전신질환을 가진 환자
ASA 4	심한 전신질환을 가지고 있어서 계속적으로 생명에 위협을 받는 환자
ASA 5	수술을 시행하지 않으면 생존이 불가능해 보이는 빈사상태의 환자
ASA 6	뇌사판정을 받고 장기를 기증한 환자

* 응급수술을 하게 되는 경우에 각 등급에 "E"를 첨가하여 표시한다.

좀 더 평가되어야 한다. ASA 신체등급 3과 4인 환자도 외래 환경에서 수술을 받을 수 있으나 수술과 마취로 인한 스트레스로 당일 퇴원 또는 입원에 대한 가능성이 있으므로 이에 대하여 적절하게 평가하여 결정해야 한다. 외래수술 후에 입원치료가 필요할 위험을 가지고 있는 환자는 외래수술실이 언제든지 입원이 가능한 대형 병원 내에 있는 경우에는 외래수술로 진행될 수 있다. 반면에 외래수술실이 병원으로부터 멀리 떨어져 있는 독립형 시설인 경우에는 객관적으로 입원 치료의 위험 가능성이 적은 환자만을 선택하여 수술을 시행하여야 한다. 외래수술의 금기증으로 표 5-2에 기술되어 있으며 이 환자들은 수술 후 합병증의 위험도가 높은 경우로 안전하게 입원하여 수술을 받아야 한다.

2. 나이

외래수술의 적합성, 회복, 및 합병증은 환자의 연대기적인 나이(chronological age)보다는 환자의 생리적인 나

표 5-2 외래수술의 금기증

1. 수태나이(post-conceptual age) 60주 미만 미숙아의 병력이 있는 소아(전신마취를 받아야 할 경우)
2. 심폐질환(협심증, 천식)을 동반하고 있는 병적 비만인 환자
3. 위험도가 높은 질환(불안정성 당뇨, 불안정한 협심증, 증후성 (symptomatic) 천식)을 동반하고 있는 환자
4. 중추작용 약물(MAO inhibitor, cocaine 남용)을 만성적으로 투여를 받고 있는 환자
5. 수술 후 가정에서의 환자관리에 대한 이해 및 능력부족(가정 내 간호 인력의 부재)
6. 외래수술을 거부하는 환자

이(physiological age)에 따라 결정된다. 최근에는 마취 시 사용되는 약제와 수기, 수술 수기의 발달로 외래수술이 성공적으로 이루어지고 있다. 외래수술을 받을 수 있는 환자의 선택에서 연령을 제한하는 것은 비논리적이지만 나이가 증가할수록 수술 후에 발생할 수 있는 위험도가 증가하므로 수술 전에 환자의 적합성과 동반질환 등에 평가하는 것이 중요하다.

1) 조산아 병력의 소아

조산아(premature infants)는 수태 기간(post-conceptual age)이 60주가 되지 못한 소아를 말하며, 수술 후 무호흡이 약 25% 정도 발생한다. 적혈구 용적률(hematocrit)가 30% 미만인 미숙아는 무호흡의 위험이 더 크다. 수태 기간이 60주 이상이면서 적혈구 용적률이 30% 이상이라면 무호흡은 0.05% 이하로 감소한다. 조산아는 마취 후 첫날에 만삭아 보다도 마취, 정맥 진정, 또는 아편유사제(opioid)에 의해 무호흡증의 위험이 상대적으로 높다. 수태나이 46주 이전의 미숙아에서 가장 위험율이 높으며 수태나이 60주까지도 무호흡의 위험율이 지속될 수 있다고 한다. 결과적으로 대부분의 외래수술실에서는 수술 후 무호흡에 대한 감시의 필요성 때문에 수태 46~60주 미만의 영아를 받지 않는다.

2) 소아

외래수술에서 시술을 받을 수 있는 가장 어린 나이

에 대한 합의가 이루어진 것은 없다. 만삭아(full-term infants)는 외래수술 시에 수술로 인한 위험이 크지는 않다. 그러나 대부분 외래수술실에서는 무호흡(apnea)이나 호흡기 합병증을 우려하여 4~6주 미만 영아는 시술을 시행하지 않는다. 소아는 특히 겨울철에는 상부 호흡기 감염에 걸린다. 이런 환아는 기도의 반응성이 증가하고 분비물이 많아지므로 이러한 증상이 대체적으로 없어질 때까지 수술을 지연시켜야 한다. 철저한 병력 및 신체검사로 어린이의 활동능력, 식욕 및 발열의 정도를 기록해야 한다. 최근 1개월 내에 상기도 감염으로 회복된 환자에서 술 후 호흡기 합병증 발생의 위험인자는 기관내삽관, 미숙아 병력, 반응성 기도질환, 마취 약물, 기도 주위의 수술 등이다. 호흡기 합병증은 현재 상기도 감염이 있다면 30%, 지난 1개월 동안 상기도 감염이 있었다면 24%, 정상에서는 18%에서 발생할 위험이 있다. 소아 환자는 평상시와 같이 운동하고 식사를 하고 하기도 감염이나 천명의 징후를 보이지 않으며 화농성 분비물과 열이 없다면 대부분의 외래수술실에서는 수술을 비교적 안전하게 진행될 수 있다. 기관내삽관을 시행하지 않고 sevoflurane을 사용하여 mask나 supraglottic airways로 마취를 제한하게 되면 합병증을 줄일 수 있다.

3) 노인

70세 이상의 노인은 고령(old age) 자체가 외래수술의 결과에 영향을 미치며 수술 전후로 합병증의 위험이 증가한다. 외래수술을 받는 환자를 대상으로 하여 수술 후 7일 이내에 계획되지 않은 입원(unplanned hospital admission)에 관한 한 조사에서, 고령(85세 이상)이 가장 높은 위험도를 나타내는 항목으로 보고되었다. 다른 위험 항목으로 지난 6개월 동안 병원의 입원과 시술의 종류로 분석되었다. 가장 위험한 수술로는 유방 절제술, 동정맥 이식술, 경요도 전립선 절제술 및 복강경 담낭 절제술이었다. 노인은 외래수술을 하는 경우에 입원을 했을 때와 비교하여 인식 장애(cognitive dysfunction) 또는

섬망(dementia)이 감소하였다. 노인 환자를 외래 환경에서 관리할 때는 언제든지 합병증이 발생할 경우 입원으로 옮겨갈 수 있는 전환 계획이 수술 전에 예비로 마련되어 있어야 한다.

3. 어려운 기도(Difficult Airway)

기도 환기와 기관내삽관이 어려웠던 과거력이 있는 환자의 외래수술의 적합성은 기도 확보를 위한 장비로 supraglottic airways, video-laryngoscope, fiberoptic bronchoscope 등이 추가로 갖추어져 있는지에 따라 결정된다. 기도관리가 어려운 경우에 기본적으로 supraglottic airways, fiberoptic bronchoscope가 사용되며 최근에는 video-laryngoscope도 많이 사용되고 있다. 또한 기도관리에 있어서 중요한 것은 어려운 기도를 잘 관리할 수 있는 마취통증의학과 의사가 언제든지 호출을 받고 바로 올 수 있어야 한다. 실제로는 외래마취를 하는 동안 기도 확보가 어려운 비상 사태에 접하였을 경우에 도움을 요청한다는 것이 쉬운 것은 아니다. 외래마취 시에 환자가 금식 시간을 잘 지켜오는지를 확인하고, 환자에 대한 기도 평가와 이전 마취의 과거력을 토대로 하여 잠재적으로 기도관리가 어려울 수 있는지에 대한 가능성을 확인하는 것이다.

4. 심혈관 질환(Cardiovascular Disease)

가장 최근에 American College of Cardiology와 American Heart Association에서 제시한 안내 지침에 따르면 위험도가 적은 시술인 경우에는 심전도를 포함한 일상적인 심장기능 검사를 시행하지 않는 것으로 권고하고 있다. 일반적으로 외래수술은 대부분 위험도가 낮은 수술이기 때문에 환자가 수술 전에 심장 검사를 반드시 받을 필요는 없다. 예외로 반드시 수술 전에 심장기능 검사를 해야 하는 경우로는 새로이(new onset) 발생한 비

대상성(decompensated) 심부전, 심한 협심증, 최근 발생한 심근경색증(60일 이내), 증상을 동반한 부정맥, 중증 대동맥 또는 승모판 협착과 같은 심장 질환이 있는 경우로 추가적인 평가가 이루어져야 한다.

1) 허혈성 심장 질환(Ischemic Heart Disease).

비심장 수술을 하는 경우 최근에는 과거에 시행해오던 지침대로 심근경색이 발병된 후 6개월 이후까지 수술을 지연시키라고 권고하지는 않는다. 실제로 앞으로 발생할 수도 있는 심장 사건을 예측하는 것은 '심근경색의 발병 후 기간' 보다는 실제로 '심실의 잔여 기능과 심근의 손상 구역'이 중요하기 때문이다. 환자는 급성심근경색 발병 후 적어도 60일 동안 수술을 지연하라고 권고한다. 관상동맥 질환의 병력이 있는 환자는 매일 aspirin과 statin을 복용해야 한다. 만약 환자가 β-blocker를 복용하고 있다면 β-blocker를 계속 투여해야 한다. 수술 직전에 β-blocker를 복용해야 하는지에 대해서는 논란의 여지가 있는데 뇌졸중(stroke)의 위험이 이점보다 클 수 있기 때문이다.

2) 관상동맥중재(Coronary Intervention)

외래수술 예정인 환자가 (1) 2주 이내에 혈관 성형술(angioplasty)을 받았거나 (2) bare metal stent를 4-6주 내에 삽입하였거나 (3) drug-eluting stent를 12개월 내에 삽입하였거나 (4) 관상동맥우회로 이식술(coronary bypass graft)을 1개월 내에 받았다면 수술을 지연시켜야 한다. 외래수술을 지연할 수 없는 경우에는 aspirin과 thienopyridine을 사용한 '이중 항혈소판 치료(dual antiplatelet therapy)'를 지속적으로 시행하여야 한다. 수술 의사가 수술 중 출혈이 걱정되어서 이중 항혈소판 치료의 중단을 원한다면 이에 대하여 다시 환자를 담당하는 심장 전문의와 의논을 해야 한다. 수술 중 반드시 aspirin을 계속 투여해야 하며 thienopyridine은 가능하면 짧은 시간 동안 중단되어야 한다. 수술 중

에 급성스텐트혈전증(acute stent thrombosis)이 불가피하게 발생하는 경우에는 바로 경피적 관상동맥중재술(percutaneous coronary intervention)을 시행하여 효과적으로 치료가 가능하다. 따라서 외래수술실이 24시간 운영되는 심장중재연구실(interventional cardiac laboratory)과 동일 수술실 내에 위치하지 않는다면 외래수술을 시행해서는 안 된다. "door to balloon" 권장 시간은 폐색된 혈관을 여는 데 걸리는 시간으로 90분 내에 중재술이 이루어져야 한다).

3) 부정맥(Arrhythmias)

수술 전에 부정맥을 가진 환자는 심근경색, 심허혈, 약물중독 및 대사에 문제가 있는지를 알아보아야 한다. 방실차단(atrioventricular block), 새로이 발생한 빠른 심실 반응을 동반한 심실세동(new onset atrial fibrillation with rapid ventricular response), 증상을 보이는 서맥(symptomatic bradycardia) 또는 새로이 알게 된 심실빈맥(newly recognized ventricular tachycardia)이 있는 환자는 수술 전에 추가 검사를 시행하여 심장의 기능을 평가해야 한다. 항응고제 치료의 중단 또는 유지에 대한 위험도는 환자마다 각각 고려해야 한다. 출혈과 혈전의 상대적인 위험도를 고려하여 warfarin은 수술 전에 INR 값을 조절하면서 1~4일 동안 중단하나, dabigatran은 수술 전에 1~2일 정도 투여를 끊을 수 있다. 백내장 수술의 경우 대부분 항응고제 투여를 중단하지 않는다.

4) 심부전(Heart Failure)

보상이 되지 않거나(decompensated) 또는 Class IV (휴식 중 증상이 보이는 환자)인 심부전 환자는 외래수술의 대상 환자가 아니다. 실제로 연구 결과에 따르면 심박축률(ejection fraction, EF)이 30% 미만인 환자는 EF 30% 이상인 경우에 비해 사망률이 증가한다고 보고하였다. 소수술(minor surgery)의 경우 angiotensin-converting enzyme inhibitor (ACEi), 이뇨제 및 β-blocker를 사용하여 수술 전 환자의 건강 상태를 최적화시켜야 한다.

5) 판막 이상(Valvular Abnormalities)

판막 이상과 관련된 병력이 있는 경우 철저한 병력 청취와 신체검사를 통해서 심부전이나 허혈성 증상이 있는지를 평가해야 한다. 수술 전 검사로 판막 이상으로 인한 증상이 보이는 환자 또는 신체 활동이 적어서 증상을 평가할 수 없는 환자는 1년 내에 시행된 초음파검사로 환자의 심장 판막 기능을 평가할 수 있어야 한다. 중증의 대동맥 또는 승모판 협착증(aortic or mitral stenosis)이 있는 환자는 외래수술의 대상이 아니다. 판막 이상으로 경미한 협착증(mild stenotic disease), 승모판 역류(mitral regurgitation) 또는 대동맥판막 기능부전(aortic insufficiency)이 있는 환자는 좌심실 기능이 잘 유지되면서 심부전 증상을 보이지 않는다면 비심장수술을 견디어 낼 수 있으므로 주의해서 수술을 진행한다. 원인불명의 잡음(murmur)은 원인을 알아내기 위해서 수술 전에 심초음파 검사와 더불어 심장 전문의사에 의한 평가가 이루어져야 한다.

6) 심장제세동기 / 심장박동기(Cardiac Defibrillator / Cardiac Pacemaker)

몸 안에 있는 심장제세동기나 심장박동기가 제대로 기능을 하고 있다면 환자는 안전하게 외래수술을 받을 수 있다. 마취통증의학과 의사는 심장 전문의사와 상의하여 심장박동기의 의존성 및 자석에 대한 반응을 잘 이해하고 이를 바탕으로 수술 전에 관리 계획을 세워야 한다. 심장 전문의사는 대부분 이 장치에 자세한 정보를 가지고 있으므로 마취 중 이와 관련한 논의사항은 전화 통화로도 얻을 수 있다. 환자는 자석을 즉시 사용할 수 있어서 심장박동기 위에 자석을 놓으면 일반적으로 비동기 모드(asynchronous mode)로 변환되고, 심장제세동기 위에 자석을 두면 전형적으로 심장의 박동 기능에 영향을 미치지 않고 빠른 부정맥(tachyarrhythmia)을 감지할 수 있다. 그러나 일부 자석에서는 다른 방식으로 기능을 나타낼 수 있으므로 수술 전에 이에 대한 것을 명확하게 확인하고 알고 있어야 한다.

외래수술을 하는 동안 가능하면 외과적 전기 소작(electrocoagulation)의 필요성을 최소화하여야 한다. Bipolar 소작은 몸에 내장된 심장제세동기나 심장박동기와의 간섭을 최소화하여 좋으나, 반면에 unipolar 소작을 사용하게 되는 경우에는 반드시 내장된 장치 내로 전류가 흐르지 않도록 신경 써서 접지 패드(grounding pad)를 붙여야 한다.

5. 고혈압(Hypertension)

외래수술에서 가장 흔한 취소의 원인은 고혈압이다. 고혈압은 일반적으로 수축기 혈압이 180 mmHg까지 또는 확장기 혈압이 110 mmHg까지 오르는 경우에 진단 내려진다. 고혈압이 잘 조절되고 있는 환자는 외래수술에 적합하다. 입원 당시에 이완기 혈압이 110 mmHg 이상이라면 수술을 서두르지 말아야 하며 특히 전신마취를 하는 경우에는 연기하여 치료를 한 후에 수술을 계획하여야 한다. 반면에 노인에서는 수축기 혈압이 180~200 mmHg 사이고 이완기 혈압이 110 mmHg 미만이라면 외래수술을 받을 수 있다. 수술 전 고혈압은 수술 전에 무증상의 심근허혈을 예보하는 것이며 수술 후 심근허혈의 위험 요인으로 전환될 수 있다. 그러므로 새로 발견된 고혈압, 높은 혈압 또는 불안정한 혈압을 나타내는 환자는 수술 전에 평가하여 혈압이 적절하게 조절이 되도록 관리해야 한다. 전신마취가 예정된 고혈압 환자에서는 심전도 검사를 하여야 하며, 이뇨제를 복용하고 있다면 전해질 검사가 필요하다. 고혈압 환자는 수술 당일까지 혈압을 잘 조절하고 당일 아침에 상용하고 있는 항고혈압약을 복용해야 한다. ACEi, angiotensin II receptor blockers (ARB)는 신경축 마취를 시행하는 경우에 심각한 저혈압이 발생될 수 있으므로 투여의 중단을 고려해 보아야 한다.

6. 당뇨병(Diabetes Mellitus)

당뇨병이 잘 조절되고 있다면 언제든지 외래수술로 치료를 받을 수 있다. 당뇨와 동반되는 질환은 심혈관 질환, 신부전, 신경병증 및 병적 비만으로 다양한 치료가 필요하다. 외래수술을 받기 전에 공복혈당(fasting blood sugar)을 확인해야 하며, 이 검사는 외래수술 준비실에서도 가능해야 한다. 외래수술에 적합한 혈당 수치에 대해서는 정의된 것은 없으며, 미국 내분비학회(American Association of Clinical Endocrinologists)에서 혈당을 180 mg/dl이나 10 mmol/L로 유지할 것을 권고하고 있다. 외래수술은 고혈당증, 케톤산증(ketoacidosis), 고삼투압성 혼수(hyperosmolar coma) 등의 합병증이 있는 환자에서는 지연시켜야 한다. 당뇨환자는 수술 전날에도 인슐린을 포함한 약을 복용하도록 지도한다. 수술 당일 아침 또는 수술을 받기 2시간 전까지 물을 먹을 수 있다. Metformin이 젖산산증(lactic acidosis)을 유발하다는 것에 대한 명백한 증거가 없으므로 이전의 권고사항대로 수술 전날부터 metformin을 중단할 필요는 없다. Metformin은 신장기능장애 또는 정맥 조영제 치료 시에는 영향을 미칠 수 있다. 당뇨환자에서 혈당조절을 용이하게 하려면 수술 시간을 다른 수술보다 먼저 일찍이 할 수 있도록 조절하여야 한다. 당일 인슐린의 사용에 대한 지시 사항은 다음 표 5-3에 잘 정리되어 있다.

7. 호흡기 질환(Pulmonary Disease)

기도 또는 폐 질환이 있는 환자의 경우 세심한 병력청취 및 신체검사를 시행하여야 한다. 환자의 병력으로 가정용 산소의 사용, 흡입기(inhaler)의 사용, 투약, 응급

표 5-3 수술 당일에 시행하는 인슐린 권장량

인슐린 투약	지시사항
인슐린 pump	기초량(basal rate)으로 설정한다.
Long-acting, peak-less 인슐린s (glargine or detemir)	아침 용량의 75-100%로 준다.
Intermediate-acting 인슐린s (NPH)	아침 용량의 75-100%로 주고, 밤에는 저혈당이 발생할 수 있으므로 용량을 더 줄인다.
Fixed combination 인슐린s	아침 용량의 75-100%로 준다.
Short and rapid-acting 인슐린s	약을 주지 않는다.

* SAMBA consensus statement guidelines

흡입기의 사용 빈도, 2개 정도의 계단을 걸어갈 수 있는지에 대한 능력, 기침의 빈도와 분비물, 증상 발현의 빈도나 안정성에 대하여 알아보아야 한다. 검사로는 흉부 방사선 사진, 동맥혈 가스분석, spirometry를 사용하여 기관지 확장제의 사용 유무에 따른 폐활량(vital capacity, VC)와 1초 강제 호기량(forced expiratory volume in 1 second, FEV1)을 측정해야 한다. 일반적으로 성인에서 VC < 1.5-2 L 또는 FEV1 < 1-1.5 L는 수술 후에 환기보조 및 입원의 가능성이 크다는 것을 나타낸다. 그럼에도 불구하고 심한 폐질환 환자 중 일부는 일상생활에서 안정적으로 생활하며 외래수술을 시행 받게 되는데 이 경우에는 환자에게 수술 후 입원의 가능성에 대하여 충분히 설명하고 필요에 따라 입원할 수 있도록 선택사항으로 준비되어야 한다.

호흡기에 관련된 질환 중에서 만성폐쇄성폐질환과 천식은 기도에서 공기의 흐름이 차단되는 질환으로 각각은 완전하게 다른 질환이지만 여러 가지 원인으로 서로 구분하기는 매우 어려우며 통상적으로 과민반응성 기도질환(hyper-reactivity airways)이라고 한다. 만성폐쇄성 폐질환과 천식이 동반된다면 수술 중 합병증의 위험은 2배 증가된다.

1) 만성폐쇄성폐질환(Chronic obstructive pulmonary disease, COPD)

객담을 수반하는 기침(productive cough)의 소견을 보이지 않고 운동부하검사에서 정상 범위에 해당된다면 외래수술에 적합하다. 제한성 폐질환 환자는 마취통증의학과 의사의 재평가가 필요하지만 국소 또는 부위마취를 적용할 수도 있다. 운동부하 검사는 외래수술의 적합성 평가에 유용한 검사이다. 기관지 수축이 있다면 β₂-adrenergic agonist, 항콜린제의 흡입 또는 steroid 등이 효과적이다. COPD 환자에서는 만성적인 호흡근의 피로가 동반되며, 영양, 전해질과 내분비 이상으로 호흡근의 허약이 동반 되었다면 수술 전에 교정이 필요하다. 폐심장증(cor pulmonale)을 인지하지 못할 수 있으므로 이에 대한 감시가 필요하며 반드시 수술 전에 치료를 하여야 한다.

2) 천식(Asthma)

천식 증상을 거의 보이지 않으며 흡입치료나 약물로 조절이 잘 되는 경한(mild) 천식을 가진 환자는 외래수술을 받을 수 있다. 중등도(moderate) 천식을 가진 환자는 수술 당일에 천식에 대한 적절한 관리를 하면서 외래수술을 받아야 하는데 수술 당일에 환자가 천명, 기침 또는 상부 호흡기 증상을 나타내지 않아야 한다. 심한(severe) 천식을 가진 환자는 외래수술이 아닌 다른 수술환경에서 관리되어야 한다. 폐기능 검사 결과로는 수술 후 상태를 예측하는 것은 어려울뿐더러 급성 증상이 없다면 권장되지는 않는다. 천식 환자가 최근 상기도 감염이 있었다면 당일 외래수술을 연기하여야 한다. 천식이 있는 환자가 외래수술을 받는 경우 기관 내 튜브를 사용하거나 기도를 자극해서는 안 된다. 천식환자는 이전에 천식약을 "필요할 때마다(as needed)" 복용한 경우라 할지라도 수술 당일 아침에는 예방적 천식 약물을 복용하도록 하는 것이 좋다.

8. 흡연(Smoking)

흡연은 수술 전후로 발생할 수 있는 합병증(폐렴, 계획되지 않은 기관내삽관, 기계 환기, 심장마비, 심근경색, 뇌졸중, 패혈증, 감염, 패혈성 쇼크 및 사망)을 증가시킨다. 흡연자에게 수술 당일에 담배를 피우지 말 것을 강력하게 권고해야 하는데 이는 소량의 일산화탄소(carbon monoxide)가 수시간 동안 혈색소(hemoglobin)의 산소결합능력(oxygen carrying capacity)을 감소시킬 수 있기 때문이다. 일반적으로 금연을 하게 되면 상처의 감염이 줄고 상처의 치유가 빨라지는 장점을 보인다. 금연을 하면 12시간 내에 혈색소의 산소결합능력이 증가하는데, 적어도 수술 전에는 4주 정도의 금연을 하게 되면 수술 전후로 호흡기 합병증을 감소시킨다고 한다.

9. 폐쇄성수면무호흡증(Obstructive Sleep Apnea, OSA)

폐쇄성수면무호흡증(OSA)은 중년 남성에서 4%, 중년 여성에서 2% 발견된다. OSA는 연령의 증가, 비만, 편도와 아데노이드의 비대와 함께 인두의 긴장도가 저하되어 기도가 좁아지고 공기 흐름의 폐쇄가 일어나게 되면서 발생한다. 또한 OSA는 편도가 크거나 상부 호흡기 감염이 있는 소아에서도 볼 수 있다. OSA의 증상은 코골이(snoring), 무호흡증, 정상적인 수면을 했음에도 불구하고 피곤함을 보인다. 진단은 수면다원검사(polysomnography)에 의해서 내려지는데, 이는 밤에 잠을 자는 동안 지속적으로 다음과 같이 pulse oximetry, 뇌파(electroencephalogram, EEG), electro-oculogram (EOG), capnography, airflow sensors, 비침습적인 혈압, 심전도 등 감시장치를 사용하여 검사를 시행한다. 수면 중 무호흡(apnea) 발작의 횟수, 길이(10초 이상 공기 흐름의 중단), 및 호흡저하(hypopnea)(1회 호흡량의 현저한 감소)를 기록한다. 호흡저하 또는 무호흡이 시간당 30회 이상일 경우에 중증 상태이며, 시간당 15회 미만이면 경증 상태에 해당된다.

외래수술을 받는 환자에서 OSA가 동반되는 경우에 다음과 같이 마스크 환기의 장애/실패, 기관내삽관의 장애/실패, 기관내삽관의 재시도, 자발환기(spontaneous ventilation) 동안 발생하는 기도폐쇄, 퇴원지연, 수술 후 입원, 심장합병증 및 사망까지도 포함하여 다양한 합병증이 유발될 수 있다. 그러나 OSA를 가지고 있는 환자의 80% 이상이 OSA로 진단되지 못하고 있으므로, 수술 및 마취를 시행하기 전에 환자가 OSA에 해당되는지에 대한 선별검사(screening test)를 시행하여야 하고, 환자가 OSA로 진단되는 경우에는 마취 관리에 있어서 합병증들이 발생하지 않도록 주의해야 한다. 수면 무호흡증 선별 검사로 사용되는 'STOP-BANG 질문서'는 8개의 질문으로 구성되어 있다(표 5-4). 만약 환자가 5개 이상의 질문에 '예'라고 대답하게 된다면 중등도(moderate) 또는 중증(severe) OSA로 진단된다.

OSA 환자는 진정제나 최면제에 대해 더 민감하다. 그러므로 시술 중에 진정이나 통증 조절을 위해서 마취제가 투여되므로 수술 후에 적절하게 감시되지 못한다면 위험할 수도 있다. 마취제는 인두근의 긴장을 감소시키고 기도 폐쇄를 악화시켜서 심지어 사망에 도달할 수도 있다. OSA 환자가 고혈압, 심부전, 뇌혈관질환, 대사성 질환 등의 질환을 동반한 경우에 내과적으로 잘 치료하고 조절하여 최적의 상태를 만들어 주어야 한다. OSA 환자의 외래마취에서 수술 전후 시행되는 관리원칙으로는 (1) 환자의 동반 질환이 최적화되고 퇴원 후에도 지속기도양압(continuous positive airway pressure, CPAP)를 유지하기로 하였다면 외래수술을 시행하고 수술 후에 CPAP를 시행하고, (2) 환자가 퇴원 후에 CPAP를 시행하지 않기로 하였다면 외래수술을 시행하고 수술 후에 통증 조절을 위해서 아편유사제의 사용을 피하고 부위마취, 국소마취, 비스테로이드소염제(nonsteroidal antiinflammatory drugs, NSAIDs),

표 5-4 수면 무호흡증 선별 검사; STOP-BANG 질문서

	다음 질문에 대하여 "예" 또는 "아니요"로 답하시오.		
Snoring	당신은 코고는 소리가 크나요?	예	아니요
Tired	당신은 낮에 피곤, 피로감, 졸음을 자주 느낍니까?	예	아니요
Observed	다른 사람이 당신이 수면 중에 호흡이 멈추는 것을 보았다고 한 적이 있습니까?	예	아니요
Pressure	당신은 고혈압으로 치료받은 적이 있습니까?	예	아니요
Body Mass Index (BMI)	당신의 BMI가 35 Kg/m² 이상입니까?	예	아니요
Age	당신의 나이는 50세 이상입니까?	예	아니요
Neck Size	당신의 목둘레가 40 cm 이상인가요?	예	아니요
Gender	당신의 성은 남자입니까?	예	아니요

Br J Anaesth 2012; 108: 768-75.

cyclooxygenase-2 (COX-2) 억제제, acetaminophen, dexamethasone을 사용한다. 만약에 OSA 환자의 동반 질환이 최적화되지 못한다면 외래수술을 시행해서는 안 된다. 외래수술에 대한 환자 및 보호자에 대한 설명을 시행할 때, 가정에서 이미 CPAP를 사용하고 있는 환자는 수술 당일에 환자가 사용하고 있는 CPAP 장비를 병원으로 가져오도록 안내를 해야 한다. 수술 후에도 수일 동안 밤낮으로 CPAP를 계속적으로 사용하는 것이 좋다. 만약 OSA에 대한 병력이나 위험요소가 있는 환자를 외래수술실에서 수술을 시행하게 되면 언제든지 CPAP 장치가 이용할 수 있도록 수술실 내에 비치하고 있어야 한다.

10. 비만(Obesity)

비만은 일반적으로 이상적인 체중의 20% 이상 초과하거나 과도하게 지방이 많은 경우로 정의한다. 비만을 분류하는 가장 일반적인 방법으로 체질량지수(body mass index, BMI)가 사용되는데, 키가 작은 사람의 비만은 과소평가되는 반면에 키가 크고 근육질인 사람의 비만은 과대평가가 된다. BMI는 신장과 체중의 제곱(체중[kg]×신장[m]²)으로 계산된다. BMI의 분류는 정상 체중은 BMI 18.5-25 kg/m², 저체중은 BMI < 18.5 kg/m², 과체중은 BMI 25-30 kg/m², 비만은 BMI >30-40 kg/m², 극비만(extreme obesity)은 BMI 40.0-50 kg/m², 초비만(super obesity)은 BMI >50 kg/m²이다. BMI가 30-50 kg/m²이고 동반 질환이 없는 비만 환자는 비심장수술을 받는 경우에 정맥혈전색전증(deep vein thrombosis)을 제외한 다른 부작용의 발생 위험은 증가하지 않는다. 비만은 고혈압을 동반하게 되며 체중 10 kg마다 수축기혈압 3-4 mmHg, 이완기혈압 2 mmHg 상승하게 되며 혈액량과 함께 심박출량도 20-30 ml/kg로 증가된다고 하였다. 비만으로 심근병증이 나타나며 고혈압, 관상동맥질환, 부정맥, 호흡기 질환 등과 함께 악화시킬 수 있다. 비만은 외래수술 시 수술 중에 발생하는 합병증과 관련은 있으나 이로 인한 입원의 가능성은 비교적 낮다. 수술 중 다른 합병증의 발생이 없이 수술을 마칠 수 있다면 비만 하나만으로 입원을 권유하는 것은 비합리적이다. 그러므로 비만을 동반한 환자는 대개의 경우 외래수술로 가능하다. 비만은 고혈압, 심장질환, 당뇨, 수면성 무호흡, 열공탈장(hiatal hernia)과 같은 질병들과 관련성이 깊다. 수술 중의 문제점으로는 정맥로 확보의 어려움, 부위마취의 실패, 기도유지 및 기관내삽관의 어려움, 저산소증 등이 있다. 또한 수술도 어려울 수 있고 수술에 관련된 합병증의 발생도 증가할 수 있다. 대사

증후군을 동반한 비만 환자는 비만, 고혈압, 고혈당증, 지질혈증을 특징으로 나타내는데 이로 인해서 심장사고나 급성신장손상의 위험이 증가한다. 따라서 비만 환자가 외래수술에 적합한지를 평가함에 있어서 수술 중 위험을 증가시킬 수 있는 대사 증후군, 당뇨병, OSA 및 관상동맥질환과 같은 동반 질환이 있는지를 밝혀내고 평가하는 것이 중요하다. 비만 환자는 수술을 받기 이전에 동반 질환에 대한 진단이 내려져 있지 않아서 환자 스스로가 모르는 경우가 많다. 외래수술의 가능 여부는 주로 '동반질환과 ASA 신체등급'으로 결정이 되며, BMI나 체중은 결정에 영향을 미치지 않는다. 그러나 비만 환자가 외래수술을 받게 되는 경우에는 어려운 기도의 가능성에 대비하여 장비를 준비하고 수술대와 이동 침대의 사용이 가능한 체중 한계를 알아보서 마취 및 수술이 가능한지를 고려하고 준비를 해야 한다. 비만 환자는 여분의 기도 조직(redundant airway tissue), 어려운 기도 또는 OSA를 나타낼 수 있으므로 응급 기도 확보에 필요한 장비 및 CPAP를 준비해야 한다. 최근 연구 보고에 의하면 초비만 환자는 합병증의 위험이 아주 높아 외래수술에서 아주 간단한 소수술 이외에 다른 수술이 시행해서는 안된다고 한다.

11. 임신(Pregnancy)

임신 동안 시행되는 외래마취는 일반적으로 임산부나 태아에게 중대한 위험을 일으키지 않는 것으로 알려져 있다. 그러나 임산부에서 특히 임신 1분기와 3분기에 계획 수술이 시행되는 경우에는 유산(miscarriage)이나 조기 진통의 위험이 있으므로 수술을 권하지는 않는다. 만약에 임신 중 악성종양이 의심되거나 치료하지 않을 경우 악화될 수 있는 질환이 있는 경우에는 언제든지 마취와 수술을 받을 수 있다. 태아를 가진 임산부에서 수술이 시행되는 경우에는 태아 감시장치를 반드시 시행한다. 태아 감시가 가능하다면 외래수술이 가능하다. 수술 전후로 태아 감시장치로 태아의 심박수와 심수축을 감시하는 것은 태아의 안녕을 평가하고 임산부가 집으로 돌아가지 전까지 자궁의 수축이 없었다는 것을 확인할 수 있다.

12. 모유 수유(Breast feeding)

모유 수유를 하고 있는 경우에도 외래수술 및 마취가 가능하다. 수술 전후로 모유 수유를 원하는 경우에는 마취 계획에 이를 고려하여야 한다. 이전 연구에서 전신마취 후 24시간 이내에는 모유에 마취제가 낮은 농도로 있는 것이 밝혀졌지만 그래도 농도가 비교적 낮으므로 모유 수유를 계속할 수 있다고 보고하였다. 다른 연구에서는 반복적으로 투여하거나 고용량으로 benzodiazepine이나 아편유사제를 준 경우에는 모유에 위험한 수준까지 약물이 축적될 수 있으므로 모유 수유를 시작하기 이전에 일부 모유를 짜서 버려야 할 수도 있음을 시사한다.

13. 신 질환(Renal Disease)

투석(dialysis) 시행 중인 말기신질환(end-stage renal disease, ESRD) 환자가 외래수술을 받는 경우, 필요에 따라 적절하게 투석을 수행해야 하고 수술 전날에 투석을 받는다면 이때 산증, 수액 과부하 또는 전해질 이상 등이 없어야 한다. 시술을 시행하기 전에 검사를 해야 하는데 특히 K^+ 수치를 잘 관리를 해야 한다. 외래수술을 할 때 경우에 따라서 신속하게 실험실 검사를 시행할 수 있도록 이에 해당되는 장비나 시설을 외래 수술실 내에 갖추고 있어야 한다.

14. 간 질환(Liver Disease)

급성간염이나 전격성 간부전(fulminant hepatic failure)을 나타내는 급성간질환 환자는 계획 수술의 대상이 아니다. 만성간질환 환자의 경우 수술을 받기 전

데 환자에 대한 많은 정보가 필요하고 평가되어야 한다. Child-Turcottte-Pugh (CTP) 점수와 말기 간질환 모델(Model for End-Stage Liver Disease, MELD) 점수를 사용한 2가지의 평가법이 간질환 환자의 위험도를 계층화(stratify) 하는데 도움이 된다(표 5-5, 표 5-6, 표 5-7) 일반적으로 외래수술의 환자 평가에 있어서 CTP 점수와 MELD 점수가 각각 15점 이하인 환자는 외래수술을 받을 수 있으며 반면에 MELD 점수가 30 이상인 환자는 외래수술을 받을 수 없다(표 5-6).

15. 갑상선 질환(Thyroid Disease)

갑상선종(goiter)은 기도 확보가 어려울 수 있으므로 상기도의 눌림이나 이동을 예측하기 위해서 경부의 방사선 사진(전방 및 측면 투사)이나 컴퓨터 단층 촬영을 실시해야 한다. 갑상선 항진증은 갑상선 기능이 수술 전에 조절되어야 하는데 그렇지 않은 경우에 부정맥이나 마취 약제의 이상반응을 나타낼 수 있다. 갑상선 기능 저하증 환자는 갑상선 호르몬의 대체 요법(replacement therapy)을 시행하여 갑상선 기능이 안정되게 유지되도록 해야 한다.

표 5-5 Child-Turcotte-Pugh 점수

	1점	2점	3점
총 bilirubin 농도(mg/dl)	< 2	2-3	> 3
혈청 albumin 농도(g/dl)	> 3.5	2.8-3.5	< 2.8
International normalized ratio (INR)	< 1.7	1.7-2.2	> 2.2
복수	없음	잘 조절됨	조절이 되지 않음
encephalopathy	없음	잘 조절됨	조절이 되지 않음

* 각 항목에 대한 점수를 합하여 구한다.

표 5-6 MELD 점수(Model for End-Stage Liver Disease; MELD)

$$MELD = 3.78 \times \ln [serum\ bilirubin\ (mg/dL)] + 11.2 \times \ln [INR] + 9.57 \times \ln [serum\ creatinine\ (mg/dL)] + 6.43$$

MELD 점수의 해석		점수의 계산 시 고려해야 할 사항
> 40 30-39 20-29 10-19 < 9	71.3% 사망률 52.6% 사망률 19.6% 사망률 6% 사망률 1.9% 사망률	* 검사의 결과값은 수술 24시간 내에 얻은 것을 사용한다. * 최대값은 40이다. * 점수가 40 이상인 경우에는 40으로 간주한다. * 검사값이 1.0 미만인 경우에 1.0으로 사용한다. * Creatinine 농도의 최대값은 4.0으로 사용한다. * 환자가 지난 주에 투석을 2회를 시행하였다면 creatinine 값을 4.0 mg/dl로 사용한다.

표 5-7 간질환을 동반한 환자에서 Child-Turcotte-Pugh (CTP) 점수와 MELD 점수(Model for End-Stage Liver Disease, MELD) 점수에 따른 외래수술의 환자선택에 대한 추천사항

CTD 점수	MELD 점수	수술에 대한 추천사항
5-6	< 10	계획수술을 진행한다.
7-9	10-15	합병증이 발생되지 않도록 주의하면서 계획수술을 진행한다.
10-15	> 15	수술을 진행하지 않는다.

16. 류마티스 관절염(Rheumatoid Arthritis)

류마티스 관절염 환자는 기도 관리 및 기관내삽관에 있어서 어려움이 있을 수 있으므로 특별한 마취관리가 필요하다. 마취를 시행하기 전에 목의 유동성(mobility)에 대하여 평가하고 기록되어야 한다. 환자마다 목의 해부학적인 소견을 기록하고 고리중쇠 아탈구(atlanto-axial subluxation)가 있는지를 확인하기 위해서 신체검사 또는 방사선 사진을 통해서 확인해야 한다. 마스크 환기 및 기관내삽관이 어려울 수 있다고 예측할 수 있는 징후로는 측두 하악(temporomandibular) 관절의 침범, 윤상피열염(crioco-arytenoiditis), 또는 흉부 강직이 있다. 마취를 시행하기 전에 환자의 입을 열고 목의 움직임 범위를 주의 깊게 관찰하고 평가하는 것이 중요하다.

17. 신경계 질환(Neurologic Disease)

급성뇌졸중이 예정된 수술 30일 내에 발생하였던 환자는 외래수술의 좋은 대상자는 아니다. 외래수술을 불가피하게 받아야 하는 경우에는 발생할 수 있는 응급상황에 대비하여 언제든지 신경-중재시술자(neuro-interventionalist)가 시술을 시행할 수 있는 환경이 외래 수술실 가까이에 제공되는 곳에서 시행되어야 한다. 수술 전 증상을 보이는 경동맥 협착(carotid stenosis)이 있는지 평가하는 것이 중요하다. 신경계 질환을 가진 환자들은 외래수술을 받을 경우에 이 수술 이전의 환자의 신경학적 마비의 양상에 대하여 잘 평가되고 기록되어 있어야 한다. 수술 전에 환자와 국소마취 및 신경축 마취의 시행여부에 대하여 충분한 논의되어야 한다. 잘 시행된 국소마취는 신경학적 증상을 악화시키지 않는 것으로 보고되어 있다.

18. 발작(Seizure)

외래환경에서 수술을 받는 간질 환자는 수술 전에 간질 치료에 대한 약을 계속해서 복용을 해야 한다. 약을 복용하고 있음에도 불구하고 발작이 자주 발생하는 환자는 수술 당일에 적절하게 관리를 받을 수 있는 병실을 전환해서 준비되어야 한다.

참고문헌

1. Benumof JL. Obstructive sleep apnea in the adult obese patient: implications for airway management. J Clin Anesth 2001; 13: 144-56.
2. Berlin CM Jr, Paul IM, Vesell ES. Safety issues of maternal drug therapy during breastfeeding. Clin Pharmacol Ther 2009; 85: 20-2.
3. Bryson GL, Chung F, Finegan BA, et al: Patient selection in ambulatory anesthesia-an evidence-based review: part I. Can J Anaesth 2004; 51: 768-81.
4. Bryson GL, Chung F, Cox RG, et al: Patient selection in ambulatory anesthesia - an evidence-based review: part II. Can J Anaesth 2004; 51: 782-94.
5. Chung F, Subramanyam R, Liao P, et. Al. High STOP-Bang score indicates a high probability of obstructive sleep apnoea. Br J Anaesth 2012; 108: 768-75.
6. Grines CL, Bonow RO, Casey DE Jr, et. al. American Heart Association; American College of Cardiology; Society for Cardiovascular Angiography and Interventions; American College of Surgeons; American Dental Association; American College of Physicians. Prevention of premature discontinuation of dual antiplatelet therapy in patients with coronary artery stents: a science advisory from the American Heart Association, American College of Cardiology, Society for Cardiovascular Angiography and Interventions, American College of Surgeons, and American Dental Association, with representation from the American College of Physicians. J Am Coll Cardiol 2007; 49: 734-9.
7. Joshi GP, Chung F, Vann MA, et. Al. Society for Ambulatory Anesthesia. Society for Ambulatory Anesthesia consensus statement on perioperative blood glucose management in diabetic patients undergoing ambulatory surgery. Anesth Analg 2010; 111: 1378-87.

8. Joshi GP, Ankichetty SP, Gan TJ, et. al. Society for Ambulatory Anesthesia consensus statement on preoperative selection of adult patients with obstructive sleep apnea scheduled for ambulatory surgery. Anesth Analg 2012; 115: 1060-8.

9. Lermitte J, Chung F. Patient selection in ambulatory surgery. Curr Opin Anaesthesiol 2005; 18: 598-602.

10. Nitsun M, Szokol JW, Saleh HJ, et al. Pharmacokinetics of midazolam, propofol, and fentanyl transfer to human breast milk. Clin Pharmacol Ther 2006; 79: 549-57.

11. Raeder J, Urman RD. Practical ambulatory anesthesia. In; Banyan JM, Raeder J, Sweitzer BJ. 1st ed. Patient and procedure selection. Cambridge University Press; pp 18-34, 2015.

12. Tait AR, Malviya S. Anesthesia for the child with an upper respiratory tract infection: still a dilemma? Anesth Analg 2005; 100: 59-65.

13. Wong J, Lam DP, Abrishami A, et al. Short-term preoperative smoking cessation and postoperative complications: a systematic review and meta-analysis. Can J Anaesth. 2012; 59: 268-79.

Chapter 6

당일수술의 종류 및 수술 전 검사

침습도가 높지 않은 수술은 대부분 당일수술의 적용을 고려해 볼 수 있다. 당일수술의 경우 수술 전 검사를 일괄적으로 시행하는 것은 바람직하지 않다.

1. 당일수술의 종류

Key point

당일수술로 가능한 수술의 종류는 다음 네 가지 요소에 의해 결정된다.

1. 수술의 침습 정도(invasiveness)
2. 수술 후 주요 합병증 발생 가능성(complications)
3. 경구용 진통제로 통증 조절 가능(oral analgesics)
4. 수술 준비에서 퇴원하기까지의 과정이 일과 중에 끝날 수 있는지 여부(time)

북미, 영국에서의 당일수술은 '반드시 입원해서 수술해야 하는 환자'를 제외하고 시행되는 기본 수술(default option)로써 자리잡았다. 수술의 70% 이상이 당일수술로 시행되고 있고 그 범위가 점점 더 확대되는 추세이다. 이러한 당일수술의 활성화에는 최소침습적 수술을 가능하게 하는 수술 장비와 빠른 회복이 가능한 마취제의 발전, 초음파를 이용한 부위마취를 통한 빠른 회복과 통증조절, 수술 후 오심과 구토의 감소가 크게 기여하였다. 제도적으로는 국가적 차원에서 의료비를 절감하기 위하여 포괄수가제에 인센티브를 부여하는 보험시스템이 당일수술을 활성화 시키고 있다. 우리나라도 마취 및 수술

술기에 있어서는 당일수술의 조건이 충분히 갖추어져 있으므로 향후 행위별수가제 대신 포괄수가제가 시행된다면 당일수술이 크게 활성화 될 것으로 기대된다.

British Association of Day Surgery에서 권장하는 당일수술의 목록은 표 6-1과 같다.

1970년대에 당일수술이 처음 시작되었을 때는 당일수술의 가능 조건으로 간단한 수술, 건강한 환자, 최소한의 출혈과 체액 이동, 90분 이내의 수술, 경구진통제에 의한 통증조절, 간단한 회복이 제시되었는데, 근래의 당일 수술의 기준으로 제시되는 것은 "수술 후 환자의 안전한 귀가여부" 단 한 가지이다.

당일수술의 가능성 여부를 결정하는 환자적 요소는 무엇일까? 캐나다의 마취통증의학과 의사 1,377명을 대상으로 하는 설문조사에서 75%의 마취통증의학과 의사들이 거동이 가능한 미국마취통증의학과학회 신체상태분류법(American society of anesthesiologist physical status classification, ASA) 3, 안정적인 심부전, 안정적인 협심증, 증상이 없는 심장판막질환, 6개월 전의 심근경색증 환자, 마약성진통제를 투여할 필요가 없는 폐쇄성 수면무호흡증(obstructive sleep apnea, OSA) 환자 등도 당일수술이 가능하다고 응답하였다. 그러므로 환자가 협조적이고 수술 전후로 기저질환 관리가 잘 되고, 당일

표 6-1 British Association of Day Surgery에서 권장하는 당일수술

진료과	수술명
유방외과	Excision or biopsy (wide local excision, sentinel node biopsy) Simple mastectomy Microdochotomy Nipple operation
일반외과	Perianal fistula Pilonidal sinus Hemorrhoidectomy Open or laparoscopic hernia repair Laparoscopic cholecystectomy, adrenalectomy, splenectomy, fundoplication, gastric banding
부인과	Cervical surgery Laparoscopic tubal ligation, oophorectomy, hysterectomy Female incontinence surgery, and anterior and posterior repair
두경부외과	Dental procedure Excision of salivary glands Thyroidectomy Parathyroidectomy
안과	Cataract surgery Strabismus surgery Vitrectomy Nasolacrimal and all eyelid surgery
정형외과	Diagnostic and therapeutic arthroscopic surgery Anterior cruciate ligament repair Carpal tunnel release Bunion surgery Fracture reductions and removal of metalwork Lumbar microdiscectomy Minimally invasive hip surgery Unicompartmental knee surgery
이비인후과	Myringotomy and tympanoplasty Rhinoplasty Procedure on nasal septum and turbinates Polypectomy Adenotonsillectomy Laryngoscopy Endoscopic sinus surgery
비뇨기과	Endoscopic bladder and ureteric surgery Transurethral laser prostatectomy Circumcision Orchiectomy Laparoscopic nephrectomy, pyeloplasty, and prostatectomy
혈관외과	Varicose vein surgery Dialysis fistula creation Transluminal arterial surgery

수술 관리 시스템이 체계적이라면 나이, ASA 3, 기저질환 자체만으로는 당일수술의 금기가 되지 않는다.

그러면 당일수술의 가능성 여부를 결정하는 수술적 요소는 무엇일까? 여러 보고에 따르면 복강경담낭절제술은 당일수술의 좋은 적응증이며 좀 더 복잡한 복강경 수술들(fundoplication, hysterectomy, nephrectomy, pyeloplasty, and gastric banding)도 당일 수술로 진행하고 있고 심지어 각성 하 뇌종양 수술과 고관절 치환술도 당일수술로 시행하고 있다. 병적 비만 환자를 대상으로 하는 비만 대사 수술에서도 84%의 환자가 23시간 이내에 퇴원하며 재입원율은 2% 미만이라고 한다. 이를 보면 수술의 종류와 수술 시간보다는 수술의 침습 정도, 수술 후 심각한 합병증의 발생 가능성, 그리고 경구 진통제로 집에서 통증을 조절할 수 있느냐에 따라 당일 수술로 할지 입원수술로 할지를 결정하는 것이 바람직하다.

그러므로 우리는 수술 스케줄을 잡을 때 항상 다음과 같은 두 가지 질문을 해 보아야 한다. "수술 후에 병원에 입원하는 것이 이 환자에게 어떠한 이득이 있는가?" 만약 환자에게 이득이 없다면 "이 환자에게 당일수술이 시행되기 위해서는 어떠한 조치들이 필요한가?" 비교적 침습도가 높고 상당한 통증이 수반되는 수술이라도 국소마취제로 수술 부위에 주입하고 국소마취제를 지속 배출하는 도관을 거치면 수술 후 경구 진통제로 통증 조절이 가능하고 따라서 당일수술로 전환할 수 있다. 그러므로 당일수술이 유리한 환자라면 적극적으로 당일수술을 가능하게 하는 다양한 조치를 모색해야 할 것이다.

위의 세 가지 조건(최소침습적, 최소합병증, 경구통증 조절)에 더하여 정규 근무시간 중에 준비 및 수술, 퇴원 절차가 이루어져야 하므로 수술 시간이 고려되어야 한다. 보통은 2시간 이내의 수술이 적당하다고 알려져 있다.

퇴원 후 환자의 안전은 당일수술의 기본 조건이며 당일수술의 성공의 여부는 수술 후 합병증의 발생 여부와 밀접한 관계가 있다. 당일수술의 합병증으로는 환자의 이환율/사망률 이외에도 예상하지 못한 입원, 퇴원 후 병원재

방문/재입원, 회복시간의 연장 등이 포함된다. National data from the American College of Surgeons-National surgical quality improvement program (NSQIP)의 보고에 따르면 당일수술 72시간 내의 이환율/사망률은 0.1% (1 in 1,053, n=244,397)였고, 당일수술의 합병증으로 가장 많은 것은 통증, 오심구토, 호흡기 관련 부작용이다.

이러한 합병증에 관여하는 주요 요소는 수술과 마취이며, 수술 시간이 길고 수술이 침습적일수록 합병증의 발생 빈도가 더 높다. 침습도가 높을 수술은 수술에 따른 합병증의 가능성도 높을 수 있지만 이외에도 수술 후 심한 통증에 따른 마약성진통제의 요구량 증가와 그에 따른 오심과 구토의 증가로 인하여 수술 후 합병증의 가능성이 더욱 높아지게 된다. 예상치 못한 입원에도 수술이 가장 중요한 역할을 하는데, 63.2%에서 수술에 병발한 부작용보다는 계획했던 것보다 더 광범위한 수술이 이루어졌기 때문이라고 하였다. 동반된 질환과 관련된 수술 후 합병증은 19.9%, 사회적인 이유로는 4.7%, 마취와 관련된 이유는 12.7%에 불과하므로, 예상치 못한 입원의 빈도를 낮추기 위해서는 '정확한 수술 계획'이 가장 중요하다. 기관내삽관은 후두마스크와 같은 supraglottic airway보다 인후통을 증가시킨다(표 6-2). 그러나 예상치 못한 합병증이나 입원 등은 당일수술 불가사유가 되지는 않는데 합병증 발생 자체가 드물고, 발생하는 경우 입원수술로 전환하면 되기 때문이다.

당일수술에서 중대 합병증은 매우 드묾에도 불구하고 수술 후 부작용에 대한 막연한 우려는 당일수술의 가장 큰 장애가 되고 있다. 예를 들면 기관삽관 후의 후두부종은 1% 미만에서 나타나고 일반적으로 수술 후 첫 3시간 내에 나타나므로 회복실에서 충분한 시간을 두고 관찰한 경우 집에서 중대한 합병증이 발생할 가능성은 매우 낮다. 또한 대부분의 편도선 절제술 후 출혈은 수술 후 6-8시간 이내에 발생하고 그 이후에 발생할 가능성은 0.7%라고 보고되었다. 그러므로 편도선 절제술 후 8시간

이상 관찰했다면 귀가시켜도 충분하지만 아직도 대부분의 경우 수술 후 출혈 가능성을 우려하여 입원수술로 시행하고 있다. 마찬가지로 갑상선 수술도 당일 수술의 안정성이 이미 1986년에 보고되었고 충분한 경험을 가진 전문가에 이해 수술이 시행되었을 경우 부작용은 매우 드물지만 아직도 출혈과 기도 압박의 우려로 대부분 입원 수술로 시행하고 있다. 그러나 점점 더 많은 경험의 축적이 이루어지면 자연스럽게 당일수술이 점차 확대될 것으로 생각된다.

소아에서도 광범위한 당일수술이 시행되고 있다(표 6-3). 소아에서 당일수술의 적용은 기본적으로는 성인과 큰 차이는 없다. 다만 환자의 나이, 성장도, 사회 환경 등과 같은 다른 요소를 더 세심하게 고려해야 한다. 대부분이 체강을 침범하지 않는 체표 수술을 선호하며, 출혈이 적고 정상적으로 1시간이 초과되지 않는 수술에 적용된다. 수술 후 통증도 심하지 않으며 퇴원 후 가정에서 경구 진통제로 조절이 가능하여야 한다.

글머리에서 언급한 대로 당일수술의 결정에는 수술 자체의 특성뿐 각 나라의 특성과 각 병원의 요건이 더 큰 영향을 미친다. 당일수술이 보편화 되어 있는 않는 곳에서는 아무리 간단한 수술일지라도 입원수술로 시행될 수밖에 없으며, 입원수술에 인센티브를 주는 보험 제도와 의료인 및 환자의 당일수술에 대해 부정적인 인식은 수술 자체의 특성보다 당일수술을 여부를 결정하는데 더 큰 영향력을 행사한다.

표 6-2 마취통증의학과 관련된 합병증을 피하는 방법

NPO 최소화(수술 전 2시간까지 수분섭취 가능) 한다.

기관삽관 대신 supraglottic airway 사용한다.

마약성 진통제 대신 NSAIDs 등 비마약성 진통제 사용한다.

가능하면 국소마취로, 전신마취 시 국소마취를 추가로 시행한다.

Multimodal treatment for PONV(전정맥마취, 예방적 항구토제 포함)

Succinylcholine은 사용하지 않는다.

수술과 수술 후 경과에 대한 인쇄된 정보를 제공한다.

표 6-3 소아환자에게 시행되는 당일수술의 종류

외과분야	탈장, 음낭수종, 포경, 고막절개술, 발치, 사시교정, 석고붕대 교체, 관절경, 생검(피부, 골, 근육, 임파선)
내과분야	수막강내 투여, 골수채취, 요추천자, 천자생검, 내시경(±생검)
진단	관절조영술, 청력유발전위, 안압측정, CT, MRI 및 기타 scan, 방사선/심장 검사, 대사/내분비 검사

2. 수술 전 검사

Key point

당일 수술에서 수술 전 검사를 시행하는 이유는 다음 세가지
이다.

1. 질환의 심각도 파악(severity)
2. 수술 및 마취 방법의 변경(planning)
3. 환자의 예후 향상(prognosis)

당일수술을 위한 수술 전 검사는 현재 주로 외과 의사에 의해 주도되고 있으며 수술 스케줄이 정해짐과 동시에 처방된다. 수술 전 일상검사(routine test)에는 흉부 X-ray 검사, 심전도, 혈액검사(full blood count), 출혈성향 검사(coagulation test), 신기능 검사, 혈당검사, 소변검사 등이 있는데 많은 경우에 있어 환자의 질환에 specific 한 검사가 아닌 routine test가 처방되고 있다.

그러나 당일수술을 시행 받는 대부분의 환자는 ASA 1 혹은 2이며 이 경우 이환율/사망률은 매우 낮아 routine test의 당위성을 주장하기 어렵다. Warner 등에 따르면 당일수술환자 35,598명의 분석에서 30일 morbidity/mortality 0.08% (n=33)였고 단지 네 명이 사망하였는데 이중 두 명은 심근경색증이었고 두 명은 수술과 상관없는 교통사고였다.

미국마취통증의학과학회 가이드라인(ASA and the Society for Perioperative Assessment of Quality Improvement, SPAQI)과 다른 많은 연구들은 routine

test를 시행하지 말 것을 권고하고 있다. 미국의 Centers for Medicare & Medicaid Services (CMS)는 routine test에 비용을 지불하지 않는다.

이러한 수술 전 검사 지침의 배경에는 첫째, 불필요한 검사는 의료자원의 낭비 및 의료비의 상승을 가져오고, 둘째, 검사 이상이 발견되어도 의사에 의해 무시되거나 환자 관리에 변화가 없는 경우가 많고, 셋째, 불필요한 추가 검사, 이로 인한 수술 연기와 시간 손실, 비용이 증가하고, 넷째, 드물지 않은 위양성 검사결과에 의한 환자의 불안을 증가시키고, 다섯째, 수술 전 검사의 유무와 환자의 예후에 관계가 없기 때문이다.

두 번째와 다섯 번째 이유는 흥미로운 부분이므로 아래에서 좀 더 자세히 설명하겠다. 검사결과가 환자관리에 반영이 되지 않는 경우가 많은데 이는 검사 결과가 수술 당일 아침에 가서야 파악되거나, 이상 소견이 나와도 이것이 계획된 수술과 마취 방법에 영향을 미치는 경우가 드물기 때문에 검사 결과에 개의치 않고 당일수술이 진행되는 경우가 많기 때문이다. 한 대규모 연구에 의하면 아무런 기저질환이 없고 수술 전 검사의 indication이 되지 않는 환자의 54%에서 수술 전 검사가 시행되었으며, 15%는 수술 당일에 검사가 시행되었으며, 전체 환자의 64%에서 한 가지 이상의 검사 이상 소견이 발견되었으나 아무런 추가 조치 없이 수술이 시행되었다. 다른 연구에서도 비정상적인 검사 결과의 96%가 마취통증의학과 의사와 외과 의사에 의하여 무시된다고 하였다. Kaplan 등의 연구에 의하면, 시행된 수술 전 검사의 0.2% 만이 환자 관리에 의미 있는 결과였고 이런 의미 있는 결과 조차 이로 인해 수술 및 마취 상의 특별한 조치가 취해진 경우는 없었다고 한다. 마찬가지로 Bryson 등은 전체 환자의 2.6%에서 비정상 검사결과를 보였으나 이 때문에 수술이 취소된 환자는 없었다고 하였다.

수술 전 검사와 예후 간의 낮은 상관관계에 관한 연구로서는 5만 명에 가까운 당일수술 환자에서 수술 후 주요 합병증의 발생은 수술 전 검사의 유무나 그 결과에 상

관이 없었다. Schein 등 또한 고령의 많은 기저질환을 가진 백내장환자를 대상으로 수술 전 검사를 시행한 군과 안 한 군을 비교하였는데 양군에 예후의 차이가 없었다. 캐나다에서 시행된 randomized controlled trial에서도 routine test를 시행한 군과, 질환 별 specific test만을 시행한 군과, 전혀 검사를 시행하지 않은 군간에 예후에 차이가 없었으며 중증의 질환이라도 잘 조절되는 상태인 경우에는 수술 전 검사가 환자의 예후에 관련이 없었다. Smetana 등은 systematic review에서 검사 상의 이상이 환자 관리에 변화를 일으킨 경우는 0.1% (CBC) − 2.6% (신기능검사)이라고 보고하였다. Wyatt 등은 병력과 신체검사 결과에 의존한 검사와 routine test의 비교에서 취소율은 두 방법에서 비슷하다고 하였다. 이 외에도 다른 많은 연구들에서도 동일한 결과를 보고하고 있다.

검사 결과가 비정상인 환자의 대부분은 병력과 신체검사로 예견할 수 있으므로 병력청취와 환자의 관찰 및 간단한 신체검진은 수술 전 평가에서 매우 핵심적이며 대부분의 critical한 정보를 얻을 수 있다. 당일수술의 부작용은 주로 부적절한 환자의 평가와 communication 상의 문제기 중요한 원인이었고 검사결과나 검사의 미실시는 상관이 없었다.

그렇다면 ASA 3인 환자들인 경우는 어떨까? 이런 환자들도 기저질환이 잘 관리되는 경우 ASA 1–2인 환자에 비해 이환율 및 사망률이 증가하지 않는다고 보고되었고 또한 환자 상태가 안정적이라면 4개월에서 1년 전에 시행된 수술 전 검사 결과로도 충분하다고 보고되었다.

심각한 기저질환을 가진 환자의 예로 무증상의 severe aortic stenosis를 들 수 있다. Aortic stenosis 환자는 상당히 진행된 경우에도 증상이 없는 경우가 많다. 고관절골절로 수술 받는 환자에게서 routine으로 심초음파를 시행하였을 때 8%의 환자에게서 moderate 이상의 aortic stenosis가 발견된다. 즉 심각한 aortic stenosis가 드물지 않다는 말이다. 이런 우연적 발견을 기대하고 고

령이거나 고혈압이 있다는 등의 이유 만으로 routine으로 심초음파를 처방해야 할까? 한 연구에서 valve area가 1 cm^2 이하이고 mean pressure gradient가 35–58 mmHg인 severe aortic stenosis를 가진 10명의 환자에게 144번의 electroconvulsive therapy가 시행되었다. 모든 경우에서 일상적인 마취방법으로 당일수술이 진행되었고 아무런 부작용이 없이 퇴원하였다. 이런 결과들을 고려한다면 침습적이지 않은 수술인 경우 aortic stenosis가 있고 진단되지 못했더라도 반드시 더 큰 위험에 노출되는 것은 아니라는 것을 보여준다. Aortic stenosis가 무증상인 경우 비교적 예후가 양호하며 급사의 위험은 1년에 1% 미만이다.

외과 의사가 당일수술에 routine test를 내는 배경에는 검사가 없으면 마취통증의학과 의사에 의해 수술이 cancel 될까 하는 우려, 그리고 나중에 의료 소송이 발생하였을 때 법적 책임을 피해보려는 의도가 있다. 그러나 실제로는 의료사고가 생겼을 때 적응증이 되지 않아서 검사를 안 한 경우보다는 routine test에서 이상소견이 나왔고 이를 알고도 별다른 조치 없이 수술을 진행한 경우 더욱 문제가 될 수 있다. 그러므로 당일수술 환자의 수술 전 검사의 원칙은 '환자가 특별한 질환을 의심하게 하는 증상이 없다면 routine test는 필요 없다' 이다.

그러나 꼭 수술 전 검사를 실시해야 하는 경우라면 수술 전 검사는 충분한 기간 전에 실시되어 그 결과가 의사에 의해 파악되어야 한다. 그래야만 적절한 환자 평가, 후속 검사 실시와 필요한 조치가 가능하다. 또한 환자의 질환에 specific 한 검사만을 시행해야 한다. 수술 전 검사 처방의 기준은 '이 검사로 인해 환자 증상의 정도에 대한 평가가 달라지는가, 환자의 마취 및 수술 방침이 달라지는가, 그리고 환자의 예후를 향상시키는가' 이다.

그러나 specific test ordering에도 상당한 문제가 있는데 최근 Katz 등이 시행한 설문조사에 따르면 당일수술을 받는 환자의 수술 전 검사 중 단 한 가지의 검사에 대해서도 그 타당성에 관해 마취통증의학과 의사들 간에

의견일치를 보이지 않았다. 그리고 실시해야 한다고 생각하는 검사의 50%는 불필요한 검사였다(not indicated). 이것은 당일수술에서 실시되는 수술 전 검사에 아직까지 얼마나 많은 혼선이 있는지를 단적으로 보여준다.

참고로 북미 마취통증의학과학회에서 추천하는 기저질환별 수술 전 검사는 표 6-4과 같다.

언제 시행된 수술 전 검사를 인정할 것인가에 대한 지침은 없다. 마취통증의학과 의사를 대상으로 한 설문조사에서는 4주에서 6개월 사이의 검사 결과면 충분하다는 답변이 다수였다. 날짜 지침의 기준은 '검사와 수술 날짜 사이에 환자의 컨디션에 큰 변화가 없어야 하고 검사 결과를 보고 후속 조치를 취할 수 있는 충분한 시간을 확보할 수 있어야 한다' 이다.

아래는 당일수술에서 맞닥뜨리는 주요 질환에서 고려해 볼 수 있는 검사를 좀 더 상세히 기술하였다.

수술 전 검사(심혈관질환)

환자가 불안정 협심증(unstable angina) 혹은 활동성 협심증(active angina)이 있거나 최근 7일 내에 심근경색을 앓은 경우, 증상이 있는 심부전(decompensated cardiac failure), 증상이 있는 부정맥, 심한 판막질환을 갖고 있다면 환자 상태가 안정화되기 전까지 당일수술뿐 아니라 어떠한 정규 수술도 시행할 수 없다. 그러나 환자가 coronary artery bypass surgery를 받은 후 증상이 없고 안정적이라면 추가적인 검사 없이 당일수술을 시행할 수 있다.

환자의 심질환이 안정적인 상태라면 major adverse cardiac events (MACE) 발생의 위험도를 계산해 볼 것을 권장한다. American College of Cardiology/American Heart Association (ACC/AHA) guidelines에 따라 American College of Surgeons National Surgical Quality Improvement Program risk calculator (http://www.surgicalriskcalculator.com)

표 6-4 The recommendations of the ASA, the Canadian Anesthesiologists' Society (CAS), and the Ontario Preoperative Testing Group (OPTG) on preoperative tests.

Indication	Test				
	Hb/CBC	Crea-tinine	Elect-rolytes	LFTs	Coagulation parameters
Advanced age	ASA OPTG	OPTG	OPTG		
Anemia	ASA CAS				
Bleeding disorders	ASA				ASA CAS OPTG
Other hematologic disorders	ASA				OPTG
Cardiovascular disease	CAS OPTG				
Pulmonary disease	CAS OPTG	CAS OPTG	ASA CAS OPTG		ASA
Liver disease	CAS OPTG			OPTG	ASA CAS OPTG
Endocrine disease		CAS	ASA		
Malignancy	CAS OPTG				
Hypertension	OPTG	CAS OPTG	CAS OPTG		
Diabetes		OPTG	CAS OPTG		
Recent upper respiratory infection			CAS		
Smoking	OPTG				
Alcohol abuse	OPTG			OPTG	OPTG
Steroid use			OPTG		
Anticoagulant therapy	OPTG				ASA CAS OPTG

가 배포되어 있다. MACE risk가 1% 미만인 경우 추가적

인 심기능 평가가 필요하지 않다. 또한 MACE risk가 1% 이상이라도 functional capacity가 4 METS 이상이라면 추가적인 검사 없이 당일수술을 진행할 수 있다. 이보다 MACE risk가 높은 환자들과 functional capacity가 낮은 환자들은 추가적인 검사가 시행되어야 하고 이 결과는 환자의 관리 및 예후에 영향을 미친다.

관상동맥질환, 심각한 부정맥, 말초혈관질환, 뇌혈관질환, 심장의 선천성 기형이 있는 경우는 심전도가 필요하다. 그러나 흥미롭게도 ACC/AHA guideline은 이러한 환자들이라도 위험도가 낮은 수술을 시행 받는 경우 심전도를 추천하지 않으며 증상이 없는 환자들의 경우에는 routine 심전도는 도움이 되지 않는다고 하였다. 다만 수술 전후의 심전도를 비교하여 정보를 얻어야 하는 경우는 수술 전 심전도가 필요하다. 침습도가 낮은 당일수술에서는 관상동맥질환의 병력이 있고 functional capacity가 나쁘더라도 다른 이유로 indication이 되지 않는다면 routine preoperative pharmacological test나 exercise stress test는 권장되지 않는다.

울혈성 심부전이 있는 경우 심초음파의 필요성에 대해서는 연구가 많지 않은데 ACC/AHA guidelines은 환자가 이유를 알 수 없는 호흡곤란이 있거나 최근에 전신 상태가 나빠졌다면 심초음파를 시행해야 한다고 하였다. Ejection fraction이 30% 이하인 경우 수술 후 심부전 등의 합병증 발생의 가능성이 높으므로 당일수술에서는 제외하는 것이 좋다.

환자의 기저 심질환을 파악하고, cardiovascular implantable electronic devices (CIED)의 hardware, settings, programming을 파악하여야 하며 electro-physiology team에 의한 조사 및 reprogramming 혹은 수술 중 magnet이 필요할 수 있다.

수술 전 검사(pulmonary disease)

폐기능 검사는 만성폐쇄성폐질환(chronic obstructive pulmonary disease, COPD)이나 천식 환자를 최초로 진단하는 데는 유용하지만 이미 진단된 환자들이 당일수술을 받을 때 수술 후 폐합병증을 줄이는 데에는 도움이 되지 않는다. 다만 환자가 현재 wheezing이 있거나 객담의 양상이 바뀌어 색깔과 양이 바뀌고 화농성이 되거나, 숨이 차는 증상이 심해졌다면 당일수술을 시행하면 안 된다.

수술 전 검사(ESRD)

ESRD를 가진 많은 환자가 안과 문제나 투석용 vascular access를 만들기 위해 당일수술을 시행 받는다. ESRD 환자는 수술 전 투석을 실시하고 투석 후 전해질과 심전도를 확인해야 한다. 현재까지 당일수술에 대한 전해질 지침은 없다. 말기 신부전 환자는 광범위한 potassium 레벨에서 잘 버티지만 지나치게 높거나 낮은 potassium 레벨은 피해야 한다. 위급한 전해질 이상은 심전도에서 판별할 수 있는데 QRS complex가 넓어진다든지, QT intervals 증가하거나, 납작하거나 뒤집어진 T waves 등의 심전도 변화와 심방-심실 부정맥이 있는 경우 당일수술을 시행할 수 없다.

수술 전 검사(Obesity)

비만환자는 functional capacity가 감소하고 restrictive lung disease 패턴을 보이지만 폐기능검사를 시행하는 것이 예후를 향상시킨다는 증거는 없다. 그러나 obesity hypoventilation syndrome이 의심되는 경우에는 심초음파 등을 시행하여 폐동맥고혈압 여부를 파악해야 하며 동맥혈액가스검사를 시행하여 환자가 저호흡증이 있는지 파악해야 한다(CO_2 증가). 이 경우 당일 수술은 피하는 것이 좋다. 잘 측정되지는 않지만 비만환자 중 허리둘레가 큰 사람(여자 35인치, 남자 40인치 이상)은 대사 및 심혈관 합병증의 빈도가 5배 이상 높으므로 주의해야 한다.

수술 전 검사(diabetes)

현재까지 당일수술에 안전한 혈당치에 대한 지침은 없다. 그러나 American Association of Clinical Endocrinologists with the American Diabetes Association Consensus Statement와 NHS guidelines 각각 혈당을 100-180 mg/dL, 70-215 mg/dL에서 조절하기를 권장한다.

검사로는 수술 전, 중, 후의 혈당과 함께 수술 전 3-4 개월 동안의 환자의 혈당 조절 상태를 나타내는 HbA_{1C} 레벨을 체크해 보아야 한다. HbA_{1C}의 상승은 평소 의사의 지침에 잘 따르지 않거나 다른 이유로 혈당 조절이 잘 안 되는 환자를 의미하며, 수술 후 합병증 증가와 상관이 있으므로 지나치게 증가되어 있는 경우 수술 일정을 다시 잡는 것을 고려하여야 한다. HbA_{1C}의 레벨 6.5-7.6% (48-58 mmol/L)가 적정하다고 여겨지고 있으나 저혈당 증세가 자주 있는 환자는 더 높은 레벨에 맞추어야 한다. $HbA_{1C} > 8.6\%$ (70 mmol/L) 이상인 경우 심장수술에서 사망률을 4배나 높이는 것으로 알려져 있다. 혈당 조절이 잘 안 되거나, 고혈당 증세(탈수, 산증, hyperosmolar states)를 보이거나, 자신의 혈당을 체크할 수 없는 환자는 당일수술을 시행할 수 없다.

수술 전 검사(OSA)

OSA 환자의 80~90%는 polysomnography (PSG)로 진단받지 않은 즉 OSA 의심환자이다. OSA는 호흡기 합병증 이외에도 조절 안 되는 고혈압과 고혈당, 뇌혈관질환, 심방세동, 부정맥, 폐동맥고혈압과 관련되어 있으므로 잘 조절되지 않는 동반질환을 가진 OSA 환자는 당일수술에 부적합하다. 그러나 OSA 환자가 동반질환이 잘 조절되고 있고 마약성진통제 없이도 통증조절이 가능한 수술이 예정되어 있다면 당일수술이 가능하다. 최근 1,200명의 OSA 환자를 대상으로 한 다국가 연구에 따르면 OSA 환자도 morbidity/mortality가 높지 않다고 보고되었다.

2012에 Society for Ambulatory Anesthesia (SAMBA)에서는 당일수술을 받는 OSA 환자를 위해서 각 당일수술 센터마다 대처 알고리듬을 만들고 준수할 것을 강력히 촉구하였다(그림 6-1). 당일수술을 시행 받기로 되어 있는 환자가 병력이나 상태를 통해 OSA가 의심되면 STOP-BANG (snore, tired, observed apnea, arterial pressure, body mass index, age, neck circumference, and sex) questionnaire(표 6-5)를 작성하여 수술 후 호흡부전의 위험도를 계산해야 한다(다른 검사로는 Flemon's Sleep Apnea Clinical Score, the Berlin Questionnaire, the Maislin Prediction model 등이 있다). 환자가 continuous positive airway pressure (CPAP)를 사용 중이고 수술 후에도 계속 사용한다면 당일수술을 받을 수 있지만 수술 후에 CPAP을 사용할 수 없는 상황이라면 당일 수술을 받을 수 없는데 CPAP의 갑작스런 중단은 위험한 합병증을 일으킬 수 있기 때문이다.

마지막으로 불필요한 수술 전 검사를 줄이기 위한 두 가지 방법을 제안한다. 먼저 수술 전 검사의 주체를 외과의사에게서 마취통증의학과 의사로 넘기는 것이다. Stanford University Hospital의 경험에 따르면 마취통증의학과 의사가 수술 전 검사를 지시하는 경우 불필요한 수술 전 검사를 55% 감소시킬 수 있다고 하였다. 두 번째는 환자가 외과의사와 수술 스케줄을 잡을 때 환자 평가를 위한 screening을 시행하는 것이다. Screening은 protocol-driven preoperative assessment나 computerized information gathering tool로 실시하면 체계적으로 시행할 수 있으며 data의 누락이 없다. Screening 된 환자 중 필요한 경우에 한해서 마취통증의학과 의사의 대면 평가(face to face evaluation)가 이루어지면 과도한 resource의 소모 없이도 불필요한 검사를 줄일 수 있다. 이러한 screening을 실시한 경우 단 2%의 환자에게서 문제가 발견되었고 이에 따라 추가적 평가가 시행되었다. 미리 screening 된 환자에 대해 전담간호사

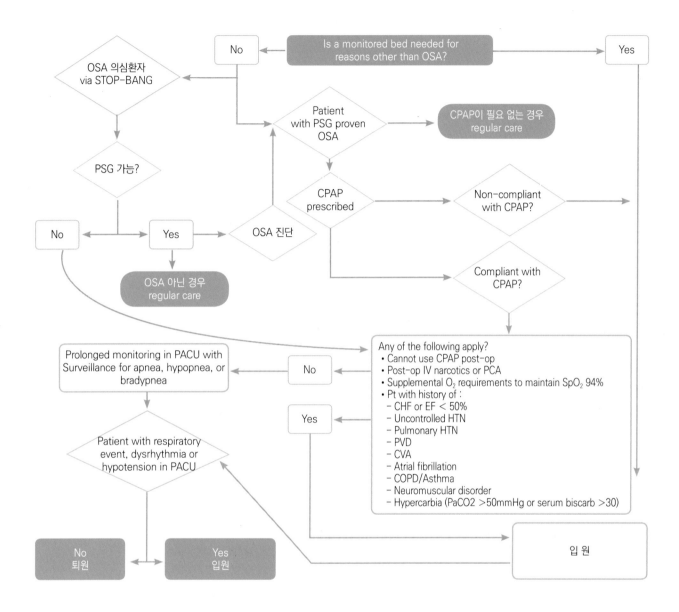

그림 6-1 OSA 환자 관리 알고리즘

Abbreviations: OSA, obstructive sleep apnea; STOP-BANG, snore, tired, observed apnea, arterial pressure, body mass index, age, neck circumference, and gender; PSG, polysomnogram; CPAP, continuous positive airway pressure; IV, intravenous; PCA, patient controlled analgesia; CHF, congestive heart failure; EF, ejection fraction; PACU, post anesthesia care unit; HTN, hypertension; PVD, peripheral vascular disease; CVA, cerebrovascular accident; PaCO$_2$, arterial carbon dioxide partial pressure.

표 6-5 STOP-BANG questionnaire. OSA 고위험은 8개 항목 중 3개 이상에서 '예' 일 때

기본정보	키 몸무게 나이 성별 BMI		
	셔츠의 목둘레	S, M, L, XL	
	목둘레(cm)		staff에 의해 측정
Snoring	당신은 코를 심하게 고십니까? (말하는 목소리보다 크거나 닫힌 문 밖으로 들릴 정도)		예/아니오
Tired	당신은 낮에 자주 피곤함을 느끼거나 졸립니까?		예/아니오
Observed	당신이 수면 중에 숨을 멈추는 것을 다른 사람이 관찰한 적이 있습니까?		예/아니오
Blood pressure	고혈압이 있거나 고혈압약을 드시고 계십니까?		예/아니오
BMI	35 이상입니까?		예/아니오
Age	50세가 넘으셨습니까?		예/아니오
Neck circumference	목둘레가 40 cm 이상입니까?		예/아니오
Gender	남자이십니까?		예/아니오

가 수술 전날 전화로 환자의 상태를 다시 한번 체크하면 screening 후 발생 한 상태 변화를 파악할 수 있고 필요한 추가적인 조치기 가능하다.

참고문헌

1. American Society of Anesthesiologists Task Force on Preanesthesia E. Practice advisory for preanesthesia evaluation: a report by the American Society of Anesthesiologists Task Force on Preanesthesia Evaluation. Anesthesiology 2002; 96:485-496.

2. Benarroch-Gampel J, Sheffield KM, Duncan CB, Brown KM, Han Y, Townsend CM, Jr., Riall TS. Preoperative laboratory testing in patients undergoing elective, low-risk ambulatory surgery. Ann Surg 2012; 256: 518-528.

3. Bryson GL, Wyand A, Bragg PR. Preoperative testing is inconsistent with published guidelines and rarely changes management. Can J Anaesth 2006; 53: 236-241.

4. Chan MT, Wang CY, Seet E, Tam S, Lai HY, Walker S, Short TG, Halliwell R, Chung F, Investigators P. Postoperative vascular complications in unrecognised Obstructive Sleep apnoea (POSA) study protocol: an observational cohort study in moderate-to-high risk patients undergoing non-cardiac surgery. BMJ Open 2014; 4: e004097.

5. Chung F, Yuan H, Yin L, Vairavanathan S, Wong DT. Elimination of preoperative testing in ambulatory surgery. Anesth Analg 2009; 108: 467-475.

6. Committee on S, Practice P, Apfelbaum JL, et al. Practice advisory for preanesthesia evaluation: an updated report by the American Society of Anesthesiologists Task Force on Preanesthesia Evaluation. Anesthesiology 2012; 116: 522-538.

7. Dabu-Bondoc S SK. Management of comorbidities in ambulatory anesthesia: a review. Dovepress 2015; 2: 39-51.

8. Fischer SP. Development and effectiveness of an anesthesia preoperative evaluation clinic in a teaching hospital. Anesthesiology 1996; 85: 196-206.

9. Gold BS, Kitz DS, Lecky JH, Neuhaus JM. Unanticipated admission to the hospital following ambulatory surgery. JAMA 1989; 262: 3008-3010.

10. Joshi GP, Ankichetty SP, Gan TJ, Chung F. Society for Ambulatory Anesthesia consensus statement on preoperative selection of adult patients with obstructive sleep apnea scheduled for ambulatory surgery. Anesth Analg 2012; 115: 1060-1068.

11. Junger A, Klasen J, Benson M, et al. Factors determining length of stay of surgical day-case patients. Eur J Anaesthesiol 2001;18: 314-321.

12. Kaplan EB, Sheiner LB, Boeckmann AJ, et al. The usefulness of preoperative laboratory screening. JAMA 1985; 253: 3576-

3581.

13. Katz RI, Dexter F, Rosenfeld K, et al. Survey study of anesthesiologists' and surgeons' ordering of unnecessary preoperative laboratory tests. Anesth Analg 2011; 112: 207-212.

14. Loxdale SJ, Sneyd JR, Donovan A, Werrett G, Viira DJ. The role of routine pre-operative bedside echocardiography in detecting aortic stenosis in patients with a hip fracture. Anaesthesia 2012; 67: 51-54.

15. Mangano DT, London MJ, Tubau JF, et al. Dipyridamole thallium-201 scintigraphy as a preoperative screening test. A reexamination of its predictive potential. Study of Perioperative Ischemia Research Group. Circulation 1991; 84: 493-502.

16. Mathis MR, Naughton NN, Shanks AM, et al. Patient selection for day case-eligible surgery: identifying those at high risk for major complications. Anesthesiology 2013; 119: 1310-1321.

17. McCarty TM, Arnold DT, Lamont JP, Fisher TL, Kuhn JA. Optimizing outcomes in bariatric surgery: outpatient laparoscopic gastric bypass. Ann Surg 2005; 242: 494-501.

18. Mueller PS, Barnes RD, Varghese R, Nishimura RA, Rasmussen KG. The safety of electroconvulsive therapy in patients with severe aortic stenosis. Mayo Clin Proc 2007; 82: 1360-1363.

19. Richman DC. Ambulatory surgery: how much testing do we need? Anesthesiol Clin 2010; 28: 185-197.

20. Schein OD, Katz J, Bass EB, et al. The value of routine preoperative medical testing before cataract surgery. Study of Medical Testing for Cataract Surgery. N Engl J Med 2000; 342: 168-175.

21. Smetana GW, Macpherson DS. The case against routine preoperative laboratory testing. Med Clin North Am 2003; 87: 7-40.

22. Smith I, Skues, MK, Philip BK. Ambulatory (outpatient) anesthesia. Miller R. Miller's Anesthesia 8ed. Philadelphia: Elsevier Health Sciences, 2010.

23. Stierer TL CN. Preoperative testing and risk assessment: perspectives on patient selection in ambulatory anesthetic procedures. Dovepress 2015; 2: 67-77.

24. Warner MA, Shields SE, Chute CG. Major morbidity and mortality within 1 month of ambulatory surgery and anesthesia. JAMA 1993; 270: 1437-1441.

Chapter 7

수술 전 금식

수술의 역사는 마취의 역사와 그 궤를 같이 한다. 마취의 이론과 기술이 발전함에 따라서 그 이전에는 기대하기 힘들었던 안전성과 수술적 용이성을 확보하게 되었다. 근대의학의 발전에 따라 시행된 초기의 수술 기간에는 생리적인 반응에 대한 이해가 충분치 않아서 수술 후 오심과 구토, 역류, 폐 흡인 등에 따른 합병증의 위험성이 컸다. 사망예의 부검을 통해 원인을 파악할 수 있었고, 이에 따라 위 내용물을 줄이기 위한 금식은 시작되었다. 한편 금식에 따라서 생길 수 있는 환자의 불편감, 이를 테면 갈증, 기아, 오심, 긴장 등을 해결하고자 하는 노력 또한 지속되어 왔다. 금식 기간 동안 환자의 영양 상태와 혈량 상태를 유지할 수 있도록 적절한 수액을 충분히 공급하여야 한다. 수술 전 금식은 입원 환자의 선택 수술, 응급 수술뿐만 아니라 당일 수술에서도 반드시 시행되어야 한다. 입원 환자의 선택 수술과 달리 당일 수술의 금식이 얼마나 정확히 지켜졌는지 판단하는 것은 환자에 전적으로 의존하기에 어려움이 있다. 또한 환자의 불편감, 특히 갈증 및 기아에 있어서 환자군의 나이와 상태에 따라 차이가 있으므로 금식 시간의 적용 및 수술 시간과 순서를 고려하여 결정해야 한다. 최근 여러 나라의 마취통증의학과학회에서는 탄수화물 음료의 섭취를 수술 전 2시간까지 복용할 수 있고 긍정적인 효과를 볼 수 있는 것으로 제시하고 있다. 아직 우리나라에서는 제한적으로 시도되고 있지만 안정성과 효능에 대한 앞으로의 연구와 적용이 기대되고 있다. 이 장에서는 환자의 금식에 따른 생리적인 변화에 대한 이해를 바탕으로 금식 가이드라인의 변화 과정을 알아보고 현재의 지침을 알아보고자 한다.

1. 수술 전 금식과 관련된 용어 정리

1) 수술 전 금식(Nil per os, NPO)

마취 중, 후에 발생할 수 있는 위 식도 역류, 오심과 구토에 따른 폐 흡인을 예방하고 환자의 불쾌감을 줄이기 위하여 수술 전에 물과 음료수, 모유 및 고형 음식물 등 모든 음식물의 섭취를 금지하는 것.

2) 맑은 액체 음료수

물, 녹차, 맑은 육수(beef tea), 과육이 없는 과일쥬스, 설탕과 우유가 포함되지 않은 차와 커피, 탄수화물이 포함된 음료수, 등장성 스포츠 음료수 등을 말한다. 우유는 위에서 커드(curd)를 형성하게 되므로 고형 음식물에 포함된다.

3) 역류(Reflux)

위 내용물이 식도로 흘러나오는 현상. 신맛 또는 쓴맛을 느낄 수는 없으나 속쓰림(heartburn)을 호소한다.

4) 역류(Regurgitation)

위 내용물이 입과 인두로 흘러나오는 현상. 신맛 또는 쓴맛을 느낄 수 있다.

5) 트림(Belching)

위에서 가스가 역류되어 나오는 현상.

6) 오심(Nausea)

메스꺼움, 구토를 하려는 기분. 활동적인 근육의 움직임은 없으나 타액 분비, vasomotor disturbance, sweating 등이 증가된다.

7) 구역(Retch)

헛구역질. 근육의 움직임은 있으나 위 내용물의 구강을 통한 체외 배출 없이 메스꺼움을 느끼는 현상.

8) 구토(Vomiting)

위 내용물이 복부 근육, 늑간근, 인후두부 근육들의 수축과 장의 역행성 연동운동(retrograde peristalsis)으로 입인두(oropharynx)를 통하여 배출되는 현상. 위 기저부(gastric fundus)가 이완되고, 성문(glottis)이 닫히고, 연구개가 올라가게 (elevation of the soft palate) 되며, 심박수, 호흡수 및 땀의 분비가 증가된다.

9) 흡인(Aspiration)

성대 이하의 기도로 이물질이 흡입되는 현상

10) 무증상 흡입(Silent aspiration)

증상이 없이 발생하는 흡인

11) 증상성 흡인(Symptomatic aspiration)

흡인에 의해 기침, 목 막힘(choking), 짧은 호흡(shortness of breath), 호흡 부전(respiratory distress) 등의 증상이 나타난다.

12) 흡인성 폐렴(Aspiration pneumonitis)

흉부 X-ray 소견상 침윤을 특징으로 하는 흡인된 물질에 의한 비감염성 급성 화농성 반응

13) 흡인성 폐렴(Aspiration pneumonia)

물질의 흡인에 의한 흉부 X-ray 소견상 폐 실질 조직의 염증성 반응

14) 위산(Gastric acid)

위벽을 구성하는 세포들 중 80%를 차지하는 parietal cell에서 분비된다. Parietal cell에서 분비되는 hydrochloric acid의 pH는 0.8부터 시작되며 평균 pH는 1-3 정도로 유지 된다.

15) 위액(Gastric fluids)

위 분비액(예; hydrochloric acid, 점액과 기타 분비액 등)과 삼킨 타액 등을 통합하여 말한다. 위액의 양은 음식물이 antrum과 pyrolus를 지나서 십이지장에 도달하게 되면서 감소하게 된다.

16) Sellick's maneuver

Sellick이 1961년 마취유도 중에 rapid sequence intubation을 시도하면서 역류에 따른 흡인을 예방하기 위하여 소개. 윤상연골을 제5경추의 추체 방향으로 압력을 가하여 상부 식도의 폐색을 시도하는 방법이다. 이 때에 가해지는 압력은 100 cmH$_2$O 정도를 유지하여야 한다.

2. 식도와 위의 해부학적 특성

1) 음식물 섭취에 따른 변화 3단계

(1) Cephalic phase

Cephalic phase는 음식을 보거나, 냄새를 맡거나 또는 생각하는 등의 음식물 섭취와 관련된 여러 가지 신호

에 의하여 유발된다. Cephalic phase에 미주신경을 통한 상부 위장관 운동 억제와 함께 타액, 위산, 췌장액 등의 분비가 활성화되며 또한 gastrin, ghrelin 등과 같은 펩타이드 호르몬의 분비도 유도된다.

(2) Gastric phase

Gastric phase는 음식물 섭취와 위 내에 저장된 음식물의 양에 의한 기계적 효과에 의하여 유도된다. 음식물이 위에 도달하게 되면 물리적 수용기(mechanoreceptor)를 자극하여 위 내와 혈관미주신경반사 전달체계(vasovagal reflex pathway)를 통하여 위의 이완과 위산 분비를 자극하게 된다. 위 내에 음식물이 있다는 화학적 자극에 국한되며, 음식물을 섭취하면서, 위는 점차 비워지게 되고, 위의 이완과 팽창 기능이 감소하게 되면서, 음식물이 장내로 옮겨지면서 생리적 조절 기능도 이동하게 된다.

(3) Intestinal phase

Intestinal phase는 십이지장의 G cell에서 분비된 gastrin에 의하여 자극되는 소장의 근위부 화학적 수용체에 의하여 유발된다. 일부에서는 십이지장의 팽창과 같은 기계적 요인들이 작용하여 gastrin 분비가 자극된다. 반면에 십이지장의 산성화는 secretin 분비를 자극하며 위산 분비를 억제하고 췌장의 bicarbonate 분비를 자극한다. 지질은 여러 가지 펩타이드(cholecystokinin, glucose-dependent insulinotropic peptide, neurotensin, peptide YY, somatostatin 등)를 분비시켜 위산 분비를 억제하고 췌장 효소 분비를 자극한다. 또한 지질은 CCK를 분비하여 담낭의 수축을 자극한다. 동시에 혈관미주신경반사 전달체계의 음되먹이기(negative feedback)와 호르몬 효과로 위 수축이 억제되며, 소장 내에 음식물, 낮은 pH, 고삼투질 농도에 반응하여 위 배출이 서서히 느려지게 된다. Gastric phase와 Intestinal phase는 상부 위장관에 음식물이 있어야 반응이 나타나며 음식물에 대한 여러 가지 감각 기전에 따라서 반응하므로 항상 3 phase가 서로 상호작용을 하게 된다.

2) 위 배출(Gastric emptying)

위(stomach)의 용량은 약 1500 ml 정도이며, 식도를 중심으로 근위부와 원위부와 같이 2부분으로 나눌 수 있다. 위의 근위부는 기저부(fundus), 들문부(cardia), 위체부의 상부 1/2로 구성되며 복부 압력에 따라서 섭취한 음식물의 저장과 위 배출 속도에 중요한 역할을 한다. 원위부는 위 체부의 하부 1/2과 위강(antrum), 유문부(pylorus)로 구성된다. 위의 수축은 음식물과 위액의 혼합작용을 하며 크기가 1 mm 이하가 되면 유문부를 지나 십이지장으로 내려가게 된다. 위로부터 액체의 배출은 위와 십이지장의 압력 차이, 위 내용물의 양, 열량(caloric density), pH, osmolality 등에 영향을 받게 된다. 건강한 환자라면 위액 양은 불안 정도에 따라서 변화된다고 하지만 수술 직전이라고 하여 증가되지는 않는다. 물과 열량이 없는 액체의 위 배출시간은 매우 빨라서 평균 10분 이하이며. 당분이 첨가된 액체는 더욱 느려지게 되지만 90분 이후에는 차이가 없다. 고형 음식물의 위 배출시간은 섭취 약 1시간 후부터 시작하여 2시간 후에 약 50%가 십이지장으로 배출되지만 음식물의 열량에 비례하게 된다. 위 내용물의 배출 시간은 남자보다 여자에서, 노인에서 지연되며, 고형 음식물의 위배출을 위하여 금식 시간이 길어질 수 있다.

신생아와 유아에서도 맑은 액체 음료수의 위 배출 시간은 first order kinetics를 따르지만 평균 반감기는 15분이다. 고형 음식물은 선형(linear manner)으로 배출된다. 신생아와 유아에서 모유의 위 배출시간은 2시간 이내에는 완전하게 되지 않으며 최소한 3시간이 필요하다. 모유 섭취 후 적합한 금식 시간은 아직 확립되지는 않았으나 2-5시간 정도가 필요하다. 미숙아에서는 모유의 위 배출시간이 지연되며 우유는 모유보다도 더 지연된다.

이유식의 위 배출시간은 구성 성분에 따라서 차이가 크다. 이유식은 각 제품, 지역과 나라 등에 따라서 구성 성분에 차이가 크다는 것을 인지하여야 한다. 소아 마취를 하게 되는 경우에는 성인에서와 같이 맑은 액체 음료수는 수술 2시간 전부터 금식하여야 하며, 6개월 이하 소아에서는 모유와 이유식은 최소한 4-6시간 금식이 필요하다. 건강한 1-16세 소아에서 맑은 액체의 섭취는 수술 전 1시간과 2시간 전 금식은 배고품, 목마름 위 내용물의 pH, 혈당, 수술 후 오심과 구토, 마취 유도와 회복의 질 등에서 차이가 없다고 하였다.

위 배출시간의 지연은 정상 생리과정의 변화, 질환의 상태, 섭취된 음식물, 약물과 오남용된 물질 등에 따라서 발견되고 있다. 통증과 마약성 진통제는 위 배출을 지연시키는 가장 잘 알려진 요소이다. 당뇨와 같은 일부 질환에서도 위 배출시간이 지연되며, 고형 음식물이 액체 음료수보다 지연된다. 국소적인 종양과 위장관의 폐색 등에 의한 정체에서도 유사한 결과가 나타난다.

고형 음식물의 위 배출시간은 흡연자에서는 지연되지만 nicotine patch를 사용하는 환자는 그렇지 않다. 습관적 흡연자에서는 비흡연자에 비하여 위액의 양이 상당히 증가되며 흡연을 잠시 멈추어도 증가된 상태를 유지한다. 위 배출시간과 위액의 양에 대한 흡연의 영향은 다양한 의견이 있으므로 마취 전에 흡연을 피하여야 하는 이유이다. 기분 전환을 위한 cannabinoid의 오남용, 과음 등도 위 배출시간을 지연시킨다. 기능적인 소화불량(functional dyspepsia)도 위 배출시간의 지연과 관련이 있다. 비만에서도 위 배출시간은 지연된다. 여성 호르몬의 위 배출시간에 대한 효과는 다양한 결과가 보고되고 있다. 임산부에서 위 배출시간은 정상이지만 첫 3개월에서는 호르몬의 효과로 지연될 수 있다. 분만이 진행되는 과정에서는 점차 지연되어 최소 2시간 정도 지연될 수 있다. Metoclopramide는 위 배출시간을 빠르게 할 수 있으나 위 내용물의 배출을 보장하는 것은 아니며, 통증과 마약성 진통제를 복용한 환자에서도 마찬가지이다.

이상을 종합하면 위 내용물의 배출시간은 위 내용물의 양, 소화되는 속도, 하루 중 시기(time of the day), 측정 방법, 체온, 체위(예; 앉거나 선 자세, 걷는 경우에는 빠르며, 누운 자세 특히 좌측 누운 자세보다 우측 누운 자세에서 빠르다), 혈당(예; 높으면 느리다), 당도가 높은 맑은 액체 음료수, 점성이 높은 액체(예; 점도가 높으면 빠르다), 활동성(예; 중등도 활동은 촉진하지만 과도한 행동은 느리게 한다), 혈중 납 농도(예; 위 배출을 억제한다), 맑은 액체 음료수에 포함된 이온들(예; Na는 촉진하며 K는 억제한다), H_2 수용체 길항제(예; 맑은 액체 음료수는 지연시키지만 고형음식물은 촉진한다) 등의 영향을 받을 수 있다.

3) 위 내용물과 위식도 역류

위 내용물의 양과 산도(acidity)는 위액분비, 경구 섭취와 위 배출 등에 따라서 차이가 크다. 마취 중에 발생하는 수동적 역류와 폐 흡인은 일정한 위액의 양이 필요하다. 환자에 따라서는 10-30 ml의 적은 양에서도 발생할 수 있다. 위식도 역류 또는 강력한 구토가 동반된다면 적은 용량이 배출되어도 기도 내로 들어갈 수 있다.

4) 환자, 마취와 관련된 인자들

기도 관리와 관련된 문제들이 흔히 폐 흡인과 관련이 있다. 마취 유도 과정에서 공기가 위로 들어가거나 기침 요동(bucking), 얕은 마취 상태에서의 기침 등은 위식도 역류를 유발할 수 있다. 비만, 위식도 역류성 질환을 가진 환자, 기도 유지에 어려움이 있는 환자 등에서는 특히 위 내용물의 양과 관계없이 폐 흡인의 위험이 있다. 이러한 환자 요인과 함께 마취방법과 수기는 임상적으로 심각한 폐 흡인의 가장 중요한 선행 요인이며, 금식 지침의 위반과는 관련이 없다. 마취통증의학과 의사의 숙련도는 위 내용물 잔류 유무와 함께 가장 중요한 요인이다.

3. 금식과 수술에 따른 수술 전 금식(생리적 변화)

1) 금식에 따른 대사성 반응

선택수술에서 수술 전 금식은 마취 유도 전에 위를 비우게 되어 위 내용물의 역류와 폐 흡인 등과 같은 합병증 예방과 위험 저하를 위하여 중요한 권장사항이다. 그러나 이와 같은 밤을 새는 금식(overnight fasting)은 체내 비축된 탄수화물의 저하, glucagon 증가, 인슐린 분비 저하와 같은 내분비 변화, 단백질 파괴 및 지방분해와 같은 대사성 변화가 발생한다.

수술 및 손상과 관련되어 발생하는 대사성 반응은 대사율의 증가와 과대사 상태와 관련이 있다. 수술에 따른 손상으로 기질의 산화가 현저하게 증가되어 glucagon의 증가, 지방, 단백질의 분해와 같은 이화작용이 촉진된다. 인슐린 분비가 증가되지만 인슐린 저항이 초래되어 혈당이 증가된다. 인슐린과 glucagon의 비(인슐린/glucagon ratio)가 감소하고 포도당 신합성(gluconeogenesis)이 증가된다. 고식적인 술전 금식시간의 유지는 인슐린 저항을 악화시키고, 당혈증(glycemia)을 증가시키며 특히 6-8시간보다 긴 10-16시간 금식 유지로 호발하게 된다. 또한 밤을 새는 금식은 금식 시간에 비례하여 다양한 정도의 탈수도 함께 갈증, 구강 건조, 배고픔, 불안 등과 같은 불편함이 초래될 수 있다. 내분비형 인슐린 저항은 수술 후 대사성 반응의 임상 특징으로 감염성 합병증의 이환율과 관련되어 환자의 회복을 지연시킬 수 있다.

2) 마취제 선택에 따른 당대사 변화

(1) 당대사

수술의 침습정도에 따라 당대사는 당의 생산은 증가되고 말초 조직에서 소모가 저하되므로 과혈당을 초래하게 된다. 마취 방법에 관계없이 마취와 진통을 위하여 사용되는 약물의 선택은 당대사에 영향을 줄 수 있다. 정맥마취제(예; propofol, 대량의 아편유사제, 중추신경축 차단,

흡입마취제 등)은 수술에 따른 과혈당 반응을 촉진한다. 수술 후 오심과 구토의 치료를 위하여 투여되는 적은 양의 corticosteroid도 비당뇨 환자에서 혈당을 증가시킨다.

(2) 단백질 대사

단백질의 이화작용은 단백질의 분해대사와 아미노산 산화(oxidation)로 인하여 체내 단백질의 손실을 자극하는 과정을 말한다. 대사성 질환이 없는 건강한 환자에서 복강 수술 후에 40-80 g의 nitrogen 손실은 1.2-2.4 kg의 골격근과 동등한 용량이다.

과거의 흡입마취제 halothane은 단백질의 분해와 합성을 저하시키지만 desflurane과 sevoflurane은 아직은 확실하지 않으며 정맥마취제(예; fentanyl, midazolam, propofol 등)은 영향이 없는 것으로 알려져 있다.

(3) 인슐린 저항성

인슐린 저항은 정상 혈중 인슐린 농도를 유지하면서 비정상 생물학적 반응을 나타내는 경우를 말한다. 이러한 반응은 인슐린과 반대작용을 하는 호르몬(예; cortisol, glucagon, catecholamines 등)에 의한 반응으로 초래된다. 인슐린 저항성은 근 손실을 증가시키고, 환자의 회복을 지연시키는 인자로 작용하며 이는 감염 등의 합병증이 늘어나는 것에 기인한다. 인슐린 저항성을 줄이면 근육량 보존에 도움을 주고 재원기간을 줄이는 것을 기대해 볼 수 있다. 그 외 인자들로는 수술 시간, 침상 휴식(bed rest)와 immobilization, 마취와 진통 방법, 영양 공급과 수술 전 금식, 출혈, 환자 상태와 수술 후 재활 등이 영향을 줄 수 있다.

4. 수술 전 금식의 역사적 변천과정

처음에는 흡인의 예방 목적보다도 구토와 역류에 따른 불쾌감을 저하시킬 목적으로 수술 전 금식이 시도되었다. 1847년 처음 마취에 관한 서적을 간행한 Robinson의

책에서 금식에 대한 언급이 없었으나 Snow는 ether 마취에서 위의 충만은 수술 후 구토로 인하여 환자의 불쾌감을 초래하므로 수술 2-4시간 전부터 아침 또는 점심을 금식하는 것을 제시하였다. 1862년 chloroform에 의한 새로운 사망 원인들이 Edinburgh 의학회에서 발표되었으며, 1853년 총상 환자의 대퇴부 수술 중에 구토가 있었으며 사후 부검에서 기도가 구토물들로 막혀있는 것을 발견하게 되었다.

1883년 영국의 외과 의사인 Joseph Lister는 금식에 대하여 간단한 임상지침을 발표하게 되었는데, Chloroform 마취에서는 고형의 위 내용물이 없어야 하며, 수술 2시간 전까지 차나 맑은 육수 한 컵 정도를 허용하였다. 이후 마취통증의학과 의사와 외과 의사에게 밤 12시부터 금식을 하도록 제시되었으며 1970년대부터 1980년대까지 임상 연구를 바탕으로 한 금식 지침이 발표되기까지 적용되었다.

1920년에 Buxton은 액체 음료수와 고형 음식물의 금식에 대한 지침을 기술하였다. 만일 오전 9시에 수술이 예정되었다면 오전 6시에 차 한 컵을 섭취할 수 있으며, 오후 2시에 예정되었다면 가벼운 아침식사와 차(light breakfast of tea), 한 조각의 빵과 우유(bread boiled to pulp in milk), 오전 7시에는 육류가 아닌 어류 등과 같은 식사를 하고, 오전 11시에 차 또는 맑은 육수를 마실 수 있도록 하였다. Hweitt는 우유는 위에서 굳어져서 고형 음식물이 되므로 주의하여야 한다고 경고하였다. 1947년 Lee는 수술 6시간 전부터 사탕(sweet, candies)을 제외한 어떠한 음식물도 금식하여야 한다고 하였으며 1964년에는 수술 6시간 전부터 어떠한 음식물과 음료수도 금식하여야 한다고 하였다. 1970년 Cohen과 Dilllon은 당일 수술 환자를 위한 수술 전 지침에서 수술 전날 자정부터 어떠한 음식물의 섭취도 금지하였으며, 당일 아침에도 커피, 과일 쥬스, 물 등의 섭취도 금지하였다. 특히 소아 환자라고 하더라도 이러한 지침을 지키도록 하였다. 수술 전 음식물 섭취는 위 내에 남아 있게 되며, 위의

충만은 수술과 마취에 매우 위험하기 때문이다. 그러나 유아와 소아에서는 수술 6시간 전부터 고형 음식물과 우유의 섭취를 금지하였으나 맑은 액체 음료수는 2시간 전까지 허용하였다. 캐나다마취통증의학과학회에서는 위를 완전하게 비운다는 것은 불가능하므로 응급수술을 제외하고 통증, 외상, 불안, 진통제 복용, 위장관계 이상, 또는 전투약(premedication) 등을 제외한다면 최소한 5시간 금식을 하여야 한다고 하였다. 1960년대부터 건강한 환자에서 특별한 위험인자가 없다면 수술 전날 자정부터 금식은 선택수술에서 널리 적용되고 있으며 고형 음식물과 음료를 구별하는 지침은 없었다. 세계 2차 전쟁 이후 금식 지침에도 여러 가지 변화가 있었다.

위 내용물의 역류에 의한 합병증은 1946년 Medelson에 의하여 전신마취를 하여 제왕절개술을 받은 44,016 임산부의 역행성 분석 결과에서 처음 보고되었다. 이에 따른 실험에서 중화된 위산의 흡입에서 폐 흡인되었을 경우와 증상 발현의 차이를 증명하였다. 이 후 임산부는 위 배출이 지연되므로 수술 전 금식을 적용하고, 국소 또는 부위마취의 적용을 높이고, 전신마취 전에 위 내용물의 알칼리화와 위의 배출을 촉진시키거나 비울 수 있다면 폐 흡인의 위험을 저하시킬 수 있다고 하였다. 1951년 Morton과 Wylie는 1950-1951년의 마취와 관련된 사망 사고를 분석하여 영국마취통증의학과학회의 지침을 제공하였으며, 원인으로는 경험이 적은 마취통증의학과 의사, 위 내용물이 충만되었거나 위험도가 높은 외상, 위장관 폐색, 임산부 등과 같은 환자들을 제시하였다. 이후 1950년대에 위험도가 높은 환자를 위한 마취 유도 수기의 변화(Newcastle inhalation technique)와 환자 체위를 변화시키는 방법이 적용되었다. 체위를 머리부위를 20도 낮추어 위 배출을 쉽게 하는 방법과 40도 높여서 위 내용물의 배출과 인후두부에 접근을 예방하는 방법을 적용하였으나 효과는 크지 않았다.

Sellick은 1961년 빠른 연속마취유도(rapid sequence induction)에서 윤상연골압박법(Sellick's maneuver)

으로 장관 폐색, 위유문부 협착, 겸자분만(forcep delivery) 환자에서 효과적으로 적용하였다. 1974년 Robert와 Sharley는 동물실험 결과를 이용하여 정상 성인여자에서 위액 0.4 ml/kg은 안전하며, 분만에서 위액 25 ml, pH 2.5 이하에서는 위험에 대비하여야 한다고 하였다. 이후 많은 연구가 거듭되어 1990년 Raidoo 등은 0.8 ml/kg, pH 1.0 위액의 흡인은 심각한 폐렴을 유발한다고 하였다.

임상 연구에서 수술 전 8시간 금식한 40-80% 환자에서 위액의 양은 25 ml, pH 2.5 이하였다고 하였다. 1978년 Ong 등은 당일수술 환자에서 8-18시간 금식 후 위액의 양은 69±17 ml, 입원 환자에서 9-16시간 금식 후에는 33±4 ml 였으며, 수술 당일 먹거나 마시게 된다면 위 배출이 지연되고 스트레스로 인하여 위 분비가 증가될 수 있으며 위액의 평균 pH는 2.5 이하라고 하였다. 위액의 pH는 magnesium tricilicate, sodium citrate, H2 수용체 길항제(예; cimetidine, ranitidine) 등을 이용하여 높일 수 있으며, 위 내용물의 배출을 촉진하기 위하여 metoclopramide 등과 같은 약물을 사용할 수 있다.

1977년 Hester와 Heath는 마취 유도 4시간 이상 전에 금식과 함께 0.3 M sodium citrate는 위액의 양과 pH에 영향이 없다고 하였으며, 1983년 Miller 등은 수술 전 금식과 4시간 전에 가벼운 식사는 위액의 양에 영향이 없으므로 안전하며, 맑은 액체 음료수는 시간을 더 단축시킬 수 있을 것이라고 하였다. 점차 생리적으로 안정을 제공할 수 있는 술전 금식에 대한 지침이 제공되기 시작하였다. 이러한 지침에서 첫째, 술전에 어떠한 음식을 섭취하였든지 수술 전에 위가 충만된 상태가 되지 않도록 자정부터 금식(NPO from midnight)을 지키도록 하였다. 둘째는 폐 흡인을 예방하려면 술전에 위 내용물의 양이 25 ml 이상, pH는 2.5 이하가 되지 않도록 하여야 한다. 이후 많은 연구에서 술전 12-16시간 금식보다는 2시간 전에 맑은 액체 음료수 섭취는 안전하며, 잔류 위 내용물의 양과 상부와 하부 식도괄약근 긴장도에 영

향이 없으며, 맑은 액체 음료수 섭취는 역류의 위험을 증가시키지 않는다고 하였다.

금식이 되지 않은 상태에 대한 생각에 변화되어 미국 마취통증의학과학회에서는 다음과 같은 지침을 권장하였다.

1) 가벼운 음식(예; dry toast와 맑은 액체 음료수), 수술 전 6시간 까지 허용하였으며
2) 맑은 액체 음료수는 양에 관계 없이 수술 2시간 전까지 허용하였다.
3) 위장관 자극제, 위산분비 억제제, 경구 제산제 등은 건강한 선택수술에서는 사용하지 않을 것을 권장하였다.
4) 소아에서는 "2-4-6-8 rule"을 적용하여 맑은 액체 음료수는 2시간 전, 모유는 4시간 전, 이유식은 6시간 전, 고형 음식물은 8시간 전까지 허용하게 되었다.

그러나 수술 6시간 전에 가벼운 식사를 한 이후에 2시간 전에 맑은 액체 음료수 섭취의 허용은 수술 시작 시간의 유연성으로 더욱 융통성을 가지고 적용할 수 있다. H2 수용체 길항제, proton pump 억제제 등은 식도질환, hiatus hernia, 위식도 역류성 질환, 복압이 높은 환자, 임산부, 의식 저하, 예측되지 못한 기관내삽관 곤란 환자 등에서 안전성을 높이기 위하여 사용할 수 있을 것이다. 이러한 지침은 마약성 진통제가 투여된 외상 환자, 급성 위장관 또는 복부 질환, 응급 산과 환자 등에서는 위 배출 시간이 지연될 수 있으므로 적용하지 않는다. 그리고 수술 시간의 지연과 위 내용물의 배출 시간에 따른 위험 정도를 감안하여 마취와 수술 시작시간을 결정하여야 한다.

5. 현재의 수술 전 금식 지침

폐흡인을 예방하기 위하여 현재 미국마취통증의학과학회에서 제시한 수술 전 금식시간에 대한 가이드라인은

표 7-1 폐 흡인을 예방할 수 있는 권장되는 수술 전 금식 시간

음식물 종류	최소 금식 시간 (hours)a
맑은 액체(Clear liquids)	2
모유(Human breastmilk)	4
조제분유(Infant formula)	6
비모유(Non-human milks)	6
가벼운 식사(Light meal)d	6

위의 권장 사항은 건강한 선택수술을 받는 모든 환자를 기준으로 적용하며, 환자 상태에 따라서 길어질 수 있다. 산모에서는 권장되지 않으며 길어질 수 있다. 맑은 액체(clear liquids : 물, 과육이 없는 과일쥬스, 탄산음료, 우유가 없는 차와 커피) 등이 있다. 비모유(non-human milk)는 위 배출시간에 차이가 없어서 고형음식물과 같이 적용한다. 가벼운 식사(예 ; light meal : toast and clear liquids)를 말하며 fried, fatty foods와 육류는 위 배출 시간이 지연된다. 가벼운 음식물을 섭취하더라도 많은 양을 먹었다면 위 배출 시간이 지연될 수 있으므로 유의하여야 한다.

표 7-1과 같다.

1) 액체(fluids)

성인과 소아 모두에서 맑은 액체 음료수는 제왕절개술을 포함한 선택수술 2시간 전까지 섭취할 수 있다. 일부 지침에서는 우유(전체 용량의 1/5가 포함된 차와 커피를 맑은 액체 음료수에 포함할 수 있다고 주장한다. 수술 전에 장시간 금식은 특히 노인과 소아에서 위험할 수 있으므로 가능한 범위에서 짧은 시간을 적용하려는 시도를 하고 있다. 그러나 환자의 안전의 증진과 불편함을 최소화하기 위하여 수술 2시간 전까지 맑은 액체 음료수 섭취를 할 수 있도록 하여 금식시간을 최대한 단축할 수 있도록 한다.

차와 커피에 함유된 우유는 위내에서 응유(curdles)되어 고형 음식물로서 작용한다. 많은 양에서는 문제가 되지만 적은 양은 맑은 액체 음료수와 같이 안전하게 섭취할 수 있다고 하지만 주의하여야 한다.

2) 고형 음식물

고형 음식물은 성인과 소아 모두에서 선택수술 6시간 전부터 섭취를 금지하여야 한다. 최근 고형 음식물에 대한 수술 전 금식 기간에 대한 연구는 많지 않다. 수술

2-4시간 전에 차와 함께 버터를 바른 토스트와 같은 가벼운 음식물의 섭취는 위 내용물을 증가시키지 않았으나, 마취 유도 전에 위 내 고형물의 잔류량은 측정 방법에 따라서 차이가 있을 수 있어 위험을 완전하게 배제할 수 없다.

선택 수술 6시간 전에 고형 음식물 섭취를 금기로 하는 것은 일상적인 내용이다. 그러나 수술 전 6시간으로 고형 음식물 섭취 시간의 단축에는 장점이 없다는 주장도 있다.

3) 간식과 흡연

환자들은 마취 유도 전까지 사탕을 먹거나, 껌을 씹는다거나, 흡연 등으로 인하여 수술이 연기되거나 취소가 된다는 것을 원하지 않는다. 이와 같은 기호품들을 선택 수술 전에 이용하게 된다면 cephalic phase와 gastric phase를 자극하여 하부 식도 괄약근의 약화로 역류를 유발할 수 있다. 또한 타액의 분비가 3-10배 증가되어 위액이 증가되며, 위액 pH가 저하되고, 위 배출시간이 지연될 수 있다.

마취 유도 직전까지 껌을 씹는 것으로 위 배출시간이 지연된다고 알려져 있다. 그러나 일부 연구에서는 위액의 양과 산도에 영향이 없으며 위 장관의 움직임을 촉진한다고 하였다. 소아 5-17세 환자에서 설탕의 유무와는 관계없이 껌을 씹는 것은 위액의 양과 pH를 증가시킨다. 또한 껌의 경우에는 삼킬 수가 있으며 이는 흡인으로 기도를 막을 수 있어 위험 부담이 되며, 구강 내에 남아 있다면 기관내삽관 또는 상후두 기도유지기구에 붙어서 원하지 않는 합병증을 유발할 수 있다. 그러므로 미국에서는 4살 이전에는 껌을 삼가고 있으며 제조 회사에서는 6살 이후에 권장하고 있다.

부인과 환자를 대상으로 수술 전 1시간 이상 동안 흡연자와 비흡연자, nicotine이 함유된 껌과 함유하지 않은 껌의 비교에서 껌을 씹지 않은 비흡연 환자에서 위액의 양이 훨씬 더 많았으며, 껌을 씹는 것과는 관계없이 위액

의 pH는 비흡연자에서 높다고 하였다.

그러나 껌을 씹으므로 목마름, 구강 건조, 배고픔, 안절부절, 불안, 과민성(irritability) 등을 저하시킬 수 있으므로 효과와 위험부담에 대한 평가가 필요하다.

4) 위 배출 시간을 지연시키는 경우들

비만, 위 식도 역류, 당뇨, 임산부(분만이 아닌 산모) 등에서도 통상적인 수술 전 금식 지침에 따르며 마취 방법의 선택에 변화를 가져올 수 있다. 위의 경우들에서는 위 배출시간이 지연될 수 있으나 경증인 경우에는 건강한 환자들에서와 같이 통상적인 지침에 따라 적용한다. 마약성 진통제(예; opioids)는 위 배출시간을 지연시킬 수 있으므로 복용하고 있거나 하였던 병력이 있는 환자에서는 주의하여야 한다.

5) 약물 복용

최근 선택수술(임산부 제외)에서 수술 전에 제산제, metoclopramide, H2 수용체 길항제의 복용을 권장하고 있다.

(1) Prokinetic medication

수술 기간 중에 예방목적으로 prokinetics 복용은 위 내용물의 폐 흡인 위험을 저하시키지는 않는다. 수술 전 prokinetics는 마취 유도 중에 위액의 양과 pH에 대한 효과에서 H2-수용체 길항제와 함께 복용은 위약보다는 위액의 양을 저하시키고 pH는 상승시킨다고 하였으나, 다른 연구에서는 차이가 없다고 하였다. 앞으로 prokinetic의 위액의 양과 ph 변화에 대한 연구가 필요할 것이다.

(2) H2 수용체 길항제와 Proton pump 억제제(PPIs)

H2 수용체 길항제와 Proton pump 억제제의 작용기전은 차이가 있다. H2 수용체 길항제는 위의 parietal cell에 작용하여 위산 분비를 자극하는 histamine의 자극

효과를 차단한다. Proton pump 억제제는 hydrogem/potassium ATPase (H+/K+ ATPase) 효소 체계에서 parietal cell의 proton pump 즉 histamine, gastrin과 acetylcholine의 자극 효과를 차단한다. 위의 두 가지 약물들은 위산의 흡인에 따른 위험 저하를 목적으로 적용하고 있다.

일부 연구에서 ranitidine은 PPIs(예; omeprazole, lansoprazole, pantoprazole, rabeprazole 등)보다 위액 분비를 0.22 ml/kg 저하시키고, 위산의 pH를 0.85 pH units 증가시킨다. 또한 ranitidine은 위궤양 환자에서 권장용량보다 적은 용량에서 효과가 있으며, PPIs는 권장 용량보다 많은 양이 필요하다.

이러한 약물들의 위액 분비량과 pH에 미치는 효과가 어느 정도 지속되는 가는 확실하지 않다. 여러 연구에서 나타난 결과를 흡인의 위험이 높은 환자에게 적용할 수 있는 가와 실제 흡인에 따른 이환율과 사망률 등에 대한 의문점이 있으므로 수술 전 금식시간, 복용 약물의 종류와 용량, 투여 경로, 반복 투여, 환자 상태 등의 인자들을 감안한 연구가 필요하다.

6) 수술 전에 탄수화물의 섭취

선택 수술을 받게 되는 환자(예; 당뇨)에서 2시간 전에 탄수화물이 함유된 음료수를 마시는 것은 안전하다. 수술 전에 탄수화물(예; maltodextrin)이 포함된 음료수 섭취는 안전하지만 모든 탄수화물 음료가 안전한 것은 아니다. 음식물을 섭취하거나 짧은 기간 금식에 따른 glycogen 손실은 대사성 변화를 유발하며 stress hormone 분비에 변화를 초래한다.

수술 2시간 전까지 맑은 액체 음료수 섭취는 충분한 에너지를 함유하지 않았더라도 대사성 변화를 초래하지는 않는다. 비교할 수 있는 최선의 방법은 밤을 새는 금식과 탄수화물을 함유한 음료를 섭취한 환자의 비교에서 관찰할 수 있는 인슐린 반응이다. 포도당의 정맥투여가 이러한 목적으로 적용되고 있다. 포도당의 정맥 투여에 따른

인슐린 반응은 용량 의존형으로 공급되는 포도당의 비율에 의하여 결정된다. 포도당 투여는 60 μU/ml 정도의 인슐린 반응을 유도하여 수술 후 인슐린 저항성과 기질의 산화를 저하시키게 된다. 이러한 반응은 수술 후 인슐린 저항성에 영향을 미치고, 고혈당(hyperglycemia)은 수술 후 결과에 영향을 줄 수 있으므로 매우 중요하다. 사람에서도 수술 전 경구 탄수화물 섭취는 수술 후 인슐린 저항성에 저하시킨다. 이러한 수술 전 탄수화물 투여 방법은 안전, 대사성 효과, 환자 개인적인 수술 후 입원 기간과 관련이 있으므로 확인이 필요한 문제점이다.

(1) 탄수화물 용액과 맑은 액체 음료수의 경구 또는 정맥 투여 효과와 안전성

전신마취에 앞서 수액(100 ml)의 경구 또는 정맥투여에 따른 안전과 효과의 비교에서 마취 유도 후에 위 내용물의 양을 경구 투여에서 상당히 낮았다. 일부 연구에서는 수술 전에 탄수화물, 무기물(mineral)과 물의 경구와 정맥투여 비교에서 위 내용물 잔류양은 증가되지 않았으며 위험과 관련이 없다고 하였다. Nygren 등의 연구에서 선택 수술 전에 탄수화물 음료수 섭취에 따른 위 배출시간의 비교에서 불안이 증가된 상태에서도 변화가 없다고 하였다. 여러 연구에서 수술 전에 탄수화물이 함유된 음료수 섭취는 위 잔류량을 증가시키지 않으며, 또한 모든 종류의 탄수화물이 같은 반응을 하는 것이 아니므로 많은 연구가 필요하다.

(2) 당뇨 환자

당뇨 환자에서 수술 전에 탄수화물 음료수 섭취는 수술 전 혈당 변화와 위 배출시간에 대한 효과가 밝혀지지 않았다. Gustafsson 등은 Type-2 당뇨 환자에서 수술 전 탄수화물 음료수(400 ml, 12.5%)과 함께 위 배출을 자극하기 위한 paracetamol (1.5 g) 복용은 위 배출시간의 지연은 없으며, 마취 전에 180 ml 섭취는 고혈당과 흡인의 위험도 증가되지 않는다고 하였다. 이와 같은 결과는 당뇨 환자에서 수술 전에 경구 탄수화물 음료수 섭취는 금기는 아니라는 주장을 유도할 수 있다.

(3) 수술 전에 섭취할 수 있는 음료들

수술 2시간 전까지는 물과 맑은 액체 음료수는 섭취가 가능하다. 일부 병원에서 물 또는 영양소를 함유한 음료수를 만들어 공급하고 있다. 예를 들면 음료수의 구성 성분은 아미노산(예; glutamate) 또는 펩타이드(예; soy peptide) 등이 포함되어 있다. 건강한 환자에서 300-400 ml 물에 glutamate 15 g과 탄수화물이 포함된 음료수를 수술 3시간 전에 섭취하면 위 배출시간에 영향이 없으며, soy peptide가 함유된 음료수를 섭취한 환자에서 위장관의 선택수술은 안전하다. 탄수화물(12.5 g/100 ml) 또는 탄수화물과 펩타이드(12.5 g/ 100 ml 탄수화물 + 3.5 g/100 ml soy peptide) 음료수 섭취는 위 배출시간에 영향이 없다. 그러나 앞으로 아미노산과 펩타이드 등이 포함된 음료수 섭취가 수술 전과 후에 대사성 변화와 인슐린, 위 배출시간의 관련성을 밝히기 위한 많은 연구가 필요하다.

(4) 탄수화물, 대사성 반응과 수술 후 불편사항

선택 수술 전에 탄수화물 음료수를 마시는 것은 건강 증진과 갈증, 허기를 해소하고 수술 후 인슐린 저항성 발생을 예방하기 위함이다. 수술 후에 집중 치료가 필요한 환자에서 혈당을 인슐린으로 집중 관리를 한다면 수술 후 불편함 저하 및 이환율과 사망률을 저하시킬 수 있다.

많은 연구에서 수술 2시간 전까지 탄수화물이 포함된 음료수 섭취는 밤새 금식하는 경우 보다 갈증과 허기, 구강 건조, 안절부절못하거나 허약, 등의 문제점 발생이 저하되어 환자의 만족도를 증가시키며, 수술 후 1-3일 인슐린 저항성 발생 빈도도 저하시킬 수 있다고 하였다. 그리고 환자를 외과적 자극에 따른 대사성 변화, 심장 기능과 정신신체적(psychosomatic) 변화로부터 보호작용을 하며 입원기간도 단축시킬 수 있다.

7) 수술 전 금식(유소아)에서 수술 기간 중의 금식

금식의 목적은 폐 흡인의 위험을 저하시키는 데 있지만 최근에는 흡인의 빈도가 매우 낮으며, 성인보다 소아에서 높지만 차이는 크지 않으며 점차 개선되고 있는 추세이다. 선택수술을 받는 소아 환자에서 수술 전 금식은 2시간 전까지 맑은 액체 음료수는 허용된다. 유아는 선택 수술에서 모유는 4시간 전, 그 외 우유 제품은 6시간 전까지 먹을 수 있다.

대부분에서 신생아, 유아 및 소아에서 수술 2시간 전까지 맑은 액체 음료수 섭취를 허용하고 있다. 신생아와 유아에서 맑은 액체 음료수의 위 배출시간은 청소년과 성인에서와 같이 first-order kinetics를 따르게 된다.

(1) 모유와 이유식

유아에서 모유와 이유식에 대한 수술 전 금식시간은 아직 논란이 남아있다. 한 연구에서 신생아와 영아에서 모유 110-200 ml의 2시간 후의 위 배출은 82±11%, whey-predominant 이유식은 74±19%, casein predominant 이유식은 61±17%, 우유는 45±19%라고 하였다. 이와 같이 모유와 whey-predominant 이유식의 위 배출이 빠르므로 수술 전 금식시간에 차이가 있으나 금식시간을 수술 4시간 전으로 적용하고 있다. 이러한 자료를 바탕으로 미국마취통증의학과학회에서는 모유는 4시간, 이유식과 모유가 아닌 유제품들은 6시간 금식을 권장하고 있다. 스칸디나비아 국가들에서는 모유는 4시간 금식을 하며, 6개월 이하의 영아에서 이유식도 같이 4시간 금식을 권장하고 있다. 그래서 모유는 4시간 전에 금식시키고 이유식은 나이와 구성 성분에 따라서 4-6시간 전부터 적용하고 있다. 그러나 우유와 다른 유제품들은 고형 음식물로 적용하고 있다.

(2) 고형 음식물

고형음식물의 금식시간은 나이에 따른 차이 없이 성인과 같은 지침의 적용을 권장하고 있다.

(3) 손상 환자

손상을 받은 소아 환자에서 금식에 따른 자료는 매우 드물다. 소아 손상 환자에서 위 내용물의 양은 손상의 범위와 정도에 따라서 차이가 있으나 금식을 유지한 시간과는 관련이 없다. 오히려 음식물 섭취시간과 손상을 받은 시간의 차이에 더 관련이 있다. 따라서 손상을 받은 소아 환자에서는 위 내용물이 잔류되었을 것으로 예측하여야 한다. 소아 손상 환자에서 수술 전 금식이 중등도 이상의 안정 상태(예; 안정마취, monitored anesthetic care)로 수술을 하게 되는 경우에 심각한 결과를 초래할 가능성과 관련된 참고문헌이 충분하지 않으므로 유의하여야 한다.

(4) 수술 후 경구 수분 섭취

대부분의 소아 환자에서 수술 후 수분의 경구 섭취는 3시간 후부터 허용되고 있다. 조기 경구 수분 섭취는 대부분 퇴원 전에 확인을 하고 있다. 이러한 경구 수분 섭취에 따른 문제점을 알아보기 위해 당일 수술을 받은 소아 환자에서 적극적인 시도와 함께 평가되고 있다. 그러나 전신마취를 받은 소아 환자에서 수술 후 금식이 구토를 저하시킬 수 있다는 증거는 없다. 그러므로 환자의 요구가 있다면 섭취를 허용할 수 있지만, 반드시 퇴원 전에 섭취가 가능해야 한다는 것은 아니다.

8) 산모에서 수술 전 금식(산모)

분만을 앞둔 산모에서 환자가 원한다면 맑은 액체 음료수 섭취는 허용하지만, 고형 음식물은 분만이 진행 중(active labor)이라면 금지한다. 산모(비만 환자 포함)에서도 수술 2시간 전까지 맑은 액체 음료수 섭취는 마취 방법(예; 전신마취, 부위마취, 국소마취)과 관련 없이 허용되어야 한다.

H2 수용체 길항제는 선택 제왕절개술을 하는 전날 저녁과 수술 당일 아침에 복용할 수 있다. 응급 제왕절개

술에서는 H2 수용체 길항제를 정맥 투여하여야 하며, 전신마취를 선택할 경우에는 추가로 sodium citrate 0.3 mol/300 ml를 경구 투여한다. 이러한 지침들은 사망률보다는 위 내용물의 양과 pH 변화와 깊은 관계가 있다.

(1) 진통 중의 경구 섭취

출산 과정에서 수술은 통상적으로 계획되지 않으며, 응급 정도에 따라서 산모와 태아의 안전을 위하여 최소 침습에서 수술까지 결정되고 있다. 이러한 관점에서 모든 산모는 분만 중에 금식을 지켜야 한다. 그러나 이러한 지침은 때로 논란이 되고 있다. 산모의 음식물 섭취는 ketosis와 탈수를 예방하고 산과적으로 양호한 결과를 만들기 때문이다. 분만 과정 중에 경구 섭취에 대하여 많은 이견이 있다. 그러나 분만 과정에서 토스트와 같은 가벼운 식사는 ketosis를 예방하지만 위 내용물의 양을 증가시킬 수 있으며, 등장성 스포츠 음료수는 위 내용물의 양적 증가 없이 ketosis를 예방할 수 있다.

분만 과정에서 음식물 섭취가 산과적 결과에 미치는 영향을 조사해 본 결과 위험부담이 적은 산모에서 분만 방법과 제왕절개술, 분만 소요시간, 구토의 빈도 등에 유의한 차이가 없다. 위 내용물의 역류와 흡인에 의한 산모 사망률은 현저하게 저하되었으며, 금식 지침보다는 부위마취를 선택하였기 때문으로 예측하고 있다. 부위마취를 선택하는 관점에서 분만 과정에서 과도한 금식을 적용하지 않아도 되므로 산모는 분만 과정에서 ice chip과 맑은 액체 음료수를 섭취 할 수 있게 되었다.

분만 과정에서는 음식물 섭취와 관계없이 위 배출시간을 지연시킬 수 있기 때문에 비경구 아편유사제의 투여를 고려한다. 분만 진행 중에 전신마취가 필요한 응급제왕절개술을 시행해야 할 위험성이 높은 산모에서는 분만 과정에서 음식물 섭취는 금지하고 제한된 맑은 액체 음료수를 섭취하고 수액의 정맥투여를 고려하여야 한다.

(2) 제왕절개술의 준비

① 선택수술에서 수술 전 금식

비만 산모를 포함하여 선택수술에서는 수술 2시간 전까지 맑은 액체 음료수 섭취는 허용한다.

② 제왕절개술 후 먹고 마시는 허용 시간

전통적으로 제왕절개술 후에 음식물 섭취를 허용하지 않고 있으며, 통상적으로 수술 후 첫 12-24시간 동안은 금식을 권장하며, 음료수 섭취는 천천히 시작하며 고형 음식물은 가스(예; 방귀)가 나오고 난 다음에 허용하고 있다. 2002년 Cochrane review에서 합병증 없는 제왕절개술 후에 음료수와 고형 음식물 섭취를 제한할 필요성이 없다고 하였다.

최근 보고에서 제왕절개술 30분-2시간 후에 맑은 음료수 섭취를 허용하게 되면서 산모에게 수액의 정맥투여가 감소하며, 조기 거동과 함께 모유 수유를 하게 된다. 조기 고형 음식물의 섭취는 오심과 구토를 초래할 수 있으므로 주의하여야 한다. 그러므로 최근에는 제왕절개술 후 조기 음료수 섭취는 허용하지만 고형 음식물은 제한되고 있다.

③ 임신과 위장 기능

가슴앓이(heartburn)를 유발하는 위식도 역류는 임신 후반기의 흔한 합병증이다. 임신은 위 내 압력 증가, progesteron의 수의근(smooth muscle) 이완 작용 등으로 하부 식도 괄약근과 횡격막, 위와 식도의 해부학적 관계에 변화를 유발한다. 임신 말기에 마취가 필요하게 된다면 하부 식도 괄약근의 기능 변화를 감안하여야 하며, 분만 후 48시간까지 지속될 수 있다.

위산 분비는 기본적으로 임신기간 동안에는 변화가 없다. 임신은 위 배출시간에 현저한 영향을 유발하지는 않는다. 임신 초기의 위 배출시간은 정상이지만 진행되면서 지연된다. 비경구 아편유사제의 경막 외 척수강 내 일시 주입으로도 분만 기간 동안에 위 배출시간을 지연시킨다. 적은 량의 국소마취제와 아편유사제(예; fentanyl 총 용량 100 μg까지)의 지속 주입은 위 배출시간을 지연시키지 않는다.

위 배출시간은 비만, 임신말기에 밤새 금식 후에 300 ml의 물을 마셔도 지연되지 않는다. 또한 선택 제왕절개술을 받는 산모에서 적당량의 차와 토스트와 같은 가벼운 음식물을 수술 2-4시간 전에 섭취하여도 일부 환자에서는 폐 흡인이 발생하였으며 차만 마신 경우에는 위 내용물의 증가는 있으나 위산에는 변화가 없었다.

④ 산모에서 위산의 폐 흡인의 약리학적 예방법

기관내삽관의 실패는 비임산부보다 임산부에서 11배 증가한다. 임산부에서는 기도 부종, 젖가슴의 비대, 비만, 응급수술 등의 증가로 기관내삽관의 실패 비율이 증가된다. 흡인성 폐렴은 마취유도 과정에서 기관내삽관이 곤란하거나 실패한 경우에 흔히 발생한다. 제왕절개술 또는 다른 외과적 수술을 받는 산모에서는 선택수술 또는 응급수술이든 관계없이 역류와 흡인의 예방을 목적으로 치료를 하여야 한다.

i) H2 수용체 길항제

H2 수용체 길항제는 oxyntic cell에서 histamine 수용체를 차단하여 위산 분비를 저하시킨다. 이로 인하여 금식한 환자에서 위 배용물의 양이 약간 감소하게 된다. H2 수용체 길항제를 정맥 투여하면 30분 후에 작용이 나타나서 60-90분에 최대 효과가 나타난다. 경구투여하면 60% 이상의 환자에서 60분 후에, 90분 후에 90%에서 위 pH가 2.5 이상을 유지하게 된다.

대부분에서 ranitidine 50-100 mg 정맥 또는 근육 투여 또는 경구로 150 mg을 복용한 경우에 1시간 이내 위산의 pH가 2.5 이상으로 유지 할 수 있었으며, 치료 농도의 지속시간은 약 8시간이다.

ii) Proton pump 억제제

Omeprazole 20-40 mg 또는 Lansoprazole 15-30 mg의 경구 투여는 위 내막 표면의 oxyntic cell에서 hydrogen ion pump 억제작용을 한다. 선택 수술에서 PPIs의 예방투여는 H2 수용체 길항제와 유사하다. 응급 제왕절개술에서 H2 수용체 길항제와 PPIs의 정맥 투여와 sodium citrate 0.3 mol/ 30 ml를 함께 사용한다면 위 pH와 위 내용물에서 같은 효과를 얻을 수 있다. 최근 연구에서 위 pH와 위 내용물의 저하에 대한 효과는 H2 수용체 길항제가 PPIs 보다 크다고 하였다.

iii) 제산제 sodium citrate 0.3 mol/ 30 ml는 오심과 구토를 유발 할 수 있으므로 이미 H2 수용체 길항제 또는 PPIs를 투여한 환자에서 부위 마취로 선택 제왕절개술에서는 투여하지 않는다. 그러나 응급수술을 전신마취로 하게 된다면 제산제를 H2 수용체 길항제와 함께 전신마취 유도 직전(약 20분 이내)에 투여한다.

iv) Metoclopramide 10 mg은 선택 제왕절개술전에 H2 수용체 길항제와 함께 투여 한다면 위 내용물을 감소시킬 것이며 선택과 응급 수술 모두에서 고려하여야 할 방법이다.

9) 수술 전 금식시간의 단축과 환자의 안전

수술 전 금식 시간과 위 내용물의 잔류에 대한 많은 연구가 있었다. 수술 전에 특이할 이상이 없었던 건강한 선택수술 환자에서 물과 맑은 액체 음료수를 수술 전 2시간까지 섭취는 위액의 양과 산도에 영향이 없다. 수술 2시간 전까지 탄수화물이 함유된 음료수 섭취가 이러한 목적으로 적용된다. Faria 등은 탄수화물(12.5%)이 함유된 음료수 섭취는 수술 후 인슐린 저항성이 감소하고 외과적 손상에 대한 반응에도 저항이 증가된다고 하였다.

이와 같은 액체 음료수 섭취는 2시간 이내에 위를 비울 수 있다. 음료수에 포함된 열량은 혼합 음식물에서와 같이 인슐린 농도를 증가시키고 인슐린 활성을 50% 증가되는 것을 섭취 2-3시간 후에 관찰할 수 있다. 더욱이 수술 전에 포도당의 정맥 주입 또는 탄수화물이 포함된 음료수 섭취는 수술 후 인슐린 저항성을 50% 정도 저하시킬 수 있다. 다른 연구에서는 건강한 성인에서 마취 중에 역류와 흡인의 위험을 증가시키지 않는다고 하였다. 이러한 결과들에 따르면 수분 섭취 가능 시간을 단축시키는 방법이 자정부터 금식을 하는 지침과 비교에서 역류, 흡인 및 관련된 이환율을 증가시킬 가능성은 없다고 하였다.

그러나 고형 음식물의 섭취는 선택 수술 6-8시간 전부터 금식한다. 그리고 탄수화물 음료수의 섭취도 수술 2시간 전까지 제한하며 위 장관 운동에 이상이 동반된 환자(예; 위 마비, 위 장관 폐색, 위 식도 역류 등), 비만 등에서는 금기이다.

당일 수술을 위한 마취에서 수술은 간단하고 짧은 시간이 소요될 수 있지만 마취는 수술의 침습 정도에 따라서 국소마취와 안정마취에서 깊은 전신마취까지 다양하게 적용할 수 있다. 수술 전 금식시간은 환자 상태와 수술 정도 및 선택된 마취 방법에 따라서 적용 시간을 조절하는 것이 환자에게 안전을 제공할 수 있을 것이다. 그러므로 수술 계획에 따른 수술실 운영 실태(예; turnover time)와 수술 시간, 환자의 마지막 음식물 섭취 시간과 예정된 수술 시작시간, 병원 도착시간 및 대기시간에 따라서 금식이 유지되는 시간이 심각하게 연장될 수 있으며 특히 소아와 노인 환자에서 권장되는 금식시간보다 연장됨에 따른 변화에 유의하여야 한다.

10) 수술 전에 금식된 시간을 확인 할 수 없는 경우에 확인 방법

마취통증의학과 의사는 흔히 수술 전에 환자의 병력, 섭취한 음식물의 종류, 양 및 경과 시간 등을 알 수 없는 경우를 접하게 된다. 국소마취와 부위마취가 금기이거나 환자 상태가 미국마취통증의학과학회 신체상태 3-4, 기관내삽관 곤란이 예측되는 경우, 위식도 역류와 폐흡인의 위험이 동반될 수 있다. 전신마취가 필요하다면 대부분에서 빠른 기관내삽관(rapid sequence intubation)의

적용을 시도하지만 위험부담이 있다. 그러므로 이러한 경우에 수술이 결정된 시간부터 금식 시간을 예측하게 되지만 의식이 없거나 손상 환자에서는 위 내용물의 잔류량을 확인할 수도 없다. 처치 방법으로는 마취 유도 전에 위식도관(nasogastric tube)을 삽입하여 흡입하는 방법이 선호된다. 최근 부위마취, 중심정맥로 확보 등에서 적용되고 있는 초음파를 적용하여 확인할 수 있을 것이다. 마취 유도 전에 상복부 초음파를 적용한다면 위 내용물의 양과 질적 평가를 할 수 있다. 체위 변경과 함께 초음파를 적용한다면 앙와위와 우측와위에서 antrum에 위치한 위 내용물을 확인할 수 있을 것이다. 수술 전 금식이 되지 않은 경우뿐만 아니라 장 폐색, 비만, 응급 환자 등에서 수술 전 위 내용물의 상태 파악을 위하여 효과적으로 적용될 것으로 예측된다. 미래에는 수술 전 준비에서 금식 상태 확인을 위한 방법으로 위 초음파 검사가 통상적으로 적용될 수 있을 것으로 생각된다.

11) 수술 전 금식에 따른 수술 후 불편 사항

수술 전 금식으로 많은 환자에서 불편함을 호소한다. 특히 선택수술과 당일 수술에서 수술 당일 아침 첫 수술이 아니고 두 번째 수술부터는 앞선 수술의 지연 정도에 따라서 금식시간이 심각하게 연장이 될 수 있다. 그렇다면 금식 시간은 6-8시간이 아닌 10시간 이상 유지할 수 있다. 특히 소아와 노인에서 문제가 될 수 있다. 환자들은 수술에 따른 스트레스와 함께 심각한 갈증, 배고픔, 불안 등을 호소하게 되고 환자와 보호자의 이해도가 부족한 경우에는 불쾌감의 호소와 함께 수술이 취소될 수도 있다. 일부 연구에서 수술 전 장시간 금식이 유지된 환자들은 갈증, 허기, 성급함(irritability)과 불만감(unhappiness), 두통, 불복종(noncompliance) 등을 보이면서 환자 상태와 나이에 따라서 혈당 저하, 저혈량증, 인슐린 저항성, 수술 후 이환율과 사망률 증가 등이 나타날 수 있다. 심각한 경우에는 마취 유도 중 또는 수술 후에 혈압이 저하될 수도 있다.

12) 수술 후 폐렴(postoperative pneumonia)의 위험 인자

과거 보고에 의하면 입원 환자의 15%에서 폐렴이 발병하며, 그 중 50%는 외과 환자에서 발생하며, nosocomial infection에서 3번째로 많다고 하였다. 위험 인자로는 환자의 나이, 남성, 비만, 흡연 병력, 만성 폐질환(chronic lung disease), 기존 질환의 심한 정도 (severity of underlying disease), 수술 전 입원기간 (preoperative stay), 수술부위, 수술시간(operation duration) 혈중 알부민 농도(serum albumin concentration) 등이 작용하는 것으로 알려져 있다. 최근에는 모든 의료 종사자들과 환자들에서 수술 전 금식에 대한 인식의 변화로 확실하게 지켜지면서 역류와 흡인에 의한 폐렴의 위험은 현저하게 감소되었다.

13) 수술 전 금식을 유연하게 적용할 수 있는 경우들

당일 수술을 포함한 선택수술과 응급수술 모두에서 수술 전 금식은 수술 중과 후에 위 내용물의 역류와 구토에 따른 환자의 불편함과 폐 흡인 등의 합병증 예방을 위하여 시도되는 방법이다. 전신마취 또는 부위마취가 필요 없는 경우에서 숙련된 간호와 안정된 표준감시장비 (예; 심전도, 혈압, 동맥산소포화도, 호기말이산화탄소농도 등)의 적용으로 국소마취 또는 안정마취(monitored anesthetic care)로 수술이 가능하다면 전신마취에서 적용하는 금식을 피하려는 시도가 진행되고 있다. 예를 들면 심장 검사 또는 intervention을 위한 처치, 안과 수술(예; 백내장 수술 등), 성형외과와 정형외과의 일부 수술 등에서 흔히 적용되고 있다. 이와 같은 수술에서는 짧은 수술시간, 수술의 침습정도가 적으며, 수술 후에 오심과 구토의 위험이 적은 경우에 적용이 시도되고 있다. 그러나 수면상태에서 구토가 없었더라도 자연 폐흡인(asymptomatic aspiration)이 발생할 수 있으며, 안정 마취에서 기도반사가 없어지거나 약화되므로 더욱 주의하여야 한다. 환자 상태에 따른 위험도와 수술 전 금식 시간을 지킴으로 얻을 수 있는 효과에 대한 평가와 함께 최소한의 금식과 제산제, H2 수용체 길항제, PPIs, prokinetics 등과 같은 약물 투여 등을 시도하여야 할 것이다.

6. 결론

수술 전 금식은 환자의 불쾌감을 해소하기 위하여 적용이 시작되었으나 점차 수술이 증가되면서 역류와 구토가 폐 흡인과 폐렴뿐만 아니라 기도 폐색 등에 의한 심각한 합병증의 원인이 된다는 것을 인지하게 되었다. 이 후 수술 전 금식 시간과 수분과 영양 공급을 위한 지침이 각 나라와 마취통증의학회 등을 통하여 제공되고 적용하고 있다. 특히 당일 수술과 선택수술에서 수술 전날 밤을 세는 엄격한 금식 보다는 수술 전에 유연한 금식지침의 적용과 함께 수술 전 시간 경과에 따라서 맑은 액체 음료수 섭취를 허용하고, 환자 상태에 적합한 마취 방법의 신중한 선택으로 불쾌감을 저하시키고 위 내용물의 잔류가 의심되는 경우에는 위식도 도관 삽입, 복부 초음파 검사 등의 적용과 함께 빠른 기관내삽관(rapid sequence intubation)을 적용하여 안전을 도모할 수 있도록 하여야 할 것이다.

참고문헌

1. Becker DE. Nausea, vomiting, and hiccups: a review of mechanisms and treatment. Anesth Prog. 2010; 57: 150-156.

2. Flick RP, Schears GJ, Warner MA. Aspiration in pediatric anesthesia: is there a higher incidence compared with adults? Curr Opin Anaesthesiol 2002; 15: 323-327.

3. Gustafsson UO, Nygren J, Thorell A, et al. Pre-operative carbohydrate loading may be used in type 2 diabetes patients. Acta Anaesthesiol Scand. 2008; 52: 946-951.

4. Hausel J, Nygren J, Lagerkranser M, et al. A carbohydrate-rich drink reduces preoperative discomfort in elective surgery patients. Anesth Analg 2001; 93: 1344-1350.

5. Henriksen MG, Hessov I, Dela F, et al. Effects of preoperative oral carbohydrates and peptides on postoperative endocrine response, mobilization, nutrition and muscle function in abdominal surgery. Acta Anaesthesiol Scand 2003; 47: 191-199.

6. Kaska M, Grosmanová T, Havel E, et al. The impact and safety of preoperative oral or intravenous carbohydrate administration versus fasting in colorectal surgery- a randomized controlled trial. Wien Klin Wochenschr 2010; 122: 23-30.

7. Kratzing C. Pre-operative nutrition and carbohydrate loading. Proc Nutr Soc. 2011; 70: 311-315.

8. Maltby JR, Pytka S, Watson NC, Cowan RA, Fick GH. Drinking 300 mL of clear fluid two hours before surgery has no effect on gastric fluid Volume and pH in fasting and non-fasting obese patients. Can J Anaesth 2004; 51: 111-115.

9. Maltby JR. Fasting from midnight-the history behind the dogma. Best Pract Res Clin Anaesthesiol 2006; 20: 363-378.

10. Maltby JR, Sutherland AD, Sale JP, Shaffer EA. Preoperative oral fluids: Is a five-hour fast justified prior to elective surgery? Anesth Analg 1986; 65: 1112-1116.

11. Mangesi L, Hofmeyr GJ. Early compared with delayed oral fluids and food after caesarean section [review]. Cochrane Database Syst Rev 2002: CD003516.

12. Mendelson CL. The aspiration of stomach contents into the lungs during obstetric anesthesia. Am J Obstet Gynecol 1946; 52: 191-205.

13. MORTON HJ, WYLIE WD. Anaesthetic deaths due to regurgitation. Anaesthesia 1951; 6: 190-205.

14. Noblett SE, Watson DS, Huong H, Davison B, Hainsworth PJ, Horgan AF. Pre-operative oral carbohydrate loading in colorectal surgery: a randomized controlled trial. Colorectal Dis 2006; 8: 563-569.

15. Nygren J. The metabolic effects of fasting and surgery. Best Pract Res Clin Anaesthesiol 2006; 20: 429-438.

16. Nygren J, Thorell A, Jacobsson H, et al. Preoperative gastric emptying. Effects of anxiety and oral carbohydrate administration. Ann Surg 1995; 222: 728-734.

17. Ovassapian A, Salem MR. Sellick's maneuver: to do or not do. Anesth Analg 2009; 109: 1360-1362.

18. Practice guidelines for preoperative fasting and the use of pharmacologic agents to reduce the risk of pulmonary aspiration: application to healthy patients undergoing elective procedures. Anesthesiology 2011; 114: 495-511.

19. Roberts RB, Shirley MA. Reducing the risk of gastric aspiration during cesarean section. Anesth Analg 1974; 53: 859-868.

20. Sanmugasunderam S, Khalfan A. Is fasting required before cataract surgery? A retrospective review. Can J Ophthalmol 2009; 44: 655-656.

21. Schricker T, Lattermann R. Perioperative catabolism. Can J Anesth 2015; 62: 182-193.

22. Sellick BA. Cricoid pressure to control regurgitation of stomach contents during induction of anaesthesia. Lancet 1961; 2: 404-406.

23. Smith I, Kranke P, Murat I, et al. Perioperative fasting in adults and children: guidelines from the European Society of Anaesthesiology. Eur J Anaesthesiol. 2011; 28: 556-569.

24. Song IK, Kim HJ, Lee JH, Kim EH, Kim JT, Kim HS. Ultrasound assessment of gastric volume in children after drinking carbohydrate-containing fluids. Br J Anaesth 2016; 116: 513-517.

25. Soop M, Nygren J, Myrenfors P, Thorell A, Ljungqvist O. Preoperative oral carbohydrate treatment attenuates immediate postoperative insulin resistance. Am J Physiol Endocrinol Metab 2001; 280: 576-583.

26. Stoelting RK. Responses to atropine, glycopyrrolate, and riopan of gastric fluid pH and volume in adult patients. Anesthesiology 1978; 48: 367-369.

27. Svanfeldt M, Thorell A, Hausel J, Soop M, Nygren J, Ljungqvist O. Effect of "preoperative" oral carbohydrate treatment on insulin action-a randomised cross-over unblinded study in healthy subjects. Clin Nutr 2005; 24: 815-821.

28. Van de Putte P. Bedside gastric ultrasonography to guide anesthetic management in a nonfasted emergency patient. J Clin Anesth. 2013; 25: 165-166.

29. Wright PM, Allen RW, Moore J, Donnelly JP. Gastric emptying during lumbar extradural analgesia in labour: effect of fentanyl supplementation. Br J Anaesth 1992; 68: 248-251.

30. Yuill KA, Richardson RA, Davidson HI, Garden OJ, Parks RW. The administration of an oral carbohydrate-containing fluid prior to major elective upper-gastrointestinal surgery preserves skeletal muscle mass postoperatively-a randomised clinical trial. Clin Nutr 2005; 24: 32-37.

Chapter 8

성인 당일수술 환자의 전투약

투여되는 전투약 처방은 병원 정책 및 수술의 종류 등 다양한 요인에 의해 달라지며 선택에 신중을 기해야 한다. 전투약제의 투여 시기는 수술 당일 가정에서, 당일 수술센터 당도 후, 마취 유도 직전 등 다양하므로 전투약제 투여 형태 또한 경구, 직장, 정맥내 투여로 적절히 선택할 수 있다. 병원 도착 전에 경구 또는 직장 투여약제는 이동 중에 약효 및 부작용에 의해 환자가 위험에 노출될 수 있으므로 주의가 필요하며 반드시 보호자가 동행하여야 한다. 정맥투여 약제에는 제한사항을 반드시 숙지한다.

1. 전투약

당일수술에서는 대부분 전투약이 필요하지 않다고 여기고 있지만 마취의 질과 환자 안전을 위하여 특정 전투약이 요구된다(표 8-1).

1) 수술 전 처치

수술 전 대기실에서 환자의 불안은 수술과 마취에 따른 위험을 증가시키므로 이를 줄이기 위한 적절한 수술 전처치는 환자에게 안전하고 효과적으로 당일수술을 받을 수 있게 하고 수술 결과를 개선시킨다.

표 8-1 당일수술에서 전투약의 적응중

불안해소와 진정
위산 역류와 흡인의 위험요소 저하
항 구토
정맥로 확보와 수술 후 통증을 위한 진통
기타(예; 기관지 천식 예방)

2) 수술 전 투약

당일수술 환자의 안정감을 주고, 불안감을 저하시키고, 수술 중에 혈역학적 안정을 유지하고 수술 후 부작용과 수술 후 지연회복 발생을 감소시킬 목적으로 최소량의 수술 전 투약이 필요하다.

3) 전투약의 투여 경로

전투약의 목적은 정신적인 스트레스를 저하시키고 불안해하는 환자를 편안감을 제공해 줘 마취유도가 용이하도록 도움이 되어야 하며, 때론 수술 전 불안한 기억을 제거하는 망각 효과를 제공하기도 한다. 아울러 전투약제의 약효발현은 신속해야 하며, 수술 후 잔류 부작용이 적어야 한다.

당일수술에서 대부분 전투약 투여 경로는 대부분에서 수술실 내에서 정맥투여를 하지만, 필요에 따라 가정에서 병원으로 떠나면서 또는 당일 수술센터에 도착한 직후에 경구로 투여하기도 한다. 소아 환자는 정맥로 확보가 어렵거나 경구로 투여하기에 어려움이 있어 근육주사, 직장(항문), 설하 또는 비강을 통해 투여하기도 한다. 일부 소아 환자는 경구나 직장 투여가 어려울 수 있다.

경구 투여 시에는 투여량의 일부(18-44%)가 장으로 흡수되어(first-pass effect) 약효가 반감된다. 직장 투여는 작용발현이 늦어 투여량에 따른 효과를 기대하기에 어려울 수 있어 과도한 용량을 투여할 수 있으므로 유의하여야 한다.

근육주사는 성인에서 수술과 약물의 종류에 따라서 선호될 수 있으나, 소아에서는 주사기 또는 바늘에 과민한 반응을 나타낼 수 있으며 통증이 동반되므로, 설하 투여를 권장하기도 하지만 효과의 유연성(compliance)이 적다.

비강 내 투여는 방울(drops) 투여법과 분무(spray) 투여법이 있다. 비강 내 투여 시 55-83%가 first-pass effect가 없이 전신 순환계로 빠르게 흡수되어 효과적이다. 그러나 환자의 불편감이 동반되고, 비강에서 흘러서 위를 통해 장내로 흡수되는 약물의 양이 증가할 수 있다. Midazolam을 비강 내로 투여하게 되면 일시적인 고통, 기분 나쁜 맛을 느끼거나, 재채기(sneezing), 기침, 코흘림(spilling) 등을 유발하고, 삼켜서 장내로 이동으로 약물이 손실되어 약효가 손실되거나 발현이 지연 혹은 저하가 초래된다.

4) 진정과 불안해소

당일수술 환자의 대부분이 불안을 경험하는데, 긴장(tension), 염려(apprehension), 신경질(nervousness), 걱정(worry)과 같은 증상으로 표현되며, 수술 전 불안감 자체가 수술 후 회복과 통증에 영향을 줄 수 있다.

한 연구에 따르면 젊은 여자, 마취를 경험이 없거나 과거에 불쾌한 마취경험을 가진 환자들이 수술 전 불안 해소를 위한 조치를 요구하였고, 유방 소괴 절제술(breast lumpectomy), 구강수술 또는 포경수술 환자가 더 큰 불안감을 호소하였다.

하지만 간단한 당일수술에서는 진정제의 전투약은 지연회복을 유발하여 퇴원을 지연시킬 수 있으므로 투여

장점이 상대적으로 작아진다. 반면 경한 진정은 퇴원을 지연시키지 않으며, 마취 유도에 필요한 마취제의 요구량을 감소시키는 효과가 있다.

적절한 수술 전 교육과 정서적 지지는 환자의 불안을 해소시키는데 도움이 된다.

수술 당일 마취통증의학과 의사의 수술 전 방문을 통한 환자 불안의 평가 전략은, 사전에 마취통증의학과 의사와 간호사의 도움이 필요한 환자를 구분하여 관리하는데 매우 유용하다.

전투약제의 정맥 내 투여는 반드시 환자감시가 동반되어야 하며, 환자감시 수행이 어려운 경우는 극도로 주의하여야 한다.

극심한 불안감에 사로잡힌 환자는 가정에서 당일수술센터로 출발하기 전 가정에서 항불안 약제를 경구 투여할 수도 있다. 그러나 경구 투여 후에는 간호사의 환자 감시가 필요하며, 누운 자세가 필요하거나, 수술 준비실까지 걸을 수 없는 환자는 약효의 실효성 및 부작용 동반 위험과 비용부담에 대한 고려가 필요하다.

소아에서는 수술 전 불안감으로 인해 대기실에서 심하게 울거나, 투쟁적(combativeness)으로 변하거나, 혹은 공황상태(panic state)를 보이기도 한다. 수술 후에는 악몽을 꾸거나 격리 불안(separation anxiety), 섭식장애(eating disorder), 의사에 대한 공포감 등이 지속되어 나타내기도 한다. 수술 전에 불안감이 큰 소아에서는 수술 후 통증이 더욱 심하게 나타나며 진통제의 요구량도 증가되고 회복 후에도 수면 장애 등 다양한 부작용을 나타날 수 있다.

소아에서 불안과 관련된 요인들로는 나이, 성숙도, 과거의 병력과 진료 등 경험, 개인의 조절 능력, 부모와 환자의 불안 특성 등이 있으며, 대기실에 소아를 위한 장난감을 준비하고, 수술실 밝기를 조절하며, 수술 준비 과정에서 발생되는 소음을 줄이고, 의료진과 환자와의 침밀감을 구축하고, 마취 유도 시까지 부모를 동반시키는 등의 노력이 소아 불안감을 줄이거나 해소하는데 효과적

이다.

환자의 불안을 해소하고 안정을 증진시켜 진정제 요구량을 감소시키는 방법으로써 수술 전 대기실이나 마취유도 전 환자에게 원하는 음악을 들려주는 방법이 추천되는데, 부위마취의 경우에는 수술 중에도 지속적으로 들려주는 것이 도움 된다.

5) 수술 전 불안에 대한 평가

수술 전 불안에 대한 평가법의 "gold standard"로 간주되어온 Spielberger's State-Trait Anxiety Inventory (STAI)는 성인용과 소아용(5세 이상)으로 구분된다.

Kain 등이 소개한 Yale Preoperative Anxiety Scale (YPAS)는 활동도(activity), 발성(vocalization), 감정 표현(emotional expressivity), 외견적 각성상태(state of apparent arousal), 부모의 요구(use of parents) 5가지 항목을 2세 이상의 소아에 적용할 수 있다.

2. 전투약을 위한 약물들

수술 전 전투약제는 진정제, 아편유사제(opioids), 항콜린제, 제산제, 위운동촉진제(gastrokinetics), H2-수용체 길항제, 그리고 항구토제 등이 사용된다. 전투약은 수술 전 불안감, 위산 역류의 위험과 통증을 저하시키므로 수술 전에 효과가 나타나려면 환자가 수술 대기 장소나 수술실 입구에 도착한 직후 투여한다.

진정제로 가장 많이 사용되는 약물은 benzodiazepine계 약물이다. 이 중 Midazolam은 수용성이며 작용시간이 짧아 흔히 사용된다. 경구, 근육주사, 정맥투여, 직장, 비강내 분무 등 다양한 경로를 통해 투여할 수 있지만, 불안 해소, 진정, 기억상실과 함께 환자의 협조와 만족도를 증진시킬 목적으로 15 mg 경구투여 또는 10-20 µg/kg 정주가 선호된다. 이는 마취 유도가 원활하게 되고, 수술 후 오심과 구토의 빈도를 저하시킬 수 있다.

Midazolam은 회복의 지연 가능성이 크며, 기억 상실 특성으로 의료진의 지시를 기억하지 못하게 할 수 있으며, 수술 후 정신과적 장애를 초래할 수 있다.

Temazepam은 국내에서는 흔히 사용되지 않지만, 최면과 진정, 항경련 및 근이완 작용을 목적으로 투여된다. Temazepam 10 mg 또는 20 mg은 모두 불안을 해소하지만 많은 양일수록 확실히 항불안 효과가 제공되지만 회복이 지연된다.

alpha2-작용제인 clonidine과 dexmedetomidine가 있다. alpha2-작용제는 sympathoadrenergic과 hypothalamopituitary stress response에 대한 억제 효과를 통해 제2형 당뇨에서 glycemic control 효과를 촉진시키며, 수술 후 심근허혈의 위험을 저하시킨다. 아편유사제의 요구량을 저하시키고, 수술 후 오심과 구토를 감소시키며, 수술 중 출혈량을 감소시킨다. 특히 dexmedetomidine은 전투약제보다는 짧은 시간의 진정제나 마취 보조약제로서 더 효과적이다.

Propofol을 환자가 직접 투여를 조절하는 방법(patient controlled sedation)을 이용하여 대기실에서부터 투여함으로써 진정과 불안해소 효과를 제공하고, 심혈관계의 안정과 함께 만족도를 증진시키기도 한다.

β-차단제(atenolol, esmelol 등)는 수술에 따른 순환 catecholamine의 증가를 억제하는데, β-차단제는 회복 중에 혈역학적 안정을 유지하고, 마취제와 진통제의 요구량 감소로 빠른 회복을 유도하며, 수술 후 PONV와 같은 부작용의 예방 효과가 있다. 특히 노인환자에서 수술 중의 심혈관계 변화를 예방하는 효과가 있지만, 하지만 이미 장기간 β-차단제를 투약 중인 환자가 아니라면, β-차단제의 수술 전 투약은 권장되지 않는다.

alpha2-작용제, beta-차단제, 혹은 NSAID (ketorolac, diclofenac, ibuprofen 등) 등의 전투약은 수술 중 마취제와 진통제 요구량을 저하시킬 수 있다.

전신마취에서 환자 상태와 수술 종류에 따라서 항구토제를 투여할 수 있다. 수술 부위와 종류에 따라서 항구토제를 예방 목적으로 투여할 수 있으나, 일반적으로 아편유사제를 투여하지 않는다면 굳이 전투약에 포함할 필요는 없다.

3. 수술 전 금식과 수액 공급

당일수술에서도 입원 환자에서와 같이 수술 중에 흡인의 위험을 저하시키기 위하여 수술 전에 금식을 하여야 한다(제3장 참조). 그러나 금식에 따른 탈수와 수술 후 오심과 구토와 같은 부작용을 예방하기 위하여 적절한 수분 공급도 필요하다. 수술 2-3시간 전까지 맑은 물이나 제품화 된 carbohydrate 용액을 경구로 투여하거나, 마취 유도 전에 수액을 정맥 내로 투여한다. 비만 환자에서도 수술 2시간 전까지 수분의 경구섭취는 안전하다.

당뇨환자에서 수술 전에 glucose 함유 수액을 투여한다면 수술 중에 저혈당과 수술 후에 인슐린 저항을 예방하며 수술에 따른 이화작용을 개선시킬 수 있다. 또한 수술 중에 적절한 수액 공급은 PONV의 빈도를 감소시키며 조기 퇴원에 도움이 된다.

4. 위산 역류와 흡인의 예방

당일수술에서는 역류와 흡인은 극히 드물지만, 만일 역류와 흡인이 발생에 따른 위험도는 스트레스와 불안의 영향으로 입원환자보다 더 클 수 있다. 당일수술 환자는 상대적으로 많은 위 잔류 내용물과 더 높은 산도를 가지는데 이는 위 내용물 흡인에 대한 위험을 증가시킨다(표 8-2).

초기 임신 환자에서는 위 내용물이 지연 배출되고, 식

표 8-2 당일 수술에서 위산 역류와 흡인의 위험요인

당일 수술에서 휴식기의 많은 위 내용물의 양과 낮은 위산도
불안
열공 탈장 도는 증후성위역류
비만
초기 임신
복강경수술

도 하부 괄약근의 긴장도가 저하되며, 특히 쇄석위를 할 경우에 긴장도 저하에 따른 위험도가 증가한다. 복강경 수술 체위는 머리를 낮아지는 쇄석위를 취하므로 복강 내압이 더 높아지고, 위역류의 위험도 증가하게 된다.

비만은 열공, 탈장 및 위역류와 관련이 있으며, 과체중은 느린 위배출과 높은 위산도 때문에 위험이 증가한다.

일상적인 위산 흡인 예방법으로서 ranitidine 50-100 mg 정주 또는 150 mg 경구 투여가 추천되는데, sodium citrate, cimetidine, famotidine 또는 omeprazole과 같은 약물 투여보다 더 효과적이다. Ranitidine 150 mg 경구 투여 효과는 60분 후에 나타내며, ranitidine 300 mg을 수술 전날 밤과 당일 수술센터에 도착한 시간에 경구 투여하면 수술 후와 퇴원시기의 오심과 구토를 현저하게 저하시킨다. 300 mg 투여하더라도 150 mg 투여보다 현저하게 효과를 증진시키지는 않는다.

수술 3시간 전에 음료수의 섭취는 ranitidine의 투여와 무관하게 위 내용물의 용적과 pH를 변화시키지 않는다고 한다.

Ranitidine 150 mg를 metoclopramide 10 mg과 함께 또는 단독으로 수술 60분 전에 경구 투여하는 것은 위산 역류와 흡인에 대한 예방효과가 있다. 위역류 가능성이 증가되는 환자에서 투여하여야 하며 그 외 환자에서도 고려하여야 한다. Ranitidine과 metoclopramide의 병용 투여가 흡인 위험을 더 감소시키지는 않지만 하부 위식도 경계부위의 압력이 증가를 방지하여 수술 후 항구토 작용을 나타낸다.

5. 항구토제

전신마취에서 환자 상태와 수술 종류에 따라서 항구토제를 투여할 수 있으나 일반적으로 아편유사제를 투여하지 않는다면 전투약에 항구토제를 반드시 포함할 필요는 없다. 하지만 수술 부위와 종류에 따라서 항구토제를 예방 목적으로 투여할 수 있으며 작용시간이 긴 항구토제

가 도움이 된다. 수술 중 적절한 양의 수액 공급도 수술 후 오심과 구토를 예방할 수 있다.

항구토제로 여러 약물이 소개되었으나 5-HT$_3$수용체 길항제인 ondansetron, granisetron, tropisetron, palonosetron 등이 있다. 최근에 소개된 substance P(SP)와 Neurokinin-1 (NK-1) 길항제의 항구토 효과가 증명되었으며 전투약에서도 효과가 있을 것으로 예측되지만 아직 증명된 것은 없다.

수술 후 구역 구토를 방지하기 위해 dexamethason이 효과적이라고 알려져 있다. 하지만 단지 1회 투여만으로도 염증과 수술 중 고혈당과 같은 심각한 부작용이 초래될 수도 있다.

6. 진통제

전투약으로 수술 후 통증치료를 목적으로 비스테로이드소염제(nonsteroidal antiinflammatory drugs, NSAIDs)를 경구 투여하는 것이 짧은 수술이라면 효과적일 것이다. 수술 전 NSAID 투여는 혈소판 기능의 변화로 출혈을 조장할 수 있으며, 위궤양 또는 신장 질환 병력이 있는 환자에서는 투여에 신중을 기한다.

NSAID는 주로 수술 후 통증 경감과 아편유사제의 요구량을 저하시킴으로써 아편유사제 투여에 의한 호흡부전 또는 오심과 구토의 빈도를 저하시킬 목적으로 사용한다. Diclofenac과 ketorolac은 수술 후 통증저하와 진통제 요구량을 저하시킬 수 있다. Diclofenac 50 mg을 수술 1시간 전에 경구 투여로 수술 전 진정과 수술 후 진통작용을 함께 얻을 수 있다. 그러나 NSAID는 부작용으로 혈소판 기능을 감소시켜 출혈을 조장할 수 있으며 위장관 점막과 신세뇨관 기능에도 변화를 초래할 수 있으므로 주의하여야 한다.

경구 투여가 비경구 투여보다 경제적이다. Diclofenac은 직장에서 흡수되지만 항문 투여 방법이 생소한 환자에서는 수술 전에 충분한 설명이 필요하다. 장에서 흡

수되도록 가공된 diclofenac은 십이지장에서 흡수되며 metoclopramide와 같은 prokinetic 약제를 함께 사용하면 용해 촉진 제제를 투여하지 않더라도 흡수 속도의 증가에 도움이 된다. cyclooxygenase-2 (COX-2) 억제제인 celecoxib (200-400 mg 경구)는 NSAIDs와 달리 혈소판, 위장관 및 신장에서 부작용을 유발하지 않으면서 수술 후 통증을 저하시켜서 아편유사제의 요구량을 저하시킬 수 있다. 하지만 COX-2 억제제 투여에 의한 주요 장기의 thromboembolic risk를 고려해야 한다.

Gabapentin은 항경련제제로 전투약으로 사용한다면 마취에서 진정과 수술 후 진통 효과를 증진시킬 수 있다.

성인에서 정맥로 확보에 대하여 불안해하는 환자를 수술 전 방문에서 발견할 수 있다. 이러한 환자에서는 정맥로 확보를 할 부위에 60분 전에 국소마취제 혼합 크림(EMLA cream 2.5% lidocaine와 2.5% prilocaine) 또는 35분 전에 amethocaine 크림(Ametop®)을 바른다면 정맥 천자에 따른 통증을 저하시킬 수 있다.

7. 항콜린성 약물

Atropine, scopolamine과 glycopyrrolate 중 glycopyrrolate가 임상에서 선호되고 있다. 타액분비를 억제하기 위하여 사용한다면 최근에는 타액분비를 자극하는 마취약제가 거의 없으므로 투여가 정당화되기 힘들며, 오히려 투여 후 장기간 구갈 유발이 문제가 되기도 한다. 일부에서 remifentanil 투여에 따른 서맥을 막기 위해 투여하기도 한다.

8. 기타 약제

기관지 천식 환자에서 수술 1시간 전 또는 도착시기에 통상적인 기관지 확장제 또는 salbutamol 분무 흡입의 추가는 유용하다. 일부 천식환자에서 불안감은 천명을 유발할 수 있으므로 유의하여야 한다.

각 수술의 특성에 따라서 임신 중절을 위한 prostaglandin 투여가 요구되며, 거의 모든 수술에서 예방 목적의 항생제 투여가 수술 요구된다.

참고문헌

1. Abdelmalak BB, Bonilla AM, Yang D, et al. The hyperglycemic response to major noncardiac surgery and the added effect of steroid administration in patients with and without diabetes. Anesth Analg 2013; 116: 1116-1122.

2. Anekwe L. New guideline on blockers challenges ESC advice. Lancet 2014; 383: 682.

3. Apfel CC, Malhotra A, Leslie JB. The role of neurokinin-1 receptor antagonists for the management of postoperative nausea and vomiting. Curr Opin Anaesthesiol 2008; 21: 427-432.

4. Bailie R, Christmas L, Price N, et al. Effects of temazepam premedication on cognitive recovery following alfentanil-propofpl anaesthesia. Br J Aneasth 1989; 63: 68-75.

5. Baybould D, Bradshaw EG: Premedication for day case surgery A study of oral midazolam. Anaesthesia 1987; 42: 591-595.

6. Brock-Utne JG, Dow TGB, Dimopoulos GE, et al. Gastric and lower oesophageal sphincter (LOS) pressures in early pregnancy. Br J Anaesth 1981; 53: 381-384.

7. Brock-Utne JG, Rubin J, Welman S, et al. The action of commonly used antiemetics on the lower oesophageal sphincter. Br J Aneasth 1978; 50: 295-298.

8. Bunnemann L, Thorshauge H, Herlevesen P, et al. Analgesia for outpatient surgery: placebo versus naproxen sodium(a non-steroidal anti-inflammatory drug given before or after surgery. Eur J Anaesthesiol 1994; 11: 461-464.

9. Clark DW, Layton D, Shakir SA. Do some inhibitors of COX-2 increase the risk of thromboembolic events?: Linking pharmacology with pharmacoepidemiology. Drug Saf 2004; 27: 427-456.

10. De Oliveira GS Jr, Castro-Alves LJ, Ahmad S, Kendall MC, McCarthy RJ. Dexamethasone to prevent postoperative nausea and vomiting: an updated meta-analysis of randomized controlled trials. Anesth Analg 2013; 116: 58-74.

11. Duffy BL, Woodhouse PC, Schramm MD, et al. Ranitidine prophylaxis before anaesthesia in early pregnancy. Anaesth Intensive Care 1985; 13: 29-32.

12. Duffy BL: Regurgitation during pelvic laparoscopy. Br J Anaesth 1979; 51: 1089-1090.

13. Griffith N, Howell S, Mason DG. Intranasal midazolam for premedication of children undergoing day-caseanaesthesia comparison of two delivery systems with assessment of intra-observer variability. Br J Anaesth1998; 81: 865-869.

14. Grocott MP, Mythen MG, Gan TJ. Perioperative fluid management and clinical outcomes in adults. AnesthAnalg 2005; 100: 1093-1106.

15. Jones MJ, Mitchell RWD, Hindochaa N, et al. The lower oesophaeal: sphincter in the first trimester of pregnancy: comparison of supine with lithotomy positions. Br J Anaesth 1988; 61: 475-476.

16. Kain ZN, Mayes LC, Caldwell-Andrews AA, et al. Preoperative anxiety, postoperative pain, and behavioral recovery in young children undergoing surgery. Pediatrics 2006; 118: 651-658.

17. Kain ZN-5, Spielberger CD. Manual for the State-Trait Anxiety inventory (STAIeorm Y), Polo Alto, CA: Consulting Psychologists Press, 1983.

18. Kristensen SD, Knuuti J, Saraste A, et al. 2014 ESC/ESA Guidelines on non-cardiac surgery: cardiovascular assessment and management: The Joint Task Force on non-cardiac surgery: cardiovascular assessment and management of the European Society of Cardiology (ESC) and the European Society of Anaesthesiology (ESA). Eur Heart J 2014; 35: 2383-2431.

19. Levy DM, Williams OA, Magides AD, et al. Gastric emptying is delayed at 8-12 weeks' gestation. Br J Anaesth 1994; 73: 29-32.

20. Mackenzie IZ, Fry A. Prostaglandin E2 pessaries facilitate first trimester aspiration termination. Br J Gynaecol 1981; 8: 1033-1037.

21. Maharaj CH, Kallam SR, Malik A, et al. Preoperative intravenous fluid therapy decreases postoperative nausea and pain in high risk patients. Anesth Analg 2005; 100: 675-682.

22. Maltby JR, Elliott RH, Warnell l, at al. Gastric Fluid volume and pH in elective surgical patients: tripleprophylaxis is not superior to ranitidine alone. Can J Anaesth 1990; 37: 650-655.

23. Maltby JR, Pytka 8, Watson NC, et al. Drinking 300 mL of clear fluid two hours before surgery has no effect on gastric fluid volume and pH in fasting and nonfasting obese patient. Can J Anaesth 2004; 51:111-115.

24. Miller CD, Anderson WG. Silent regurgitation in day case gynaecological patients. Anaesthesia 1988; 43: 321-323.

25. Murdoch JAC, Kenny GNC. Patient-maintained propofol sedation as premedication in day-case surgery: assessment of target-controlled system. Br J Anaesth 1998; 82: 429-31.

26. Navari RM. Casopitant, a neurokinin-1 receptor antagonist

with anti-emetic and anti-nausea activities. Curr Opin Investig Drugs 2008; 9: 774-785.

27. Obey PA, 099 TW, Gilks WR.Temazepam and recovery in day surgery. Anaesthesia 1988; 48: 49-51.

28. Odom-Forren J, Jalota L, Moser D, et al. Incidence and predictors of postdischargenausea and vomiting in a 7-day population. J Clin Anesth 2013; 25: 551-559.

29. Recart A, Issioui T, White PF, et al. The efficacy of celecoxib premedication on postoperative pain andrecovery times after ambulatory surgery: a dose-ranging study. Anesth Analg 2003; 96: 1631-1635.

30. Redfern N, Stafford MA, Hull CJ: incremental propofol for short procedures. Br J Anaesth 1985; 57: 1178-1182.

31. Reyntjens K, Foubert L, De Wolf D, Vanlerberghe G, Mortier E.Glycopyrrolate during sevoflurane-remifentanil-based anaesthesia for cardiac catheterization of children with congenital heart disease. Br J Anaesth 2005; 95: 680-684.

32. Roberts CJ, Goodman NW. Gastro-oesophageal reflux during elective laparoscopy. Anaesthesia 1990; 45:1009-1011.

33. Rusy LM, Houck CS, Sullivan LJ, et al. A double-blind evaluation of ketorolac tromethamine versus acetaminophene in pediatric tonsillectomy: analgesia and bleeding. Anesth Analg 1995; 80: 226-229.

34. Shatter A, White PF, Urquhart ML, et al. Outpatient premedication: use of midazolam and opioid Analgesics. Anesthesiology 1989; 71: 495-501.

35. Spielberger CD. Manual for the State-Trait Anxiety Inventory for children, Polo Alto, CA: ConsultingPsychologists Press, 1973.

36. Spielberger CD. State-Trait Anxiety Inventory: a comprehensive bibliography Polo Alto, CA. Mind Garden, 1989.

37. Swift GL,Heneghan M, Williams GT, et al. Effect of ranitidine on gastroduodenal mucosal damage inpatients on long-term non-steroidal anti-inflammatory drugs. Digestion 1989; 44: 86-94.

38. Todd PA, Sorkin EM. Diclofenac sodium, A reappraisal of its pharmacodynamic and pharmacokineticproperties, and therapeutic effect. Drugs 1988; 35: 244-85.

39. Vaughan RW, Bauer S, Wise L. Volume and pH of gastric juice in obese subjects. Anesthesiology 1975; 43: 686-689.

40. White PF, Eng M. Fast-track anesthetic techniques for ambulatory surgery. Curr Opin Anaesthesiol 2007; 20: 545-557.

PART **03**

외래마취

Chapter 9 외래마취-성인

Chapter 10 외래마취-노인

Chapter 11 외래마취-소아

Chapter 12 전정맥마취

Chapter 13 감시마취관리

Chapter 14 신경근차단제

Chapter 15 기도유지기

Chapter 16 부위마취

외래마취-성인

당일수술을 시행 받는 환자를 위한 마취 방법의 종류는 입원 환자 수술의 경우와 크게 다르지 않다. 수술의 종류와 환자의 상태 및 요구에 따라 마취통증의학과 의사는 전신마취, 진정마취, 부위마취를 시행할 수 있고 전신마취의 경우 마취 유지 약물에 종류에 의해 흡입마취제에 의한 전신마취, 완전 정맥 전신마취로 구분될 수 있다. 마취의 방법을 선택하는데 있어서 수술의 부위, 종류 및 침습 정도와 환자의 과거력, 전신상태 및 생화학적 검사결과는 중요한 기준이 된다. 당일수술을 위한 마취 방법의 결정은 당일수술의 성패를 결정하는 중요한 인자이므로 마취의는 이런 기준들을 근거로 수술의와의 협진을 통해 마취방법을 신중하게 선택하여야 한다. 특히 마취 방법 및 약제에 따라 환자 회복의 차이가 있으므로 각 마취 방법의 장단점 및 약제의 반감기, 부작용을 잘 고려하여야 한다. 신속하고 질 높은 수술 후 회복은 환자의 안전한 귀가와 연결되는 매우 중요한 요소다. 여기에서는 가장 고전적이고 일반화된 마취 방법인 흡입마취제에 의한 전신마취에 대해 알아보겠다.

1. 당일수술을 받는 성인 환자에서의 마취 시 유의할 점

환자들이 수술 전 입원을 하지 않기 때문에 마취통증의학과 의사는 환자 선택 시 상태에 대해 좀 더 면밀한 관찰이 필요하다. 당일 병동 입원 시 이전 진찰과는 다른 환자의 상태 변화(예; 심한 감기)가 있다면 주저 없이 수술 및 마취여부에 대한 판단을 해야 한다.

특히 수술 후 마취에서의 회복에 따라 귀가 및 재입원 여부가 결정되므로 당일수술을 받는 환자의 처치에 있어서 마취의 회복은 매우 중요하다. 일반적으로 당일수술에 대한 환자의 만족도는 높다고 알려져 있지만 수술 후 발생하는 통증, 오심과 구토, 어지러움 및 졸음 등은 환자의 당일 귀가를 어렵게 하고 비용을 발생시키는 요인이 되기도 한다. 따라서 빠르고 부드럽게 마취를 유도하고 적절한 마취 깊이를 빠르게 유지하고 빠른 각성 및 회복을 시킬 수 있는 마취 약제가 이상적이라고 할 수 있다. 마취 유지를 위한 신경근차단제의 사용도 환자의 회복에 매우 중요한데 사용 여부, 약제의 선택 및 용량은 수술의 종류와 환자의 상태에 따라 적절하게 고려 되어야 한다. 마취의는 통증과 오심 및 구토 등의 부작용을 위한 보조제를 적절히 사용 하여 환자의 회복과 귀가를 도와야 한다.

회복실에서의 환자 관리도 매우 중요하다. 마취통증의학과 의사는 환자가 당일 귀가를 하기 때문에 입원환자에서 보다 더 면밀하게 환자를 관찰해서 마취에서 완전히 회복되었는지 판단하여 퇴원지시를 해야 한다. 따라서 경험 있는 의료진이 회복실에 상주하여야 하고 적절한 모니터링 시스템을 구비하여 환자를 관리해야 한다.

2. 흡입마취제를 사용한 전신마취 방법

흡입마취제를 사용한 전신마취 방법은 기도 유지 방법에 따라 크게 두 가지로 나누어 볼 수 있다. 첫 번째로는 일반적으로 가장 많이 적용되고 있는 기관내삽관에 의한 마취 방법으로 마취 유도제, 마취 유지제, 신경근차단제 및 그에 따른 근이완 역전제가 필요하다. 일반적으로 마취 유도에는 주로 정맥마취제가 사용되지만 정맥로 확보가 어렵거나 환자가 주사바늘을 무서워 할 경우 마취의는 sevoflurane을 사용한 흡입마취유도를 할 수 있다. 이런 경우에도 마취 유도 후 정맥로 확보를 하고 신속한 기관내삽관을 위해 신경근차단제를 투여하여야 하는 경우가 많다.

두 번째로는 최근 많이 적용되고 있는 후두 마스크를 사용한 마취 방법이다. 이는 기관내삽관을 하지 않고 기도를 확보하여 기관 내 점막 및 성대의 손상, 인후통 등의 합병증을 예방할 수 있다. 특히 당일수술을 위한 마취에서 후두마스크는 신경근차단제의 도움을 받지 않고 사용할 수 있으므로 환자의 잔류 근 이완의 예방 및 빠른 회복에 큰 도움이 되고 근 이완 역전제 사용도 필요 없으므로 역전제에 의해 발생할 수 있는 서맥이나 과다분비의 부작용을 피할 수 있다.

3. 마취 약제

1) 마취 유도제
이상적인 마취 유도제
 – 작용발현이 빨라야 함.
 – 빠른 회복을 제공해야 함.
 – 쉽게 사용 가능해야 함.
 – 오심과 구토가 적어야 함.
 – 비용부담이 적어야 함.

(1) Thiopental sodium

Thiopental sodium은 barbiturate계의 약물로 중추신경계를 억제하여 전신 마취의 유도 또는 최면과 경련을 조절하기 위해서 임상에 사용된다. 국내에서 가장 많이 사용되는 마취 유도제로 3–5 mg/kg을 환자 상태와 목적에 따라 투여하며 다른 마취 유도제에 비해 진통 및 근이완의 이점은 없다. 이 약물은 pH 10.5의 강 알카리성을 가지므로 혈관 밖으로 누출 될 때 심각한 합병증을 초래할 수 있고 산성의 약물과 동시에 투여하면 침전물을 생성할 수 있으므로 유의하여야 한다.

(2) Propofol

Propofol은 작용 시간이 짧고 부작용이 적으면서 회복이 빨라 환자의 만족도 높아 최근에 당일수술에서 정맥 마취 유도제로 많이 사용되고 있다. 특히, propofol의 사용은 마취 유지 약물의 영향이 적은 짧은 수술에서 수술 후 오심 및 구토의 빈도를 낮추어 환자의 수술 후 관리에 큰 도움이 된다.

그렇지만, propofol은 정맥 주입 시 통증을 유발할 수 있고 심혈관계를 억제하는 효과가 있다. 따라서 통증에 과민한 환자와 심혈관계 질환이 있는 환자에게서 신중하게 투여하여야 한다. 환자의 상태와 목적에 따라 마취 유도 시 1–2.5 mg/kg이 사용된다.

(3) Ketamine

Ketamine은 전신마취를 위한 해리성 마취제로 정맥 주사시의 통증이 없고 조직의 자극도 없으며 특히 다른 정맥 마취 유도제와는 달리 근육주사를 할 수 있어서 정맥로 확보가 어려운 소아 환자에서 많이 사용된다. Ketamine은 진통작용도 강하기 때문에 전신마취보조제로 사용되기도 한다.

그렇지만, ketamine은 환자에게 환각, 혼란, 악몽, 지리멸렬, 어지러움, 두통 등의 중추신경계 부작용 및 혈압 상승을 유발할 수 있다. 환자의 상태와 목적에 따라 마취

표 9-1 당일수술을 위한 마취 유도제로서의 정맥마취제

	투여경로	용량(mg/kg)	심박수	혈압	호흡억제	뇌혈류량	뇌압
Thipenthal	IV	3-5	++	--	---	---	---
Propofol	IV	1-2.5	0	---	---	---	---
Ketamine	IV or IM	1-2 or 3-5	++	++	-	+++	+++
Etomidate	IV	0.2-0.5	0	-	-	---	---

유도 시 정맥로로 1-2 mg/kg, 근육 내로는 3-5 mg/kg 을 투여할 수 있다.

(4) Etomidate

Etomidate는 carboxylate imidazole 유도체로서 빠른 마취유도를 특징으로 한다. Etomidate는 심폐기능에는 안정적이지만 부신피질호르몬 분비 억제, 간대성 근경련, 주입 시 통증 등의 부작용 때문에 심혈관계질환을 가진 환자에게 국한되어 적용되고 있다. 전기경련요법에서는 경련시간 연장을 목적으로 사용할 수 있다. 환자의 상태와 목적에 따라 마취 유도 시 0.2-0.5 mg/kg이 사용된다.

(5) Dexmedetomidine

Dexmedetomidine은 alpha2-아드레날린 수용체 작용제로 정맥 투여하며 호흡곤란을 일으키지 않고 진정 및 진통의 효과가 있다. 그렇지만, 작용발현 시간이 늦고 혈압저하, 서맥 등의 심혈관계 부작용이 있어서 마취 유도제 보다는 마취 보조제 및 동시마취 유도제로 효과적으로 적용될 수 있다.

(6) 흡입마취제를 사용한 유도

흡입마취제를 사용한 마취 유도를 하는 경우는 정맥확보가 어렵거나 주사바늘을 두려워하는 환자에게 적용 될 수 있다.

일회 폐활량 흡입유지 호흡법(single, maintained vital capacity breath technique)은 마취 회로에 마취제를 충진시키고 환자에게 잔기량을 호기 후 한 번의 커다란 흡기 이후 숨을 참으라고 지시하는 마취 유도 방법이다. 빠른 마취유도를 얻을 수 있어서 흡입마취유도에 주로 많이 사용된다.

Sevoflurane은 혈액/가스 분배 계수가 낮아 신속한 마취 유도와 회복을 기대할 수 있고 자극성이 적어 desflurane, isoflurane 및 enflurane 등의 흡입마취제보다 흡입마취유도에 적합하다. Sevoflurane은 마취 유도를 위해서 주로 처음부터 6-8% 농도의 용량을 사용한다.

정맥 마취제 유도와 비교할 때 흡입마취유도의 장점은 마취 유도에 따른 무호흡이 없으며, 혈압 저하가 적고, 투여에 따른 통증이 없고, 아나필락시스가 덜하고, 정맥로 확보를 피할 수 있다는 점이다. 그렇지만 흡입마취유도는 환자의 선호도가 낮고, 수술 후 오심과 구토의 빈도가 높다.

2) 흡입마취제(마취 유지)를 위한 약제

(1) 아산화질소(Nitrous Oxide)

아산화질소는 낮은 혈액/가스 분배 계수로 인한 빠른 작용시간 및 회복, 진통작용, 다른 흡입 마취제 요구량의 감소 등의 장점이 있어 널리 사용되어 왔다. 그렇지만 최근에는 아산화질소는 부작용이 많이 밝혀지고 다른 대체약제들이 발달하여 마취통증의학과 영역에서 사용이 제한되고 있다.

아산화질소는 장기간 사용 시 혈역학 및 신경학적으로 독성효과도 있고 마취 중 체내에서 공기 주머니로 확산

표 9-2 당일수술에서 주로 사용되는 흡입마취제의 특성

	혈액/가스분배계수	최소폐포농도	혈압	심박수	근이완 효과
Nitrous Oxide	0.47	105-110	0	0	+
Sevoflurane	0.65	2.0	-	0	++
Desflurane	0.42	6.0	-	0 or +	+++

된다. 따라서 기흉, 장폐색, 안구 및 두개 내 공기가 있거나 복강경수술 시 주의해서 사용해야 한다. 또한 뇌혈류를 증가시키고 심근수축력을 감소시키며, 회복과정에서 diffusion hypoxia의 위험이 있고, 수술 후 오심과 구토의 요인으로 작용할 수 있다.

최근 remifentanil의 등장으로 점차 아산화질소의 임상 적용이 감소하는 경향이 있다.

(2) Sevoflurane

Sevoflurane은 냄새가 자극적이지 않고 흡입 시 기도의 자극이 적고, 낮은 혈액/가스 분배계수로 인해 작용시간이 빠르며 강한 근육 이완효과로 전신마취의 유지 및 유도 시에 많이 사용된다. Sevoflurane은 신속하고 용이한 마취 깊이 조절과 빠른 회복이 가능하지만 isoflurane과 비교할 때 오심과 구토의 빈도는 비슷했고 환자의 퇴원시간도 차이는 없었다.

(3) Desflurane

Desflurane은 매우 낮은 혈액/가스 분배계수를 가지고 있어서 다른 흡입마취제에 비해 마취의 유도 및 회복이 빠른 약제로 알려져 있다. 그러나 desflurane은 특유의 기도 자극성으로 인해 기침, 타액분비, 기도경련을 유발할 수 있고 부드러운 마취유도를 어렵게 하는 요인이 된다. 각성 시 섬망과 수술 후 오심과 구토의 빈도는 isoflurane보다 높다.

3) 마취 중 아편유사제

아편유사제는 진통과 진정 효과가 있으므로 전신마취제의 보조제로서 사용되며 안정된 마취 깊이를 유지하며 마취제의 요구량을 감소시키는 효과가 있다.

(1) Morphine

Morphine은 오심과 구토, 진정 및 호흡억제 등의 부작용으로 인해 입원을 초래할 수 있어서 당일수술에서는 잘 사용되지 않는다.

(2) Fentanyl

Fentanyl은 morphine보다 히스타민 성 부작용이 적어 오심, 구토 및 가려움증이 덜하고 작용시간도 짧다. 그렇지만 fentanyl의 지속 주입은 원하지 않는 진정, 호흡억제 등의 부작용이 발생시킬 수 있어서 당일수술에는 적합하지 않다.

(3) Alfentanil

Alfentanil은 작용 발현시간은 1.5분 정도로 fentanyl에 비해 빠르고 적정 농도로의 조절이 가능하지만 많은 양의 지속주입은 당일수술에서는 적합하지 않다.

(4) Remifentanil

Remifentanil은 혈장과 조직에서 비 특이성 에스테르 분해효소에 의하여 대사되며 상황민감성반감기는 3-5분이며 제거 반감기는 8-10분인 초단기 작용 아편 유사제이다. 최대 작용 발현시간은 alfentanil과 유사하며 역가는 fentanyl과 비슷하다. 지속주입과 무관하게 회복이 빠르므로 당일수술의 마취에 유용하게 사용할 수 있다.

그러나 remifentanil은 다량으로 빠른 속도로 주입하

표 9-3 당일수술 마취를 위한 아편유사제의 특성

	수술 중 용량		심박수	혈압	호흡억제
Morphine	0.1-1 mg/kg		−	− or+	−−−
Fentanyl	2-150 µg/kg		−−	−	−−−
Alfentanil	Loading Maintenance	8-130 µg/kg 0.5-3 µg/kg/min	−−	−−	−−−
Remifentanil	Loading Maintenance	1.0 µg/kg 0.5-20 µg/kg/min	−−	−−	−−−

게 되면 근육 강직과 무호흡이 발생할 수 있으므로 유의하여야 한다. 수술 후 빠른 회복으로 인해 진통작용이 지속되지 않으므로 술 후 통증관리를 위해 다른 방법이 고려되어야 한다.

4) 신경근차단제

당일수술 마취에 사용되는 신경근차단제는 신속하고 예측 가능한 작용 발현시간과 짧고 일정한 작용 지속 시간을 가져야 하고 어떤 대사산물도 축적되지 않고 빠르게 회복될 수 있어야 한다.

(1) Succinylcholine

Succinylcholine은 초 단기 작용시간을 가진 특이한 신경근차단제로 많은 부작용에도 불구하고 아직까지 사용되고 있다. Succinylcholine은 부정맥, 심혈관계의 변화, 근육통, 고칼륨혈증, 위장관압, 두개내압 및 안압의 증가와 악성 고열증 등의 생명을 위협할 수 있는 많은 부작용을 유발시킬 수 있으므로 당일수술을 위한 마취에는 적합하지 않다.

(2) Atracurium

Atracurium은 0.5 mg/kg의 용량이 기관내삽관을 위해 사용되며 작용 발현 시간은 3분, 지속시간은 30-40분이다. 용량에 비례하여 히스타민을 분비하고 긴 작용 발현 시간으로 인해 당일수술을 위한 마취에는 적합하지 않다.

(3) Cisatracurium

Cisatracurium은 atracurium의 이성질체 중 하나로 atracurium보다 4배 더 강력한 역가를 가지고 적은 히스타민 방출을 하지만 기관내삽관을 위한 용량에서 작용 발현시간의 증가로 인해 당일수술을 위한 마취에는 덜 적합하다.

(4) Vecuronium

Vecuronium은 0.12 mg/kg의 용량이 기관내삽관을 위해 사용되며 작용 발현시간은 3분, 지속시간은 45-90분이다. 심혈관계에 영향은 없지만 간 기능장애를 가진 환자와 노령환자에게는 신중하게 투여되어야 한다.

표 9-4 당일수술 마취를 위한 비탈분극성신경근차단제의 비교

	기관내삽관을 위한 용량(mg/kg)	작용발현 시간(min)	작용지속 시간(min)	히스타민 분비
Atracurium	0.5	2.5-3.0	30-45	+
Cisatracurium	0.2	2.0-3.0	40-75	0
Vecuronium	0.12	2.0-3.0	45-90	0
Rocuronium	0.8	1.5	35-75	0

Vecuronium은 길고 예측 불가능한 작용 지속시간 때문에 당일수술을 위한 마취에는 적용하기 어렵다.

(5) Rocuronium

Rocuronium은 짧은 작용 발현시간을 노리고 개발된 스테로이드계 신경근차단제이다. 기관내삽관을 위한 용량은 0.6-0.8 mg/kg이고 작용 지속 시간은 40분 정도로 당일수술을 위한 마취에 적용되기에는 작용 지속시간이 긴 단점이 있다.

(6) Sugammadex

Sugammadex는 아세틸콜린 수용체에 rocuronium과 선택적으로 결합해서 제거하여 근이완에서 회복시킨다. Sugammadex는 근 이완의 정도에 따라서 적정한 용량이 사용될 수 있고 아직 중대한 부작용은 보고 되지 않고 있다. Sugammadex는 술후 잔류 근 이완 효과 및 근 이완 재현을 효과적으로 개선시킬 수 있어서 당일수술을 위한 마취에서 신경근차단제의 역전제로 사용될 수 있다.

4. 수액 요법

당일수술을 위한 마취에서 수액 요법은 최근까지도 논란이 많다. 특히, 수술 부위가 제한적이고 시간이 짧은 소 수술에서는 수액 요법은 환자 회복을 위한 중요한 고려 사항에서 제외되고 있다.

당일수술을 시행 받는 대부분의 환자들은 술전 금식, 수술을 위한 장 처치 등으로 인해 저혈량 상태를 나타나게 되는 경우가 많고 때로는 수술 후까지 저혈량 상태가 조절되지 못할 수도 있다. 수술 전 또는 중에 충분한 수액공급이 이루어 진다면 내장 관류를 개선시켜서 수술 후 오심과 구토의 빈도를 줄일 수 있고 어지러움 및 갈증 등의 이환율을 감소시켜 병원 체류시간을 단축하고 재입원 비율을 줄일 수 있다.

표 9-5 성인의 당일수술에서 마취계획

고려사항	처치
마취유도 마취유도제 소아, 혈역학적 불안정한 경우 정맥로 확보가 어려운 경우	일반적으로 Propofol or Thiopenthal Ketamine, Etomidate 흡입마취유도: Sevoflurane
기도유지 기관내삽관 기관내삽관 및 신경근차단제가 필요 없는 경우	일반적으로 기관내삽관 후두마스크, 안면마스크

마취유지
흡입마취제
 	
아편유사제
  짧고 간단한 수술
신경근차단제
  초 단기 수술(예; ECT)
  빠른 작용 발현
  일반적인 근 이완 길항제
  최신 steroid 계열 길항제
 	
수액요법
	일반적으로 Sevoflurane 또는 Desflurane
	
	Remifentani, Alfentail
	
	Succinylcholine
	Rocuronium
	Neostigmine, Pyridostigmine
	Sugammadex: 효과는 좋지만 가격이 비쌈.
	주로 긴 수술에서 중요

수술 후 부작용 예방 오심과 구토 통증	Propofol 사용, N_2O 제외 항 구토제의 예방적 사용 적절한 수액공급 NSAID: 수술 전 PO 또는 수술 중 IV 국소마취 또는 부위마취의 적절한 사용

5. 요약

이전에 비해 개선된 마취 시설과 약제들을 사용하게 됨으로써 최근에 당일수술을 시행 받는 환자의 수는 기하 급수적으로 늘고 있다. 수술 전에 철저한 관찰과 조사를 통해 당일수술을 받기로 결정된 환자들은 수술의 종류와 환자의 상태 및 요구에 따라 전신마취, 진정마취, 부위 마취를 시행 받을 수 있는데 이 장에서는 흡입마취제를 사용한 전신마취에 대해서 주로 알아보았다.

당일수술을 위한 마취에서 마취유도는 주로

thiopenthal sodium과 propofol이 사용되며, 정맥로 확보가 어려운 경우와 같이 필요한 경우에는 sevoflurane과 같은 흡입마취제도 사용될 수 있다. 기도 유지는 일반적으로는 기관내삽관요법이 많이 사용되나 최근 들어 시간이 짧고 기관내삽관이 필요 없는 수술의 경우 신경근차단제의 사용이 필요 없는 후두 마스크의 사용이 증가하고 있다.

마취유지를 위한 흡입마취제는 최근에 주로 sevoflurane과 desflurane이 주로 사용되며 진통을 위한 아편유사제로는 지속주입과 빠른 회복이 가능한 remifentanil이 많이 사용된다. 신경근차단제의 사용에 있어서도 최근 개발된 sugammadex는 스테로이드계 신경근차단제를 거의 완벽하게 역전할 수 있어 당일 수술마취의 회복을 위해 각광받고 있다.

당일 수술의 만족스러운 결과를 위해서 환자들의 회복의 질과 시간이 매우 중요하다. 수술의 종류와 환자의 상태에 따른 적절한 마취 약제와 방법의 선택이 술 후 부작용을 줄일 수 있으므로 환자 회복의 질을 높일 수 있다.

참고문헌

1. Ali SZ, Taguchi A, Holtmann B, et al. Effect of supplemental pre-operative fluid on postoperative nausea and vomiting. Anaesthesia 2003; 58: 775-803.

2. Awad IT, Chung F. Factors affecting recovery and discharge following ambulatory surgery. Can J Anaesth 2006; 53: 858-872.

3. Ayoglu H, Altunkaya H, Ozer Y, et al. Dexmedetomidine sedation during cataract surgery under regional anaesthesia. Br J Anaesth 2007; 99: 448.

4. Benumof JL. The glottic aperture seal airway: a new ventilatory device. Anesthesiology 1998; 88: 1219-1226.

5. Bevan JC, Collins L, Fowler C. Early and late reversal of rocuronium and vecuronium with neostigmine in adults and children. Anaesth Analg 1999; 89: 333–339.

6. Burkle H, Dunbar S, Van Aken H. Remifentanil: a novel, short-acting, mu-opioid. Anesth Analg 1996; 83: 646-651.

7. Carrol NV, Miederhoff P, Cox Fm, et al. Postoperative nausea and vomiting after discharge from outpatient surgery centers. Anesth Analg 1995; 80: 903-909.

8. Cepeda MS, Gonzalez F, Granados V, et al. Incidence of nausea and vomiting in outpatients undergoing general anesthesia in relation to selection of intraoperative opioid. J Clin Anesth 1996; 8: 324-328.

9. Chung F, Ritchie E, Su J. Postoperative pain in ambulatory surgery. Anesth Analg 1997; 85: 808-816.

10. Cohen G, Forbes J, Garraway M. Can different patient satisfaction survey methods yield consistent results? Comparison of three surveys. Br Med J 1996; 313: 841-844.

11. Cook DR. Can succinylcholine be abandoned? Anaesth Analg 2000; 990: 24-28.

12. Eriksson H, Korttila K. Recovery profile after desflurane with or without ondansetron compared with propofol in patients undergoing outpatient gynecological laparoscopy. Anesth Analg 1996; 82: 533-538.

13. Falk J, Zed PJ. Etomidate for procedural sedation in the emergency department. Ann Pharmacother 2004; 38: 1272-1277.

14. Friedman Z, Chung F, Wong DT. Ambulatory surgery adult patient selection criteria – a survey of Canadian anesthesiologists. Can J Anaesth 2004; 51: 437-443.

15. Ghatge S, Lee J, Smith I. Sevoflurane: an ideal agent for adult day-case anesthesia? Acta Anaesthesiol Scand 2003; 47: 917-931.

16. Green SM, Klooster M, Harris T, et al. Ketamine sedation for pediatric gastroenterology procedures. J Pediatr Gastroenterol Nutr 2001; 31: 26-33.

17. Hassan Zu, Fahy BG. Anesthetic choices in surgery. Surg Clin North Am 2005; 85: 1075-1089.

18. Hitchcock M, Ogg TW. A quality assurance initiative in day case surgery: general consideration. Ambulatory Surg 1994; 2: 181-192.

19. Joshi GP. Inhalational techniques in ambulatory anesthesia. Anestheiol Clin North America 2003; 21: 263-72.

20. Klock PA, Roien MF. More or better-educating the patient about the anesthesiologists's role as perioperative physician. Anesth Anag 1996; 83: 671-672.

21. Kopman AF. Sugammadex: a revolutionary approach to neuromuscular antagonism. Anesthesiology 2006; 104: 631-633.

22. Korttila K. Recovery from outpatient anaesthesia and patient satisfaction in Australian and New Zealand day surgery unit: a pilot study. Anaesth Intens Care 1996; 24: 74-78.

23. Kovac al. Prevention and treatment of postoperative nausea and vomiting. Drugs 2000; 50: 213-243.

24. Lepage JY, Malinovsky JM, Malinge M, et al.

Pharmacodynamic dose-response and safety study of cisatracurium (51W89) in adult surgical patients during N2O-O2-opioid anesthesia. Anesth Analg 1996; 83: 823-829.

25. McGuire DA, Sanders K, Hendricks SD. Comparison of ketorolac and opioid analgesics in postoperative ACL reconstruction outpatient pain control. Arthroscopy 1993; 9: 653-661.

26. Muzi M, Colinco MD, Robinson BJ, et al. The effects of premedication on inhaled induction of anesthesia with sevoflurane. Anesth Analg 1997; 85: 1143-1148.

27. Ooi LG, Goldhill DR, Griffiths A, et al. IV fluids and minor gynaecological surgery: effect on recovery from anaesthesia. Br J Anaesth 1992; 68: 576-579.

28. Parnis SJ, Barker DS, Van Der Walt JH. Clinical predictors of anaesthetic complications in children with upper respiratory tract infection. Paediatr Anaesth 2001; 11: 29-40.

29. Selzer RR, Rosenblatt DS, Laxova R, et al. Adverse effect of nitrous oxide in a child with 5,10-methylenetetrahydrofolate reductase deficiency. N Engl J Med 2003; 349: 45-50.

30. Sleth JC, Le Hors-Albouze H. Ketamine sedation to perform caudal anaesthesia in children in remote locations. Acta Anaesthesiol Scand 2007; 51: 1284-1286.

31. Stenqvist O, Husum B, Dale O. Nitrous oxide: an ageing gentleman. Acta Anaesthesiol Scand 2001; 45: 135-137.

32. Tait AR, Reynolds PI, Gustein HB. Factors that influence an anesthsiologist's decision to cancel elective surgery for the child with an upper respiratory tract infection. J Clin Anesth 1995; 7: 491-499

33. Thwaites A, Edmends S, Smith I. Inhalation induction with sevoflurane: a double-blind comparison with propofol. Br J Anaesth 1997; 78: 356-361

34. Vuyk J, Hennis PJ, Burm AG, et al. Comparison of midazolam and propofol in combination with alfentanil for total intravenous anesthesia. Anesth Analg 1990; 71: 645-650.

35. Weinstein MS, Nicolson SC, Schreiner MS. A single dose of morphine sulfate increases the incidence of vomiting after outpatient inguinal surgery in children. Anesthesiology 1994; 81: 572-527.

Chapter **10**

외래마취-노인

지속적인 평균 수명의 연장과 사망률 및 출산율의 저하로 인구의 노령화 현상은 갈수록 심해지고 노인의 인구 비중은 해마다 증가하고 있다. 이는 전세계적으로 공통된 현상으로 우리나라도 예외는 아니다. 2016년 기준으로 우리나라의 65세 이상 노인인구 비중은 13.2%로 빠르게 증가하고 있는 추세이며, 2025년에는 20%가 넘는 초고령화 사회에 진입할 것이 확실시 된다. 이에 따라 당일수술을 필요로 하는 노인환자의 수도 최근 들어 꾸준히 증가하고 있다. 더욱이 최근 들어 마취기법, 수술, 환자감시장비 등의 비약적인 발달로 기존의 입원을 기반으로 하는 수술보다 노인에게 여러모로 유익한 당일수술 체계를 선호하는 경향이 나타나고 있으며, 당일수술의 적응증도 계속 확대되고 있는 추세이다. 당일수술을 위한 외래마취를 담당하는 마취통증의학과 의사는 노화 과정에서의 생리적 변화 및 마취 약제에 대한 반응 변화, 동반 질환 및 복용 약물에 대한 평가, 노인환자에게서 마취 회복 시 자주 발생하는 문제점 등을 미리 숙지하고 마취 계획 및 마취관리에 임하여야 한다.

1. 당일수술과 노인

당일수술이 필요한 노인환자의 수는 노인인구의 비중이 증가함에 따라 꾸준히 상승하고 있다. 일반적으로 70세가 지나면 외과 수술과 관련된 사망률이 증가하게 되고 80세 이상에서는 마취에 따른 위험이 증가되기 때문에 당일 수술을 시행할 때에도 위험이 따르게 된다. 하지만 이러한 위험에도 불구하고 노인환자에게서 당일수술은 다음과 같은 명확한 장점을 가지고 있다. 첫째, 노인 환자들은 자신의 일상에서 조금만 벗어나도 쉽게 두려움을 느끼며, 주변 환경 변화나 생활양식의 변화에 대처하는 능력이 크게 떨어지기 때문에 환자 본인과 가족에게 미치는 영향을 최소화할 수 있는 당일수술이 도움을 줄 수 있다. 둘째, 노인환자의 수술 후 발생할 수 있는 치명적인 주술기 감염 및 호흡기계 합병증의 가능성

을 줄일 수 있다. 이는 특히 일반적으로 면역력이 감소해 있는 노인들에게 중요하다. 셋째, 재원 기간의 감소로 의료비용을 절감할 수 있을 뿐 아니라 수술 후 조력자 없이 본인 스스로 빠른 일상 생활 재개가 가능하다. 넷째, 수술 후 인지장애(postoperative cognitive dysfunction, POCD)와 같은 노인환자에게서 나타날 수 있는 수술 후 부작용 발생 가능성이 적다.

노인환자에게 적용 가능한 당일수술의 종류는 매우 다양하다. 가장 많이 시행되고 있는 탈장 수술과 백내장 적출술 말고도 외과, 성형외과, 산부인과, 비뇨기과, 정형외과 등 많은 분야의 수술이 당일수술로 이루어지고 있다. 최근에는 혈관내수술이나 뇌혈관수술 등도 당일수술로 이루어지고 있을 정도로 그 범위는 점차 확대되고 있다. 65세 이상 노인환자에서 가장 흔하게 시행되는 당일수술의 종류는 다음과 같다(표 10-1).

표 10-1 65세 이상 노인환자에서 가장 흔하게 시행되는 당일 수술 종류 10가지

서혜부 및 대퇴부 탈장 복구
백내장적출술
관절 치료 수술
담낭절제술 및 총담관탐색술
반월판연골절제술
유방종괴절제술
근육, 인대 손상 치료 수술
말초신경감압술(예; 손목굴증후군)
뼈 부분절제술(예; 엄지건막류절제술)
경요도절제술

White PF et al. Perioperative care for the older outpatient undergoing ambulatory surgery. Anesth Analg 2012; 114: 1190-215.

2. 노화에 따른 생리적 변화

연대적인 나이(chronologic age) 그 자체는 당일수술의 주술기 합병증이나 사망의 위험인자가 아니다. 따라서 단지 나이가 많다고 해서 수술에서 배제되어서는 안 된다. 노화에 따른 생리학적, 병리학적 변화, 유전적 요인 및 동반질환 등을 종합적으로 감안한 생물학적 나이(biological age)가 노인환자의 신체적 건강과 더 큰 연관성이 있다. 특별한 동반 질환이 없다고 하더라도 노화가 진행되면서 모든 주요 장기의 기능 및 예비력(reserve)은 감소하게 된다. 장기 기능은 보통 40대에 최대치에 이르고, 기능적 예비력은 60세까지는 대부분 잘 유지되나 60세를 지나게 되면서 개인별로 예비력이 큰 차이를 보이게 된다. 또한 노화가 진행되면서 항상성 유지 능력이 감소하게 되어 주술기 동안 스트레스 및 염증과정에 대처하는 능력이 떨어지게 된다. 이러한 생리적 변화는 마취약제의 약력학, 약동학을 변화시키게 되므로 약제 투여 시 세심한 주의를 기울여야 한다(표 10-2).

1) 기초대사량과 체온조절

기초대사량은 일반적으로 20대에서 80대까지 매 10년마다 1~2%씩 감소하는데, 이는 나이가 들어감에 따라 신체활동이 줄어들기 때문이다. 노인환자의 경우 떨림(shivering) 현상이 감소하여 쉽게 저체온에 빠질 수 있는데, 이는 노화가 진행됨에 따라 떨림을 유발하게 되는 심부체온 한계치의 감소에 기인한다.

2) 심혈관계 변화

노화가 진행됨에 따라 탄력소(elastin)의 생성은 줄어들고 기존 아교질(collagen)은 손상되어 동맥 탄력성 및 유순도(compliance)가 감소하게 되는데, 이는 심장 및 혈관들의 경화(stiffening) 현상을 초래한다. 또한 산화질소(nitric oxide)의 점진적인 생성 감소도 이러한 경화 현상을 가속화시킨다. 따라서 노화가 진행된 심장은 증가된 후부하를 견디면서 점차적으로 심실 벽이 두꺼워지는 심실비대가 오게 된다. 이러한 변화에도 불구하고 심장의 수축기 기능은 비교적 잘 유지되지만 좌심실 유순도의 감소로 조기 확장기 충만(early diastolic filling)이 손상되면서 노화된 심장은 주로 말기 확장기 충만에 의존하게 된다. 이러한 말기 확장기 충만은 주로 심방 기능에 의존하기 때문에 상심실성 부정맥(supraventricular arrhythmia) 발생 시 혈역학적 불안정성이 오기 쉽다. 노화로 인한 이러한 전반적인 심실 이완기의 장애를 이완기 기능저하(diastolic dysfunction)라고 하며, 이 때문에 노인들은 수액 과부하(fluid overload) 및 폐부종의 위험에 노출될 가능성이 크다.

3) 호흡기계 변화

노화가 진행됨에 따라 폐 실질의 탄력성 감소, 흉곽 유순도 감소로 전반적인 폐 유순도가 감소하고 폐포 표면적도 감소하게 된다. 이에 따라 폐활량(vital capacity), 호기량, 확산 능력(diffusion capacity)은 감소하고, 잔기량(residual volume), 폐쇄 용적(closing capacity), 사강(dead space)은 증가하게 되며 환기-관류 불균형 현상이 나타난다. 또한 노인들은 저산소증이나 과탄산혈증

표 10-2 노인환자에서 약동학, 약력학적 변화와 마취관리에 미치는 영향

약력학, 약동학 변화	노화에 따른 신체변화	마취약제 용량변화	마취약제 투여 변화
흡수 (drug absorption)	위배출시간↑ 장 운동성↓ 위산 분비↓ 장 혈류↓ 흡수 능력↓	대부분 정맥마취약제는 변화 없음 구강 투여 약제는 흡수 지연	구강 투여하는 디곡신, 진통제 흡수 감소
분포 (drug distribution)	체성분 변화 체 수분량↓ 체 지방↑ 심박출량↓	정맥 내 bolus로 투여된 약물 최대농도↑ 분포용적 증가 → 지방친화성(lipophilic) 약 물효과 지연 순환시간(circulation time)↑	1. 초기 혈중농도↑ : 　친수성(hydrophilic) 약물의 역가 상승 　(propofol, opioid, midazolam) 2. 지방친화성(lipophilic) 약물의 약효지속 　시간 지연(benzodiazepine, inhaled 　anesthetics, 특히 isoflurane) 3. 마취유도 시 최면(hypnosis)↑
혈장단백결합 (plasma protein binding)	혈장 단백질↓	마취약제와 혈장단백(예, 알부 민) 결합의 감소 → free (active) drug↑	단백결합력이 높은 약제의 free-drug 농 도의 상승(예, propofol) → 역가 상승
대사 (drug metabolism)	간 기능↓, 간 혈류↓ Phase I 대사↓ (Drug oxidation, reduction, hydrolysis)	마취약제의 청소율 감소	1. 간을 통해서 제거되는 마취약제들의 약 　효지속시간↓ (예; opioid, lidocaine, 　ketamine) 2. 간에서 대사되는 마취약제의 약효지속 　시간↓ (예; diazepam, lidocaine)
제거 (drug elimination)	신장혈류↓　GFR↓ 신장기능↓	신장을 통해 제거되는 약물의 청소율 감소	신장을 통해 제거되는 마취약제의 약효지 속시간 증가(예; 신경근차단제, 아편양제 제)
약물의 중추신경계 민감도 (CNS drug sensitivity)	대뇌위축→백질(white matter)및 뉴런 감소 수용체 수 감소(예, GABA, NMDA, ß–adrenergic, muscarinic) 척수 뉴런 수 감소 및 신경 수초 퇴화 척추 사이 구멍이 좁아짐	마취약제 감수성↑ 경막외 공간이 좁아짐	1. Propofol 민감도 증가 → 65세 이상에 　서 용량 40-50% 감량 2. 진정제 및 아편양제제, 특히 　remifentanil의 감수성 증가 3. 흡입마취제의 MAC↓ 4. 국소마취제 감수성 증가 5. 척수마취나 경막외마취 시 국소마취제 　투여 후 레벨 상승

GFR : glomerular filtration rate, MAC : minimal alveolar concentration, CNS : central nervous system, GABA : gamma-aminobutyric acid, NMDA : N -methyl-D-aspartate

White PF et al. Perioperative care for the older outpatient undergoing ambulatory surgery. Anesth Analg 2012; 114: 1190-215.

에 대한 호흡 반응은 저하되어 있는 반면, 아편양제제나 benzodiazepine 투여로 인한 호흡억제에는 예민한 특징을 보인다. 따라서 노인환자들에게는 흡인성 폐렴, 폐부종, 무기폐, 폐렴과 같은 수술 후 호흡기계 합병증 발생 가능성을 항상 염두에 두어야 한다.

4) 신장 및 간 기능의 변화

신장은 노화가 진행됨에 따라 매 10년마다 10%씩 신장 실질 두께가 감소하고, 신장혈류도 10%씩 감소하여 정성 성인에 비해 크레아티닌 청소율이 30-50% 감소하게 된다. 이러한 신장 기능의 감소에도 불구하고 혈중 크레아티닌 수치는 비교적 정상으로 유지된다. 사구체 여과율의 저하, 신장혈류의 감소로 인해 전체 신장을 통한 제거가 저하되면서, 신장으로 제거되는 약물의 혈중 농도

증가로 이어질 수 있다.

간 역시 정상 성인에 비해 실질이 20-40% 가량 감소하고, 이에 비례하여 간 혈류량도 저하된다. 따라서 간에서 제거되거나 대사되는 약물의 약효 지속시간이 연장될 수 있다. 이러한 간 기능의 감소에도 불구하고 cytochrome P450 효소의 활성은 거의 변화가 없는 것으로 알려져 있다.

5) 뇌의 변화

일반적으로 노화가 진행됨에 따라 60세 이후에는 뇌 위축(cerebral atrophy)이 진행되고 뇌 관류도 감소하게 되지만 그 변화의 정도는 개개인마다 많은 차이가 있다. 평균적으로, 90세에 이르면 백질(white matter)이 15% 정도 감소하게 되는데, 이러한 경향은 노인들에게서 수술 후인지장애(POCD)가 잘 나타나고 마취약제에 의한 중추신경계 억제 효과가 더 크게 나타나는 사실을 이론적으로 뒷받침해준다. 노화가 진행되면서 대뇌 피질 및 척수에 있는 뉴런의 수가 전반적으로 감소하고 말초신경으로의 전도 속도가 느려지면서, 말초신경차단 시 사용되는 국소마취제에 대한 민감도가 증가하게 된다. 하지만 노화에 따른 신경퇴행이 마취에 어떤 영향을 미치는 지에 대해서는 아직 명백한 기전이 밝혀지지 않았다.

3. 노화가 마취 약제에 미치는 영향

노화가 진행되면 골격근과 체수분량은 줄어들고 체지방이 이를 대치함에 따라 지방 저장소(lipid reservoir)가 확장된다. 이는 중추신경계 활성화 마취약제(centrally active anesthetic drugs), 즉 benzodiazepine, 흡입마취제, 아편양제제, 정맥마취유도제의 제거 반감기를 늘리고 약효지속시간을 연장시킨다. 또한 체수분량의 감소로 친수성 약물의 분포용적이 감소하여 최대혈중약물농도가 높아지게 된다. 단백질도 감소하여 혈중 albumin이 최대 20%까지 떨어지게 되는데, propofol과 diazepam

과 같이 albumin에 강하게 결합하는 약제들 같은 경우에는 albumin의 감소로 인한 free-drug의 농도가 증가하게 되어 약제에 대한 감수성이 증가하게 된다.

1) 진정/최면 마취제(sedatives/hypnotics)

마취유도제로 가장 흔하게 사용되는 propofol, thiopental, midazolam 등은 노인 환자에서 요구량이 최대 50%까지 감소되며, 투여 시 심혈관계 및 호흡기계 반응도 크게 나타난다. 예를 들어, propofol의 경우 65세가 되면 투여량을 40%로 줄여야 하며, 투여 시 혈역학적 변화가 더 심하고 마취유도 속도는 느려지게 된다. Propofol을 포함한 진정/최면 마취제는 중추신경계 억제 효과가 젊은 성인에서보다 더 낮은 혈중/효과처 농도에서 나타날 수 있음을 항상 염두에 두어야 한다.

2) 아편유사제

아편유사제는 나이 증가에 따라 감수성이 증가되며 요구량이 최대 50% 감소한다. 특히 remifentanil은 다른 아편유사제와 달리 노화에 따라 약동학과 약력학 모두 크게 영향을 받는다. 약물이 분포하는 중심 구획과 대사 및 청소율이 감소되고 EC50과 K_{e0}는 85세가 되면 20대에 비해 50%로 감소한다. 또한 효과처 농도 저하 속도가 느려지는 경우가 많아 remifentanil을 사용하는 경우에는 예상보다 회복 속도가 느릴 수 있음을 염두에 두어야 한다.

3) 흡입마취제

당일수술을 위한 흡입마취제로 가장 선호되는 것은 desflurane과 sevoflurane이다. 두 마취제는 다른 마취제들에 비하여 혈액-가스 분배계수가 낮아서 체내에서 신속하게 배출되고 각성 및 인지능력 회복도 빨라 조기 퇴원이 중요한 당일수술에 가장 적합한 마취제라고 할 수 있다. 한편, 노화가 진행됨에 따라 최소폐포농도(minimal alveolar concentration, MAC)은 꾸준히 감소하게 되는데, 65세 이상에서 desflurane의 MAC은 5%로 저하된다.

4) 신경근차단제

신경근차단제 역시 노인에서 감수성이 증가하게 된다. 일반적으로 노인에서는 젊은 성인에 비해 작용 발현이 느리고, 작용시간이 연장되며, 투여 후 신경근 회복도 지연된다. 이는 노화에 따른 분포용적의 감소와 제거율이 저하되어 약물의 혈중 농도가 증가되며 근육으로의 혈류가 감소되어 $T_{1/2}k_{e0}$가 지연되기 때문이다. 따라서 젊은 성인에 비하여 용량을 줄여서 사용하여야 한다. 에스테르계통 신경근차단제(예; cisatracurium)가 스테로이드계통 신경근차단제(예; rocuronium)보다 당일수술 체제에서 효과지속시간을 예측하기가 용이하지만, 항콜린에스터라아제(anticholinesterase) 사용 없이 만족할만한 근이완 역전 효과를 가져다 주는 sugammadex의 도입으로 스테로이드계통 신경근차단제가 많이 사용되고 있다.

5) 국소마취제

노화가 진행됨에 따라 국소마취제의 감수성은 증가하고 반응도 더 크게 나타난다. 이는 나이가 들어감에 따라 척수의 뉴런 수가 감소하고, 신경 수초(myelin sheath)가 퇴화되며, 척추사이 구멍(intervertebral foramina)이 점차 좁아지고, 말초신경으로의 전도속도가 지연되기 때문으로 알려져 있다. 또한 척추와 척추 사이 공간이 점차 좁아져 막혀버리기 때문에, 척추 마취 또는 경막외 마취 시 투여된 국소마취제의 퍼짐(spread)이 증가하여 의도치 않게 마취 높이가 올라갈 수 있으며 이에 따라 운동신경 차단 및 혈압저하의 빈도가 증가할 수 있다. 따라서 다른 마취약제와 마찬가지로 노인에서는 국소마취제의 용량을 줄여야 한다.

4. 수술 전 환자 평가

노인환자는 젊은 성인환자에 비하여 많은 동반 질환을 가지고 있고 복용하는 약물의 수도 많기 때문에 더 세심한 병력 청취와 신체검사가 수술 전 평가에 꼭 필요하다. 기억력 감퇴 등으로 최근 병력이나 투약력, 알레르기 등 중요 정보를 놓칠 수도 있으므로 보호자를 통해 확인할 수 있도록 한다. 특히 투여하고 있는 모든 약물들은 마취 유도 시, 수술 중, 후 사용되는 약물들과 상호작용을 유발할 수 있으므로 처방약뿐 아니라 비처방약, 한약 등 환자가 복용하고 있는 모든 약물에 대하여 수술 전 파악하고 있어야 한다.

당일수술에서도 수술 전 기본 검사(혈액검사, 전해질, 심전도 등)를 반드시 시행하는 것이 원칙이며 이상이 있다면 수술 전에 교정하여야 한다. 하지만 최근 연구에서 기본 검사를 시행한 군과 시행하지 않은 군에서 당일수술 중 부작용 발생 빈도 및 수술 30일 이내 부작용 발생 빈도가 의미 있게 차이가 나지 않았다는 보고도 있다. 이는 당일수술을 고려하는 대부분의 노인 환자들이 동반질환을 가지고 있지만 잘 관리하고 있기 때문에 무조건적으로 기본 검사를 시행하는 것은 비용과 시간의 낭비일 수도 있다는 것이다.

1) 당뇨 환자의 경우 혈당이 잘 조절되고 있다면 당일 수술을 적용하는데 큰 문제는 없다. 수술 전 기본 검사에서 공복혈당 검사를 시행하여야 하고 수술 당일 혈당이 높은 경우에는 IV 인슐린 투여로 혈당을 조절한다. 경구용 혈당강하제를 복용하고 있던 환자의 경우 수술 당일 아침에는 약을 복용하지 않는다. 수술 중, 수술 후에도 지속적으로 혈당을 체크하여 안정되게 조절해야 한다. 특히 수술 후 지속적인 고혈당은 수술 후 감염의 발생 빈도를 증가시킬 수 있으므로 주의하여야 한다.

2) 심혈관계 질환은 노인들에게서 가장 흔히 볼 수 있

는 것으로 고혈압, 만성심부전, 부정맥, 허혈성심질환 등이 있다. 원칙적으로 이러한 심혈관계 치료 약물들은 수술 당일 아침까지 물 한 모금과 함께 복용하도록 한다. 베타차단제와 statin 계통 약물은 수술 당일 아침에도 복용하는 것이 좋지만 칼슘차단제와 angiotensin converting enzyme inhibitors, 안지오텐신수용체길항제(angiotensin receptor blocker)의 수술 당일 복용은 아직 충분한 연구가 되어 있지 않은 상태라서 논란의 여지가 있다. 항응고제로 coumadin (warfarin)과 heparin의 투여는 중단하여야 하며, 장기간 예방 목적의 항생제 복용이 필요하지 않는 상태여야 한다. 1년 이내에 약물방출스텐트(drug-eluting stent)를 시행 받은 환자의 경우 현재 이중 항응고 치료(double antiaggregative medication, aspirin+clopidogrel)를 받고 있다면 당일수술을 받을 수 없다.

3) 환자가 폐질환을 가지고 있으면 원칙적으로 입원하여 수술하여야 한다. 또한 폐질환 유무를 떠나서 현재 지속적인 산소공급이 필요한 상황이거나 지속적인 steroid를 복용해야 하는 상태라면 당일수술은 불가능하다. 만성폐쇄성폐질환(chronic obstructive pulmonary disease, COPD)이 의심되는 경우 수술 전 폐기능 검사를 반드시 시행하여야 한다. 금연은 수술 중 폐합병증의 빈도를 의미 있게 감소시키므로, 흡연자의 경우 적어도 수술 4주 전부터 금연하도록 교육시켜야 한다.

4) 만성신부전 환자의 경우 주기적으로 투석을 받는 환자라면 투석을 위해 입원하여 수술을 진행하여야 한다. 만일 투석이 필요하지 않는 경증의 신부전 환자의 경우 수술 종류, 응고 검사 중 출혈 시간(bleeding time), 동반된 다른 질환의 상태 등을 고려하여 당일수술을 고려해 볼 수 있다.

5. 마취 방법의 선택

국소마취부터 시작하여 부위마취, 전신마취, 진정을 위한 감시마취관리(monitored anesthesia care, MAC) 등 모든 마취방법을 당일수술에 적용할 수 있다. 어떤 방법이 노인 환자에게 더 우수한지에 대한 정답은 없으며 환자의 상태, 수술 부위와 방법 등을 복합적으로 고려하여 선택하여야 한다.

1) 전신마취

일반적으로 노인환자에게서 전신마취는 국소마취, 부위마취에 비해 부작용 발생 가능성이 높다고 알려져 있다. 이러한 경향은 미국마취통증의학과학회 신체등급 분류 3등급 또는 4등급 노인환자에게 더 강하게 나타난다. 하지만 앞에서도 언급했듯이 고령 그 자체는 전신마취 하 당일수술 시 사망률 및 이환율을 상승시키는 위험인자가 아니다. 또한 노인환자의 전신마취 시 국소마취, 부위마취에 비해 일시적인 수술 후 인지장애(postoperative cognitive dysfunction, PDCD) 발생 빈도가 높다고 알려져 있지만, 장기적인 POCD 발생 빈도와는 연관성이 없는 것으로 밝혀졌다. 노인환자에서 당일수술 체제는 이러한 POCD 발생 빈도를 줄이는데 도움을 준다.

전신마취 유도 시 propofol은 감량하여야 하지만, 지속 투여 시 속도는 오히려 젊은 성인에 비해 약간 증가시켜야 한다. 또한 propofol 투여 시 진정/최면 효과의 발현은 젊은 성인에 비해 더 느리게 나타나고, 최대 심혈관계/호흡기계 억제에 도달하는 시간도 늦어지게 되는데, 이는 혈액-뇌 순환 시간이 노인에게서 더 길어지기 때문이다. 노인의 혈관계는 유순도(compliance)가 감소해 있고 만성 고혈압이 있는 경우가 많으므로, 마취 유도 직후 더 쉽게 저혈압이 올 수 있다. 전신마취 시 사용되는 아편유사제 및 benzodiazepine은 젊은 성인에 비해 호흡억제에 대한 감수성이 최대 2배로 증가하고 지속 효과도 길어지기 때문에 감량이 필수적이다. 최근 노인환자에게 아편유사제를 대신하여 많이 사용되고 있는 덱스메데토미딘(dexmedetomidine)은 진통 및 자발호흡 유지 효과가 좋으나 투여를 중단한 후에도 약효가 지속되는 residual sedation 때문에 당일수술 체제에서 적용하기 어려운 점이 있다.

환자가 흡인 위험이 없고 수술 중 체위에 문제가 없다면 인후통의 부작용이 있는 기관내삽관보다 후두마스크(laryngeal mask airway, LMA) 삽입이 환자에게 도움을 줄 수 있다. LMA는 신경근차단제 사용 없이 손쉽게 거치할 수 있고, 자발 호흡으로 유지가 잘되며, 기관 삽관 시 나타나는 교감신경 자극현상이 적어 심혈관계 변화가 적게 나타나 노인 환자의 당일수술에서 장점을 가지고 있다.

2) 부위마취

부위마취는 전신마취에 비해 수술 후 회복실에서 통증이 적고 아편유사제 요구량이 감소하여 전체적으로 비용 절감 효과가 있다고 알려져 있다. Liu 등은 당일수술에서 전신마취와 부위마취의 장단점을 비교하였는데, 중추신경축차단(central neuraxial block) 및 말초신경차단에서 마취 유도 시간은 길었으나 회복실에서 통증 및 아편유사제 요구량은 줄어들었음을 확인하였다. 하지만 중추신경축차단은 회복실 체류기간 단축이나 수술 후 오심 및 구토(postoperative nausea and vomiting, PONV)를 줄이지는 못하는 것으로 나타났다. 말초신경차단의 경우에는 회복실 체류기간이 줄어들고 PONV도 감소하지만 전체 재원기간을 단축시키지는 못하였다. 부위마취는 장기간 이환율(morbidity)을 줄이지는 못하지만 수술 후 심혈관계, 호흡기계, 내분비계, 신경학적 부작용을 감소시킨다. 노인에서는 생리적 특성으로 부위마취 시 저체온에 빠질 위험이 크기 때문에 유의하여야 한다. 경막천자 후 두통은 젊은 성인에 비해 적게 발생하는 것으로 알려져 있다.

최근에는 부위마취 시 초속효성(ultra-short acting) 국소마취제(예; chloroprocaine)를 사용하거나 소량의 아편유사제를 병용하여 환자의 회복시간을 단축시키는 효과를 보고 있다. Akcaboy 등은 노인환자에서 당일수술에 적합한 국소마취제와 아편유사제 병용투여 조합을 비교하였는데, 경요도전립선 수술에서 prilocaine 50mg+fentanyl 25 ㎍ 조합에 비해 bupivacaine 4mg+fentanyl 20-25 ㎍ 조합이 회복이 빠르고 혈역학적인 안정성도 더 우수한 것으로 나타났다. Prilocaine 사용 시 뇨 저류(urinary retention)가 발생할 수 있고, 이는 조기 퇴원을 방해하는 중요 원인이 될 수 있다. 초속효성 국소마취제의 사용으로 이러한 뇨 저류 현상을 예방할 수 있다.

말초신경차단(peripheral nerve block)은 전문성이 요구되나 노인환자의 당일수술에서 유용하게 쓰일 수 있는 방법이다. 장골서혜-하복부 신경차단(ilioinguinal-hypogastric nerve block), 배가로근면 블록(transverse abdominis plane block, TAP block), 척추옆신경차단(paravertebral nerve block)을 이용한 탈장 수술 시 전신마취-척추마취나 국소마취제침윤(local anesthetic infiltration, LAI)보다 더 우수한 회복지표 및 진통 효과를 얻을 수 있다. 척추옆신경차단은 유방 수술 시에도 사용할 수 있는데, 역시 전신마취 보다 더 우수한 결과를 얻을 수 있다. 속효성 국소마취제를 사용한 두렁-오금 신경차단(combined saphenous-popliteal nerve block)은 하지정맥류 수술 시 일반적 부위마취에 비해 빠른 회복과 더 나은 진통 효과를 가져 온다. 말초신경차단은 정형외과 수술 시에도 유용하게 쓰이는데, 어깨 회전근개 파열 수술 시에는 목갈비근사이차단(interscalene nerve block)으로 혈역학적 안정성과 fentanyl 요구량을 감소시킬 수 있고, 하지 수술에서는 넓다리신경차단(femoral nerve block), 오금궁둥신경차단(popliteal-sciatic nerve block)으로 전신마취-척추마취보다 더 우수한 결과를 얻을 수 있다.

3) 감시마취관리(monitored anesthesia care, MAC)

비교적 작은 수술이나 진단을 위한 검사 시에는 감시마취관리를 시행하면 부작용을 최소화하고 빠른 회복이 가능하여 매우 유용하다. 노인 환자들은 폐쇄공포증이나 공황장애, 치매, 파킨슨병 등을 가지고 있는 경우가 많은데, 이런 경우 MRI 등의 영상 검사를 진행하기가 불가능하므로 감시마취관리가 큰 도움을 줄 수 있다. 감시마취관리에는 빠른 회복과 지속 투여가 용이한 propofol을 주로 사용하는데, 영상 검사나 기능 검사 같은 통증을 유발하지 않는 검사의 경우 propofol 단독 투여로도 충분하지만, 통증을 수반하는 시술이나 수술의 경우에는 아편유사제를 병용 투여하여야 원활한 수술 및 시술을 진행 할 수 있다. Propofol 투여 후 환자의 기도 유지 및 활력징후를 세심하게 감시하여 예상하지 못하게 더 깊은 진정상태로 들어가지 않도록 해야 한다. 감시마취관리 시 propofol과 병용하여 dexmedetomidine을 투여하는 경우 마취제 요구량이 줄어들지만 회복이 확연히 느리고 심혈관계 억제작용이 심하게 나타나므로 유의해야 한다.

6. 노인환자의 당일수술 중, 후 발생할 수 있는 문제점

노인 환자의 당일수술에서 주요 사망률 및 이환율은 실제로 매우 낮은 편이다. Chung 등의 연구에 따르면 노인 환자의 부작용 발생빈도는 수술실에서 4.0%, 회복실에서 9.6%, 당일수술 체제에서는 7.9% 정도이다.

수술 후 섬망(postoperative delirium, POD)과 수술 후 인지장애(postoperative cognitive dysfunction, POCD)는 수술 후 노인 환자에게 나타날 수 있는 인지장애이다. POD는 급작스런 지남력과 인지기능의 변화가 특징인 반면 POCD는 감지하기가 쉽지 않고 인지기능 손상이 오래 지속되는 특징을 가지고 있다(표 10-3). POD는 비심장수술을 시행 받은 전체 노인의 5%~15%에서, POCD는 10~13%에서 발생하는데, 둘 다 노인들에게 수술 후 심각한 사회경제적, 의학적 손상을 가져온다. ① 70세 이상의 나이, ② 알코올 중독, ③ 수술 전 인지상태 저하, ④ 수술 전 기능 저하, ⑤ 수술 전 혈중 Na+, K+, glucose의 이상, ⑥ (비심장)흉부 수술, ⑦ 복부 동맥류 수술 등이 POD 발생의 위험인자로 알려져 있다. POCD 발생의 위험인자로는 수술 전 인지기능 및 신체기능 저하, 교육수준 저하, 뇌혈관 질환의 과거력 등이

표 10-3 수술 후 섬망(POD)과 수술 후 인지기능장애(POCD)의 특징 비교

	수술 후 섬망	수술 후 인지기능장애
임상적 특징	지남력 상실, 기분의 변덕, 어떤 일에 집중 할 수 없음	지남력 유지, 막연한 집중력과 기억력 저하
감정상태	불안함, 변화가 심함	우울증상 발생 가능
발현	수술 후 수 시간~수 일 이내에 발생	수술 후 수 일~수 주 후에 나타나 감지하기 어려움
지속기간	수 일~수 주	보통 수주에서 몇 달 이내에 호전되나 때로 몇 년 이상 지속되기도 함
유형	과활동형, 저활동형, 혼합형	기억장애형, 수행장애형, 혼합형
수면-각성 주기	밤, 어두운 곳, 눈 뜬 직후에 악화	차이 없음
평가도구	Confusion assessment method (CAM)	신경정신학적 테스트, 뚜렷한 진단 도구가 없음

White PF et al. Perioperative care for the older outpatient undergoing ambulatory surgery. Anesth Analg 2012; 114: 1190-215.

알려져 있다. 마취 방법의 차이는 POCD 발생에 큰 영향을 끼치지 않는 것으로 보인다. 연구에 따르면 수술 1주일 후 POCD 발생 빈도는 전신마취에서 19.7%, 부위마취 시 12.5%였고, 3개월 후 POCD 발생 빈도는 전신마취에서 14.3%, 부위마취에서 13.9%로 유의한 차이를 보이지 않았다.

노인에게서 수술 후 오심구토(postoperative nausea and vomiting, PONV)는 일반적으로 흔하지 않다. 하지만 복강경수술이나 두경부 수술, 방사선 치료 등 일부 당일수술에서는 노인환자에서도 PONV의 발생이 높을 수 있다. PONV의 발생은 환자 요인, 마취 요인, 수술적 요인이 종합적으로 관여하는데, 이러한 PONV는 당일수술 후 조기 퇴원과 일상생활로의 복귀를 방해하는 가장 중요한 원인이다. 부적절한 수액 투여로 인한 체위성 저혈압(postural hypotension), 진통을 위한 아편유사제 사용이 PONV 발생에 가장 중요한 원인이다. 당일수술에서는 수술 후 퇴원하여 집으로 귀가한 후 발생하는 오심/구토, 즉 퇴원 후 오심구토(post-discharge nausea and vomiting, PDNV)의 개념이 중요하다. PONV 발생 위험을 예측할 수 있는 4가지 중요 인자, 즉 여성, 비흡연자, PONV의 과거력, 술후 아편유사제 사용으로 점수 체계를 마련한 기존의 Apfel criteria는 PDNV 발생의 예측에는 그 정확도가 떨어지는 것으로 알려져 있다. 아편유사제의 사용 유무와 회복실에서 구토 발생 유무가 PDNV 발생의 예측에 가장 중요한 인자이다. 비경구적 ketorolac의 투여는 회복실에서 스테로이드 계통 항구토제 구토를 줄이는데 효과적이며 진통 효과도 좋아 유용하다. Esomolol, labetalol 같은 교감신경억제 약물이나 alpha2-작용제/길항제, ketamine 등도 아편유사제의 요구량을 감소시킬 수 있어 PONV를 줄이는 데 효과적이다.

7. 수술 후 통증조절

진통을 위해 사용되는 아편유사제는 특히 노인환자들에게 많은 부작용을 일으킬 수 있으므로 노인환자에서 당일수술 후 통증 조절에는 복합적 진통조절기법(multimodal analgesic technique)을 사용한다. 여기에는 acetaminophen, 비스테로이드소염제(nonsteroidal antiinflammatory drugs, NSAIDs), glucocorticoid, 국소마취제침윤(local anesthetic infiltration, LAI), 기타 진통 약물(ketamine, clonidine, gabapentin, esmolol 등) 등이 포함된다.

Acetaminophen은 노인환자에게 비교적 안전하고 효율적으로 투여할 수 있는 약물이다. 경구 투여, 직장 내투여, 정맥 내 투여 모두 가능하다. 보통 퇴원 후 1 g acetaminophen을 하루에 3번 경구투여 한다.

NSAIDs 역시 수술 후 통증을 예방하고 아편유사제 요구량을 줄여 아편유사제의 부작용을 줄이는데 매우 효과적인 약물이다. 비록 장기간 투여 시 위장관 출혈이나 혈전 질환, 신장 기능 부전 등의 부작용을 일으킨다고 알려져 있지만, 당일수술에서 바로 투여되는 경우 출혈이나 신기능 장애에 영향을 미치지 않는다. 부작용이 적은 celecoxib과 같은 선택적 cyclooxygenase-2 (COX-2) 억제제는 우수한 진통 효과로 회복을 촉진시킨다. 다만 출혈이 적을 것으로 예상되는 수술에서는 기존의 비선택적 cyclooxygenase-2 (COX-2) 억제제인 ketorolac, ibuprofen 등이 비용 절감 면에서 유리하다.

당일수술에서 정맥 내로 1회 투여되는 glucocorticoid는 노인환자에서 출혈 등의 부작용 없이 효과적으로 진통효과를 얻을 수 있다.

수술 부위의 국소마취제 투여는 진통제 소모량을 줄여주고 수술 후 첫 진통제 요구시간을 연장시켜 준다. 여기에 ketorolac이나 glucocorticoid를 병용 투여하면 국소마취제의 효과를 항진시킬 수 있다.

저용량 ketamine의 투여는 초기 술후 통증을 줄여주는데 효과가 있으며, gabapentin은 복부자궁절제술 시 cyclooxygenase-2 (COX-2) 억제제와 비슷한 정도의 진통 효과가 있다고 보고되었다. 다만 pregabalin은 노인에게서 술 후 진정 및 어지러움을 초래할 수 있으므로 유의하여야 한다.

8. 당일수술 후 입원

노인 환자에서 당일수술 후 입원하게 되거나 퇴원 후 응급실로 내원하게 되는 경우는 수술 7일 이내에서 0.3%, 30일 이내에서 1.1% 정도이다. 주요 위험인자로는 85세 이상의 고령, 6개월 이내에 병원 입원 경력, 수술의 종류 등이 있다. 수술 후 갑작스런 호흡기계의 변화, 협심증, 심한 오심과 구토, 뇨저류, 혈당 상승 및 의식의 변화 등이 관찰된다면 지체하지 말고 입원시켜야 한다. 당일수술 센터에서는 이러한 상황에 대비하여 즉각적인 입원을 할 수 있도록 시스템을 구축하는 것이 좋다.

9. 결론

초고령화 사회에 접어들면서 당일수술을 필요로 하는 노인 환자의 수는 급증하고 있다. 이미 많은 병원에서 이러한 노인 환자들을 위한 당일수술의 중요성을 깨닫고 당일수술센터 내에 노인을 위한 치료시스템을 개발하고 적용시키고 있다. 앞으로도 마취, 수술, 환자 감시장치 등의 지속적인 발달과 함께 더 안전하고 질 높은 마취를 노인환자에게 제공할 수 있도록 노력해야 할 것이다.

참고문헌

1. Bettelli G: Anaesthesia for the elderly outpatient: preoperative assessment and evaluation, anaesthetic technique and postoperative pain management. Curr Opin Anaesthesiol. 2010; 23: 726-31.
2. Canet J, Raeser J, Rasmussen LS, et al. Cognitive dysfunction after minor surgery in the elderly. Acta Anaesthesiol Scand 2003; 47: 1204-10.
3. Demongeot J. Biological boundaries and biological age. Acta Biotheor 2009; 57: 397-418.
4. Prough DS. Anesthetic pitfalls in the elderly patient. J Am Coll Surg 2005; 200: 784-94.
5. VanSomeren EJ, Raymann RJ, Scherder EJ, Daanen HA, Swaab DF. Circadian and age-related modulation of thermoreception and temperature regulation: mechanisms and functional implications. Ageing Res Rev 2002; 1: 721-78.
6. Priebe HJ. The aged cardiovascular risk patient. Br J Anaesth 2000; 85: 763-78.
7. Grobin L.. Diastolic dysfunction in the older heart. J Cardiothorac Vasc Anesth 2005; 19: 228-36.
8. Rooke GA. Cardiovascular aging and anesthetic implications. J Cardiothorac Vasc Anesth 2003; 17: 512-23.
9. Sprung J, Gajic O, Warner DO. Review article: age related alterations in respiratory function-anesthetic considerations. Can J Anaesth 2006; 53: 1244-57.
10. Aymanns C, Keller F, Maus S, Hartmann B, Czock D. Review on pharmacokinetics and pharmacodynamics and the aging kidney. Clin J Am Soc Nephrol 2010; 5: 314-27.
11. Schmucker DL. Age-related changes in liver structure and function: implications for disease? Exp Gerontol 2005; 40: 650-9.
12. Sadean MR, Glass PS. Pharmacokinetics in the elderly. Best Pract Res Clin Anaesthesiol 2003; 17: 191-205.
13. 진명호, 박동호, 양홍석, et al: 노인에서 atracurium의 작용시간. 대한마취통증의학과학회지 1997; 33: 1071-6.
14. Bevan DR, Fiset P, Balendran P, et al: Pharmacodynamic behavior of rocuronium in the elderly. Can J Anaesth 1993; 40: 127-32.
15. Sorooshian SS, Stafford MA, Eastwood NB, et al: Pharmacokinetics and pharmacodynamics of cisatracurium in young and elderly adult patients. Anesthesiology 1996; 84: 1083-91.
16. Chung F, Yuan H, Yin L, Vairavanathan S, Wong TD. Elimination of preoperative testing in ambulatory surgery. Anesth Analg 2009; 108: 467-75.
17. Imasogie N, Wong DT, Luk K, Chung F. Elimination of routine testing in patients undergoing cataract surgery allows substantial savings in laboratory costs. A brief report. Can J Anaesth 2003; 50: 246-8.
18. Monk TG, Weldon BC, Garvan CW, Dede DE, van der Aa MT, Heilman KM, Gravenstein JS. Predictors of cognitive dysfunction after major noncardiac surgery. Anesthesiology 2008; 108: 18-30.
19. Lindstrom D, Sadr A O, Wladis A, Tonnesen H, Linder S,

Nasell H, Ponzer S, Adami J. Effects of a perioperative smoking cessation intervention on postoperative complications: a randomized trial. Ann Surg 2008; 248: 739-45.

20. Fischer B. Benefits, risks, and best practice in regional anesthesia: do we have the evidence we need? Reg Anesth Pain Med 2010; 35: 545-48.

21. Kazama T, Ikeda K, Morita K, Kikura M, Doi M, Ikeda T, Kurita T, Nakajima Y. Comparison of the effect-site keOs of propofol for blood pressure and EEG bispectral index in elderly and younger patients. Anesthesiology 1999; 90: 1517-27.

22. Nordquist D, Halaszynski TM. Perioperative multimodal anesthesia using regional techniques in the aging surgical patient. Pain Res Treat 2014 Jan 20. doi: 10.1155/2014/902174.

23. Frank SM, El-Rahmany HK, Cattaneo CG, Bames RA. Predictors of hypothermia during spinal anesthesia. Anesthesiology 2000; 92: 1330-34.

24. Akcaboy ZN, Akcaboy EY, Mutlu NM, et al. Spinal anesthesia with low-dose bupivacaine-fentanyl combination: a good alternative for day case transurethral resection of prostrate surgery in geriatric patients. Rev Bras Anesthesiol 2012; 6:753-61.

25. Chung F, Mezei G, Tong D. Adverse events in ambulatory surgery. A comparison between elderly and younger patients. Can J Anaesth 1999; 46: 309-21.

26. Marcantonio ER, Godman L, Mangione CM, et al. A clinical prediction rule for delirium after elective noncardiac surgery. JAMA 1994; 271: 134-9.

27. Apfel CC, Greim CA, Goepfert C, et al. Postoperative vomiting. A score or prediction of vomiting risk following inhalation anesthesia. Anaesthetist 1998; 47: 732-40.

28. White PF, Sacan O, Naungchamnong N, et al. The relationship between patient risk factors and early versus late postoperative emetic symptoms. Anesth Analg 2008; 107: 459-63.

29. White PF, Sacan O, Tufanogullari , Eng M, Nuangchamnong N, Ogunnaike B. Effect of short-term postoperative celecoxib administration on patient outcome after outpatient laparoscopic surgery. Can. J. Anesth 2007; 54: 342-8.

30. Bisgaard T, Klarskov B, Kehlet H, et al. Preoperative dexamethasone improves surgical outcome after laparoscopic cholecystectomy: a randomized double-blind placebo-controlled trial. Ann Surg 2003; 238: 651-60.

31. Townshend D, Emmerson K, Jones S, Partington P, Muller S. Intra-articular injection versus portal infiltration of 0.5% bupivacaine following arthroscopy of the knee: a prospective, randomised double-blinded trial. J. Bone Joint Surg Br 2009; 91: 601-3.

32. Turan A, White PF, Karamanlioglu B, et al. Gabapentin: an alternative to the cyclooxygenase-2 inhibitors for perioperative pain management. Anesth Analg 2006; 102: 175-81.

Chapter 11

외래마취-소아

당일수술을 위한 외래마취는 불필요한 입원을 줄여 감염의 위험을 낮추고 병원의 회전율을 높여 환자의 만족도를 높이고 환자와 병원 모두 비용절감을 할 수 있는 효율적인 구조이다. 특히 소아는 기저질환이 없는 경우가 대부분이고 회복이 빠르기 때문에 외래마취에 적합한 경우가 많다. 성공적인 소아 외래마취를 위해서는 적절한 환자선택과 충분한 시설 그리고 전문인력을 포함한 체계적이고 구조적인 시스템이 필요하다. 따라서 기관의 시설과 인력에 따라 원활한 마취 전 준비와 마취, 회복과 퇴원을 위한 환자의 선택과 수술의 범위가 달라질 수 있다.

1. 수술 전 준비

1) 시설

소아마취의 많은 비율이 외래마취로 행해지므로 당일 외래마취에 적합한 시설을 갖추고 있는 것이 중요한데 소아 외래마취로 만들어진 시설이 아니라고 해도 외래 마취 전용 회복실 등 시스템을 수정하면 충분히 가능하다. 수술 전 준비의 시작은 수술 일정이 정해지면서부터인데, 체크리스트를 만들어 외과, 마취통증의학과, 간호 파트 등 시스템이 공유하면 불필요한 절차가 줄어든다. 또한 수술 전후에 부모와 병원간 전화통화를 할 수 있는 적절한 제도가 있으면 환자상태에 관한 정보를 공유할 수 있고, 수술 전 급격한 변화로 인한 당일 취소 및 연기를 하게 되었을 때 불필요한 내원을 줄일 수 있으며 수술 후 발생 가능한 일의 대처에 관하여 부모에게 즉각적으로 알려줄 수 있다.

2) 수술 전 평가 외래(병력, 신체검사)

수술 전 준비는 입원환자의 준비와 크게 다르지 않으나 당일수술 취소를 줄이기 위해 좀 더 미리 그리고 철저히 준비하는 것이 좋다. 대부분 건강한 환아를 대상으로 외래마취를 진행하므로 수술 전 마취 평가 외래가 필수적인 것은 아니나, 기저 질환이 있는 환아는 수술 전 외과 외래와 더불어 마취 전 환자평가 외래를 통한 준비로 당일 취소되는 비율을 줄일 수 있고 부모의 수술 전 긴장이 완화될 수 있다. 수술 전 준비에 있어서 혈액 검사에 앞서서 환자의 코골이나, 기도폐쇄, 기저 질환 여부 등의 병력과 가족력을 조사하고 기도와 심혈관계 징후 등 신체 검사를 한 다음 필요한 경우 소아청소년과나 타과의뢰를 해서 수술 전 진료를 보게 한다. 이전 마취기록이나 진료기록을 검토하기 위해 전자 기록이면 편리하지만 그렇지 못한 경우라도 필요한 기록이 수술 전 마취통증의학과 의료진이 전반적으로 바로 검토할 수 있게 정리 되어 있어야 한다.

3) 수술 전 검사(혈액, 소변, 심장)

건강한 환아의 수술 전 검사에서는 불필요하게 과도한 검사까지 모두 시행하지 않고 필요한 검사만 시행하는 추세이다. 혈액 검사를 통해 빈혈 유무를 알 수 있는데 출혈의 위험이 있는 수술일 경우 필수적이다. 구상 후(postconceptional) 연령이 54주 미만의 조산으로 태어난 환아가 빈혈을 갖고 있는 경우 술후 무호흡의 위험이 높아지므로 혈액검사를 반드시 해야 하고, 이러한 환아는 대부분 수술 후 입원하여 진행하게 된다. 소변검사는 신장질환을 가진 환아일 경우 시행한다. 우심방 기능부전, 고혈압, 등의 질환을 가진 환아는 심장검사를 자세히 하고, long QT syndrome 등을 배제하기 위해 심전도 검사도 필요하다. 지혈 검사는 지혈이상의 병력이 있거나, 수술 후 출혈의 위험이 있고 이로 인한 중대한 결과가 초래될 것으로 예상될 때 시행을 하게 된다.

4) 수술 전 금식

수술 전 금식에 관한 문제는 당일수술이 연기되거나 취소되는 사유 중 큰 부분을 차지하므로 정확한 내용으로 구체적으로 기술된 안내문을 미리 배포하는 것이 좋다. 수술 전 금식은 위 내용물의 폐흡인을 방지하기 위해 시행하는데 소아 외래마취 전 금식은 입원환자의 수술 전 금식과 다르지 않다. 금식과 관련하여 맑은 액체(clear fluid)는 마취 전 약 2시간, 모유는 4시간, 우유나 분유는 6시간 그리고 식사는 8시간인데 이 기준시간은 예정된 수술시간보다는 수술 스케줄 변동에 대비해 당일 수술센터에 도착하는 시간을 기준으로 하는 것이 좋다. 정상적인 장기능을 가진 환아로 폐흡인의 위험이 높지 않다면 6-8시간 내내 금식하여 배고픔에 시달리게 하는 것보다 2시간 전까지 물을 허용하는 것이 심리적으로 더 안정이 되면서 실제 흡인의 위험성이 증가하지 않는 것으로 알려져 있다.

5) 마취 전 투약

소아 외래마취 환자의 수술 전 투약은 환자에 따라 달라질 수 있다. 수술 전 긴장완화를 위한 midazolam의 마취 전 투약은 환자 회복과 퇴원을 지연시킬 수 있으나, 보통 4세 이하의 어린이는 긴장완화를 위한 투약이 도움이 될 수 있다. 보호자 동반으로도 투약 없이 마취유도를 할 수 있고, 투약 이외에도 긴장완화와 관심을 분산시키기 위해 좋아하는 게임이나 동영상을 보여주거나 여러 가지 재미있는 이야기를 해주는 등 약제 이외의 방법을 사용할 수 있다.

2. 수술 전 환자 평가

소아 외래마취 환자의 수술 전 평가는 입원환자와 다르지 않지만 성공적인 외래 마취를 위해 미리 수술 전 평가를 통해서 알맞은 환자를 선별해야 한다. 환아들이 만성 기저질환을 갖고 있는 것 자체가 소아 외래마취의 금기가 되지 않고, 기저질환의 치료와 관리에 관하여 잘 알고 스스로 하고 있는 상태라면 당일 외래마취를 할 수 있다. 특히, 수술 전보다 철저한 준비를 통해 미비한 준비로 인한 수술취소를 최소화시키고 효율적이고 안전한 당일 입원, 수술, 퇴원의 순조로운 절차를 거치도록 하는 것이 중요하다.

1) 나이

소아 외래 마취를 위한 나이 제한은 조산아를 제외하고 특별한 기저질환을 가지고 있지 않은 건강한 환아라면 절대적인 기준이 있는 것은 아니고 기관의 특성에 따라 다를 수 있다. 그러나 신생아 등 매우 어린 경우에 기저질환의 임상증상이 발현되지 않을 수 있기 때문에 매우 주의가 필요하므로 제한될 수 있다.

2) 수술의 종류

당일수술의 종류와 시간, 수술의 침습정도와 술후 발생 가능한 통증 및 합병증의 정도가 주로 고려 대상이 된다. 주요기관(뇌, 심장, 폐 등)을 침범하지 않은 비교적 덜 침습적인 수술이면서 당일 퇴원하는데 문제가 되지 않도록 되도록 짧고(1-2시간) 통증이 적거나 경구용 진통제로 조절이 되는 수술이 적합하지만, 시간이 오래 걸리는 영상검사를 위한 마취도 가능하다(표 11-1).

3) 급성 호흡기 감염

급성 호흡기 감염은 소아에서 매우 흔하고 주술기 호흡기계 합병증의 위험이 있으므로 위험도 결정을 통해 수술 연기 하는 것이 중요하다. 환아의 상태, 마취와 수술의 종류의 다방면에 걸친 검토를 통해 위험도와 수술여부를 결정한다. 검사소견보다는 환아의 감기증상의 중증도와 기간, 천식이나 조산관련 폐질환 동반여부를 고려하는데 현재 혹은 2주 이내 급성 호흡기 감염이 있으면 기도의 과민성이 줄어들게 되어 주술기 호흡기계 합병증이 예방될 수 있도록 회복 후 4주 정도 연기한다. 특히 가래나 콧물 등 분비물이 많거나 이를 동반한 기침, 열과 전신적인 증상이 있으면 술후 호흡기 합병증의 위험이 높다. 또한 천식이나 조산과 관련된 만성 폐질환 그리고 겸상적혈구 빈혈증 동반 시에도 주술기 호흡기계 합병증의 위험이 증가하므로 수술을 연기하는 것이 좋다. 반면 전반적 상태가 좋고 열이나 분비물을 동반한 기침이 없는 매우 약한 급성 호흡기 감염의 상태는 수술을 진행하는 경우도 있다. 급성 호흡기 감염은 기도의 반응성을 높이는데, 마취방법에 있어서도 기도를 자극하는 정도에 따라 안면마스크, 후두마스크, 기관내삽관 순서대로 주술기 호흡기계 합병증의 위험이 커진다고 볼 수 있다. 수술의 종류도 수술시간이 길거나 기도를 자극하는 수술의 경우 위험도가 높아진다. 수술 후에도 회복실에서 충분히 머물며 호흡관련 지표나 잔여 감기 증상을 확인하는 것이 추천된다.

4) 천식

천식을 가진 환아도 수술 전 준비와 수술 중 처치 술후 관리가 잘 되면 당일 수술이 가능하다. 수술 전 스테로이드 흡입이나 평소 복용하던 약을 유지시켜주고 마취 중 기관내삽관 등은 기도가 매우 자극이 될 수 있기 때문에 albuterol 같은 속효성 베타 차단제도 도움이 된다. 급성 호흡기 감염의 환자와 마찬가지로 기관내삽관이나 직접적인 기도자극을 피하는 것이 좋다. 흡입마취제는 기관지확장 효과가 있고, propofol은 기관 내 평활근을 이완시키고 기도 저항을 감소시키므로 마취 유도와 전정맥 마취제로 마취유지에 좋다. 마취유도 시 기관내삽관이 기도를 자극해 위험할 수 있다면 각성 시 발관 또한 하나의 중요하고 위험한 시기라고 볼 수 있으므로 주의해야 한다. 심한 천식 증상을 가지고 있으면 증상이 완화될 때까지 수술을 연기하거나 항상 증상이 심한 환자라면 수술 전 복용약제의 양을 늘리거나 전신적 스테로이드 투약 등으로 적극적으로 처치하고 수술 후 만약의 경우 입원을 바로 할 수 있도록 준비한다.

5) 무호흡

조산으로 태어난 아이는 구상 후(postconceptual) 연령 55-60주까지 마취 후 무호흡의 위험이 있으므로 당일퇴원이 아닌 입원 후에 수술 후 24시간 정도 호흡 관찰이 필요하다. 재태연령(gestational age)이 적을수록, 무호흡이나 빈혈의 병력이 있는 아이일수록 수술 후 무호흡의 위험이 높아진다. 당일수술로 시행된다면 가능한 오전 일찍 수술한 후 호흡을 장시간 관찰하고, 수술 후 호흡 감시도 산소포화도 뿐만 아니라 흉곽의 움직임도 동시에

표 11-1 외래마취로 주로 시행되는 당일수술의 종류

진료과	수술의 종류
안과	사시 수술, 비루관 수술 등
이비인후과	편도적출술, 아데노이드적출술, 고막절개술, 환기관 삽입술, 등
외과	탈장교정술 등
비뇨기과	포경수술, 고환고정술, 음낭수종절제술 등
성형외과	구순구개열 교정술 등
정형외과	석고붕대, 건절제술 등
치과	치아 추출, 신경치료 등
기타	영상검사, 방사선 치료 등

관찰하는 것이 권장된다.

6) 수면 무호흡과 편도적출술

수면무호흡은 주로 급속 안구 운동 수면(rapid eye movement sleep) 중 부분적인 상기도 폐쇄나 간헐적 완전 폐쇄로 인해 정상적인 환기의 저해가 발생하는 것으로 비만, 편도 비대, 두개 안면부 기형 등으로 상기도 폐쇄가 발생하거나 근육긴장도가 저하되는 질환을 가진 환아 혹은 다운증후군에서 주로 발생한다. 이러한 환아들은 만성적으로 수면 중 저산소증이나 고이산화탄소증에 노출되었기 때문에 수술 직후 아편유사제에 민감하고, 호흡 반응이 정상적이지 않고, 편도가 적출되었다고 해도 직후에는 코골이나 무호흡이 발생할 수 있다. 편도적출술은 흔히 수면 무호흡을 가진 환아에게 시행되므로 안전한 당일수술을 위해서는 환자 선별이 중요하다. 특히 4세 미만의 편도적출술 환아는 다른 부위 수술환아에 비해 예상치 못한 입원의 빈도가 높은 것으로 알려져 있다. 따라서 수면 무호흡을 가진 3세 이하의 어린이나 수면다원검사에서 심한 수면 무호흡을 가진 환아는 입원 후 수술하여 술 후 관찰을 하고 진통을 위한 아편유사제를 감량 투여하는 것이 안전하다.

7) 심장질환

별다른 질환 없는 건강한 환아에서 심장 이상의 위험은 거의 없다고 볼 수 있으나 호흡관련 즉 후두경련 등으로 저산소증이 발생한 경우 이로 인한 심정지의 가능성은 배재할 수 없다. 선천성 심장질환을 가진 환아도 증상이 없거나 수술로 교정되어 기능적으로 문제가 없을 때에는 외래마취가 가능하다.

8) 당뇨

당뇨는 소아에게 흔한 질환은 아니지만 제1형 당뇨를 가진 환아도 외래마취가 가능하고 이러한 환아의 마취준비는 성인과 달리 당뇨로 인한 합병증보다 당 조절 자체

가 더 중요하다. 금식을 시행해야 하기 때문에 저혈당에 빠지지 않도록 가능한 아침 일찍 수술을 받는 것이 좋다. 또한 저혈당을 주의해야 하는데 수술 중에는 5% 당을 함유한 수액을 투여하는 경우도 있고, 마취 중에는 저혈당 증상이 나타나지 않으므로 수술 중 30-60분 간격으로 수시로 당 수치를 체크하며 회복 이후에는 퇴원 전까지 2-3시간 간격으로 확인한다. 저혈당 발생 시에는 인슐린이 투여되고 있다면 중지하고 당을 함유한 수액으로 치료하며 250 mg/dl 이상의 고혈당 발생 시 인슐린을 0.5 units/kg/hr로 시작하여 증감한다. 수술 중 스트레스로 인해 인슐린 요구량이 변화될 수 있으므로 수술 직후에 수시로 당 수치를 확인하며 수술 다음날부터 원래의 인슐린 주사요법을 사용한다.

9) 기타

악성고열증의 위험이 있는 환아도 유발 약제를 사용하지 않고 정맥마취를 하면서 dantrolene같은 적절한 치료 약제를 준비하고 있다면 외래마취가 가능하다. 겸상적혈구 빈혈증 환자는 수술의 종류에 따라 외래 마취도 가능한데 수술 후 탈수, 저산소증, 관류저하, 대사성 산증의 위험이 있으므로 당일 퇴원 전까지 매우 주의 깊게 관찰해야 한다. 정형외과 수술의 경우 수술 후 산-염기 평형 장애를 막기 위해 압박대를 안 하는 것이 좋고, 수면무호흡을 가진 겸상적혈구 빈혈증환아의 편도절제술은 외래마취를 피하고 입원하여 수술하는 것이 안전하다.

3. 마취유도 및 유지

수술의 종류와 환아 상태가 마취방법을 결정하는 가장 중요한 요인이지만 소아외래마취에서는 부드러운 마취유도와 원활한 유지 그리고 빠른 회복 또한 간과해서는 안 될 요소이다.

1) 정맥관 거치

수술 전 정맥관 거치는 어느 정도 시간이 소요되는데 기관에 따라 마취 전 정맥관 거치를 항상 필수로 하는 것은 아니다. 그 이유는 정맥관으로 정맥 마취제 주입을 하지 않고 흡입마취제로 마취 유도를 할 수 있고, 응급약이 필요한 경우 골내(intraosseous)로 약을 주입할 수 있기 때문이다.

2) 부모 참여

마취 유도 시 부모참여는 소아 외래 마취 과정의 한 부분이 되었지만 부모참여의 긴장완화 효과에 관하여는 의견이 분분하다. 부모 참여 자체보다는 수술 전이라는 긴장이 극대화된 상황에서 부모와 아이가 상호교류하는 방식이 더 중요하다고 볼 수 있다. 그러나 소아 환아가 부모와 떨어지는 것에 관한 스트레스는 줄일 수 있고 부모가 원하는 경우 마취 유도과정을 마취통증의학과 의료진과 같이 직접 지켜보면서 신뢰가 생길 수 있다. 부모가 참여하면서 다른 관심을 유도하는 방법이 같이 이루어 지는 것이 이상적이다.

성공적인 소아 외래마취를 위해서는 수술장 입실 전에 아이와 부모와 함께 관계형성이 중요한데 이를 위해서는 어느 정도의 경험과 기술이 필요하다. 아이가 술전 환경에 익숙해지고 긴장이 완화되도록 수술장을 돌아보거나 좋아하는 간단한 영화를 보는 것이 도움이 된다. 또한 익숙하고 좋아하는 장난감이나 베개 등도 긴장을 완화시키고 아이의 관심을 유도할 수 있다. 흡입마취로 진행될 경구 마취 유도 전에 부모와 함께 마취유도에 사용할 동일한 마취 마스크를 갖고 놀면서 숨을 깊게 쉬어보는 것을 놀이 삼아 한다. 때때로 이 마스크에 딸기향이나 아이들이 좋아하는 향기가 나게 하면 숨쉬기 연습을 하기 쉬워진다. 보통 부모와 함께 아이가 원하는 자세로 수술장으로 입실하게 되는데 수술장은 미리 가온시킨다.

부모의 입실이 환아의 정서에 도움이 된다고 판단이 되면 부모가 같이 수술장에 입실하여 마취유도를 지켜보게 된다. 부모가 직접 눈으로 마취유도를 확인하므로 만족도가 높을 수 있지만 역으로 한정된 낯선 공간에서 가운과 마스크를 착용하고 익숙하지 않은 마취유도 자체를 지켜보면서 급작스럽게 환아가 의식소실이 되는 것을 보면 부모의 불안이 야기되기도 하므로 입실 전 부모에게 방법과 절차에 관하여 간략히 설명한다. 대체로 환아와 같이 입실한 부모는 마취유도 시 환아의 의식이 소실되면 바로 대기실로 이동하도록 안내를 받는다.

3) 마취유도

흡입마취제인 sevoflurane을 안면 마스크를 사용하여 유도하는 방법이 제일 보편적이나 정맥관이 거치되어 있는 경우 정맥마취제로 유도를 할 수 있고 정맥관 거치도 수술장에서 바로 이루어지면 효율적인데 이는 마취통증의학과 의료진의 선호도와 판단에 따라 달라질 수 있다.

흡입마취유도와 유지(Volatile induction and maintenance of anesthesia, VIMA)는 소아 외래마취의 흔한 방법으로, 기존에 정맥마취제로 마취 유도를 하고 아편양제제와 흡입마취제로 마취 유지를 하는 것과 다르게 흡입마취제 단독으로 마취유도와 유지하는 것을 의미한다.

흡입마취유도는 정맥 주사 거치의 통증과 두려움을 피하면서 쉽고 빠르고 안전하게 유도하는 방법이라고 할 수 있다. 마취유도는 누워도 되고 앉아도 되고 부모 무릎 위나 옆에서 환아가 원하는 자세에서 시작한다. 수술장 입실 전 환아에게 갖고 놀면서 흡입하는 연습을 하게 했던 마스크를 마취기에 연결하여 호흡을 하면서 백이 부풀어졌다 쪼그라졌다 하는 것을 보게 하면 풍선을 부는 것 같이 흥미로워하면서 호흡하게 되며, 가족이나 인형에게 먼저 씌운 것을 보여준 다음 환아에게 건네주는 것도 좋은 방법이다. 좋아하는 이야기나 노래 혹은 숫자세기 등을 하며 긴장을 풀고 낯선 환경에 대한 관심과 불안을 줄이도록 한다.

흡입마취유도의 가장 적합한 흡입마취제인 sevoflurane은 다음 특징을 가지고 있다. Sevoflurane은 자극적이지 않고 냄새가 좋기 때문에 후두 경직이나 기침 같은 기도자극이 적어서 마취유도에 적절하다. 둘째, 혈액/가스 용해도(blood-gas partition coefficient 0.68)가 낮아 흡입 농도에 따른 호기 농도 증가가 매우 빠르므로 신속하고 부드러운 흡입마취유도를 할 수 있다. 호흡회로는 유도 전에 O_2와 N_2O를 1:2 정도로 하여 채워 놓고 환아가 마스크를 1-2분간 흡입하게 한 다음 N_2O 효과에 의해 환아가 진정되고 호흡이 느려지면서 팔다리에 힘이 빠지게 되면 sevoflurane의 농도를 서서히 6-8%까지 높인다. 의식이 없어지면서 몸의 균형을 잃어도 환아가 다치지 않게 잘 보면서 붙잡고 있도록 부모에게 주지시킨다.

환자가 의식을 잃게 되면 모니터링 장비를 부착하고 부모는 대기실로 안내된다. 의식을 잃으면서 흥분기(excitation period)가 45-60초간 지속될 수 있는데 이 시기에는 불수의적인 움직임이나 심박수의 상승, 불규칙한 호흡 등이 관찰되고 간혹 숨이 거칠어지면서 부분적 기도폐쇄가 나타나기도 한다. 부모가 이러한 과정을 볼 수 있기 때문에 사전에 이런 현상이 마취 유도의 과정이라는 것을 설명하는 것이 좋다. 이 흥분기가 지나고 심박수와 호흡이 안정적으로 되면 신속하게 정맥주사 거치와 기관내삽관을 시도한다. 신경근차단제는 사용하지 않을 수도 있고 필요에 따라 상용량보다 약간 적게 투여될 수 있다. 이러한 흡입마취유도는 환아의 정서나 불안 정도 협조여부에 따라 달라질 수 있으므로 환아를 안정적으로 유도하고 자극하지 않도록 하는 것이 원활한 마취유도에 중요하다.

4) 마취유지

소아 외래마취 중 마취유지를 위한 약제는 조절하기 쉽고, 빨리 각성되며, 잔여효과가 없는 것이 이상적으로 sevoflurane이나 desflurane 등의 흡입마취제가 가장 많이 사용된다. 마취 유도가 종료된 후 높은 농도의 흡입 마취제가 투여되어 심기능 저하가 일어나지 않도록 바로 조절해야 한다. 마취 유지 중에 sevoflurane의 낮은 혈액/가스 용해도로 인해 필요에 따라 마취 깊이를 조절하는 것이 용이하고 혈역학적으로는 비교적 안정적이다.

Desflurane은 sevoflurane 보다 더 낮은 blood/gas solubility를 갖고 있어 각성도 빠르고 각성 후 체내 기관에 잔여량도 적다. 각성 시 섬망도 많지만 그 빈도가 sevoflurane 보다는 낮은 것으로 알려져 있다. 다만 기도를 많이 자극하므로 기침, 후두경련(laryngospasm), 분비물 과다 등의 호흡기적 합병증을 나타낼 수 있으므로 깊은 진정에서 발관하고, 기관내삽관이 되어 있지 않은 환아에서는 단독으로 사용하지 않는 것이 좋다.

아산화질소(Nitrous Oxide)는 마취보조제로서의 역할을 하는데 정맥관을 거치할 때 사용하거나 흡입마취유도 시 보조제로서 사용 가능하다. 그러나 술 후 오심구토를 유발하므로 외래마취에서 사용 시 이를 유의해야 한다.

Propofol은 마취 유도제뿐 아니라 전정맥마취의 주마취제로 사용될 수 있다. 빠른 작용시간와 수술 중 사용량 조절이 쉬울 뿐 아니라 각성이 빠르고 술 후 오심구토를 줄이는 작용이 있어 짧은 시간의 외래마취 유지에 효과적이다. 그러나 진통작용이 없으므로 진통작용이 필요 없는 영상시술이나 방사선 치료 중에 사용하거나 진통작용이 필요할 경우 다른 아편유사제와 병용하여 사용한다.

Remifentanil은 마취유지 중 propofol 혹은 흡입마취제와 함께 사용되며 강력한 아편유사제로 진통작용이 강력하여 수술 중 혈역학적으로 안정을 시킨다. 그러나 고농도 주입이나 빠른 주입은 저혈압과 서맥을 야기하므로 주의 깊게 사용한다. 대사가 간이나 신장에 의존하지 않고 혈장 내 에스테르분해효소(esterase)에 의해 빨리 분해되므로 다른 아편유사제와 달리 술 후 오심구토 등 수술 후 부작용이 발생이 적지만 술 후 진통작용 또한 미미하므로 술 후 진통작용이 필요한 수술의 경우 술 후 다른 진통제를 투여한다.

5) 기도

기도유지의 방법은 기관과 의료진의 선택과 판단에 따라 달라질 수 있다. 고막절개술 등의 매우 짧은 수술의 경우 기도자극을 피하기 위해 마스크 환기만 할 경우도 있는데 마취통증의학과 의료진이 내내 용수환기를 해야 할 뿐 아니라 금식이 제대로 되어 있지 않거나 기도막힘의 가능성이 있을 경우 오히려 위험할 수 있다.

기관내삽관이 가장 흔히 사용되는 기도유지 방법인데 신경근차단제 없이 시행할 수 있으며 이 경우 신경근차단제 역전이 필요 없는 장점이 있다. 기관내삽관 시에는 삽관튜브의 크기를 적절하게 선택해야 성대나 기도의 자극과 손상을 피할 수 있다.

기관내삽관 뿐 아니라 후두마스크도 사용될 수 있다. 후두마스크는 성대를 직접 보지 않고 주입할 수 있고 기도자극이 작다는 장점이 있다. 그러나 복강경수술의 경우 기관내삽관을 하는 것이 안전하고 상기도 감염이나 천식등 기도가 예민해져 있는 환자들의 경우 후두마스크를 사용하더라고 기도 내 합병증의 위험이 정상환아에 비해 높다는 것을 주의해야 한다.

6) 신경근차단제와 수액

소아 당일수술을 위한 외래 마취에서는 대부분 짧은 시간에 수술이 종료되므로 신경근차단제 역전을 위해 각성이 지연되거나 술후 잔여 근이완으로 퇴원이 늦어질 수 있기 때문에 신경근차단제가 필수적이지 않다. 많은 경우에 신경근차단제를 사용하지 않고 흡입마취제 단독이나 remifentanil과 propofol의 병용투여로도 기관내삽관이 가능하다. 신경근차단제를 사용할 때는 장시간 작용하는 약제를 피해야 하고 수술 종료 시 신경근차단제 역전제를 투여해야 하는데, 투여 후 잔여 근이완이 남아 있을 수 있으므로 역전된 것을 확실히 확인하고 주의해야 한다.

수액은 술 전 금식과 술 후 경구 수분 섭취 전까지 수분공급을 주목적으로 투여하고 등장성 용액을 투여하고 퇴원 전까지 수액으로는 유지하는 것이 좋다.

7) 각성

회복은 보통의 마취와 다르지 않아 흡입마취제를 끄고 신선가스 유량을 높여 깨우는데 sevofluraen의 경우 약리학적 특성으로 마취유지 시간에 관계없이 신속한 장점이 있다. 그러나 sevoflurane의 신속한 각성은 퇴원시간에 큰 영향을 미치지 않는데 그 이유는 퇴원시간은 각성에 소요되는 시간보다는 술 후 발생하는 합병증에 영향을 더 많이 받기 때문이다. Sevoflurane은 halothane에 비해 각성 시 섬망이 많이 발생하는데 이는 소량의 아편양 제재, dexmedetomidine (0.5 to 1.0 mg/kg), 소량의 ketamine과 propofol (1 mg/kg)의 투여로 감소될 수 있고 통증 때문에 과민한 것인지 감별해야 한다.

소아 외래마취환자의 발관은 입원환자와 크게 다르지 않고 깊은 진정상태에서 혹은 완전히 각성 후 발관할 수 있다. 깊은 진정상태에서 발관(deep extubation)을 하게 되면 수술 후 빨리 발관하게 되므로 수술실 순환이 잘 되고 기도자극이 적어 부드러운 각성을 할 수 있지만, 회복실에서 산소를 공급하면서 기도가 막히거나 자극받지 않도록 잘 관찰하고 이러한 환아의 기도를 잘 관리할 수 있는 인력이 있어야 한다. 또한 금식이 제대로 되어 있지 않아 위 내용물이 있는 상태이거나, 기도에 이상이 있는 경우, 인후두부에 피가 고여서 기도를 자극시키는 상황에서 깊은 진정상태에서 발관은 위험하므로 금기이다.

4. 수술 후 회복

1) 통증과 진통

수술 후 충분한 진통이 되거나 퇴원 후 경구 진통제로 조절 가능한 통증일 때 당일 퇴원가능하다. 통증을 감소시키기 위해 국소마취제, 비아편유사제, 아편유사제 등 여러 방법이 사용될 수 있다. 국소마취제를 사용한 부위마취나 수술부위의 국소마취제 투여 모두 진통에 효과적인데 부위마취가 더 진통효과가 좋고 진통효과가 길어 소아 외래마취에 효과적이다. 수술부위 국소마취제 투여는 포경수술, 정소고정술, 서혜탈장수술 등의 당일 수술 진통에 유용하게 사용될 수 있다. 소아는 국소마취제의 투여량에 주의를 기울여야 하며 bupivacaine은 최대 2.5 mg/kg까지 흡인한 후 소량씩 나누어 주입하여 전신독성이 발생하지 않도록 해야 한다. Ropivacaine이나 levobupivacaine의 경우 독성이 적은 것으로 알려져 있다. 미추마취가 소아의 부위마취 중 가장 흔히 시행되는데 효과는 좋으면서 소아에서는 요정체나 회복지연 등의 부작용이 비교적 적어 하반신 진통에 많이 사용된다. 미추마취의 지속시간은 비교적 길어(5-23시간) 약 1시간 전후의 수술이면 수술 전 혹은 후에 시술해도 진통시간에 큰 차이가 없는데, 진통지속시간은 나이가 어릴수록 수술부위가 하반신 부위로 갈수록 길어진다.

서혜탈장수술의 경우 미추마취도 효과적이지만 수술부위 국소침투와 병행한 장골서혜신경(ilioinguinal nerve)차단이나 장골하복신경(iliohypogastric nerve) 차단술도 진통효과가 좋다. 이외에도 배가로근면 블록(transverse abdominis plane block, TAP block) 차단은 복부수술에 효과적이다. 안과 수술의 경우 안구주위(peribulbar) 차단 결막하(subconjunctival) 주입이 진통에 좋다. 포경수술에는 음경신경(penile nerve) 차단이 사용된다. 최근에는 이런 부위마취를 시행하는데 있어서 초음파를 사용한 시술로 실시간으로 구조물을 관찰하면서 시행하고, 필요한 경우 관을 거치하고 지속 주입하는 장치를 연결해 효과적이며 지속적으로 진통효과를 볼 수 있도록 한다.

Ketorolac 등 비스테로이드소염제 또한 소아환자에게 사용될 수 있는데, 아편유사제에 비해 작용시간도 길면서 호흡저하, 오심과 구토 유발이 적은 장점이 있다. 다만 혈소판 응집기능에 영향을 주어 수술 후 출혈을 야기할 수 있다는 연구결과가 있어 편도 수술이나 구강수술 후 사용에 있어서 제한이 있을 수 있지만 논란의 여지가 있고 여러 연구결과들을 통합한 결과는 재수술이 필요한 출혈을 야기 하지 않는다는 것이다.

아편유사제는 술 후 심한 통증에 있어서 정맥 주입으로 혹은 경구약으로 일차적 치료로 사용될 수 있지만 부작용인 호흡저하나 오심과 구토가 있으므로 비아편유사제의 병용투여로 양을 줄이면서 부작용을 감소시킬 수 있다. 비강 내 fentanyl 2 μg/kg의 투여는 정맥로 없이도 투여할 수 있고 술 후 오심 구토없이 진통효과가 있어 고막절개술이나 튜브삽입술을 받는 환아에게 사용할 수 있다. 경구 아편유사제로는 oxycodone (0.1 to 0.2 mg/kg), hydrocodone (0.5 mg/kg)이 있는데 소아에서 안정성이 입증되지 않은 약물이고 tramadol (1 to 2 mg/kg)이 사용될 수 있는데 이러한 경구 아편유사제는 비아편유사제인 acetaminophen이나 비스테로이드소염제 등과 병용하여 투여할 수 있다. 반면 codeine은 탈메틸화 되어야 하는데 소아의 탈메틸화되는 정도를 예측하기 힘들고 독성을 나타낼 수 있어 소아 외래 마취에서 사용하지 않는다.

2) 각성 흥분

소아환자의 흡입마취 후 매우 흔한 각성 흥분은 통증과 구별되어야 한다. 이의 예방으로 아편양제제, 알파 2 작용제, ketamine의 마취 전 투약이나 아편양제제나 propofol의 각성 전 투약이 각성 시 흥분을 감소시키는 것으로 알려져 있다. 반면 midazolam이나 부모 동반 마취 유도는 효과가 없다.

3) 술 후 오심과 구토

술 후 오심과 구토는 빈도도 비교적 높고(8-50%) 술 후 심한 고통과 예기치 않은 입원의 원인이 되므로 적극적으로 치료하는 것이 좋다. 소아 당일 수술 중 사시 수술, 편도 적출술, 중이 수술, 고환 수술, 복강경수술 등에서 많이 발생하고 흡입마취제, 아편유사제, 근이완 역전제(콜린성 제재)의 사용이 흔한 원인이 된다. 또한 3세 이상의 소아와 30분 이상의 수술, 이전 오심구토의 병력이 있는 환아에서 발생 빈도가 높다.

오심구토의 발생이 비교적 높은 수술에서 이의 예방 혹은 치료로 효과적인 약제는 ondansetron, granisetron 등의 5-HT3 길항제와 metoclopramide, dexamethasone이다. Ondansetron은 수술이 끝날 무렵 0.1-0.15 mg/kg(최대 4 mg)으로 정맥 투여하고, granisetron은 마취 유도 전 0.2 mg/kg 경구 투여한다. Dexamethasone은 최대 0.25 mg/kg로 예방적으로 정주한다. Metoclopramide는 위 연동운동을 증가시키는 약제인데 5-HT3 길항제에 비해 효과는 적으면서 졸음이나 추체외로 부작용이 있다. 술 후 오심구토의 고위험군에서는 5-HT3 길항제와 dexamethasone을 병용하면 효과적이다.

4) 과다 진정

진정제의 과다사용이나 마취제에 민감한 경우 과다 진정이 되거나 지속될 수 있는데, 진정이 지속될 경우 입원은 아니지만 퇴원시간이 지연될 수 있다.

5) 퇴원 및 추적

잘 구성된 퇴원체계로 수술 후 합병증 없이 안전하게 퇴원시켜야 한다. 퇴원 기준에 대하여 정해진 시간은 없으나 충분한 회복이 관건이다. 영아나 어린 소아에게 있어서는 문제 없이 우유를 마실 수 있으면 회복이 되었다고 볼 수 있다. 자연스럽게 물이나 음식을 먹게 하는 것은 회복을 촉진시키고 만족도를 높일 수 있으나 억지로 물을 마시게 하는 것은 구토를 유발할 수 있다. 요정체는 성인과 다르게 소아에서는 미추마취 이후에도 드물지만 포경수술 이후에 발생할 수 있다. 예방적 항구토제투여는 회복기간의 구토와 이로 인한 재입원을 방지할 수 있다. 통증도 충분히 조절된 이후에 퇴원 후 필요한 정보에 관하여 충분히 교육을 받은 후 추적외래에 관한 안내를 받고 퇴원시킨다. 퇴원 후에는 응급상황에 대비해 언제라도 전화문의와 안내를 받을 수 있어야 하고 수술 후 일정 시간에 의료진이 전화를 걸어 회복정도와 과정에 대하여

물어보는 방법도 있다.

6) 합병증 및 입원

산소포화도 저하, 무호흡, 호흡곤란 등의 호흡기계 합병증과 술 후 통증, 구토나 지속되는 진정 혹은 수술의 합병증 등이 당일수술 이후 예기치 않게 입원하게 되는 주요 원인이다. 3세 미만, 조산아, 신경근 질환, 염색체 이상, 4주 이내 상기도 감염을 가진 환아의 경우 호흡기계 합병증의 위험이 높다. 수면 중 무호흡을 가진 환아는 술후 산소포화도저하, 무호흡, 혹은 호흡일량증가 등의 호흡기계 합병증 발생으로 비강기도유지기 삽입, 지속 양압호흡, 기관내삽관을 할 수 있고, 무기폐, 폐부종 등의 위험이 높다. 이러한 예기치 않은 입원에 대비하여 짧게라도 신속하게 입원할 수 있는 시설이 필요하다.

5. 맺음말

소아 외래마취는 기관의 시스템이 잘 갖추어져 있고 환자 선택에 주의를 기울이면 여러 종류의 수술에서 안전하게 행해질 수 있고 수술의 범위 또한 넓어지고 있다. 소아 외래마취의 준비와 절차에 대한 가이드라인과 개인특성을 고려해 마취유도와 합병증에 있어서 주의를 기울여야 한다. 상기도 감염을 비롯한 호흡기계 합병증과 특히 술 후 무호흡의 고위험환자들의 술 후 감시에 주의를 기울여야 한다. 수술 전 긴장과 술 후 통증과 오심구토 완화는 환자와 부모의 만족도를 높이면서 성공적으로 소아 외래 마취를 할 수 있는 주요 요소이다.

참고문헌

1. August DA, Everett LL. Pediatric ambulatory anesthesia. Anesthesiol Clin 2014; 32: 411-29.
2. Becke K. Anesthesia in children with a cold. Curr Opin Anaesthesiol 2012; 25: 333-9.
3. Berde CB, Sethna NF. Analgesics for the treatment of pain in

children. N Engl J Med 2002 347: 1094-103.

4. Betts P, Brink SJ, Swift PG, et al. Management of children with diabetes requiring surgery. Pediatr Diabetes 2007; 8: 242-7.

5. Bryson GL1, Chung F, Finegan BA, et al. Patient selection in ambulatory anesthesia - an evidence-based review: part I. Can J Anaesth 2004; 51: 768-81.

6. Cardwell M, Siviter G, Smith A. Non-steroidal anti-inflammatory drugs and perioperative bleeding in paediatric tonsillectomy. Cardwell ME, ed. Cochrane Database Syst Rev. 2010; CD003591.

7. Chorney JM, Torrey C, Blount R, et al. Healthcare provider and parent behavior and children's coping and distress at anesthesia induction. Anesthesiology 2009; 111: 1290-6.

8. Collins CE, Everett LL. Challenges in pediatric ambulatory anesthesia: kids are different. Anesthesiol Clin 2010; 28: 315-28.

9. Hanna AH, Mason LJ. Challenges in paediatric ambulatory anesthesia. Curr Opin Anaesthesiol 2012; 25: 315-20.

10. Heyland K, Dangel P, Gerber AC. Postoperative nausea and vomiting (PONV) in children. Eur J Pediatr Surg 1997; 7: 230-3.

11. Jöhr M, Berger TM. Anaesthesia for the paediatric outpatient. Curr Opin Anaesthesiol 2015; 28: 623-30.

12. Kain ZN, Hofstadter MB, Mayes LC, et al. Midazolam: effects on amnesia and anxiety in children. Anesthesiology 2000; 93: 676-84.

13. Kain ZN, Mayes LC, Caramico LA, et al. Parental presence during induction of anesthesia. A randomized controlled trial. Anesthesiology 1996; 84: 1060-7.

14. Kieran S, Gorman C, Kirby A, et al. Risk factors for desaturation after tonsillectomy: analysis of 4092 consecutive pediatric cases. Laryngoscope 2013; 123: 2554-9.

15. Koinig H. Preparing parents for their child's surgery: preoperative parental information and education. Paediatr Anaesth 2002; 12: 107-9.

16. Laituri CA, Garey CL, Pieters BJ, et al. Overnight observation in former premature infants undergoing inguinal hernia repair. J Pediatr Surg 2012; 47: 217-20.

17. Maxwell LG, Deshpande JK, Wetzel RC. Preoperative evaluation of children. Pediatr Clin North Am 1994; 41: 93-110.

18. Patel A, Schieble T, Davidson M, et al. Distraction with a hand-held video game reduces pediatric preoperative anxiety. Paediatr Anaesth 2006; 16: 1019-27.

19. Patino M, Sadhasivam S, Mahmoud M. Obstructive sleep apnoea in children: perioperative considerations. Br J Anaesth 2013; 111: i83-i95.

20. Polaner DM, Taenzer AH, Walker BJ, et al. Pediatric Regional Anesthesia Network (PRAN): a multi-institutional study of the use and incidence of complications of pediatric regional anesthesia. Anesth Analg 2012; 115: 1353-64.

21. Schindler M, Swann M, Crawford M. A comparison of postoperative analgesia provided by wound infiltration or caudal analgesia. Anaesth Intensive Care 1991; 19: 46-9.

22. Schreiner MS, Nicolson SC. Pediatric ambulatory anesthesia: NPO-before or after surgery? J Clin Anesth 1995; 7: 589-96.

23. Smith I, Nathanson MH, White PF. The role of sevoflurane in outpatient anesthesia. Anesth Analg 1995; 81: S67-72.

24. Statham MM, Elluru RG, Buncher R, Kalra M. Adenotonsillectomy for obstructive sleep apnea syndrome in young children: prevalence of pulmonary complications. Arch Otolaryngol Head Neck Surg 2006; 132: 476-80.

25. Suresh S, Barcelona SL, Young NM, et al. Postoperative pain relief in children undergoing tympanomastoid surgery: Is a regional block better than opioids? Anesth Analg 2002; 94: 859-62.

26. Suresh S, Long J, Birmingham PK, de Oliveira GS. Are caudal blocks for pain control safe in children? An Analysis of 18,650 caudal blocks from the Pediatric Regional Anesthesia Network (PRAN) database. Anesth Analg 2015; 120: 151-6.

27. Tait AR, Malviya S. Anesthesia for the child with an upper respiratory tract infection: still a dilemma? Anesth Analg 2005; 100: 59-65.

28. Tait AR, Malviya S, Voepel-Lewis T, et al. Risk factors for perioperative adverse respiratory events in children with upper respiratory tract infections. Anesthesiology 2001; 95: 299-306.

29. Tait AR, Voepel-Lewis T, Christensen R, O'Brien LM. The STBUR questionnaire for predicting perioperative respiratory adverse events in children at risk for sleep-disordered breathing. Paediatr Anaesth 2013; 23: 510-6.

30. Valley RD, Freid EB, Bailey AG, et al. Tracheal extubation of deeply anesthetized pediatric patients: a comparison of desflurane and sevoflurane. Anesth Analg 2003; 96: 1320-4.

31. Van Hoff SL, O'Neill ES, Cohen LC, Collins BA. Does a prophylactic dose of propofol reduce emergence agitation in children receiving anesthesia? A systematic review and meta-analysis. Paediatr Anaesth 2015; 25: 668-76.

32. Von Ungern-Sternberg BS, Boda K, Chambers NA, et al. Risk assessment for respiratory complications in paediatric anaesthesia: a prospective cohort study. Lancet 2010; 376: 773-83.

33. Weksler N, Atias I, Klein M, et al. Is penile block better than caudal epidural block for postcircumcision analgesia? J Anesth. 2005; 19: 36-9.

34. Welborn LG, Hannallah RS, Luban NL, Fink R, Ruttimann UE. Anemia and postoperative apnea in former preterm infants. Anesthesiology. 1991; 74: 1003-6.

Chapter 12

전정맥마취

전정맥마취(total intravenous anesthesia, TIVA)는 호흡기를 통해서는 산소와 대기를 공급하고 나머지 전신마취의 요소들 즉 무의식(hypnosis), 진통(analgesia), 근이완(muscle relaxation)을 위한 약물을 정맥 내로 주입하여 수술을 할 수 있는 상태로 만들어주는 전신마취의 한 종류이다. 근이완은 수술에 따라 필요하지 않을 수 있으나 무의식과 진통은 전신마취에서 필수적인 요소이다. 과거에는 흡입마취제로 마취를 유도하고 유지하는 volatile induction and maintenance anesthesia (VIMA)나 흡입마취제를 주마취제로 하여 보조적인 수단으로 정맥마취제를 사용하는 균형마취(balances anesthesia)가 전신마취의 주를 이루어 왔으나 최근 들어 약물의 발달, 약력학과 약동학을 기반으로 하는 주입기기의 발명, 마취 심도를 확인하는 감시 장치의 발달과 함께 정맥마취제만을 사용하여 전신마취를 하는 전정맥마취가 전신마취에서 중요한 부분을 차지하고 있다. 이 장에서는 전정맥마취에 사용되는 정맥마취제의 종류와 특성, 원하는 혈중 농도 및 효과처 농도로 정맥마취제의 투여가 가능하게 해 준 목표농도조절주입(target controlled infusion, TCI), 그리고 마취 심도의 감시에 대하여 알아보고자 한다.

1. 전정맥마취를 위한 정맥마취제

1) 이상적인 정맥마취제

이상적인 정맥마취제는 진정과 항불안 작용이 뛰어나면서 정주 시 통증이 없고 조직에 유출되었을 때 국소 조직 손상이 적어야 한다. 그리고 작용 발현시간이 빠르며, 심혈관계 및 호흡계에 미치는 영향이 적고 히스타민을 분비시키거나 과민반응(hypersensitivity reaction)이 없어야 한다. 또한 약물의 작용시간이 짧고 체내에서 대사되지 않거나 비활성대사물로 빠르게 대사되고 배설되어 체내에 축적되지 말아야 하며 지속적인 주입이 가능해야 한다. 아직까지 이러한 조건을 모두 충족시키는 진정-진통제는 없지만 진정제 중 propofol과 진통제 중 remifentanil과 같은 효과가 빠르게 나타나고 체내 제거

가 신속한 정맥마취제가 개발되었고 이와 더불어 약물의 약동학 및 약력학에 대한 이해가 깊어지고 이를 기반으로 한 목표농도 조절주입의 개발로 전정맥마취가 발전하게 되었다.

2) 현재 사용되는 전정맥마취제

전정맥마취 시에 흔히 사용되는 약제는 propofol과 remifentanil의 조합이다. 이 두 약제가 흔히 사용되는 이유는 상황 민감성 반감기(context-sensitive half-time)가 짧기 때문이다. 상황 민감성 반감기란 약제를 지속주입(continuous infusion) 중단 후 혈장농도가 50%로 감소하는 데 걸리는 시간을 의미한다.

(1) Propofol

1977년에 처음 임상에 도입된 이후 마취유도, 유지 및 진정요법에 가장 널리 사용되고 있는 정맥마취제이다. 물에 녹지 않기 때문에 soy bean oil, glycerol, egg phosphatide를 포함한 백색 유탁액(emulsion) 형태로 제품이 출시된다. 따라서 세균 증식이 쉬워 개봉 후 6시간 이내에 사용하여야 하며 계란에 알레르기가 있는 환자는 피해야 한다.

① 약동학

정주용으로만 사용되며 지질 용해도가 매우 커서 투여 시 팔에서 뇌까지의 일회순환시간(one arm-to-brain circulation time)이면 약효가 발현되어 30-60초 후에 진정상태를 유발한다. 간에서 glucuronide 및 sulfate와 접합(conjugation)되어 수용성 물질로 빠르게 대사되어 신장을 통해 배설되며 2%는 변하지 않은 상태로 대변으로, 1%는 소변으로 배설된다. Extrahepatic extraction ratio가 1.1 정도로 간외대사가 중요하여 폐, 신장, 소장에서도 대사가 되는데 1회 정주용량의 30%가 폐에서 제거된다. 이러한 빠른 대사는 다른 약제들과 달리 숙취감(hangover)이 덜하면서도 빠른 회복을 가능하게 한다. 하지만 1회 정주 후 약효가 빨리 종료되는 것은 대사에 의한 약물의 제거(elimination)보다는 약물의 작용부위인 뇌에서 근골격계로 약물이 재분포(redistribution)되면서 뇌에 대한 작용이 없어지는 것이 주요한 기전이다.

Propofol은 청소율이 높고, 근골격계 등에 분포했던 약물이 혈장으로 다시 돌아오는 데 오랜 시간이 걸리기 때문에 지속적인 정주(continuous Intravenous Infusion)에 용이한 약물이다. Propofol의 상황-민감성 반감기(context-sensitive half-time)는 오랜 시간 지속정주 후에도 짧기 때문에 그만큼 회복도 빠르다.

② 약력학

Propofol은 gamma-aminobutyric acid type A (GABAA) 수용체의 β-subunit에 결합하여 최면효과를 나타내며, α-subunit과 $\gamma2$-subunit에도 일정부분 작용한다고 알려져 있다. 중추신경계에서 propofol은 최면작용을 가지고 있지만 진통작용은 없다. 또한 propofol은 뇌혈류(cerebral blood flow, CBF)과 뇌산소대사율(cerebral metabolic rate of oxygen, CMRO$_2$)을 낮추고 이에 따라 두개내압(intracranial pressure, ICP)과 안구내압(intraocular pressure)을 낮춘다. 또한 많은 용량을 주입하면 뇌파의 돌발파 억제(burst suppression)를 유도하며 뇌의 국소 허혈이 있을 때 thiopental이나 isoflurane과 유사한 뇌보호 효과가 있다고 알려져 있다.

Propofol에 의한 혈관확장효과는 정맥과 동맥 모두에서 일어나기 때문에 심장의 전부하와 후부하가 모두 감소한다. 또한 정상적인 압반사(baroreflex)를 억제하고 미주신경 자극효과도 있어 심박수 상승이 크지 않아 심박출량의 감소가 더 심하며, 아편유사제와 병용할 때 심한 서맥을 유발할 수 있다. Propofol은 호흡억제를 일으키며 마취 유도용량으로 사용하였을 때는 무호흡도 발생할 수 있다. 마취 유지를 위한 지속정주 시에는 일회호흡량과 분당 호흡횟수의 감소로 분당환기량이 감소하는데 일회호흡량의 감소가 호흡횟수의 감소보다 더 현저하다. 저산소증과 고이산화탄소증에 대한 반응도 감소한다. 상기도 반사작용의 억제도 thiopental보다 강하여 신경근차단제를 사용하지 않는 경우 thiopental보다 후두마스크나 기관튜브의 삽관을 용이하다. 기관지 확장효과가 있으며 다른 정맥마취제와 다르게 항구토 효과도 있다.

(2) Remifentanil

우리나라에서는 2005년부터 임상에 본격적으로 사용되었으며, 다른 마약성진통제와 마찬가지로 μ-receptor 작용제로서 강력한 진통작용을 가지지만 ultra-short acting opioid로 마취 영역에서 획기적인 전환점이 되었다.

① 약동학

구조적으로 특이하게 ester 결합을 갖고 있어 이 구조로 인해 정주 후 혈액 및 조직의 비특이성 에스테르 분해 효소에 의해 가수분해가 빠르고 광범위하게 이루어져서 대사가 매우 빠르고 간, 신기능에 전혀 상관없이 사용할 수 있다. 기존의 마약성진통제와는 달리 장시간 투여 시에도 조직에 축적되지 않고 비특이성 에스테르 분해 효소에 의해 모든 조직에서 대사가 이루어진다. 따라서 지속 정주시간과 무관하게 상황민감성 반감기가 3-5분으로 아주 짧다.

② 약력학

기존의 마약성진통제와 마찬가지로 척수의 뒤뿔(dorsal horn)과 뇌기저부에서 기시하는 억제신경로(inhibitory pathway)에 작용하여 통증이 상부로 전달되는 것을 방해하며 변연계(limbic system)와 같은 더 상부의 중추에도 작용하여 통증에 대한 반응을 변화시킨다. 뇌대사산소소모량을 감소시키고 뇌파를 느리게 하며, 연수의 화학적 수용체를 자극함으로써 구역과 구토도 유발시킨다. 직접적인 심근수축력에 대한 영향은 다른 정맥마취제들에 비해 적지만 중추적 중재로 서맥을 발생시킬 수 있으나 관상동맥 순환에는 거의 영향을 주지 않는다고 알려져 있다. 기존의 마약성진통제와 마찬가지로 용량 의존적으로 호흡중추를 직접 억압하여 환기에 대한 이산화탄소의 자극효과가 감소되고 저산소증에 의한 호흡자극 또한 억제한다. 기침반사와 근육강직을 유발할 수 있다. 근육강직의 기전은 명확하지 않지만 중추적으로 nucleus pontis raphe가 관여한다고 알려져 있으며 흉곽근육의 강직은 환기부전을 유발할 수 있다.

3) 정맥마취제의 강도

Prys-roberts에 따르면 마취심도는 통증 자극에 대한 신체의 반응으로 효과처(effect site)의 약물 농도에서 주어진 자극에 대한 반응의 측정을 통하여 알 수 있다고 하였다. 같은 맥락에서 마취제의 약동학적, 약력학적인 특성은 마취심도에서 중요한 측면이다. 약물 농도 측정의 이상적인 부위는 약물의 수용체나 중추신경계와 같은 효과처의 체액이지만 이 부위에서의 측정이 실제 임상에서는 불가능하다. 따라서 정맥제제의 경우에는 혈장에서, 흡입마취제의 경우에는 호기말가스분압을 측정한다. 이렇게 측정한 마취제의 농도와 효과 사이의 관계를 Cp50 혹은 최소폐포농도(minimal alveolar concentration, MAC)로 나타낼 수 있다. 피부절개 등 표준자극에 50% 이상이 반응하지 않는데 필요한 혈장 농도를 Cp50, 폐포 내 마취농도를 MAC으로 정의하고 있다.

2. 목표농도 조절주입

전정맥마취 시에 마취통증의학과 의사가 혈압, 심박수를 비롯한 각종 진정의 깊이를 감시할 수 있는 장치를 모니터링하면서 propofol과 remifentanil의 투여량을 조절할 수도 있다. 하지만 이 경우에는 전신마취를 유지하는 데 가장 중요한 무의식과 진통을 유지하기 위한 투여량의 조절을 전적으로 의사의 판단에 맡겨야 하는 문제가 있다. 더욱 중요한 것은 정맥마취제에 있어 Cp50은 흡입마취제의 MAC의 경우처럼 나이에 따라 대개의 환자에게 공통적으로 적용할 수 있는 농도와 효과사이의 상관관계가 명확하지 않다. 즉 약물에 따른 반응은 환자 개개인과 상황에 따라 달라지며, 약물의 용량과 효과의 관계는 실제 효과처인 뇌에서의 농도, 지질용해도, 혈중단백과의 결합정도, 약물의 이온화정도, 환자의 나이 및 환자의 전신상태를 고려해야 한다. 따라서 약동, 약력분석에 근거한 computer-controlled drug delivery, 즉 목표농도 조절주입과 같은 약물의 농도에 따른 효과의 변화를 객관적으로 제시할 수 있는 기기의 도움이 필요하다.

1) 약동학-약력학적 모형

목표농도 조절주입은 정맥마취제 및 마약성진통제 같

은 약물을 정맥 투여 시 mg/kg/min과 같은 약물투여속도로 투여하지 않고 혈중 농도 또는 효과처 농도를 결정하여 투여하는 방식이다. 목표로 하는 혈중 또는 효과처 농도에 도달하고 유지하기 위한 적절한 약물용량은 약물이 시간에 따라 환자의 신체에서 분포(distribution), 대사(metabolism), 제거(elimination)되는 양상(약동학)과 약물이 환자에게서 임상효과를 나타내는 정도(약력학)에 의해 결정되며, 약동학-약력학적 모형은 이 관계를 방정식으로 나타낸 것이다. 이를 위하여 신체를 약물의 분포와 제거를 설명할 수 있는 이론적인 구획 모형으로 단순화한다(그림 12-1). 약동학에서 중요한 모수는 약물의 제거율(clearance, CL)과 분포용적(volume of distribution, V)이고, 약력학에서 중요한 모수는 약물의 최대효과(maximun effect, Emax)와 최대효과의 50% 효과를 나타낼 때의 농도(Ce50)이다. 이를 식으로 나타내면 $Effect = E_0 + (Emax - E_0) \times Ce^{\gamma}/(Ce50^{\gamma} + Ce^{\gamma})$ 이며 γ는 Hill coefficient로서 농도, 효과 곡선의 가파른 정도를 나타낸다. 그림 12-1에서 제거율은 각 구획의 용적과 micro-rate constant를 곱한 값으로 $CL_1 = V_1 \times k_{10}$, $CL_2 = V_1 \times k_{12} = V_2 \times k_{21}$, $CL_3 = V_1 \times k_{13} = V_3 \times k_{31}$이다. 정맥투여한 약물의 혈중농도는 투여 직후 최대이지만 실제 효과가 나타나기 위하여는 시간적인 지연이 존재하며 이를 이력현상(hysteresis)이라 한다. 약물의 혈중 농도와 효과 간의 이력현상의 차이를 없애기 위하여 제시된 개념이 효과처 농도이며 그림 12-1은 효과처 구획을 중심구획에 일차역학으로 연결시킨 모형이다. k_{e0}는 blood-brain equilibration rate constant로써 약물 효과의 시작과 밀접하게 연관된다.

2) 목표농도 조절주입기

목표농도 조절주입기를 사용하여 전정맥마취를 시행할 경우 사용하는 약제에 따라 propofol은 Marsh model이나 Schnider model을 많이 사용하고 있으며, remifentanil은 Minto model을 사용한다. 이러한 약동학 모델을 선택하고, 나이, 성별, 키, 체중을 입력한다. 이러한 정보는 여러 약동학, 약력학의 모수에 영향을 미치게 되어 약물이 주입되는 속도와 양의 차이를 주게 된다.

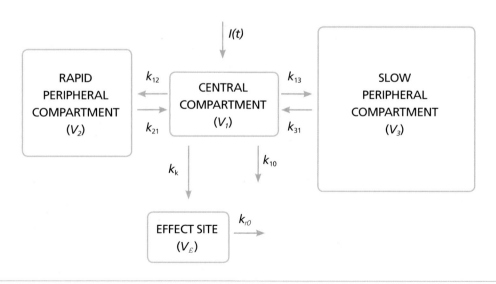

그림 12-1. 효과처구획(effect site)이 포함된 3구획 모형. k_{ij}: i구획에서 j구획으로의 미세속도 상수(micro-rate constant). V_i: i구획의 분포용적(volume of distribution). $k_{e0} = k_{e1}$

3) 마취 유지

목표농도 조절주입기를 이용한 전정맥마취에서 마취 유지를 위하여는 propofol을 가능한 최소로 투여하면서 remifentanil을 많이 사용하는 것이 도움이 된다. 왜냐하면 무의식은 각종 마취 심도 감시장치를 통하여 모니터링 할 수 있지만 진통은 의사의 임상적인 판단을 통해서만 모니터 할 수 있기 때문이다. 또한 흡입마취제와는 달리 propofol과 remifintanil은 근육이완 효과가 없으므로 사연속자극(Train-of-four, TOF) 감시를 통하여 적절한 신경근차단제 투여가 병행되어야 한다.

3. 마취 심도의 감시

적절한 마취 심도는 사용하는 마취제의 농도가 환자가 편안하게 수술 받을 수 있는 상태에 적절하게 도달하였을 때 이루어진다. 적절한 마취심도를 평가할 수 있는 방법은 주관적인 방법(Subjective methods)과 객관적인 방법(objective methods)으로 크게 나눌 수 있다. 주관적인 방법은 자극에 대한 환자의 움직임과 자율신경계 반응을 관찰함으로써 얻을 수 있는 정보를 바탕으로, 객관적인 방법은 마취심도의 측정을 위하여 개발된 각종 감시장비를 통하여 얻을 수 있는 정보를 바탕으로 마취 심도를 평가한다.

1) 주관적인 방법(subjective methods)

마취 심도의 평가를 위하여 실제 임상에서 가장 널리 사용되고 있는 방법으로 갑작스러운 혈압 상승, 빈맥, 발한, 눈물, 산동 등이 발생하면 마취 심도가 충분하지 못하다는 것을 알 수 있다. 이 중 자율신경계 반응들을 점수화한 것으로 PRST점수(patient response to surgical stimulus score)가 있다. 하지만 환자의 상태나 수술적인 상황에 따라서 판단이 힘들 수 있으므로 자율신경계의 반응만으로는 정확한 마취 심도의 기준이 될 수 없는 경우가 많다. 예를 들면 탈수상태(dehydration), 저산소

증 (hypoxia), 저체온 혹은 고체온증, 갑작스러운 다량의 실혈(massive blood loss)등은 얕은 마취 심도와 같은 혈역학적인 변화를 가져올 수 있다. 환자가 수술 전 복용하던 약제(베타차단제를 비롯한 항고혈압제), 수술 중 사용하는 마약성 진통제, 혹은 승압제(inotropics)나 혈관수축제(vasopressors), 혈관확장제(vasodilators) 역시 마취심도의 판단을 어렵게 하는 요소이다. 한편 환자의 갑작스러운 움직임으로 마취 심도가 얕아짐을 확인할 수 있으며 이를 이용한 측정법으로 전완고립법(isolated forearm technique)이 있기도 하다. 하지만 최근에는 신경근차단제의 발달로 수술 중 대부분 중등도 이상의 근이완 상태를 유지하므로 환자의 움직임으로 마취 심도를 평가하기는 매우 힘들다. 이러한 점들을 극복하기 위하여 객관적인 마취심도 측정 방법들이 고안되었다.

2) 객관적인 방법(objective methods)

마취 심도를 객관적으로 평가하기 위한 대표적인 방법으로 뇌파 가공(electroencephalogram processing)이 있다. 표준뇌파분석은 실시간의 뇌파를 분석하여 가장 정확한 정보를 얻을 수 있지만 매우 복잡하여 비전문가의 경우 해석이 어려울 뿐 아니라 많은 양의 인쇄가 필요하여 수술실 환경에서는 부적합하다. 따라서 뇌파의 신호를 조작, 가공하여 환자의 의식 수준을 보다 쉽게 표현하는 방법들이 개발되었으며 여기에는 Bispectral index, Patient state index, 엔트로피, 청각유발전위, surgical pleth index 등이 있다. 또 자율신경계의 변화 양상을 통하여 마취 심도를 평가하는 방법으로 심박수 변이도 측정법이 있다.

(1) Bispectral index (BIS)

BIS는 신호간의 상호작용으로 나타나는 위상연동의 분석을 통하여 마취심도를 측정하고자 하는 방법이다. 깊은 마취 상태를 나타내는 Burst suppression ratio, 얕은 진정 상태를 반영하는 beta ratio, 얕은 마취나 중등

도 진정을 나타내는 위상일치진정과 같은 time domain 의 세 가지 보조 지표로부터 구해진 값에 가중치를 곱한 후 합산하여 이미 연구된 database로부터 그 합산 값에 해당하는 백분위의 BIS 값을 나타내며 0부터 100까지의 숫자로 표현되며 40-60의 구간이 마취에 적절한 구간으로 추천된다.

(2) Patient state index (PSI)

PSI는 Physiometrix사가 개발한 독점적인 뇌파지표이다. 분석과정에서 시간, 주파수 영역과 위상 정보가 포함되었으며 의식이 소실될 때와 각성할 때의 공간적인 정보까지 반영하였다. 양측 전측두(frontotemporal) 영역을 모두 수용하기 때문에 한쪽 영역에서 신호를 감지하는 것보다 공간에 대한 보다 풍부한 정보를 얻을 수 있는 이점이 있다.

알고리즘은 세 가지 데이터베이스를 이용하여 개발되었다. 첫 번째 데이터베이스는 정상인, 정신질환이나 신경계 질환이 있는 사람, 수술을 받는 환자에서 기록한 대략 20,000개의 뇌파기록이 포함되어 있고 두 번째 데이터베이스는 표준진료지침으로 다양한 약제로 전신마취를 받는 환자들에서 측정한 대규모 뇌파자료이며 세 번째 데이터베이스는 건강자원자를 대상으로 0.1 MAC씩 증가시키면서 의식소실을 유발하고 이후 의식이 회복되는 64개의 시술 동안에 측정한 뇌파기록으로 구성되었다.

제조회사에서는 25-50 사이를 전신마취에 적합한 범위로 추천하고 있다. PSI 값은 이전 값들과 함께 trend로도 표시되고 현재의 값으로도 표시가 되는데, 특이한 점은 PSI 값에 따라 다른 색깔로 표시가 된다는 것이다. 게다가 EMG, 잡파(artifact), 돌발파억제(burst suppression)를 정량화해서 사용자 interface에 표시해준다(그림 12-2).

(3) 엔트로피(Entropy)

엔트로피란 시스템 내의 무질서 정도를 나타내는 물리적 개념으로서 신호의 불규칙성(irregularity), 복잡성(complexity), 예측불가능성(unpredictability)을 기술하여 불확실성을 분석한 값이다. 뇌파도 파워스펙트럼 분석 후 불확실성 수준인 엔트로피를 구할 수 있는데 만약 한가지 성분의 주파수가 있다면 완전히 규칙적이고 예측가능하며 엔트로피 값은 0이고 여러 가지 주파수 요소가 있을수록 엔트로피가 높아진다. 각성상태에서는 뇌파가 매우 불규칙하기 때문에 엔트로피가 높지만 마취약제

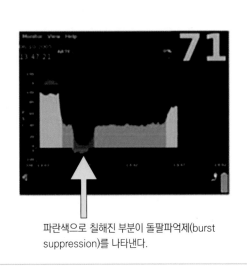

파란색으로 칠해진 부분이 돌팔파억제(burst suppression)를 나타낸다.

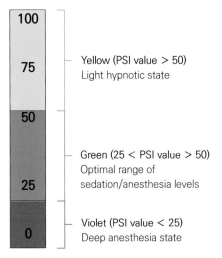

그림 12-2. Patient state index (PSI)의 guideline

를 투여하여 마취의 심도가 깊어질수록 뇌파는 규칙적으로 되면서 엔트로피가 감소하게 된다.

현재 상용화된 장비에는 spectral entropy가 사용되며 두 가지 서로 다른 엔트로피를 제공해 주는데 두 가지의 다른 엔트로피를 분석한다. 하나는 state entropy (SE)로 대부분 뇌파로 구성된 0.8–32Hz 범위에서 이전 15초 내의 뇌파 자료로부터 계산되는 반면에 response entropy (RE)는 전두 부분의 근전도(frontal electromyography, FEMG)를 반영하는 32–47Hz 범위를 포함시켜 0.8–47Hz사이에서 계산된다. EMG 신호가 갑자기 나타날 때는 특정 외부적인 자극(예; 유해자극)에 대해서 환자가 반응을 보인 것을 의미한다. 그런 반응은 마취가 얕게 될 경우 일어날 수 있으며, 만일 자극이 계속되고, 추가적으로 진통제가 투여 되지 않을 경우 마취심도는 얕아질 가능성이 클 것이다. 따라서 EMG는 임박한 각성의 빠른 지표가 될 수 있을 것이다. SE는 스펙트럼상 뇌파가 우세한 부분을 담당하게 되어 주로 대뇌피질의 활성을 반영하게 되어, 대뇌피질에서 최면제(hypnotics)의 효과를 보는 안정적인 지표가 된다. RE는 EEG와 EMG 요소를 함께 반영하여 각성 때처럼 EMG의 활성이 커질 경우 급격하게 증가한다. 즉 마취가 깊어짐에 따라 RE와 SE는 같아지고 이 차이가 증가하면 마취심도가 얕아진다고 해석할 수 있다. 40–60 사이의 SE값을 전신마취에 적합한 값으로 제조회사는 추천하고 있다. 이 범위를 벗어날 경우 최면제의 용량을 변화시키고, SE가 이 범위 내에 있는 상태에서 RE가 SE보다 10이상 커질 때는 진통제를 더 투여할 것을 권고하고 있다.

(4) SPI (surgical pleth index)

마취의 적정성을 평가할 때 무의식, 근이완, 자율신경의 안정성과 진통을 모두 고려해야 한다. 이 중에서 BIS와 PSI, 엔트로피는 최면제에 의한 진정척도를 감시

표 12-1 SE와 SPI에 따른 마취의 적정성 평가

Balview area	Your assessment includes	What may it indicates	Evaluate your patient, surgical situation and assess
	SPI low, SE low	SPI: a low response, adequate analgesia SE: deep hypnosis adequate hypnosis	
	SPI low, SE high	SPI: a low response adequate analgesia SE: waking to awake Inadequate hypnosis	Hypnotics
	SPI high, SE high	SPI: a high response Inadequate analgesia SE: waking to awake Inadequate hypnosis	Analgesics Hypnotics
	SPI high, SE low	SPI: a high response Inadequate analgesia SE: deep hypnosis, adequate hypnosis	Analgesics

하는 장치이며, 마취중인 환자에서의 진통척도를 평가하는 감시장치로 GE monitor에 모듈형식으로 부착하여 사용할 수 있는 SPI가 최근에 출시되었다. 개발초기 단계에서는 surgical stress index (SSI)로도 불리어 졌다. 전통적으로 진통의 적절성은 심박수 또는 혈압의 변화, 환자의 움직임, 근의 긴장도(tension)로 평가하였는데, 맥파파형(photoplethysmographic pulse wave) 높이(amplitude)의 억제나 안면근(facial muscle)의 활성이 불충분한 진통의 표지자로 제안되었고, 이를 근거로 맥박산소포화도 감시장치의 파형을 이용하여 SPI를 계산하게 되었다. 맥파의 높이는 손가락에서 진동(pulsating)하는 혈액용적과 연관되어 있고, 이는 그 부위에서의 관류(perfusion)와 관련이 있다. 맥파간격은 심박수와 직접적으로 관련이 있는데, 이 두 지표는 모두 맥박산소포화도 감시장치에서 얻을 수 있고, 이들 두 변수들을 신호처리하고 조합하여 SPI를 계산하였다.

SPI의 값은 0에서 100까지의 범위에 있으며, 100은 스트레스 수준이 아주 심한 경우로 진통제에 대한 반응성이 아주 좋은 상태이고, 0은 스트레스 수준이 아주 낮은 경우로 진통제에 대한 반응이 아주 적은 상태를 의미한다. SPI는 현재 GE monitor의 최신기종인 B850 (GE Healthcare, Buckinghamshire, United Kingdom)에 모듈형태로 탑재되어 상품화되었으며 진정심도를 감시할 수 있는 SE와 진통심도를 평가할 수 있는 SPI가 함께 화면에 표시된다. SPI는 remifentanil의 투여량과 유의한 상관관계를 보였으며, 진통이 있는 부위를 신경차단을 시행한 환자에서는 SPI값이 더 낮았다. 제조회사에서 제공하는 SPI와 SE을 이용한 마취 적정성의 평가방법을 표 12-1과 같이 제시하였다. 그렇지만 진통제의 필요성을 명확하게 제시해줄 수 있는 SPI의 목표값은 아직 알려져 있지 않다.

참고문헌

1. Miller RD. Miller's Anesthesia. 7th ed. Elsevier Churchill Livingstone. 2009, pp 719-68.
2. Evers AS. Anesthetic pharmacology. Physiologic principles and clinical practice. 1st ed. Churchill Livingstone. 2004, pp 395-455.
3. Prys-Roberts C. Anaesthesia: a practical or impractical construct? Br J Anaesth 1987; 59: 1341-5.
4. JM E. Clinical signs and autonomic responses, Conscious awareness and pain in general anaesthesia. Edited by Rosen M LJ, London, 1987, pp 18-33.
5. Tunstall ME. Detecting wakefulness during general anaesthesia for caesarean section. Br Med J 1977; 1: 1321.
6. SW B. Assessment of depth of anesthesia. Korean J Anesthsiol 2007; 52: 253-61.
7. Liu J, Singh H, White PF: Electroencephalographic bispectral index correlates with intraoperative recall and depth of propofol-induced sedation. Anesth Analg 1997; 84: 185-9.
8. Choi JW KJ, Jung HJ, Hwang MY, Kin DW. Comparison of the measured values between EEG-entropy and BIS during general anesthesia and sedation. Korean J Anesthsiol 2006; 50: 501-5.
9. Viertio-Oja H, Maja V, Sarkela M, Talja P, Tenkanen N, Tolvanen-Laakso H, Paloheimo M, Vakkuri A, Yli-Hankala A, Merilainen P. Description of the Entropy algorithm as applied in the Datex-Ohmeda S/5 Entropy Module. Acta Anaesthesiol Scand 2004; 48: 154-61.
10. Wheeler P, Hoffman WE, Baughman VL, Koenig H. Response entropy increases during painful stimulation. J Neurosurg Anesthesiol 2005; 17: 86-90.
11. Seitsonen ER, Korhonen IK, van Gils MJ, Huiku M, Lotjonen JM, Korttila KT, Yli-Hankala AM. EEG spectral entropy, heart rate, photoplethysmography and motor responses to skin incision during sevoflurane anaesthesia. Acta Anaesthesiol Scand 2005; 49: 284-92.
12. Luginbuhl M, Reichlin F, Sigurdsson GH, Zbinden AM, Petersen-Felix S. Prediction of the haemodynamic response to tracheal intubation: comparison of laser-Doppler skin vasomotor reflex and pulse wave reflex. Br J Anaesth 2002; 89: 389-97.
13. Edmonds HL, Jr., Couture LJ, Paloheimo MP, Rigor BM, Sr.. Objective assessment of opioid action by facial muscle surface electromyography (SEMG). Prog Neuropsychopharmacol Biol Psychiatry 1988; 12: 727-38.
14. Wennervirta J, Hynynen M, Koivusalo AM, Uutela K, Huiku M, Vakkuri A. Surgical stress index as a measure of nociception/antinociception balance during general anesthesia. Acta Anaesthesiol Scand 2008; 52: 1038-45.

Chapter 13

감시마취관리(Monitored Anesthesia Care, MAC)

수술을 준비하고 있는 환자들은 병원에 수일 동안 입원하여 수술 전 준비와 수술을 진행한 후 회복 기간을 거쳐 집으로 퇴원하는 경우가 대부분이었다. 그러나, 최근에는 수술 전 준비는 외래 진료를 통해 완료한 후, 별도의 입원 기간이 없이 수술을 진행한 당일 환자들이 집으로 퇴원하여 회복기를 거치는 경우가 증가하고 있다.

이러한 당일수술의 경우 제공되는 마취로는 국소마취부터 부위마취, 감시마취관리(monitored anesthesia care, MAC), 전신마취까지 다양한 방법이 있다. 수술의 종류 및 환자의 상태에 따라 마취 방법이 선택될 수 있고, 이번 챕터에서는 다양한 외래마취 방법 중 감시마취관리에 대해 알아보고자 한다.

1. MAC의 소개

1) 정의 및 목적

감시마취관리(monitored anesthesia care, MAC)란 마취통증의학과 의사가 비교적 간단한 수술이나 시술을 받는 환자에게 진정제와 진통제를 단독으로 또는 동시에 투여하며 환자 상태를 감시하는 마취관리 방법을 지칭한다. 수술이나 시술에서 MAC을 도입하여 환자들이 불안이나 통증이 경감된 편안한 상태에서 안전하게 수술이나 시술을 받을 수 있게 할 목적으로 시행된다.

일반적인 진정치료와 달리 MAC은 마취통증의학과 의사의 관리, 감독하에 시행되는 방법으로 지속적인 혈역학적 감시 및 상황에 맞는 환자 관리가 이루어지기 때문에, 환자에게 예기치 못한 부작용이 발생한 경우 즉각적인 대처가 이루어질 수 있다는 장점이 있다. 특히 기도 유지가 필요한 상황이나 전신마취로 즉시 변경이 필요한 경우 마취통증의학과 의사의 역할은 대단히 중요하다고 할 수 있다.

과거에는 심각한 기저질환으로 인해 전신마취나 부위마취를 받기 어려운 환자들을 대상으로 MAC이 시행되는 경우가 많았으나, 점차 그 대상이 확대되어 근래에는 특별한 기저질환이 없는 건강한 환자라 할지라도 비교적 간단한 수술이나 시술이 시행되는 경우 MAC을 도입하고 있다. 또한 수술을 받기 전, 후로 별도의 입원이 없이 통원 수술을 받는 환자들에게도 MAC은 유용하게 적용될 수 있다.

2) Monitored anesthesia care에서 고려해야 할 요소

전신마취의 경우 일반적으로 의식 소실, 진통, 근이완이라는 세 가지 구성 요소가 균형을 이루면서 유지되는 것과 달리, MAC에서 근이완은 고려 대상에서 제외되며 기본적으로 환자의 불안 해소, 적절한 깊이의 진정, 통증의 조절 및 빠른 회복에 주안점을 두고 있다.

수술 전 환자의 불안 해소를 위해 경구용 또는 주사용 항불안제를 투약할 수 있는데, 이는 단순히 불안을 해소하는 것 이외에 환자에게 단기 기억 상실을 일으켜 나중에 환자가 수술 전 불안 및 스트레스와 관련된 나쁜 기억을 갖지 않도록 도와준다.

수술 중 MAC을 시행하여 적절한 깊이의 진정상태를 유지하는 것은 MAC을 시행하는데 있어 가장 중요하면서도 주의를 요하는 부분이라 할 수 있다. 수술이나 시술에 따라서 요구되는 진정 수준이 모두 다르고 환자의 전신 상태에 따라 투여할 수 있는 진정제의 용량이 다르기 때문에, 마취통증의학과 의사는 제반 사항을 고려하여 각 환자마다 진정 수준 및 투여하는 진정제의 용량을 적절히 조절해야 한다.

통증의 조절을 위해서는 수술 부위에 국소 침윤 마취를 실시하는 방법도 있고, 진통제를 정맥 내로 투약하여 전신적인 효과를 얻는 방법이 있다. 진통제를 정맥 내로 투약하는 경우에는 함께 투여된 진정제와 상승 효과를 일으켜 환자가 더 깊은 진정 수준으로 들어가게 하거나 기도 폐쇄, 호흡 저하 등을 일으킬 수 있으므로 주의가 필요하다.

2. Monitored Anesthesia Care 중 환자 감시

1) 기본 환자 감시

전신마취나 부위마취와 동일하게 MAC을 시행하는 동안 적격한 마취통증의학과 의사가 환자를 관리하고 적절한 환자 감시를 진행해야 한다. MAC이 시행되는 동안 심전도와 혈압을 포함하는 기본적인 혈역학적 감시가 이루어져야 한다. 또한, MAC을 위해서 진정제와 진통제가 투여되는 경우 호흡 저하 내지는 무호흡, 상기도 폐쇄로 인한 폐쇄성 수면 무호흡이 발생할 수 있으므로, 말초 산소포화도의 감시와 함께 비강 캐뉼라나 안면 마스크를 통해 산소를 공급하며 환자의 호흡이 원활하고 안정적인지 확인하는 것이 중요하다. 환자의 호흡을 감시하는 경우 호기말 이산화탄소가 감지되는지 여부를 함께 확인하면 무호흡을 발견하는데 도움이 된다.

2) 진정 수준의 측정

환자의 진정 수준을 확인하기 위해서는 객관화된 척도를 사용하여 측정하는 것이 바람직하다. 대표적으로 Observer assessment of alertness/sedation scale (표 13-1)이나 Ramsay sedation scale, modified Ramsay sedation scale(표 13-2)이 있고 그 외에 modified Wilson sedation scale, Richmond agitation-sedation scale 등 다양한 척도가 있으므로 적절한 것을 선택해서 사용한다. 각 척도 별로 진정 수준의 측정이 서로 호환되지 않으므로 하나의 척도를 선택하여 진정 수

표 13-1 Observer assessment of alertness/sedation scale

Responsiveness	Speech	Facial expression	Eyes	Score
Responds readily to name spoken in normal tone	Normal	Normal	Clear, No ptosis	5
Lethargic responses to name spoken in normal tone	Mild slowing or thickening	Mild relaxation	Glazed or mild ptosis (less than half the eye)	4
Responds only after name is called loudly and/or repeatedly	Slurring or prominent slowing	Marked relaxation (slack jaw)	Glazed and marked ptosis (half the eye or more)	3
Responds only after mild prodding or shaking	Few recognizable words			2
Does not respond to mild prodding or shaking				1

표 13-2 Modified Ramsay sedation scale

Sedation score	Clinical response
0	Residual neuromuscular blockade present; unable to assess level of sedation
1	Fully awake
2	Drowsy, but awakens spontaneously
3	Asleep, but arouses and responds appropriately to simple verbal commands
4	Asleep, unresponsive to commands, but arouses to shoulder tap or loud verbal stimuli
5	Asleep and only responds to firm facial tap and loud verbal stimuli
6	Asleep and unresponsive to both firm facial tap and loud verbal stimuli

If the subject was restless or agitated, 0.5 was added to the sedation score to determine the percent of time subjects were agitated.

준을 측정하기 시작하였으면, MAC이 종료될 때까지 동일한 척도를 이용하여 진정 수준을 평가하도록 한다.

환자의 진정 수준을 측정할 때, 특정 척도를 토대로 의료진에 의해 진정의 수준이 평가되는 방법과 달리 bispectral index (BIS)를 감시하면서 진정 수준을 지속적으로 측정하는 방법이 있다. 환자가 깨어있는 상태에서는 α파 또는 β파와 같은 저강도 고주파 형태의 뇌파가 주로 나타나는 반면, 환자가 진정상태로 진입하면서 뇌파는 점차적으로 θ파나 δ파와 같은 고강도 저주파의 형태로 변화하고, 깊은 코마상태에서는 뇌파가 완전히 억제되는 패턴이 나타난다. BIS는 이마에 부착된 센서를 통해 이러한 뇌파의 변화를 감지하여 0에서 100사이의 범위에서 진정상태를 수치화하여 나타내준다. BIS와 Observer assessment of alertness/sedation scale간에는 상관관계가 존재한다는 것이 여러 연구자들에 의해 입증되었다. 최소한의 진정상태에서는 BIS 수치가 80 이상을 유지하게 되나, 중등도의 진정상태가 되면 BIS 수치가 80 이하로 저하되기 시작한다. 이런 상태에서는 호흡 및 기도 관리에 주의가 필요하고, BIS 수치가 60 이하로 저하되는 깊은 진정상태는 전신마취의 진정상태와 거의 유사한 정도이므로 환자의 자발호흡이 소실되면서 보조적 환기를 진행해야 하는 경우도 발생하게 된다.

3. 약물

1) Monitored anesthesia care에 사용되는 약물

MAC에 사용되는 약물은 투여를 했을 때 약효의 발현이 빠르고, 투여를 중단하면 신속하게 회복되는 약리학적 특성을 지닌 것이 좋다. 또한 심혈관계나 호흡기계의 억제가 적으며, 약물의 대사가 간이나 신 기능의 이상에 영향을 받지 않고 대사산물이 체내에 축적되지 않고 빠르게 배설되는 것이 좋다. 모든 조건을 만족시키는 이상적인 약제는 아직 존재하지 않으나, MAC을 위해 보편적으로 사용할 수 있는 몇 가지 약물이 있다.

(1) Midazolam

Midazolam은 benzodiazepine 계열의 대표적인 약물로 환자의 기억상실, 항불안 효과와 함께 진정을 유도하므로 비교적 짧은 시술을 위해 선택할 수 있다. Midazolam은 2-3분 이내에 효과가 나타나고 제거 반감기가 짧지만, midazolam을 주된 진정제로 선택하여 반복적으로 투여하거나 장기간 투여하게 되면 MAC이 종료된 이후에도 상당히 오랫동안 인지능력 장애를 초래할 수 있다. 일반적으로 2-2.5 mg을 2-3분간에 걸쳐 정주하여 사용하면 성인환자에서 적정 수준의 진정상태를 유도할 수 있으나, 고령의 환자나 전신상태가 쇠약한 환자에게 사용할 때에는 용량을 줄여서 투여하는 것을 권장한다.

Midazolam을 사용하여 MAC을 시행하는 동안, 진통을 위해 opioid를 투여할 수 있는데 이는 진정상태를 심화시키는 역할뿐 아니라 심혈관계 및 호흡계의 억제를 초래할 수 있으므로 저산소증이나 무호흡이 발생하지 않는지 철저한 감시가 필요하다.

Flumazenil은 benzodiazepine계열 약물의 길항제로 사용되고 제거 반감기가 60분 정도로 짧다. Flumazenil을 사용하여 일시적인 midazolam의 역전이 이루어졌더라도 일정 기간이 경과한 후 midazolam의 효과가 다시 발현될 수 있으므로 장기간 고용량의 midazolam을 사용한 경우에는 상당기간 동안 지속적인 감시가 진행되어야 한다.

(2) Propofol

Propofol은 주입했을 때 약효가 빠르게 나타나고, 장기간 주입한 이후에도 상황민감성반감기가 짧아 회복이 빠른 장점이 있다. 지속적 정맥 투여가 보편적인 투여방법이나, 필요에 따라서는 소량씩 간헐적으로 투여할 수 있다.

또한 propofol을 사용한 경우에는 수술 후 오심과 구토의 발생 빈도가 낮고, 마취 회복 시 숙취현상이 적어 외래 마취 환자들을 대상으로 유용하게 선택할 수 있는 약제이다. 그러나 경한 진정을 유도하는 저용량 propofol을 사용하게 되면 기억상실의 효과는 없기 때문에, midazolam과 같은 benzodiazepine 약제를 병용 투여하는 것이 도움이 된다.

Propofol은 진통효과를 가지고 있지 않기 때문에 통증이 수반되는 수술이나 시술에서 opioid나 ketamine과 같은 진통제를 함께 투여하는 것이 필요한 경우가 있다.

(3) Dexmedetomidine

Dexmedetomidine은 선택적 alpha-2 아드레날린 수용체의 작용제로 현저한 호흡의 저하 없이 진정을 유도하며 진통 효과를 동시에 나타낸다. 또한 교감신경 차단효과(sympatholytic effect)로 인해 고혈압이나 빈맥과 같은 스트레스 반응을 억제할 수 있다. 이러한 임상적 장점들로 인해 dexmedetomidine은 MAC을 위해서 투여될 수 있는 약제로 각광받고 있다.

초회 용량으로 1 μg/kg의 용량을 10분 이상에 걸쳐 정맥내로 투여한 후, 환자의 진정상태를 평가하며 0.2-1 μg/kg/h의 범위 내에서 약용량을 조절하는 것을 권장하고 있으나, 고령의 환자나 심신이 쇠약한 환자에서는 감량해서 투여해야 한다.

Dexmedetomidine의 단독 투여로 MAC의 시행이 어려운 경우 benzodiazepine이나 opioid의 병용 투여가 이루어지기도 하나, dexmedetomidine이 진통 효과를 지니고 있기 때문에 과량의 아편유사제(opioid)가 필요하거나 이로 인해 호흡 저하가 유발되는 경우는 드물다.

혈장 내 반감기는 약 2-2.5시간으로 일부 환자에서는 진정 후 회복이 지연되는 경우가 나타나기도 한다. 서맥이나 저혈압이 부작용으로 발생할 수 있으므로 혈역학적 감시를 주의해서 시행하는 것이 좋다.

(4) Ketamine

Ketamine은 다른 정맥 마취제와 달리 진통작용이 탁월하며, 해리성 마취상태를 일으키는 특징을 지니고 있다. 인후두반사 및 골격근 긴장도가 정상적으로 유지되고 호흡 저하가 일어나지 않는다는 특징이 있으나, midazolam이나 propofol과 같은 약제와 병용 투여하면 호흡 억제가 발생할 수 있다. Ketamine 투여 이후 혈압이 상승하고 맥박수가 증가하는 것은 교감신경계의 자극에 의해 catecholamine의 분비가 증가되기 때문이다. 따라서, 고혈압 환자, 뇌압이나 안압이 상승되어 있는 환자에게는 사용하지 않는 것이 좋다.

회복 시 환자가 섬망을 경험하는 경우가 있는데, 투여를 중단하기 전 다른 진정제나 아편유사제를 투여하면 각성 시 섬망이 줄어드는 반면 각성 시간은 지연될 수 있다.

(5) 아편유사제(Opioids)

아편유사제를 단독 제재로 사용하는 경우 호흡 저하와 같은 부작용이 발생하지 않는 범위에서 만족스러운 진정을 유지하는 것은 어렵기 때문에, MAC의 시행 중 opioid는 통증을 조절할 목적으로 다른 진정제와 병용 투여되는 경우가 보편적이다. 아편유사제를 선택할 때에는 비교적 약효가 빠르고, 지속시간이 길지 않은 것을 선택하는 것이 좋다. 대표적으로 사용되는 opioid로는 fentanyl, sufentanil, alfentanil, remifentanil 등이 있다.

Fentanyl은 발현 시간이 빠르고 작용 시간이 짧은 약제로, 일반적으로 25-50 μg씩 정맥 내로 주사하여 사용하며 midazolam, propofol, dexmedetomidine으로 MAC을 시행하는 경우 진통제로 병용 투여할 수 있다.

Sufentanil과 alfenatnil은 fentanyl의 유도체로 sufentanil은 fentanyl 보다 5-10배 정도 높은 역가를 가지고 있으며 작용 시간도 짧다. Alfentanil은 역가가 fentanyl의 25% 정도로 낮으나 역시 빠른 작용시간과 짧은 지속시간으로 MAC을 시행하는 경우 통증 조절을 위한 목적으로 간헐적으로 투여할 수 있다.

Remifentanil은 발현시간이 1분 이내로 매우 짧고, 최종 소실 반감기 역시 10분 이내로 매우 짧아 보통 지속적으로 정주하는 것이 효과적이다.

MAC을 시행하면서 opioid를 병용 투여하면 환자가 진정상태에서 호흡 저하가 발생할 가능성이 증가하므로, 마취통증의학과 의사는 환자의 호흡 상태를 철저히 감시할 필요가 있다. 또한 opioid의 사용은 수술 후 오심, 구토를 일으킬 가능성을 증가시키므로, 외래마취 환자의 경우 이로 인해 퇴원이 지연되거나 예기치 않은 입원이 발생하지 않도록 예방적 처치를 함께 진행하는 것이 도움이 될 것이다.

2) 약물의 투여 방법

(1) 지속적 정맥주입법(Continuous infusion)

MAC을 진행하는 마취통증의학과 의사가 초기 일회용량 및 지속 주입용량을 계산하여 환자에게 투여하는 방식이다. 환자의 진정수준 및 통증에 대한 반응을 평가하며 진정제 및 진통제의 투여량을 변경하게 된다.

(2) 자가조절진정법(Patient-controlled sedation)

MAC을 시행하기 위해 진정제 단독 혹은 진통제가 적절히 혼합된 약물을 자가조절 주입장치를 통해 환자가 직접 투여를 조절하는 방법이다. 자가조절 주입장치의 버튼을 눌렀을 때 주입되는 일회용량 및 일회용량 주입속도, 잠금시간 등을 설정할 수 있는데, 이는 자가조절진정법의 효능과 안전성을 결정하는 요인이 된다. 자가조절진정법을 시행하는 경우 불필요한 과진정을 피하면서도 각 환자에게 맞는 수준의 적절한 진정상태를 유지할 수 있다는 장점이 있다.

(3) 목표농도조절주입(Target controlled infusion, TCI)

약물 주입 펌프에 약물의 약력학, 약동학 정보를 지닌 컴퓨터칩이 내장되어 환자의 가상 혈중 농도 및 효과처 농도가 계산되며 환자별, 약물별로 이를 조절해서 약제를 투여하는 방법이다. 지속적 정맥주입법과 비교했을 때, 예상되는 약물의 혈중 농도를 예측할 수 있고 시간이 소요되는 계산이 필요 없으며, 특정 혈중 농도나 효과처 농도를 설정하면 약물이 자동으로 주입된다는 편리성이 있다. 그러나 환자의 진정상태나 통증에 대한 반응을 마취통증의학과 의사가 직접 평가하며 혈중 농도나 효과처 농도를 증감시켜야 한다.

표 13-3 Monitored anesthesia care의 적용 하에 진행이 될 수 있는 수술

General surgery
Hernia repair
Wound repair
Vascular minor surgery
  Ligation and stripping of varicose vein
  Arteriovenous fistula formation or removal
  Angioplasty
Minor perineal surgery
Superficial mass excision or biopsy
Incision and drainage of abscess
Endoscopic procedure
Chemoport insertion
CAPD catheter removal

Otorhinolaryngology
Exploratory tympanotomy
Myringoplasty
Ossicloplasty
Tympanoplasty

Neurosurgery
Burr hole trephination
Ommaya reservoir insertion
Stereotactic brain biopsy

Fiberoptic Bronchoscopy

Obstetric and gynecology
Transvaginal oocyte retrieval
Diagnostic hysteroscopy
Minor procedure on uterine cervix
Dilatation and curettage

Urology
Prostate or bladder transurethral biopsy
Diagnostic cystoscopy
Extracorporeal lithotripsy

Pain procedure
Spinal cord stimulator implantation
Balloon kyphoplasty

Orthopedics
Carpal tunnel release
Minor neurorrhaphy
Minor joint surgery
  Arthrodesis
  Adhesiolysis
  Debridement
Foreign body removal, orthopedic implant

Ophthalmology
Minor ocular surgery

4. Monitored Anesthesia Care으로 진행되는 수술 및 시술

MAC의 도입 하에 진행될 수 있는 수술의 종류는 다양하다. 수술을 위해 전신마취나 부위마취가 반드시 필요한 수술 이외에 많은 수술이 MAC을 진행하면서 시행될 수 있다(표 13-3). 다만, 수술의 종류에 따라 최소한의 진정만 시행되어야 하는 경우도 있고, 중등도의 진정과 함께 통증 조절이 함께 시행되어야 하는 경우도 있다. MAC의 시행이 금기라고 명시된 환자 군은 없으며, 노인환자나 신체 상태가 나쁜 고위험 군의 환자에서도 MAC의 적용이 가능하다.

참고문헌

1. Avramov MN, White PF. Use of alfentanil and propofol for outpatient monitored anesthesia care: determining the optimal dosing regimen. Anesth Analg 1997; 85: 566-72.

2. Bailey PL, Pace NL, Ashburn MA, et al. Frequent hypoxemia and apnea after sedation with midazolam and fentanyl. Anesthesiology 1990; 73: 826-30.

3. Candiotti KA, Bergese SD, Bokesch PM, et al. Monitored anesthesia care with dexmedetomidine: a prospective, randomized, double-blind, multicenter trial. Anesth Analg 2010; 110: 47-56.

4. Chernik DA, Gillings D, Laine H, et al. Validity and reliability of the Observer's Assessment of Alertness/Sedation Scale: study with intravenous midazolam. J Clin Psychopharmacol 1990; 10: 244-51.

5. Cho S, Han JI, Baik HJ, Kim DY, Chun EH. Monitored anesthesia care for great saphenous vein stripping surgery with target controlled infusion of propofol and remifentanil: a

prospective study. Korean J Anesthesiol 2016; 69: 155-60.

6. Das S, Ghosh S. Monitored anesthesia care: An overview. J Anaesthesiol Clin Pharmacol 2015; 31: 27-9.

7. Ghisi D, Fanelli A, Tosi M, Nuzzi M, Fanelli G. Monitored anesthesia care. Minerva Anestesiol 2005; 71: 533-8.

8. Huncke TK, Adelman M, Jacobowitz G, Maldonado T, Bekker A. A prospective, randomized, placebo-controlled study evaluating the efficacy of dexmedetomidine for sedation during vascular procedures. Vasc Endovascular Surg 2010; 44: 257-61.

9. Joo JD, In JH, Kim DW, et al. The comparison of sedation quality, side effect and recovery profiles on different dosage of remifentanil patient-controlled sedation during breast biopsy surgery. Korean J Anesthesiol 2012; 63: 431-5.

10. Lee JM, Lee SK, Lee SJ, et al. Comparison of remifentanil with dexmedetomidine for monitored anaesthesia care in elderly patients during vertebroplasty and kyphoplasty. J Int Med Res 2016; 44: 307-16.

11. Mazanikov M, Udd M, Kylanpaa L, et al. Patient-controlled sedation with propofol and remifentanil for ERCP: a randomized, controlled study. Gastrointest Endosc 2011; 73: 260-6.

12. Mazanikov M, Udd M, Kylanpaa L, et al. Patient-controlled sedation for ERCP: a randomized double-blind comparison of alfentanil and remifentanil. Endoscopy 2012; 44: 487-92.

13. Oncul S, Gaygusuz EA, Yilmaz M, Terzi H, Balci C. Comparison of ketamine-propofol and remifentanil in terms of hemodynamic variables and patient satisfaction during monitored anaesthesia care. Anaesthesiol Intensive Ther 2016; 48: 116-21.

14. Practice guidelines for sedation and analgesia by non-anesthesiologists. A report by the American Society of Anesthesiologists Task Force on Sedation and Analgesia by Non-Anesthesiologists. Anesthesiology 1996; 84: 459-71.

15. Ramsay MA, Savege TM, Simpson BR, Goodwin R. Controlled sedation with alphaxalone-alphadolone. Br Med J 1974; 2: 656-9.

16. Sohn HM, Ryu JH. Monitored anesthesia care in and outside the operating room. Korean J Anesthesiol 2016; 69: 319-26.

17. Wang W, Feng L, Bai F, et al. The Safety and Efficacy of Dexmedetomidine vs. Sufentanil in Monitored Anesthesia Care during Burr-Hole Surgery for Chronic Subdural Hematoma: A Retrospective Clinical Trial. Front Pharmacol 2016; 7: 410.

Chapter **14**

신경근차단제

일단 외래마취에서 전신마취를 하기로 결정하였다면, 그 이후에는 신경근차단제를 사용할 것인가를 고민하게 된다. 어떤 약이든 꼭 필요하지 않다면 사용하지 않는 것이 좋겠지만, 복강경수술 등에서는 신경근차단제의 사용이 불가피하다. Remifentanil을 정맥마취제와 병용하여 신경근차단제 없이 기관내삽관도 용이하게 할 수 있고, 다양한 상후두 기도유지기의 발전이 기관내삽관을 대치할 수도 있다. 하지만, 마취약제를 최소화하면서 수술 환경을 적절히 유지하기 위해서 신경근차단제가 필요하다. 수술실의 원활한 순환을 위해서 빠른 작용발현과 중간 지속시간을 갖는 Rocuronium이 많이 사용되는데, 이를 신속하고 완전하게 길항시키는 sugammadex가 보급되면서 신경근차단제의 사용이 더 자유로워졌다.

1. 신경근차단제의 작용

1) 탈분극성 차단

탈분극성 신경근차단제는 아세틸콜린과 같은 형태로 작용하게 된다. succinylcholine은 접합후막 수용체에 결합하여 통로를 개방하고 종말판을 탈분극시키는 것은 아세틸콜린과 같으나, 아세틸콜린에스테라아제에 의해 가수분해되지 않기 때문에 시냅스 틈새 사이에서 혈장 콜린에스터라제(plasma cholinesterase)에 의해 분해될 때까지 통로를 계속 열어 놓는다. 따라서 초기에만 속상수축을 일으킨 후 결국 근이완을 야기한다.

2) 비탈분극성 차단

아세틸콜린 수용체에 아세틸콜린이 결합하는 것을 경쟁적으로 방해하여 신경전달을 차단한다. 하나의 수용체에 두 개의 아세틸콜린이 결합해야 통로가 열리고 이온이동에 이어 세포막 분절이 탈분극된다. 비탈분극성 신경근차단제는 분자 하나만 수용체에 결합하여도 나머지 한쪽에 아세틸콜린이 결합하더라도 통로가 열리지 않는다. 이러한 근이완 효과는 약물의 농도와 수용체에 대한 친화성에 의한다.

3) 탈민감차단

작용제가 결합하여도 형태 변화가 일어나지 않으며 통로가 개방되지 않는 것을 수용체의 탈민감(desensitization)이라 한다. 탈민감 수용체의 생성은 효과적인 신경근전달을 감소시키며, 일반적인 대항제에도 더 민감한 반응을 보이게 되어 반응의 예상을 어렵게 한다.

4) 통로 차단

임상농도에서의 어떤 약물들은 수용체를 통한 정상 이온 흐름을 차단하여 종말판의 탈분극을 방해하고 신경근전달의 약화를 유발할 수 있다. 항생제, cocaine, naloxone 등이며, 고용량에서는 신경근차단제도 통로 차단을 일으킨다. 아세틸콜린 농도를 증가시키는 것은 통로가 더 자주 열리는 기회를 제공하여 사용-의존적 약물에 의한 차단을 유발하므로 항콜린에스테라아제 자체가 통로 차단 약물로 작용할 수 있어 주의를 요한다.

5) 제2상 차단

탈분극성 신경근차단제에 의해 탈분극이 일어나지만 계속적으로 약물에 노출되면서 세포막전위가 정상으로 회복된다. 열려있는 통로를 통해 이온 유통이 많아지고 이온 평형이 재건되어 비탈분극성 신경근차단제 사용시와 유사해 보이는 복합적이고 유동적인 현상이다. 반응을 예상하기 어려우므로 항콜린에스테라아제로의 반전은 권장되지 않는다.

2. 신경근차단제의 종류(표 14-1)

1) 탈분극성 신경근차단제

succinylcholine은 혈장 콜린에스테라아제에 의해 분해되나 신경근접합부에는 혈장 콜린에스테라아제가 거의 존재하지 않아 혈장으로 확산되어 나오면 그때 가수분해되어 사라진다. succinylcholine이 속상수축을 일으킨 후 신경근접합부에 머무는 동안 탈분극상태를 유지한다. 이것이 제1상 차단이며, 반복 투여나 과량 투여는 제2상 차단을 유발하므로 피한다.

(1) 용량

ED_{95}는 0.15 내지 0.2 mg/kg이나 최대 차단효과가 나타나기 전에 70%가 분해되기 때문에 기관내삽관을 위한 충분한 효과를 얻기 위해서는 1.0-1.5 mg/kg을 투여한다. 투여 후 1분 정도에 100% 차단 효과를 얻으며 4-6분에 회복되기 시작하여 10-12분에 완전 회복된다. 길항제는 없으며 혈장 콜린에스테라아제가 부족한 경우 회복이 지연된다. 기관내삽관, 전기자극치료, 골절교정술 등 단시간 수술에 사용되며 반복투여나 점적투여는 하지 않는다.

(2) 심혈관계 작용

아세틸콜린양 작용이 있어 니코틴양 작용으로 혈압과 맥박의 상승, 무스카린양 작용으로 서맥과 타액 분비 등이 나타난다. 서맥을 예방하기 위해 아트로핀과 소량의 비탈분극성 신경근차단제를 전처치하기도 한다. 부정맥

표 14-1 신경근차단제를 삽관용량으로 주었을 때 비교

a, 항콜린에스테라아제; b, Sugammadex; c, Calabadion. B, benzylisoquinolone; C, chlorofumarate; S, steroidal.

작용기전 분류	작용시 간분류	신경근차단제	삽관 용량 mg/kg	삽관가능 시간 (분)	대사	작용시간 (분)	역전제	단점
탈분극성	짧은	Succinylcholine	1.0-1.5	0.5	혈장 콜린에 스테라아제	5-10	없음	많고 복잡함
		Mivacurium (B)	0.2	2.5-3.0		15-20		히스타민유리
		Gantacurium (C)	0.2	1-2	cysteine	4-10	L-cysteine	
비탈분극성	중간	Vecuronium (S)	0.12	2.0-3.0		45-90	a, b, c	
		Rocuronium (S)	0.8	1.5		35-75		
		Atracurium (B)	0.5	2.5-3.0	호프만	30-45	a, c	히스타민유리
		Cisatracurium (B)	0.2	2.0-3.0	호프만	40-75		
	긴	Pancuronium (S)	0.12	2.0-3.0		60-120	a, b, c	미주신경차단

과 빈맥은 norepinephrine 분비가 증가되어 발생하며 hyperkalemia로 인한 심실세동까지 일어날 수 있다. 화상, 근손상, 뇌척수손상, 신장기능저하 환자에서는 수용체의 아세틸콜린 감수성이 증가하여 탈분극하면서 많은 칼륨이 세포 밖으로 내보내져 과칼륨혈증이 발생하므로 사용을 피하고 불가피할 때에는 소량의 비탈분극성 신경근차단제를 전처치한다.

(3) 평활근 작용
뇌혈관 확장으로 두개내압과 뇌척수액압을 상승시킨다.

(4) 속상수축
근육질의 젊은 성인에서 잘 나타난다. 속상수축이 강하게 나타나면서 저작근의 강직현상이 일어나 기관내삽관 시 입이 열리지 않을 때는 마이오글로빈혈증 또는 악성고열증을 강력히 의심해야 한다.

(5) 위내압 상승
복직근의 속상수축은 위식도 괄약근을 열리게 할 만큼 위내압을 상승시킨다. 위 내용물이 있으면 토할 위험이 있다.

(6) 태반 통과
비탈분극성 신경근차단제는 태반을 통과하지 않으나 succinylcholine은 태반을 통과한다. 그러나 1000 mg 이상의 과용량이 아니라면 임상적으로 문제되지 않는다.

2) 비탈분극성 신경근차단제
(1) Benzylisoquinolinium 유도체 – 모두 그렇지는 않지만 히스타민 유리 성향이 있다.
① Atracurium
짧은 작용 시간으로 빠른 회복을 보이며 심혈관 작용이 적으며 호프만대사와 에스터 분해로 축적 반응이 없다. 신장의존도가 5% 이하로 낮기 때문에 신부전증 환자

에게 유용하다.

i) 용량

ED_{50}은 0.12 mg/kg이며 ED95는 0.23 mg/kg이다. 0.33 mg/kg으로 95% 근이완 효과를 얻는데 2.6분이 걸리며, 0.6 mg/kg의 고용량으로는 2분 이내에 기관내삽관이 가능하다.

ii) 히스타민 유리

히스타민 분비로 피부홍조, 저혈압, 기관지 경련 등이 발생할 수 있다. 천천히 주사하거나 H1, H2 차단제를 전처치하여 예방한다.

iii) Laudanosine

호프만분해과정에서 생긴 부산물로 독성이 있어 과량 사용시 혈액뇌관문을 통과하여 전신경련을 일으킬 수도 있다.

iv) 보관 조건

5℃ 이하에서는 연 5% 역가 감소가 일어나며, 상온 보관 시 월 6% 감소하므로 장기간 보관 시 저온보관한다.

② Mivacurium
비탈분극성 신경근차단제이면서 유일하게 혈장 콜린에스테라아제에 의해 분해되는 단시간 작용 신경근차단제이다. 회복이 빠르지만 히스타민을 유리하며 현재는 2006년부터 생산중단상태이다.

i) 용량

ED_{50}은 0.04 mg/kg이며 ED95는 0.08 mg/kg이다. ED_{95} 용량으로는 3.3분의 발현시간과 95% 회복에는 20분이 소요된다. 그 두 배 용량에서는 2.5분 안에 발현되나 회복은 31분으로 길어진다. 간부전과 신부전 환자에서는 작용시간이 연장된다. 항콜린에스테라아제로 회복시간을 단축시킬 수 있다.

ii) 히스타민 유리

과량투여하거나 일상 용량이라도 급속도로 주입할 때 유리될 수 있다. 때문에 심박수 증가와 함께 혈압

저하가 보통 15% 많게는 59%까지도 나타날 수 있으므로 서서히 또는 분할 투여해야 한다.

③ Cisatracurium

Atracurium에 비해 laudanosine 생성이 5배나 적고 히스타민 분비가 없는 중간시간 작용 신경근차단제이며 신부전 환자에서도 작용기간이 연장되지 않는다.

i) 용량

ED_{95} 용량은 0.05 mg/kg이며 회복시간은 30-35분이다. 투여량이나 주입시간과 관계없이 회복 속도는 일정하며 축적 작용이 거의 없어 지속주입도 가능하다. 간부전 그리고 신부전 환자 등 중환자실에서 유용하다.

ii) 심혈관계 작용

ED_{95} 용량의 80배에도 혈장 히스타민 농도 변화가 없으며, 8배에도 히스타민 분비에 따른 심혈관계 변화가 없다. 따라서 빠르게 주입하여도 무방하다.

(2) Aminosteroid 유도체 - 모두 그렇지는 않지만 미주신경차단 경향이 있다.

① Pancuronium bromide

발현시간이 느려 삽관을 위한 약으로 부적절하며 회복시간도 60분 이상으로 외래마취에서 사용하기에는 불편하다. 또한 간과 신장질환에서 작용시간이 연장된다.

i) 용량

ED_{95}는 0.05-0.065 mg/kg이며 이 용량으로 5분 후에 최대차단효과가 나타난다. 회복지수는 24분이다.

ii) 심혈관계 작용

중등도의 미주신경 차단과 교감신경계 자극으로 혈압, 맥박수, 심박출량이 증가한다. Muscarine 수용체 차단 효과와 catecholamine 분비증가와 재흡수 억제 때문이다.

② Vecuronium bromide

70년대 중반 소개되어 현재도 사용되고 있는 pancuronium 유사체이다. 수용액으로는 불안정하여 분말로 만들어져 나온다. 사용 전 생리식염수에 녹여 24시간 내 사용한다. 중간시간 작용하며 축적작용도 없어 분말형 제품이라는 것 외에 이상적인 신경근차단제이다.

i) 용량

ED_{95} 용량은 0.05 mg/kg이다. 이 용량으로 5분 후에 최대차단효과가 나타나지만, 투여량이 증가하면 그 속도가 빨라져 0.15 mg/kg에서는 2분 후에 삽관이 가능하다. 회복지수는 10-15분으로 pancuronium에 비해 회복이 빠르다. Priming 방법으로 발현시간을 더 단축시킬 수 있으나 최대 1분 이내로 빨라지진 않는다. 간에서 주로 제거되며 25%는 신장으로 배설되어 기능부전 환자에서는 작용시간이 연장된다.

ii) 심혈관계 작용

심박출량은 9% 증가하고 말초저항은 12% 감소하여 심박수와 전신 평균동맥압에는 변화가 없다. 히스타민은 거의 분비되지 않으나 드물게 예민반응을 볼 수 있다.

③ Rocuronium

Vecuronium처럼 신장과 간에서 원형 배설되나 작용 발현시간이 빠르며 용액으로 된 약제로도 안정하다. ED_{95}는 0.28 mg/kg으로 역가가 낮다. ED_{95} 두 배 용량으로 60-90초에 최대 억제효과를 볼 수 있으며 0.6 mg/kg 투여로 1분 이내 기관내삽관이 가능하여 succinylcholine을 대체할 수 있다. 작용시간은 vecuronium보다 조금 짧다. 히스타민 분비도 없고 심혈관계 반응도 미약하다.

④ Gantacurium

초단시간 작용 비탈분극성 신경근차단제이다. 작용발현

과 회복시간이 succinylcholine과 유사하다. ED$_{95}$의 두세 배 용량인 0.3-0.5 mg/kg으로 후두에서 사연속자극이 100% 차단되는데 1분이면 충분하다. TOF 비가 90%로 회복되는데 12-15분 소요될 뿐이다. 심혈관계 변화는 10% 이내이며 2010년부터 3상 임상시험 중이다. 생체 내 L-cysteine과 반응하여 빠르게 가수분해됨으로 작용시간이 짧다. 중앙 푸마르산염의 Cl-이 이 반응을 촉진시키는 것으로 보인다. Cysteine으로의 역전이 생체 외 실험상 12초로 짧다.

⑤ CW002 (AV002)

2007년 소개되었고 gantacurium과 구조가 유사하나 Cl-기가 없다는 것이 차이점이다. 따라서 작용시간이 60분으로 길어지고, cysteine으로의 역전도 생체 외 실험상 11분 걸린다. 하지만, CW002를 투여한 직후에도 cysteine을 투여하면 아세틸콜린 농도와도 상관없이 역전이 가능하므로 gantacurium과 더불어 미래의 새로운 신경근차단제로 사용될 가능성이 높다. 2012년 시작된 1상 임상 시험이 완료된 상태이다.

3. 근이완의 길항

아세틸콜린은 모든 부교감신경절, 교감신경절의 일부 중추신경계 신경원과 골격근의 체신경에서 신경전달물질로 작용한다. 콜린성 수용체는 니코틴성 수용체와 무스카린성 수용체로 구분한다. 니코틴성 수용체는 자율신경절과 골격근을 자극하고, 무스카린성 수용체는 기관지 평활근, 타액선, 동방결절 등에 작용한다. 니코틴성 수용체는 비탈분극성 신경근차단제로 차단되고, 무스카린성 수용체는 아트로핀이나 glycopyrrolate 같은 항콜린성 작용제로 차단된다. 근이완을 반전시키는데 있어 목표는 니코틴성 수용체를 자극하여 골격근의 수축을 증강시키는 니코틴성 반응을 극대화시키고, 무스카린성 부작용은 차단하는 것이다. 길항제 투여 시의 근이완의 깊이, 길항

제의 종류, 흡입마취제의 농도 등이 길항 효과를 좌우한다. 항콜린에스테라아제의 투여는 근이완이 어느 정도 회복되어 사연속자극에서 연축이 2개 이상 나타날 때에 투여하는 것이 바람직하다. 깊은 이완상태에서 항콜린에스테라아제로의 역전은 회복이 충분하지 않고 일시적이므로, sugammadex를 근이완 정도와 체중을 고려하여 용량을 결정한 후 사용해야 한다.

1) 신경근접합부에서의 작용

항콜린에스테라아제가 콜린에스터라제에 결합하여 가역적 억제를 일으킨다. 따라서 아세틸콜린의 농도가 증가하여 운동신경말단에 계속적인 활성전위가 생겨 직접적인 탈분극을 유발한다. 또한 접합전막 작용으로 칼슘이온이 신경말단 내부로 유입되어 아세틸콜린의 방출을 증가시킨다. 접합후막 작용으로 니코틴성 아세틸콜린 수용체를 직접 자극하여 종판에 활성전위를 일으켜 탈분극을 유도시킬 수도 있다. 최대 근이완 상태에서는 항콜린에스테라아제를 투여해도 약간의 길항 반응이 있을 수 있으나 한계가 있고, 추가투여로도 그 이상의 반전을 기대하기 힘들다.

역으로 신경근차단 작용이 일어날 수도 있는데, 너무 많은 용량의 항콜린에스테라아제를 투여할 시에 아세틸콜린의 축적으로 신경근전달이 지연될 수 있으며, 탈분극성 차단 현상으로 설명한다.

2) 자율신경절 접합부에서의 작용

항콜린에스테라아제가 부교감신경절후 접합부에서 아세틸콜린의 축적으로 무스카린 효과를 나타낸다. 임상 증상으로 분비물 증가, 장 운동 활성, 기관지 수축, 서맥, 저혈압, 동공 수축 등이 있다. 따라서 과량 투여할 때는 서맥을 피하기 위해 항콜린 작용약을 같이 사용해야 한다.

3) 중추신경계 작용

Physostigmine은 3가 아민으로 혈뇌장벽을 통과하여 중추신경 부작용을 일으킨다. 초기에는 흥분증상으로 시작해 과량 투여 시에는 경련까지 일어나며 심하게는 중추 억제 현상, 무의식, 호흡장애가 발생하므로 신경근차단제의 길항 목적으로는 사용하지 않는다.

4. 길항제의 종류(표 14-2)

1) Neostigmine

TOF 수가 1개 이하일 때는 2개 이상 보일 때까지 기다렸다가 50 μg/kg을 투여한다. 4개 이상 나타나면서 쇠퇴현상도 보이지 않을 정도이면 20 μg/kg까지 감량하여 사용한다. TOF 비가 정확하게 측정 가능하고 0.9 이상이라면 역전제를 주지 않기도 한다. 무스카린 효과를 예방하기 위해 아트로핀 0.015-0.02 mg/kg 또는 glycopyrrolate 0.005-0.01 mg/kg을 혼합하여 투여한다. 최대 효과 발현은 7분이며 작용시간은 70분이다.

2) Pyridostigmine

Neostigmine에 비해 서맥, 타액분비, 장운동 자극 등의 부작용이 적으나 작용 발현 시간이 느리고, 최대 효과에 이르는 시간도 느리기 때문에 유럽이나 미국에서는 잘 사용하지 않는다. 최대 효과 발현은 12분이며 작용시간은 120분이다.

3) Edrophonium

과거에는 짧은 작용시간 때문에 추천하지 않았으나, 현재 사용하는 신경근차단제들이 작용시간이 짧기 때문에 많은 용량(0.5-1.0 mg/kg)으로 근이완 역전에 사용이 가능하다. 최대 효과 발현은 2분이며 작용시간은 66분이다.

4) Sugammadex

γ-cyclodextrin 계열의 둥근 고리모양 약물로서 도넛모양 구멍에 steroid 계열의 비탈분극성 신경근차단제를 끌어들여 결합체를 형성하는 최초의 선택적 신경근차단제 결합 약제이다. 항콜린에스테라아제들과 달리 항콜린 작용약을 같이 투여할 필요도 없다. 친화성은 rocuronium > vecuronium ≫ pancuronium 순이다. Benzylisoquinolinium 유도체와는 작용하지 않는다. 깊은 근이완의 역전에도 효과적인데 신경근차단제 투여 직후에 즉각 회복이 필요한 경우에는 16 mg/kg의 대량 투여가 필요하며, 강직후연축반응수가 15개 이하인 깊은 근이완에서는 4 mg/kg, TOF 자극에서 2개 이상이 보이는 얕은 근이완에서는 2 mg/kg을 권장한다. 부작용으로 cortisone, atropine, verapamil 같은 steroid 유사 구조 약물과 결합할 수 있으나 그 친화력이 약하여 임상적

표 14-2 근이완 역전제

분류	근이완 역전제	역전 시 근이완 상태	용량 mg/kg	최대효과 (분)	작용시간 (분)	병용 항콜린제	항콜린제 용량 mg/mg	단점
A	Neostigmine	TOF 수 2-4	0.02-0.05	7	70	Glycopyrrolate	0.2	
	Pyridostigmine		0.1-0.4	12	120	Glycopyrrolate	0.05	
	Edrophonium		0.5-1	2	66	Atropine	0.014	
	Physostigmine		0.01-0.03			불필요		BBB 통과
S	Sugammadex	TOF 수 1-4	2	< 3	결합체는 대부분 소변 배설: 75% 약물 반감기: 1.8시간			
		PTC 1-15	4	< 3				
		PTC 0	16	< 3				

유의성은 적다. 드물지만 예민 반응이 보고되고 있다.

5) Calabadion

Aminosteroid 유도체와 더불어 Benzyliso-quinolinium 유도체 신경근차단제까지 host-guest 결합을 통해 근이완을 역전시킬 수 있는 길항제이다. Acyclic cucurbit[n]uril계 화합물이며, sugammadex처럼 자신의 화학구조 안에 guest 분자를 함유시켜 결합하게 함으로써 작용을 차단한다. 동물실험에서 vecuronium 뿐 아니라 cisatracurium을 빠르게 가역시켰다. Calabadion-비탈분극성신경근차단제 결합력이 다른 약제나 화합물 또는 호르몬에 대한 친화력보다 수십 배에서 수백 배 강하긴 하지만 다른 부작용에 대한 우려에서 100% 자유로울 수는 없다. 이런 부작용으로 CB은 국소마취제 dibucaine과의 결합이 가능하며, calabadion 2는 etomidate 효과도 단축시키는 것으로 밝혀졌다. 따라서 국소마취제 독성작용에 대한 해독효과나 정맥마취로부터의 신속한 회복에 이용될 가능성도 생겼다. 짧은 수술이 대부분인 외래마취 영역에서 calabadion이 다른 마취약제에 대한 역전 효과까지 갖기 때문에 기대가 크다. 하지만, 이런 광범위한 효과로 인해 calabadion으로의 역전을 통한 마취종료 직후에 바로 재수술을 받아야 하는 경우에는 사용할 수 있는 신경근차단제가 succinylcholine 외에는 없다는 우려도 있다.

6) Cysteine

아미노산의 일종이나 화학적 활성이 높은 SH기가 있어 특이한 성질을 갖는다. Gantacurium 투여 후 1분에 시스테인을 투여하면 2분 내 완전 회복된다. 원숭이 실험에서 100 mg/kg의 고용량 시스테인은 전신혈관저항과 심박출량을 감소시켜 혈압이 급격히 떨어졌다. 20-50 mg/kg로는 상기 부작용 없이 100 mg/kg에서와 유사한 CW002 역전 효과를 얻을 수 있다. 아직 임상에서 근이완 역전 용도로는 허가 받지 못했다. Gantacurium이나 CW002가 임상에 사용된다면 이들의 빠른 역전제로서 큰 역할이 기대된다.

5. 신경근전달 감시

말초신경에 가한 자극에 대한 근육의 반응을 평가하는 방법이다. 자극을 가하는 방법은 전기와 자기를 이용하는 방법이 있으나 주로 전기가 사용되며, 전극은 패드형과 바늘형이 있는데 패드형이 주로 사용된다. 패드형으로 최대상자극을 얻을 수 없을 때는 바늘형을 사용할 수밖에 없는데 신경을 직접 찌르지 말고 신경에 가까운 피하에 위치시킨다. 양전극보다 음전극을 말초신경 가까이 위치시키는 것이 최대상자극의 크기를 조금 감소시킬 수도 있지만, 방향은 중요하지 않다. 3-6 cm 간격으로 말초신경 주행 방향에 따라 위치시키면 된다. 자신경, 정중신경, 뒤정강신경, 온종아리신경, 얼굴신경 등이 이용된다. 가장 많이 이용되는 자신경은 엄지모음근 및 새끼두덩근의 굴곡반응을 보고 근이완 상태를 판단하게 된다.

1) 전류량

모든 근섬유를 반응하게 하려면 충분한 자극을 주어야 하므로, 60-70 mA 정도 크기를 가할 수 있어야 하며, 안전을 위해서 80 mA를 넘지 않도록 한다. 피부 저항은 0-2.5 kΩ 사이에서 정상적으로 작동하는데, 피부가 냉각되면 5 kΩ까지 증가되어 최대상자극을 가할 수 없다.

2) 전류 지속 시간

연축 폭이 보통 0.1-0.2 ms이어야 하며 임상에서 주로 0.2 ms가 사용된다. 0.1 ms 이하에서는 모든 축삭이 탈분극되지 않으며, 0.5 ms 이상은 직접 근육을 자극하거나 반복반응을 유발한다. 전기 자극 후 1-2 ms 내에 다시 전기자극을 주면 근섬유가 불응기여서 반응을 일으키지 않는다.

3) 근육간 차이

(1) 엄지모음근

횡격막근에 비해 예민하여 장단점이 있다. 수술 중 엄지모음근의 반응이 없더라도 횡격막근의 움직임으로 자발호흡, 딸꾹질, 기침이 있을 수 있다는 것이 단점이다. 이 때에는 강직 후 연축반응수를 감시하면 된다. 민감한 근육을 감시함으로써 신경근차단제의 과량 투여를 방지할 수 있는 것이 장점이다. 회복기에 엄지모음근이 완전히 회복되었다면, 횡격막근 등은 이미 회복된 것으로 판단할 수 있다.

(2) 횡격막근

모든 신경근차단제에 대하여 가장 저항적이다. 엄지모음근의 근이완을 위한 용량보다 1.4-2.0배의 신경근차단제가 필요하다. 특이한 점은 신경근차단제 작용의 발현은 엄지모음근보다 빨리 나타나는데 이는 혈류량이 상대적으로 많기 때문이다.

(3) 얼굴근육

엄지모음근보다 근이완발현과 회복이 빠르나 횡격막보다는 저항력이 작다. 눈썹주름근의 반응은 엄지모음근 반응보다 복부근육의 근이완 상태를 더 잘 반영한다.

(4) 복부근육

복강수술에서 복부근육의 긴장도는 외과 의사들이 관심이 많지만 직접 측정이 어려워 개복 확장기나 손으로 직접 당겨보고 짐작하는 방법을 사용하고 있다. 예민한 정도는 사지 말초근육과 유사하다.

4) 신경자극 종류

(1) 단일연축자극(Single twitch stimulation, ST)

0.1-1.0 Hz (10초에서 1초에 한번의 자극)의 단일 최대상 자극으로 일어나는 반응의 연축 높이로 신경근 차단 정도를 판단한다. 연축 높이가 25%에서 75%까지 회복되

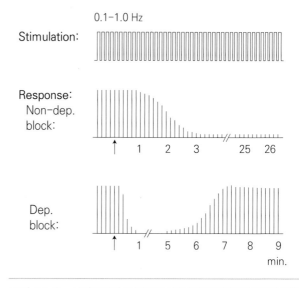

그림 14-1. 신경근차단제 투여(↑) 전후의 단일연축자극에 의한 반응. Non-dep. block: 비탈분극성 차단, Dep. Block: 탈분극성 차단(대한마취통증의학과학회. 마취통증의학I. 제2판. 서울. 엘스비어코리아. 1035쪽, 2009. 인용).

는 속도를 회복률 또는 회복지수라고 한다.

(2) 사연속자극(Train of four stimulation, TOF)

최대상 자극으로 0.5초에 한번씩(2 Hz) 4번의 자극을 가해 근이완 정도를 판단한다. 연속해서 측정할 때에는 적어도 10초의 간격을 둔다. 비탈분극성 신경근차단제의 경우 단일연축자극과 달리 대조치가 없어도 근이완 정도를 판단할 수 있는 것이 장점이다. 첫 번째 반응의 높이에 대한 네 번째 반응의 높이를 백분율로 표시하고 이것을 TOF 비(%)라고 한다. 반응이 나타난 횟수(TOF 수)로 표시하다가 네 번째 반응이 나타나기 시작하면서부터는 TOF 비를 표시하면 된다. 연축반응이 점점 작아지는 현상을 쇠퇴현상(Fade)이라 부르며, 탈분극성 신경근차단제의 제2상 차단에서도 볼 수 있다. 전기자극이 빠르게 반복되면 미처 아세틸콜린의 생성과 저장과정이 따라가지 못하여 연축반응이 점점 작아지는 것이다. TOF 비가 0.7 이상이면 근이완에서 충분히 회복되었다고 판단하였으나

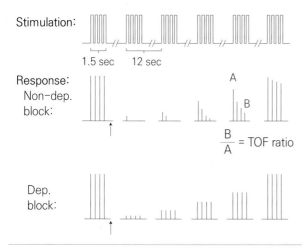

그림 14-2. 신경근차단제 투여(↑) 전후의 신경근 차단에 따른 사연속자극 연축반응.

첫번째 연축높이에 대한 네번째 연축높이의 비율을 TOF 비(TOF ratio)라고 한다. 탈분극성 차단에서는 연축높이는 감소하나 쇠퇴현상은 없다. Non-dep. block: 비탈분극성 차단, Dep. Block: 탈분극성 차단(대한마취통증의학과학회. 마취통증의학과I. 제2판. 서울. 엘스비어코리아. 1035쪽, 2009. 인용).

최근에는 잔류근이완을 예방하기 위해서라도 0.9 이상을 기준으로 하고 있다.

(3) 강직자극

50 Hz를 5초간 자극한다. 단일연축반응이 완전히 회복되었더라도 강직자극에서 쇠퇴현상이 보이면 잔류근이완상태로 판단한다. 통증이 심하여 마취되어 있지 않은 환자에게는 적용하지 않는다. 회복기에는 자극 받는 근육에 수축증강(posttetanic facilitation)을 유발하기 때문에, 강직자극으로 검사하고 있는 근육의 반응을 보고 다른 근육들의 근이완 상태를 판단하는 것은 무리다. 강직후근수축증강은 강직자극 후 3초 후에 1.0 Hz 단일연축으로 자극하면 그 전보다 더 높은 연축반응이 나타났다가 다시 쇠퇴가 되는 현상으로, 3초간 쉬는 동안 아세틸콜린이 급속도로 재생 축적되어 발생하는 현상이다.

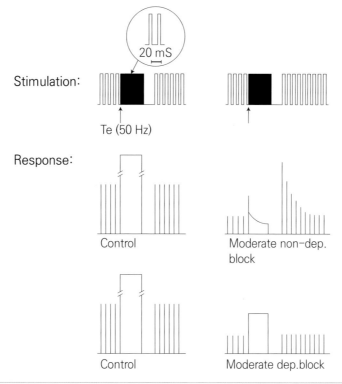

그림 14-3. 강직 후 근수축증강. 50 Hz를 5초간 강직자극(Te)하고 3초 후에 1.0 Hz 단일 연축으로 자극하면 그 전보다 더 높은 연축반응이 나타났다가 다시 쇠퇴가 되는 현상으로 탈분극성 차단에서는 나타나지 않는다.

첫 번째 연축높이에 대한 네 번째 연축높이의 비율을 TOF 비(TOF ratio)라고 한다. 탈분극성 차단에서는 연축높이는 감소하나 쇠퇴현상은 없다. Non-dep. block: 비탈분극성 차단, Dep. Block: 탈분극성 차단(대한마취통증의학과학회. 마취통증의학과I. 제2판. 서울. 엘스비어코리아. 1036쪽, 2009. 인용).

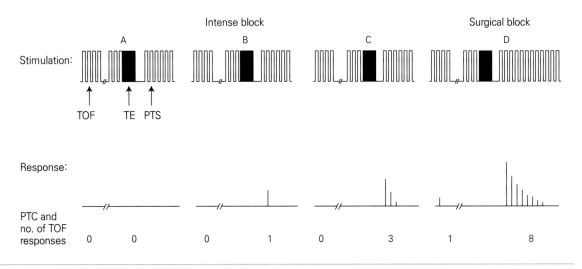

그림 14-4. 차단 정도에 따른 강직후연축반응수(PTC)와 사연속자극 반응(TOF). 사연속자극반응이 전혀 없는 깊은 차단(A, B, C)에서 도 PTC로 근이완 정도를 측정할 수 있다.

(대한마취통증의학과학회. 마취통증의학과학I. 제 2판. 서울. 엘스비어코리아. 1037쪽. 2009. 인용).

(4) 강직후연축반응수(Posttetanic count stimulation, PTC)

깊은 근이완 상태에서의 근이완 정도를 판단하는 방법이다. 단일연축자극이나 TOF로 반응이 없는 경우에도 적용이 가능하다. 강직자극 후 3초 후에 1.0 Hz 단일연축으로 자극하여 나타나는 연축반응의 수를 보고 앞으로의 근이완 회복 정도를 예측할 수 있는 방법이다. 6-10분 간격으로 반복할 수 있고, 이 방법으로도 연축반응이 없으면 매우 깊은 근이완상태이다. PTC 수가 많을수록 조만간 TOF 자극에 의한 첫 번째 연축반응이 나타날 것으로 예상할 수 있다(그림 14-5).

(5) 이중 방출자극(Double burst stimulation, DBS)

50 Hz 0.2 msec의 자극을 20 msec 간격으로 3회 반복하고 750 msec 후에 다시 3회 반복 시행하는 것을 DBS3.3이라 하며, 각 자극의 반복 횟수에 따라 DBS2.2, DBS2.3, DBS3.2가 있다. 임상마취에서 촉각으로 쇠퇴를 감지하여 잔류근이완상태를 알아보려고 개발된 방법으로 두 번의 짧은 근수축으로 나타나는데 비탈분극성

신경근차단제로 부분 근이완 상태에서는 두 번째 반응이 첫 번째보다 약하게 느껴질 것이다. TOF로 쇠퇴를 촉각으로 감지할 경우에는 TOF 비 0.3 정도일 때는 거의 모두가 쇠퇴를 촉각으로 감지할 수 있으나 그 이상에서는 점점 감지율이 떨어져 0.7 정도에서는 거의 감지가 불

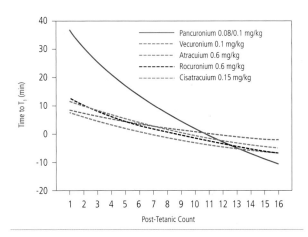

그림 14-5. 비탈분극성 신경근차단제 투여 후 강직후연축반응수(Post-Tetanic Count, PTC)와 사연속자극의 첫 번째 반응이 나타나는 시간(Time to T1). PTC가 많을수록 사연속자극 반응의 출현이 빠르다(대한마취통증의학과학회. 마취통증의학과학I. 제2판. 서울. 엘스비어코리아. 1037쪽. 2009. 인용).

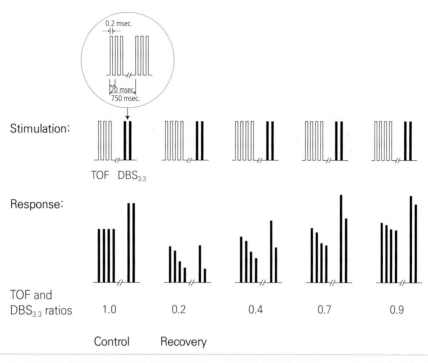

Stimulation:

0.2 msec.

20 msec.
750 msec.

TOF   DBS₃.₃

Response:

TOF and
DBS₃.₃ ratios   1.0   0.2   0.4   0.7   0.9

Control   Recovery

그림 14-6. 이중 방출 자극(DBS3.3)과 사연속자극. 비탈분극성 신경근차단제를 주기 전(Control)과 준 후의 회복 단계(Recovery)에서의 변화를 나타낸다. 50 Hz 0.2 msec의 자극을 20 msec 간격으로 3회 반복하고 750 msec 후에 다시 3회 반복 시행한다.

(대한마취통증의학과학회. 마취통증의학과학I. 제 2판. 서울. 엘스비어코리아. 1036쪽, 2009. 인용).

가능한 데 반해, DBS3.3로는 TOF 비 0.5까지는 거의 모두가 쇠퇴를 감지할 수 있으며 0.9 정도에서도 감지되기도 한다. 따라서 회복과정과 수술 직후에 촉각 평가를 해야 할 경우에 잔류근이완상태를 탐지하기 위한 자극방법이다.

5) 신경 자극 검사 장비

근육운동기록법, 근전도검사, 근가속검사, 근육음기록법, 압전효과를 이용하는 방법 등의 여러 측정 방법에 따른 검사 장비들이 있다. 측정이 편리한 장비들은 다음과 같다.

(1) TOF watch

TOF, PTC, DBS 등을 측정할 수 있다(그림 14-7).

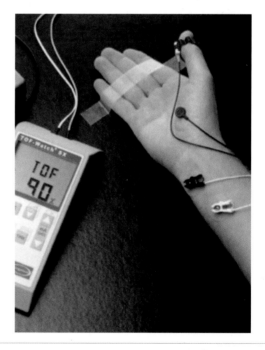

그림 14-7. 엄지 모음근에서 근가속검사로 TOF 비 0.9가 측정된 TOF watch. 손바닥을 고정하여 더 정확한 결과를 얻을 수 있다(Organon사 제품설명서에서 인용).

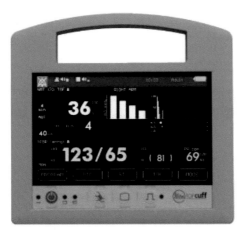

그림 14-8. TOF-cuff 감시장비와 cuff. 환자의 나이와 측정 부위에 따라 cuff의 크기를 달리 하여 동맥혈압 및 TOF, PTC, ST를 비침습적으로 측정할 수 있다(RGB사 제품설명서에서 인용).

(2) TOF cuff

NIBP cuff에 자극기와 측정기가 내재되어 있어 cuff를 감는 것 외에 별도의 조치 없이 TOF, PTC, ST를 측정할 수 있다(그림 14-8). 누적 검사 결과를 한눈에 볼 수 있는 것도 근이완 깊이 관리에 도움이 된다.

6. 신경근차단제에 영향을 주는 요인들

1) 중증근무력증

흉선조직이 항원이 되는 자가면역성 질환으로 접합후막 수용체수가 감소하여 비탈분극성 신경근차단제에 예민해지고 succinylcholine에는 저항적이다. 복용중인 약을 잘 확인하고 수술 후 보조호흡의 가능성을 설명하고 근이완 정도를 신경자극기로 감시한다. 치료를 받는 대부분의 환자들은 약물요법으로 조절이 되어 정상적인 신경근 기능을 유지하며 비탈분극성 신경근차단제에 정상 반응을 보인다.

2) Eaton-Lambert 증후군

임상적으로는 중증근무력증과 유사하다. 비탈분극성 신경근차단제와 succinylcholine 모두에 예민하다. 30-50 Hz 자극으로 쇠퇴보다는 전기적 근전도를 촉진하여서 중증근무력증과 감별된다. 기관지 악성종양과 운동신경병변이 동반되므로 외래마취로 부적절하다.

3) 근긴장증

근막 질환으로서 선천성근긴장증, 근이영양증, 선천성 이상근육긴장증 등이 있다. 근 강직은 접합부보다 말초에서 일어나기 때문에 신경근차단제의 직접적인 영향은 없지만, succinylcholine의 반응은 예측하기 어려워 사용 금기이다. 전신적인 근 긴장으로 자발호흡뿐 아니라 기계적 조절호흡도 어려워질 수 있다. 근이영양증이 우성 유전을 하여 가장 흔하며 수술 중 전신적인 근 긴장이 발생하였을 때에는 Quinidine과 procainamide를 사용 한다.

4) 장기 부전

고도로 이온화 되어있고 수용성인 신경근차단제들은 신장 사구체에서 자유로이 여과되며, 신장에서 일정부분 여과되기 때문에 신부전 환자에서는 근이완작용이 지연될 수 있다. 수용성인 신경근차단제는 간에서의 대사가 절대적인 것은 아니지만, vecuronium과 rocuronium의 작용시간이 연장된다. 간에서 합성되는 혈장 콜린에스터라제에 의해 분해되는 succinylcholine과 mivacurium 또한 작용시간이 연장된다. 이에 신장이나 간의 기능이 저하되어 있는 경우에는 cisatracurium의 사용이 바람직하다.

5) 체온

신경근차단제의 투여 여부와 상관없이 저체온에서 근강도가 저하된다. 신경근차단제 없는 상태에서도 중심 체온이 1℃ 감소할 때 엄지연축이 10%씩 감소한다. 체온이 2℃ 감소하면 신경근차단제 작용시간이 2배까지 늘어날 수 있다.

6) 흡입마취제

고농도의 흡입마취제 투여 상태에서는 신경중추가 억제되어 신경근차단제의 작용 발현이 빠르고 강하게 나타난다. Desflurane과 sevoflurane은 낮은 체내 용해도로 인해 halothane이나 isoflurane보다 신경근접합부에서 약물농도가 빨리 상승하여 근이완 효과가 더 세다. 설명 가능한 근이완 작용 기전으로는 신진대사 저하, 신경근 접합부로의 혈관확장, 운동종판의 감수성 증가 등이 있다.

7) 국소마취제

국소마취제는 신경근차단 작용이 있으므로 근이완으로부터의 회복 후에라도 부정맥 치료 목적으로 투여한 국소마취제에 의해 근이완재현이 발생할 수 있다. 기전은 접합후막 기능과 아세틸콜린 분비 억제, 직접적인 근 수축 억제 등으로 설명한다.

8) 정맥마취제

약마다 그리고 연구 방법에 따라 신경근차단제의 효과에 미치는 영향이 다양하게 보고되고 있어 명확하게 결론 내리기가 어려우나, 대부분의 정맥마취제가 접합후막의 아세틸콜린에 대한 민감도를 저하시킨다.

9) 항생제

여러 종류의 항생제 중에 근이완 작용을 강화시키는 것으로 밝혀진 것으로는 aminoglycoside계 항생제, polymyxin과 colistin, lincosamine, chloramphenicol 등이 있다.

10) 베타 차단제

비탈분극성 신경근차단제의 효과를 강화하며, succinylcholine의 작용 시간을 연장시킨다. 근무력증 환자의 증상도 악화시킬 수 있다.

11) 칼슘

접합전막에서 아세틸콜린 방출을 유도하며, 접합후막에서는 신경근차단제에 대한 민감도가 감소하여 근이완을 억제한다.

12) 마그네슘

접합부에서 칼슘과 반대 작용을 나타내어 신경근차단제의 작용이 강화된다.

7. 잔류 근이완

TOF 비가 0.9 이상일 경우에 근이완으로부터 완전 회복된 것으로 간주하고 있다. 그 미만에서는 화학수용체의 민감도 감소와 후두근의 기능 부전이 있을 수 있다. 5초동안 두부거상이 가능한 경우에도 TOF 비는 평균 0.6밖에 되지 않으므로 잔류근이완 여부를 임상증후 만으로 판단하는 것은 바람직하지 않다.

횡격막근은 엄지손가락보다 신경근차단제에 저항적이어서 근이완에 두 배의 용량이 필요하다. 따라서 엄지손가락이 완전히 근이완되어도 횡격막근은 근이완이 불완전할 수 있다. 근이완 회복 때에도 횡격막의 회복이 엄지손가락보다 빨리 일어나기 때문에 엄지손가락에서 TOF비가 0.7 이상으로 체크되면서도 폐환기에 이상이 있다면 횡격막근 약화 이외의 원인을 찾아보아야 한다. 마취제나 마약 또는 다른 상기도 문제를 의심해 볼 수 있다.

8. 근이완 재현

환자가 잘 깨서 회복실로 이송했는데 다시 호흡곤란이 오는 경우가 있다. 간과 신장기능 저하로 약물 대사 및 배설이 지연되어 길항제로 일시 회복 되었다가 길항제의 약효가 다하면서 근이완 작용이 재현되는 것이다. 약물 상호작용이나 근이완 작용을 강화시키는 인자들 때문일 수도 있다. 길항제를 투여하는 시점의 근이완 정도가 중요한 요소이다. 회복단계에 있는 근이완상태에서는 항콜린에스테라아제로 쉽게 길항이 가능하므로 작용시간이 긴 신경근차단제의 사용은 외래마취에서 피해야 한다. 고령에서는 신기능이 저하되기 때문에 소아와 반대로 근이완 회복이 느리다. 길항이 잘 되지 않을 때에는 저체온, 전해질장애, 산염기장애 등을 교정하고 신경근감시장치의 고장이나 오작동도 의심해 보아야 한다. Sugammadex로 길항을 한 경우에도 근이완재현을 볼 수 있는데 이는 소량의 sugammadex를 사용한 경우에 발생할 수 있다. 따라서 길항제 투여 시점의 근이완 정도를 정확히 감시하는 것과 상황에 맞는 길항제의 선택 및 용량결정이 중요하다.

9. 악성고열증

감수성을 가진 사람에게서 할로겐화 흡입마취제와 succinylcholine을 함께 사용하였을 때 발생하는 유전성 골격근 과대사 증후근으로 급격한 체온 상승, 산증, 골격근 강직, 횡문근융해 등의 특징적 임상양상을 보인

다. 유발인자에 노출되기 전에는 증상 발현이 없기에 전신마취 전에 미리 예견할 수 없는 것과 유일한 치료제인 dantrolene이 희귀약품으로 많이 보급되어 있지 않은 것이 문제이다.

1) 원인

라이아노딘 수용체(RyR1) 유전자 변이가 악성고열증 감수성과 연관이 있는 것으로 밝혀져 연구가 지속되고 있다. 유전자 변이 유병율은 1 : 3,000 정도로 추정하며, 유발약제에 노출되었을 때 발병 빈도는 1 : 30,000 정도로 보고되므로 감수성이 있다고 모든 환자가 발병하는 것은 아니다. 나이, 마취 종류와 약제, 주위 온도, 스트레스 등의 영향도 있는 것으로 보인다. 칼슘이온 농도 조절 기전 결함의 원인으로 inositol−1,4,5−triphosphate 같은 이차전달자 또는 serotonin 시스템의 역할도 연구되고 있다.

2) 증상

빈맥, 호기말 이산화탄소분압의 증가, 근육강직 등의 조기 증상 이후에 체온 증가가 나타난다. 증상의 경과가 빠른 경우에서 느린 경우까지 다양하게 나타나므로 진단이 어려울 수 있으며 20분 이상 전신마취를 하는 경우에는 체온 감시를 해야 한다. 적절한 치료를 받지 못할 경우에는 대사량 증가로 세포 저산소증, 대사성 산증이 악화되고 근세포의 파괴, 고칼륨혈증, 미오글로빈뇨증, 급성신부전, 파종성혈관내응고증 등으로 사망할 수 있다.

3) 치료

즉각적이고 적극적인 치료가 필요하다. 유발약제를 중단하고 10L 이상의 100% 산소로 과호흡을 하면서 도움을 요청한다. Dantrolene 2.5 mg/kg을 5−10분 간격으로 증상이 사라질 때까지 최대용량 10 mg/kg으로 정맥 투여한다. 최대용량으로 효과가 없으면 다른 질환도 의심해야 한다. 38.5℃ 정도로 하강할 때까지 냉각 요법을 하

고, 고칼륨혈증과 급성 신부전에 대한 치료를 한다. 부정 맥 치료를 위하여 칼슘차단제를 사용하면 고칼륨혈증이 심해지므로 금기이다. 임상 증상이 호전되어도 이틀 정도 는 재발현에 대한 감시를 하면서 dantrolene 1 mg/kg 을 4-8시간 간격으로 추가 투여한다. 원내에 약이 구비 되어 있지 않은 경우에는 대한마취통증의학회와 희귀약 품센터에 문의하여 약이 최대한 빨리 투여될 수 있도록 조치한다.

4) 검사

가장 확실한 방법은 할로탄이나 카페인에 노출된 근 육의 구축 반응을 보는 contracture test이다. RyR1 유 전자 변이 검사도 유용하다. Calcium voltage-gated channel subunit alpha1 S (CACNA1S) 변이 6가지가 악성고열증과 연관된 것으로 최근 보고되었다. 유전자 검 사가 저렴해지고 방법이 간단해지고 있어 미래에는 개인 별 마취제 선택이 가능해 질 것으로 보인다. 과거력이나 가족력이 있는 경우에는 외래마취로 진행하지 말고 입원 하여 검사를 충분히 한 후에 진행하되, 감수성이 진단되 면 유발 약제는 피하고 dantrolene을 충분히 준비한다.

참고문헌

1. 대한마취통증의학회. 마취통증의학과학I. 제 2판. 서울. 엘스비어코 리아. pp 493-560, 2009.
2. 대한신경근연구회. 김성열교수의 임상마취를 위한 신경근 약리학. 제 2판. 서울. 여문각. pp 75-274, 2011.
3. Ali, H.H. & Savarese, J.J. Monitoring of neuromuscular function. Anesthesiology 1976; 45: 216-49.
4. Bartkowski, R.R. Incomplete reversal of pancuronium neuromuscular blockade by neostigmine, pyridostigmine, and edrophonium. Anesth Analg 1987; 66: 594-8.
5. Beam, T.A., Loudermilk, E.F. & Kisor, D.F. Pharmacogenetics and pathophysiology of CACNA1S mutations in malignant hyperthermia. Physiol Genomics 2017; 49: 81-7.
6. Campkin, N.T., Hood, J.R. & Feldman, S.A. Resistance to decamethonium neuromuscular block after prior administration of vecuronium. Anesth Analg 1993; 77: 78-80.
7. Cook, D.R., et al. Pharmacokinetics of mivacurium in normal patients and in those with hepatic or renal failure. Br J Anaesth 1992; 69: 580-5.
8. Cronnelly, R. & Morris, R.B. Antagonism of neuromuscular blockade. Br J Anaesth 1982; 54: 183-94.
9. Denborough, M. Malignant hyperthermia. Lancet 1998; 352: 1131-6.
10. Donati, F., Antzaka, C. & Bevan, D.R. Potency of pancuronium at the diaphragm and the adductor pollicis muscle in humans. Anesthesiology 1986; 65: 1-5.
11. Drenck, N.E., et al. Manual evaluation of residual curarization using double burst stimulation: a comparison with train-of-four. Anesthesiology 1989; 70: 578-81.
12. Fodale, V. & Santamaria, L.B. Laudanosine, an atracurium and cisatracurium metabolite. Eur J Anaesthesiol 2002; 19: 466-73.
13. Foldes, F.F., McNall, P.G. & Borrego-Hinojosa, J.M. Succinylcholine: a new approach to muscular relaxation in anesthesiology. N Engl J Med 1952; 247: 596-600.
14. Gronert, G.A., Lambert, E.H. & Theye, R.A. The response of denervated skeletal muscle to succinylcholine. Anesthesiology 1973; 39: 13-22.
15. Gyermek, L. Development of ultra short-acting muscle relaxant agents: history, research strategies, and challenges. Med Res Rev 2005; 25: 610-54.
16. Heerdt, P.M., Sunaga, H. & Savarese, J.J. Novel neuromuscular blocking drugs and antagonists. Curr Opin Anaesthesiol 2015; 28: 403-10.
17. Leary, N.P. & Ellis, F.R. Masseteric muscle spasm as a normal response to suxamethonium. Br J Anaesth 1990; 64: 488-92.
18. Lebrault, C., et al. Pharmacokinetics and pharmacodynamics of vecuronium (ORG NC 45) in patients with cirrhosis. Anesthesiology 1985; 62: 601-5.
19. Lingle, C.J. & Steinbach, J.H. Neuromuscular blocking agents. Int Anesthesiol Clin 1988; 26: 288-301.
20. McIndewar, I.C. & Marshall, R.J. Interactions between the neuromuscular blocking drug Org NC 45 and some anaesthetic, analgesic and antimicrobial agents. Br J Anaesth 1981; 53: 785-92.
21. McLeod, K., Watson, M.J. & Rawlins, M.D. Pharmacokinetics of pancuronium in patients with normal and impaired renal function. Br J Anaesth 1976; 48: 341-5.
22. Miller, R.D. The advantages of giving d-tubocurarine before succinylcholine. Anesthesiology 1972; 37: 568-9.
23. Naguib, M., Brull, S.J. & Johnson, K.B. Conceptual and technical insights into the basis of neuromuscular monitoring. Anaesthesia 2017; 72: 16-37.

24. Puhringer, F.K., Khuenl-Brady, K.S., Koller, J. & Mitterschiffthaler, G. Evaluation of the endotracheal intubating conditions of rocuronium (ORG 9426) and succinylcholine in outpatient surgery. Anesth Analg 1992; 75: 37-40.

25. Robinson, R.L., et al. Multiple interacting gene products may influence susceptibility to malignant hyperthermia. Ann Hum Genet 2000; 64: 307-20.

26. Savarese, J.J., et al. Preclinical pharmacology of GW280430A (AV430A) in the rhesus monkey and in the cat: a comparison with mivacurium. Anesthesiology 2004; 100: 835-45.

27. Schepens, T., Cammu G. Neuromuscular blockade : what was, is and will be. Acta Anaesthesiol Belg 2014; 65: 151-9.

28. Schwartz, L., Rockoff, M.A. & Koka, B.V. Masseter spasm with anesthesia: incidence and implications. Anesthesiology 1984; 61: 772-5.

29. Schwarz, S., Ilias, W., Lackner, F., Mayrhofer, O. & Foldes, F.F. Rapid tracheal intubation with vecuronium: the priming principle. Anesthesiology 1985; 62: 388-91.

30. Ueda, N., Muteki, T. & Tsuda, H. What anesthesiologist should know about neuromuscular monitoring today? J Anesth 1992; 6: 192-206.

31. Ueda, N., Muteki, T., Tsuda, H., Inoue, S. & Nishina, H. Is the diagnosis of significant residual neuromuscular blockade improved by using double-burst nerve stimulation? Eur J Anaesthesiol 1991; 8: 213-8.

32. Viby-Mogensen, J., et al. Posttetanic count (PTC): a new method of evaluating an intense nondepolarizing neuromuscular blockade. Anesthesiology 1981; 55: 458-61.

33. Zaimis, E.J. The interruption of neuromuscular transmission and some of its problems. Pharmacol Rev 1954; 6: 53-7.

Chapter 15

기도유지기

　외래마취에서 기도유지기의 적절한 선택은 환자에게 환기와 산소화를 안전하게 유지할 수 있으며 흡인의 위험을 최소한으로 유지할 수 있게 한다. 기도유지기는 크게 상후두 기도유지기, 기관 튜브, 외과적 기도유지기 3가지로 분류할 수 있다. 기도유지기는 응급구조를 위한 기본 장비이며 기도유지가 곤란한 환자에서 반드시 준비하여야 할 기구로는 여러 종류의 후두경(예; 광학 후두경, 비디오 후두경)과 날(blade), 상후두 기도유지기, 탐침(stylet) 등이 있다. 그 외 외과적 기도유지기로는 기관절개술 기구, cricothyrotomy kits, transtracheal jet ventilation 기구 등이 있으며, 굴곡성 기관지 내시경, bougies, 광탐침(lighted stylet), 역행성 기관내삽관 기구 등의 준비도 필요할 수 있다. 특히 수술실 밖에서 마취를 하게 되는 경우에는 기도유지를 위한 기구 준비에 더욱 주의를 기울여야 한다. 마취 중 기도 유지 관리는 가장 기본적인 요소로 기관내삽관 또는 안면마스크를 이용하는 방법이 일반적이었다. 전신마취에서 양압조절환기를 위하여 통상적으로 기관내삽관을 시행할 수 있으나 당일수술에서는 환자에게 자극이 적으면서 혈역학 변화도 적고 마취제 요구량도 감소시키며 신경근차단제 없이 삽입이 가능하고 자발호흡 유지가 간편한 후두마스크와 같은 상후두 기도유지기를 선호한다. 후두마스크(classic laryngeal mask airway, cLMA)가 1988년 임상에 적용된 이후 cLMA를 개선하여 커프에 의한 밀봉효과를 증가시키고 경비위관을 거치하여 위 내용물을 제거할 수 있어 폐 흡인을 예방할 수 있는 Proseal LMA(Proseal laryngeal mask airway)와 기관내삽관을 할 수 있는 Intubating LMA가 소개되었다. 후두마스크 외에 다양한 형태와 기능이 있는 상후두 기도유지기로 Cobra perilaryngeal airway (CobraPLA™), Combitube™ (Esophageal-Tracheal Combitube), I-Gel™, 후두튜브(laryngeal tube™), Streamlined Liner of the Pharynx airway (SLIPA™) 등이 있다. 이와 같은 상후두 기도유지기는 마취와 중환자 관리에서뿐만 아니라 기관내삽관에 실패한 환자, 또는 수술실 밖에서 외상환자의 일차적인 기도유지와 심폐소생술에서 유용하게 사용할 수 있다. 소아 당일수술에서도 후두마스크는 기관내삽관을 대체하여 사용할 수 있으며, 기관내삽관은 응급상황, 체위 변화와 위장관 내시경 등과 같은 기도유지에 영향을 줄 수 있는 수술에서 필요하다. 상후두 기도유지기는 구강과 후두부를 적절하게 연결시켜 호흡가스의 흐름에 저항이 적고, 위 내용물 또는 비강 내 분비물로부터 기도를 보호하여야 하며 양압조절환기를 유지할 수 있어야 하고, 임상 적용과 관련된 부작용과 합병증이 없어야 한다. 이상적인 상후두 기도유지기의 조건을 표 15-1로 정리하였다. 여기에서는 기존의 기관내삽관에 대한 설명보다는 당일수술에서 유용하게 적용되고 있는 상후두 기도유지기를 중심으로 설명하고자 한다.

표 15-1 이상적인 상후두 기도유지기의 조건

삽입이 쉽고 빠르게 배울 수 있어야 한다.
상부 기도를 안전하게 확보하여 호흡을 유지할 수 있어야 한다.
불완전한 위치에서도 영향을 적게 받아야 한다.
안전하게 적용할 수 있어야 한다(suitable for 'hands-free anesthesia').
임상적용에서 삽입 성공과 실패를 확실하게 알 수 있어야 한다.
폐 흡인의 위험이 없어야 한다.
양압환기를 위하여 상부기도를 밀폐시킬 수 있어야 한다.
기낭의 압력과 모양으로 인한 후두에 영향이 없어야 한다.
기도에 부작용 또는 합병증 발생 위험이 없어야 한다.
질적으로 오작동이 없어야 한다.

1. 후두마스크

cLMA는 외래전신마취에서 기관내삽관을 대체하여 널리 사용되고 있다. cLMA는 최근에는 외래 전신마취에서 기관내삽관보다 더 많이 사용하고 있으며 전통적으로 기관내삽관이 필요하다고 생각하는 수술에서도 cLMA 또는 ProSeal LMA를 사용하게 되었다.

1) 크기와 형태

임상에서 사용 가능한 크기는 1~6번이 있으며 일회용(LMA unique)도 보급되고 있다. cLMA의 적절한 크기 선택은 주로 환자의 신체조건에 따르지만 체중이 유용한 기준이 된다(표 15-2)(그림 15-1).

표 15-2 환자의 체중을 기준으로 적절한 후두마스크의 크기와 기낭 용적

크기	환자의 체중(kg)	기낭의 용적(ml)
1	< 5	~4
1.5	5-10	~7
2	10-20	~10
2.5	20-30	~15
3	30-50	~20
4	50-70	~30
5	70-100	~40
6	> 100	~50

(1) Flexible LMA

기존의 강화 기관내삽관 튜브와 같이 코일을 첨가하여 꼬임에 저항이 있는 좁고 강화된 튜브 부분을 가진 후두마스크 이다. 일반적으로 머리, 목, 눈 부위의 수술 즉, 이비인후과와 안과, 치과 수술, 복와위가 필요한 수술에서 사용할 수 있다.

(2) ProSeal LMA (pLMA)

pLMA는 상부 식도괄약근 부위에 위치하게 되는 트럼펫형 마스크가 식도로부터 마스크를 인두 부위에 단단하게 밀착시키고 성문을 밀봉하는 압력을 증가시키기 위하여 후면에 이차 공기낭이 부착되어 있다. 또한 폐 흡인을 예방하고 위 내용물의 제거를 위한 경비위관을 거치할 수 있는 부분과 환자가 깨물어서 발생할 수 있는 치아와 튜브의 손상을 예방하기 위하여 교합저지기(bite block)가 보충되었다. cLMA와 비교에서 장점으로는 식도를 격리시킬 수 있고 높은 가스누출 압력을 갖는 장점이 있다.

(3) 기관내삽관용(intubating LMA, ILMA)

ILMA는 짧고 넓은 금속으로 된 손잡이와 튜브 부분이 있어 외경 9 mm의 기관튜브가 통과할 수 있다. 기관내삽관이 되지 않더라도 환기를 유지할 수 있으며 이를 통해 맹목적 기관내삽관을 시도할 수 있다. ILMA를 사

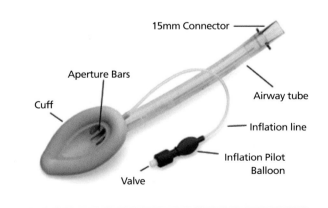

그림 15-1. Classic LMA

용하여 기관내삽관을 96%에서 1~2회 시도로 성공적으로 시행할 수 있다고 하였다. 당일 수술 임상에서는 대부분에서 LMA를 사용하므로 ILMA는 매우 드물게 적용된다. 크기는 3, 4, 5번 세 가지가 있다.

(4) 기관내삽관용 fiberoptic intubating LMA-CTrach™ (CTrach)

기관내삽관용 후두마스크는 맹목적으로 삽관을 시도하지만 CTrach은 내시경과 모니터가 부착되어 후두 부위를 관찰하면서 삽관할 수 있어 삽관이 용이하며 성공률을 높일 뿐만 아니라 맹목 삽관에 따른 기도 손상도 줄일 수 있다. 첫 번째 시도에서의 기관내삽관 성공률이 96%라고 보고되었다. 크기는 ILMA와 같이 3, 4, 5번 세 가지가 있다.

(5) LMA Supreme

cLMA와 같은 형태를 하지만 ILMA와 유사하며 일회용이다. pLMA와 같이 폐 흡인을 예방하고 위 내용물의 제거를 위한 경비위관을 거치할 수 있는 부분과 환자가 깨물어서 발생할 수 있는 치아와 튜브의 손상을 예방하기 위하여 교합저지기 등이 보강되었다. cLMA와 비교에서 장점으로는 식도를 격리시킬 수 있고 높은 가스누출 압력을 갖는 장점이 있다. LMA Supreme의 크기는 3, 4, 5번 세 가지가 있으며 환자에게 적용 조건은 체중을 기준으로 하며 cLMA와 유사하다.

2) cLMA의 장점(표 15-3)
(1) 빠르고 쉬운 삽입 수기

기관내삽관과 비교하여 삽입 방법이 간단하고 추가 기구가 필요하지 않다. 탐침(stylet)과 받침대가 cLMA삽입을 위한 보조기구로 설명되었으나 드물게 사용한다. 후두마스크는 삽입에 따른 자극이 적어 심혈관계가 안정되며 안압의 증가도 적다. Brimacombe은 첫 번째 시도에서의 삽입 성공률을 95.5%로 보고하였고, 3번 이상 시도

표 15-3 cLMA의 장점

빠르고 쉽게 삽입이 가능하다.
삽입에 신경근차단제가 필요 없다.
안압의 증가가 적다.
각성 중에 기침발생이 적다.
인후통이 적다.
얕은 마취 깊이에서도 사용이 가능하다.
수술실 회전율이 빠르다.
마스크환기 보다 마취통증의학과 의사의 손에 여유가 있다.
기관내삽관 대용으로 사용할 수 있다.

한 경우에 실패율은 0.4%라고 하였다. 초기 삽입에서 이러한 성공률은 cLMA의 사용에 따른 숙련도와 관련이 있다.

(2) 신경근차단제가 필요하지 않다.

cLMA는 기관내삽관과 다르게 삽입에 신경근차단제가 반드시 필요한 것은 아니다. 탈분극성신경근차단제와 관련된 부작용과 비탈분극성신경근차단제의 길항을 위한 항콜린성 약물 투여에 따른 수술 후 오심과 구토의 위험을 피할 수 있다. 신경근차단제가 필요 없다는 것만으로도 cLMA사용은 본질적으로 안전을 보장한다. 충분한 용량의 마취유도제 투여에도 불구하고 cLMA 삽입이 어렵다면 신경근차단제의 투여로 삽입 조건이 개선되지 않는다는 보고도 있다.

(3) 마취에서 회복 중에 기침의 빈도가 낮다.

기침과 긴장은 안과와 이비인후과 수술에서 위험할 수 있다. cLMA는 얕은 마취에서도 잘 견디며, 기침 없이 제거할 수 있으므로 기도보호 반사가 회복될 때까지 거치하고 있을 수 있다. 또한 cLMA는 각성 중에 기도를 안전하게 유지시켜 산소포화도를 개선할 수 있다고 하였다.

(4) 낮은 빈도의 인후통(sore throat)

당일수술 환자에서 인후통의 빈도에 영향을 줄 수 있는 여러 가지 인자가 있으며 기도유지 방법에 따라서 차이가 있다. 당일수술에서 기관내삽관 후의 인후통은

28-47%이며, cLMA에서는 7%, 안면 마스크와 상후두기도유지기에서는 각각 10%로 방법에 따른 차이가 크다. 당일수술에서 기관내삽관 24시간 후에도 3%에서 인후통을 호소하지만 안면 마스크와 cLMA를 사용한 경우에서는 0%로 유용하다. cLMA사용에 따른 인후통의 빈도는 숙달된 마취통증의학과 의사가 실시한다면 더욱 감소시킬 수 있으나 소아에서는 인후통 빈도의 차이가 분명하지 않다. cLMA의 사용은 기관내삽관보다 목소리 변화도 적으므로 직업적으로 목소리가 중요한 환자에서 cLMA의 사용은 매우 유용하다.

(5) 빠른 수술실 회전 시간

cLMA는 마취유도와 함께 빠르게 삽입할 수 있으며, 기관내삽관보다 얕은 마취에서 삽입과 유지가 가능하여 마취제 요구량을 저하시킬 수 있다. 기침, 호흡정지와 후두경련 없이 자발호흡이 가능하고, 기관내삽관에 견딜 수 있는 깊은 마취에 의한 이차적인 호흡억제가 없다. 또한 조절호흡에서 자발호흡으로 전환이 매우 쉽고 빠르게 할 수 있다.

수술이 끝나고 환자가 각성되면 cLMA를 제거할 수 있다. 이러한 방법이 이상적이며 자발호흡을 하는 환자에서는 cLMA를 거치한 상태에서 회복실로 이동하여 경험이 있는 회복실 근무자가 제거하는 방법이 안전하다. 각성 중에 혈액 또는 점액 등으로 인하여 후두경련의 위험이 있는 수술에서 cLMA를 이용하였다면 점진적으로 평온하게 회복이 가능하여 안전하다.

(6) 마취통증의학과 의사의 손을 이용할 수 있는('hands free') 마취가 가능하다.

당일수술에서 마취통증의학과 의사들은 수술 중 환자의 관찰, 호흡과 심혈관계 변수의 기록, 마취 방법에 따른 기계 조절, 약물 투여와 수술대의 변화 등에 대한 기록 유지 보전을 한다. 이러한 일들은 안면 마스크를 거치하면서도 실시할 수 있으나 cLMA와 같은 상후두 기도유

지기를 이용하면 마취통증의학과 의사의 손이 자유로워 더욱 용이하게 조작할 수 있게 된다.

(7) 기관내삽관 곤란 환자

cLMA는 기도 유지가 곤란한 환자에서 안면마스크보다 더 효과적으로 기도를 확보할 수 있으며, 기관내삽관이 곤란한 환자에서는 치아 손상, 수술의 지연 또는 취소뿐만 아니라 어려운 기관내삽관을 피할 수 있다. cLMA 삽입은 어려운 기관내삽관의 해부학적 특징과 관련이 없다. 예견하지 못한 기관내삽관 곤란 환자에서 응급 구조기구로도 유용하다. 그러나 수기의 숙달과 충분한 경험이 필요하다.

3) cLMA의 단점

cLMA의 안전한 사용에는 다른 기도 유지 기구와 비교하여 상대적인 제한점이 있다(표 15-4).

(1) 위 내용물의 역류

기관내삽관과는 달리 cLMA는 호흡기관과 완전한 기계적 격리를 하지 못한다. 그러나 cLMA는 백만 명 이상의 환자에서 적용하였으나 역류와 흡인의 빈도는 0.08~0.2%로 안면마스크나 기관내삽관과 비슷하다. 식도 역류는 안면마스크보다 cLMA에서 많이 발생하며, 이는 하부 식도괄약근의 긴장도 저하와 관련된 현상이다. 흡인의 빈도는 영향 인자들의 유무에 따라서 차이가 있으며 상부 식도괄약근의 보호 역할은 거의 없다.

cLMA와 pLMA, Cobra PLA, laryngeal tube 및 기관튜브의 비교에서 구토, 역류, 폐 흡인 등을 의심할 증상은 없었다. 그리고 위 내용물의 역류와 폐 흡인을 증가

표 15-4 cLMA의 단점

역류되는 위 내용물에서 기도를 보호하지 못한다(흡인의 가능성).
공기 누출 압력이 낮으므로 기도저항이 크거나 유순도가 낮은 환자에서 일회호흡양이 감소될 수 있다.
일회호흡양에서 누출된 공기가 위로 들어갈 수 있다.

시키는 인자들로는 응급 수술, 기도의 문제점, 얕은 마취 깊이, 의식 상태가 억제되었거나 비만 등이 있다.

cLMA는 위식도 역류 위험 환자에서는 안전하지 못하다. 이들 환자는 밤늦은 식사 후의 소화불량에서 항상 일정하게 역류가 발생하는 경우까지 다양하게 소화불량을 호소한다. 이러한 증상은 수술 전 면담에서 상세하게 파악하여야 하며 일반적으로 허리를 굽히거나 또는 누웠을 경우에 발생하는 체위성 역류가 크게 작용한다. 음식물 섭취와 관계없이 위 내용물의 역류가 의심되는 환자에서는 LMA 사용을 제한하여야 한다. 역류 증상이 심하다면 LMA와 함께 안면 마스크의 거치도 금기이다.

위식도 역류의 위험이 있다면 마취 전에 충분한 전처치와 투약으로 위 산도를 저하시키고 pLMA와 같은 상후두 기도유지기를 적용한다면 충분한 밀폐압력을 유지하고 위 내용물의 배출이 가능하므로 해결할 수 있을 것으로 추측된다. 그러나 삽입 후에 정확한 위치를 유지하지 못한다면 위험하므로 주의하여야 한다.

(2) 기도의 밀폐 압력(seal pressure)

cLMA는 환기와 산소화를 위하여 높은 팽창압이 필요한 환자에서 조절호흡을 하는 경우에는 적합하지 못하다. 조절호흡을 하면서 낮은 기도 압력에서 공기 누출이 나타날 수 있는 기낭의 평균 압력은 17 cmH$_2$O이다. 일회호흡량의 환기에서 누출은 최소 팽창압력 15 cmH$_2$O 이고, 13%에서 누출이 있었다. 그러나 마취통증의학과 의사는 cLMA 또는 기관내삽관을 이용한 조절호흡에서 cLMA를 사용하는 경우에는 기도유지기로서 여러 가지 제한사항에 대한 보호반응으로 적은 일회호흡량, 빠른 호흡수와 낮은 마취제 농도를 선택하지만 서로 차이는 없다. pLMA, Cobra PLA, laryngeal tube 및 기관 튜브와 밀폐압력의 비교에서는 차이가 없었다.

(3) 조절호흡

높은 기도 내압이 필요한 조절호흡에서 cLMA의 사용은 위로 흡기량의 일부가 누출될 수 있다. 호흡압력을 15 cmH$_2$O에서 20 cmH$_2$O로 상승시키면 위팽창이 2.1~ 35.4%로 증가된다고 한다. 그러나 다른 연구에서는 양압 호흡에 따른 위로 흡입된 가스량이 cLMA와 기관내삽관의 비교에서 차이가 없었다고 하였다. pLMA와 i-gel 등 상후두 기도유지기는 적절하게 식도를 밀폐를 시켜줌과 동시에 위식도관을 삽입할 수 있어 위 내용물의 역류를 예방할 수 있다.

4) 당일수술에서 LMA의 적용
(1) 복강경수술

cLMA는 복강경수술에서 안전하고 효과적인 기도 유지방법으로 보고되고 있다. 안전한 cLMA와 pLMA의 사용을 위하여 합병증 없는 복강경 또는 복강경 불임수술 등과 같이 수술시간이 30분 이내의 수술이 효과적이며, 복강 내 주입된 가스량이 3 L를 넘지 않고, 복강내압이 15 mmHg를 넘지 않아야 하며, 체위는 머리를 15~ 20° 이상 낮게 하지 않아야 한다.

복강경담낭절제술(laparoscopic cholecystectomy)에서 LMA의 사용은 일반적으로 권장되지 않는다. 이러한 수술을 시행 받는 환자는 여러 정도의 역류와 함께 소화불량을 호소하며 비만도가 높은 환자에서 위식도 역류와 폐 흡인의 빈도가 높다. 또한 복강경담낭절제술이 1시간 이상 소요되면 수술과 관련된 합병증의 발생 빈도가 높아진다. 복강경담낭절제술은 LMA가 기관내삽관보다 장점이 적고 단점이 현저하다고 하므로 환자 선택에 유의하여야 한다.

(2) 측와위와 복와위에서 LMA

당일수술의 많은 경우에서 측와위 또는 복와위로 하여 등부위를 수술하게 된다. 이러한 기도관리에 불편한 체위에서도 LMA는 유용하다. 복와위에서 자발호흡 또는 조절호흡을 적용하는 경우에도 강화된(armored, flexible) LMA를 성공적으로 적용할 수 있다. 그러나

McCaughey와 Bhanumurthy는 복와위에서 LMA 삽입의 장점에 대한 반론을 주장하였다. 짧은 수술이더라도 조절호흡만을 적용하여야 하는 경우에 앙와위에서 적절하게 양압환기를 유지할 수 없다면 측와위 또는 복와위로 체위 변경은 시도할 수 없으며, 측와위와 복와위에서 기도유지 또는 호흡관리에 문제가 있다면 즉시 앙와위로 전환할 수 있어야 한다.

(3) 이비인후과와 구강 수술

이비인후과와 구강 수술에서 머리와 목 부위로 접근하는 데에 제한이 있으므로 혈액 또는 점액으로부터 기도를 보호하여야 한다. cLMA가 정확하게 위치하였을 경우 밀폐 압력은 평균 17 cmH$_2$O 이상이다. 혈액이나 기타 액체가 후두로 유입되려면 마스크 위 또는 아래에 큰 압력으로 많은 양이 있어야 한다. 여러 조사에서 flexible LMA는 편도절제술, 발치 뿐만 아니라 종래에 기관내삽관이 필요한 수술에서도 효과적으로 기도유지를 할 수 있다.

이러한 수술에서 flexible LMA는 길고 좁은 카테터로도 튜브 내 흡입을 할 수 있으며, 침습이 적고, 고정도 쉽다. 또한 기침이나 외과적 수기에 의하여 꼬이거나 주위 압력에도 잘 견딜 수 있다. 기관내삽관 튜브에 비하여 수술시야의 차이는 없으며, 급성상기도감염이 있을 경우에는 좀 더 안전하다는 보고도 있다. 또한 코 수술에서 기도오염 방지가 우수하다고 한다. 그러나 적절한 환자의 선택과 수술의와 마취통증의학과 의사의 충분한 경험이 필요하다.

(4) 안과수술

안과 당일수술에서 조절호흡과 근이완이 필요하다면 cLMA는 기관내삽관을 효과적으로 대체할 수 있다. 또한 cLMA는 안과수술에 적합한 장점이 있다. cLMA는 수술시야에 방해가 없으며, 삽입에 따른 안압 증가가 없다는 것이다. 조절호흡에서 자발호흡으로 전환이 부드럽

고, 수술실 순환속도를 빠르게 하고, 제거할 때에 기침이 적다. 안구내 수술에서 cLMA의 사용은 조절호흡을 위하여 신경근차단제를 사용하여야 하므로 조심스런 감시가 필요하다. 수술 시작 전에 일회 호흡량과 호기말 이산화탄소 분압을 유지할 수 있는 효과적인 환기를 확인하여야 하며 적절한 흡기압도 유지할 수 있어야 한다.

(5) 전염성 질환이 동반된 환자

임상에서 일회용 기구의 사용이 증가하고 있다. 당일수술을 위한 마취에서도 환자가 전염성이 있는 질환을 동반하였을 경우에는 일회용 기도유지기를 사용하여 환자들 간의 교차 감염을 예방할 수 있다. 이러한 경우에도 침습 정도가 적고 재소독이 필요 없는 일회용 상후두 기도유지기가 유용할 것이다.

5) cLMA의 금기증

당일수술에서 cLMA의 사용은 다른 상후두 기도유지기와 같이 안전하고 부작용 없이 적용할 수 있다. cLMA의 전통적인 금기증은 표 15-5에 정리하였으며, 적절히 선택된 환자와 수술에 한정하여 안전하게 사용할 수 있을 것이다.

6) cLMA의 삽입

cLMA의 삽입 방법은 제조회사의 사용자 안내서에 잘 설명되어 있으나, 사용법에는 여러 가지 변형이 있다. Brimacombe는 1,000예 이상을 사용 경험으로 마취통증의학과 의사에게 원활하게 cLMA삽입을 위한 표준 사용법을 발표하였다(표 15-6).

표 15-5 cLMA의 금기증

상기도병변(예; 인두농양) 또는 상기도폐쇄 환자
폐 유순도가 저하되었거나 기도 저항이 증가된 환자
금식이 되지 않은 환자
위 운동의 저하, 위식도 역류 또는 열공 탈장의 병력이 있는 환자
고도 비만

모든 정맥마취제가 항상 쉽게 cLMA를 삽입할 수 있는 조건을 제공하지는 않는다. Thiopental sodium은 후두 반사를 항진시킬 수 있어 fentanyl과 midazolam 등을 추가 투여하여 깊은 마취를 하여 개선할 수 있다. Propofol과 fentanyl 또는 remifentanil의 병용도 cLMA 삽입에 효과적이며 많은 연구에서 propofol이 후두반사 억제에 효과적이라고 하였다.

소수의 환자에서 회복 중에 cLMA를 깨물 수 있지만 기관내삽관보다는 문제가 되지 않으므로 일반적으로 교합저지기를 사용하지 않는다. pLMA는 교합저지기가 함께 부착되어 있어 효과적이다. 최근에 공급되는 여러 가지 형태의 상후두 기도유지기는 교합저지기의 필요성이 없는 것이 대부분이지만 형태와 제질에 따라서 사용여부를 결정하여야 할 것이다. cLMA는 재사용이 가능하지만 사용 횟수(40-50회) 제한을 초과하여 사용한다면 단단하게 되며 부주의로 환자가 깨물게 될 경우 파손될 위험이 있으므로 주의하여야 한다.

7) cLMA의 제거

cLMA는 환자가 완전히 각성할 때까지 삽입한 상태로 두며 기낭의 공기를 제거하지 않는다. 그러나 Morris와 Marjot는 호기량이 현저하게 저하되고 인후부의 관류압이 22 mmHg 이하로 저하될 수 있도록 기낭의 공기를

제거하여 50% 정도로 저하시켜야 한다고 주장하였다. 일부 마취통증의학과 의사들은 환자가 완전히 회복되기 전에 기낭의 공기를 제거하기도 한다. 그러나 이러한 방법은 기도폐쇄 또는 불충분한 환기를 초래할 수 있으므로 주의하여야 한다. 기낭이 팽창된 상태로 cLMA를 제거하면 cLMA 주위의 구강 내 분비물을 대부분 함께 제거할 수도 있다.

2. 상후두 기도유지기의 종류

상후두 기도유지기는 다양한 모양으로 30가지 이상이 소개되고 있다. 상후두 기도유지기의 분류는 크게 일회 사용 또는 재사용, 기도를 막는 방법에 따라서 분류할 수 있다(표 15-7). 또한, 위 내용물의 폐 흡인을 방지할 수 있는 특별한 부속장치가 없는 1세대 상후두 기도유지기와 폐 흡인을 감소시키고 양압환기를 용이하게 할 수 있는 특별한 형태로 고안된 2세대 상후두 기도유지기

표 15-6 성공적인 cLMA 삽입을 위한 주요 요점

1. 수기가 잘못된 경우 과도하게 힘을 가하게 되는데, 과도하게 힘을 가하면 안 된다.
2. 일반적으로 삽입이 어려운 경우 머리의 위치와 마취 깊이가 문제가 된다.
3. 턱을 들어주면 삽입을 쉽게 할 수 있다. 조심스럽게 시도해야 하며, 반복적으로 시도하면 상기도 손상을 줄 수 있다.
4. 삽입 시도는 3번 정도로 제한한다.
5. 정확하게 cLMA를 위치시키는 것이 불가능하다면 다른 기도유지기를 고려한다.
6. cLMA 삽입을 실패하는 가장 흔한 이유는 마취 깊이가 불충분하기 때문이다.
7. 삼킴 반사(swallowing reflex)는 불충분한 마취 깊이를 가장 잘 반영한다.

표 15-7 상후두 기도유지기의 기도를 막아주는 기전에 따른 분류

기낭이 후두 주위를 막음(Cuffed perilaryngeal sealers)		
간접 막음	재사용	classic laryngeal mask airway (cLMA) intubating laryngeal mask airway (ILMA) Intravent
	일회용	LMA unique SoftSeal laryngeal mask (LM)
직접 막음	재사용	ProSeal LMA Cookgas Air-Q
기낭이 인두를 직접 막음(Cuffed pharyngeal sealers)		
식도를 막지 않음	일회용	Cobra perilaryngeal airway (PLA)
식도를 직접 막음	재사용	Laryngeal tube (LT) Cookgas Air-Q
	일회용	Combitube
기낭이 없음(Cuffless anatomically preshaped sealers)		
	일회용	Streamlined Liner of the Pharyngeal Airway (SLIPA) I-gel

로 나눌 수 있다(표 15-8). 상후두 기도유지기의 삽입을 위한 수기는 사용하기 전에 숙달이 필요하지만 서로 유사한 부분이 있으며 삽입이 곤란한 경우에는 기관내삽관과 같이 후두경을 이용하여 시도할 수도 있다. 기도유지기의 구조와 모양에 따라 환기, 기관내삽관 또는 기도유지, 위식도관의 거치 또는 감압할 수 있는 구조를 가지고 있어 마취에서뿐만 아니라 응급상황에서 기관내삽관을 대체하여 기도 유지에 중요한 역할을 하고 있다. 여기서는 우리나라에서 많이 사용되고 있는 것을 중심으로 앞에서 설명한 후두마스크를 제외한 상후두 기도유지기에 대하여 간단하게 소개하고자 한다.

1) 후두튜브(Laryngeal tube)

후두튜브는 식도기관 겸용튜브(esophageal tracheal combitube)의 변형된 형태로 단일관의 실리콘 튜브와 2개의 기낭이 있다. 근위부의 큰 기낭은 인두부에서 팽창되어 기도를 밀봉시키고 막힌 원위부의 작은 기낭은 하인두에서 식도의 입구를 막아 위 팽창과 역류를 막으며 두 기낭 사이의 구멍을 통하여 환기가 된다. 기낭의 압력은 60–80 cmH$_2$O를 유지하며, 기낭에 가스는 70 ml의 공기를 주입한다. 아산화질소를 사용한다면 다른 기도유지기의 기낭과 같이 압력이 증가될 수 있으므로 주의하여야 한다. 고압증기 소독을 하여 반복하여 사용할 수 있으며 사용 횟수는 50회로 후두마스크와 같다. 크기는 6가지가 있다(표 15-9).

2) Cobra perilaryngeal airway (Cobra PLA™)

Cobra PLA는 후두마스크와 유사한 모양을 하는 상후두 기도유지기로 삽입되는 원위부 끝부분이 작아 쉽게 삽입할 수 있고 관부분은 짧고 넓다. Cobra PLA는 일회용이고 latex 성분 없이 polyvinyl chloride로 만들어졌으며, 머리, 둥근 후두기낭, 튜브 3부분으로 구성되어있다. 신생아와 영유아에서도 사용할 수 있으며 크기는 8가지가 있다. 기낭의 크기는 신생아에서는 8 ml 이하이고 성인은 최고 85 ml까지 환자의 크기에 맞게 주입할 수 있으며 기낭의 압력은 25 cmH$_2$O 이하가 되도록 유지한다. 위 역류와 폐 흡인에 대한 보호가 되지 않을 수 있으므로 주의하여야 하며, 기도 압력은 20 cmH$_2$O 이하를 권장한다. 크기의 선택은 표 15-10과 같이 적용하며 성인에서는 4–6번을 환자의 체중에 따라 적용할 수 있다.

표 15-8 상후두 기도유지기의 폐 흡인 방지 부속장치에 따른 분류

	기낭	교합 저지기	재사용
1세대(폐 흡인 방지 장치 없음)			
cLMA	+	−	+
Flexible LMA	+	−	+
ILMA	+	+	+
LMA unique	+	−	−
Laryngeal tube	+	−	+
CobraPLA	+	−	+
2세대(폐 흡인 방지 장치 있음)			
LMA ProSeal	+	+	+
LMA Supreme	+	+	−
LTS-II (Laryngeal tube suction II)	+	+	+
i-gel	−	+	−
SLIPA	−	−	−
Air-Q	+	+	−

표 15-9 Laryngeal tube의 크기와 선택기준 및 특징

크기	대상환자	체중, 신장	기낭의 용적	색
0	신생아	<5 kg	10	무색
1	유아	5-12 kg	20	흰색
2	소아	12-25 kg	35	녹색
3	작은 성인	<155 cm	60	노란색
4	중형 성인	155-180 cm	80	붉은색
5	큰 성인	>180 cm	90	보라색

3) i-gel

i-gel은 cLMA와 비슷한 모양을 하지만 cLMA 와 비교에서 기낭 부분이 의료용 열가소성 탄성중합체(thermoplastic elastomer: styrene ethylene butadiene styrene, SEBS)로 제작되어 단단하면서도 젤(gel)과 같은 촉감을 가진다. i-gel의 마스크 부분은 기낭이 없으면서 해부학적으로 후두주위(perilaryngeal)와 하후두부(hypopharyngeal) 구조에 맞게 만들어졌다(그림 15-2). 기본 구조는 후두마스크와 유사하지만 기낭이 없으므로 삽입이 쉽고, 기낭에 공기를 삽입하고 제거하는 과정이 없으며, 아산화질소 사용에 따른 기낭의 팽창으로 주위 조직을 압박하는 효과가 없다. 또한 기낭에 공기를 주입하면서 발생할 수 있는 위치 변화 없이 삽입 후에 안정된 위치가 유지된다. 간단한 구조를 가지며 크기는 체중을 기준으로 선택한다(표 15-11).

4) Streamlined Liner of the Pharynx Airway (SLIPA™)

SLIPA는 cLMA와 유사한 모양이지만 기낭이 없으며, 일회용으로 latex가 없는 재질로 공급되며 성분은 부드러운 플라스틱(ethylene-vinyl acetate copolymer)으로 만들어졌고 후두를 압박하는 모양으로 되어 있다. SLIPA는 속이 비어있는 부츠와 같은 모양으로 끝부분

(toe bridge)이 혀의 기저부에서 식도를 막아주고 식도와 비후두 사이에 위치하며 빈 공간은 약 50 ml 정도로 구토물 등을 저장할 수도 있다(그림 15-3). 크기는 49-57번으로 6가지의 성인 크기가 있다. 작은 여성과 10대에서는 47번이 적용될 수 있으며, cLMA 3번은 49-51, cLMA 4번은 51-53, cLMA 5번은 55-57번이 적합한 크기가 될 수 있다. 삽입은 전신마취를 한 후에 냄새 맡는 체위에서 하며 고정을 위하여 교합저지기가 필요하고

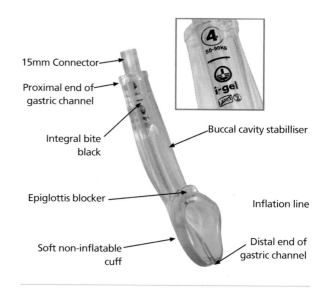

그림 15-2. i-gel(출처: 양홍석, 당일수술에서 마취와 진통, 개정판, p159, 군자출판사).

표 15-10 CobraPLA의 크기와 선택 기준 및 특징

크기	체중 (kg)	튜브 내경 (mm)	기낭의 용적 (ml)	최대 삽입 기관튜브(mm)
0.5	>2.5	5.0	<8	3.0
1	>5	6.0	<10	4.5
1.5	>10	6.0	<25	4.5
2	>15	10.5	<40	6.5
3	>35	10.5	<65	6.5
4	>70	12.5	<70	8.0
5	>100	12.5	<85	8.0
6	>130	12.5	<85	8.0

표 15-11 i-gel의 크기와 선택 기준 및 특징

크기	체중 (kg)	최대 삽입 기관튜브 (mm)	최대 삽입 비위관튜브 (FG)
1	2-5	3.0	N/A
1.5	5-12	4.0	10
2	10-25	5.0	12
2.5	25-35	5.0	12
3	30-60	6.0	12
4	50-90	7.0	12
5	>90	8.0	14

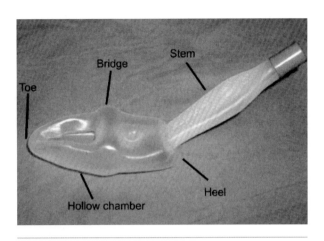

그림 15-3. Streamlined liner of pharyngeal airway (SLI-PA) (출처; Korean J Anesthesiol 2010; 58(5): 450-457)

복와위에서 사용은 권장되지 않는다.

5) Combitube™

Combitube™ (Esophageal-Tracheal Combitube)는 후두튜브와 비슷한 모양을 하며 삽입이 용이하고 기관 내삽관을 대체하여 기도를 유지할 수 있는 상후두 기도 유지기 중 하나이다. Combitube는 기관 또는 식도 어디로 삽입하든 환기와 산소화를 유지할 수 있다. 그러므로 후두마스크와 같이 응급상황, 심폐소생술, 중환자실에서 기도 관리에서도 사용할 수 있다. 삽입을 위한 체위에서 기관내삽관과 같이 냄새 맡는 자세가 반드시 필요한 것은 아니며 삽입을 돕기 위하여 후두경을 사용할 수도 있다.

크기는 성인용뿐으로 37F(여성용)과 41F(남성용) 두 가지가 있으며, 2개의 튜브와 기낭이 있다. 짧은 튜브(흰색)의 원위부 끝은 기관튜브와 같은 모양을 하며 긴 튜브(푸른색)의 끝인 근위부는 식도 폐쇄기(esophageal obturator) 처럼 끝이 막혀있으며 후두 부위에 구멍이 있다. 원위부기낭은 기관 내로 삽관이 된다면 기관튜브와 같이 사용하게 되고 식도에 삽입이 된다면 식도를 막아서 위 내용물의 역류를 막을 수 있다. 근위부의 큰 기낭은 식도로 삽입될 경우 후두 부위를 막아 공기누출을 차단하여 기도를 통한 환기를 유지하게 된다. Combitube

의 임상 적용에서 8시간 이상 거치하여도 문제점이 없으며 50 cmH$_2$O의 압력으로 공기누출 없이 조절호흡을 할 수 있다고 하였다.

3. 결론

당일수술을 위한 마취에서 cLMA와 같은 상후두 기도유지기는 잘 알려져 있다. 그러나 위 내용물의 흡인에서 기도를 보호하고, 폐유순도가 감소하거나, 기도저항이 증가된 환자의 호흡관리에서 상후두 기도유지기 사용의 제한사항을 잘 알고 있어야 한다. 이러한 제한사항은 기존의 상후두 기도유지기의 단점을 개선하여, 폐 흡인을 감소시키고 양압환기를 용이하게 할 수 있는 LMA Supreme 또는 i-gel과 같은 2세대 상후두 기도유지기를 사용한다면 도움이 될 수 있을 것이다.

환자의 상태와 수술조건을 고려하여 상후두 기도유지기를 적절히 적용한다면 안전하면서도 비용절감 효과가 큰 당일수술에서 더욱 효과적인 기도유지 방법이 될 것이다.

참고문헌

1. 박영주, 김대영, 양홍석. Intubating LMA를 이용한 기관내삽관법. 대한마취과학회지 1999; 37: 204-9.
2. 조인해, 권태엽, 양홍석, 외. 기관내삽관용 후두마스크를 이용한 각성하 기관내삽관. 대한마취과학회지 2001; 41 :775-9.
3. Agro F, Barzoi G, Galli B. The Cobra PLA in 110 anaesthetized and paralysed patients: what size to choose? Br J Anaesth 2004; 92: 777-8.
4. Agro F, Frass M, Benumof JL, et al. Current status of the Combitube: a review of the literature. J Clin Anesth 2002; 14: 307-14.
5. Alfery DD, Ghelher O, Ezri T, et al. Correct sizing of the CobraPLA is necessary for valid study results. Eur J Anaesthesiol 2006; 23: 714-5.
6. Bein B, Scholz J. Supraglottic airway devices. Best Prac Res Clin Anaesthesiol 2005; 19: 581-93.

7. Brain AI. The development of the laryngeal mask - a brief history of the invention, early clinical studies and experimental work from which the Laryngeal Mask evolved. Eur J Anaesthesiol 1991; 4: 5-17.

8. Brain AI, Verghese C, Strube PJ. The LMA Proseal - a laryngeal mask with an oesophageal vent. Br J Anaesth 2000; 84: 650-4.

9. Brimacombe J. Analysis of 1500 laryngeal mask uses by one anaesthetist in adults undergoing routine anaesthesia. Anaesthesia 1996; 51: 76-80.

10. Brimacombe JR, Berry A. The incidence of aspiration associated with the laryngeal mask airway: a meta-analysis of published literature. J Clin Anesth 1995; 7: 297-305.

11. Brodrick PM, Webster NR, Nunn JF. The laryngeal mask airway: a study of 100 patients during spontaneous breathing. Anaesthesia 1989; 44: 238-41.

12. Cork RC, Depa RM, Standen JR. Prospective comparison of the use of laryngeal mask airway and endotracheal tube for ambulatory surgery. Anesth Analg 1994; 79: 719-27.

13. Devitt JH, Wenstone R, Noel AG, et al. The laryngeal mask airway and positive-pressure ventilation. Anesthesiology 1994; 80: 550-5.

14. Gatward JJ, Cook TM, Seller C, et al. Evaluation of the size 4 i-gel airway in one hundred non-paralysed patients. Anaesthesia 2008; 63: 1124-30.

15. Hartmann B, Banzhaf A, Junger A, et al: Laryngeal mask airway versus endotracheal tube for outpatient surgery: analysis of anesthesia-controlled time. J Clin Anesth 2004; 16: 195-9.

16. Hein C, Plummer J, Owen H. Evaluation of the SLIPA (streamlined liner of the pharynx airway), a single use supraglottic airway device, in 60 anaesthetized patients undergoing minor surgical procedures. Anaesth Intensive Care 2005; 33: 756-61.

17. Henderson JJ, Popat MT, Latto IP, et al. Difficult airway society guidelines for management of the unanticipated difficult intubation. Anaesthesia 2004; 59: 675-94.

18. Jolliffe L, Jackson I. Airway management in the outpatient setting: new devices and techniques. Curr Opin Anaesthesiol 2008; 21: 719-22.

19. Joshi GP. Inhalation techniques in ambulatory anesthesia. Anesthesiol Clin North America 2003; 21: 263-72.

20. Khazin V, Ezri T, Yishai R, et al. Gastroesophageal regurgitation during anesthesia and controlled ventilation with six airway devices. J Clin Anesth 2008; 20: 508-13.

21. Levitan RM, Kinkle WC. Initial anatomic investigation of the I-gel airway: a novel supraglottic airway without inflatable cuff. Anaesthesia 2005; 60: 1022-6.

22. Liu EH, Goy RW, Chen FG. The LMA CTrach, a new laryngeal mask airway for endotracheal intubation under vision: evaluation in 100 patients. Br J Anaesth 2006; 96: 396-400.

23. Lonnqvist P, Morton NS. Paediatric day-case anaesthesia and pain control Curr Opin Anaesthesiol 2006; 19: 617-21.

24. Marco CA, Marco AP. Airway adjuncts. Emerg Med Clin North Am 2008; 26: 1015-27.

25. McCaughey W, Bhanumurthy S. Laryngeal mask placement in the prone position. Anaesthesia 1993; 48: 1104-5.

26. Miller DM. A proposed classification and scoring system for supraglottic sealing airways: a brief review. Anesth Analg 2004; 99: 1553-9.

27. Miller DM, Lavewlle M. A streamlined pharynx airway liner: a pilot study in 22 patients in controlled and spontaneous ventilation. Anesth Analg 2002; 94: 759-61.

28. Polaner DM, Ahuja D, Zuk J, et al. Video assessment of supraglottic airway orientation through the perilaryngeal airway in pediatric patients. Anesth Analg 2006; 102: 1685-8.

29. Singleton RJ, Rudkin GE, Osborne GA, et al. Laparoscopic cholecystectomy as a day surgery procedure. Anaesth Intensive Care 1996; 24: 231-6.

30. Turnbull J, Patel A. The use of the laryngeal mask airway in ENT surgery: Facts and fiction. Trends Anaesth Crit Care 2013; 3: 346-50.

Chapter 16

부위마취

최근에 들어서는 수술테크닉의 발전과 최소침습수술의 개발로 인하여 당일수술이 증가되고 있으며, 좀 더 복잡한 수술을 받는 환자들 그리고 위험도가 높은 ASA 3~4에 해당하는 환자들도 당일수술을 받고 있다. 이러한 환자들에서 당일수술은 통증 조절이 부족할 수 있음에도 일찍 퇴원하게 될 수 있으므로 보다 효과적인 수술 후 진통요법이 필요하게 되었다. 또한 귀가 후 집에서의 통증치료에 대한 보호자의 교육이 매우 중요한 소아환자들 역시 당일수술을 받는 케이스들이 최근에 들어서 증가되고 있다. 수술 후 적절한 통증완화는 성공적인 당일수술을 위해서는 필수적이지만 아직까지는 완벽하게 실현되고 있지 못하고 있으며, 일부 수술에서 관찰되는 국소 및 부위마취의 확실한 장점에도 불구하고 아직은 전신마취가 당일수술에서 가장 널리 이용되고 있다. 2012년 미국마취통증의학과학회 그리고 2016년 미국통증학회에서 발표한 수술 후 통증관리의 지침은 모두 다양식(multimodal)진통요법을 추천하고 있는데, 다양식진통요법은 아편유사진통제의 사용을 줄여줌으로써 효과적인 통증치료와 함께 수술 후 오심구토(postoperative nausea and vomiting, PONV) 및 호흡억제를 감소시킬 수 있는 장점 때문에 당일수술에서도 추천되고 있다. 부위마취는 수술 중 충분한 마취를 제공할 수 있을 뿐 아니라, 수술 후에는 다양식진통요법의 핵심요소로서 역할을 하면서 당일수술 후에 퇴원을 지연시킬 수 있는 가장 중요한 원인이 되고 있는 통증과 PONV를 줄여줌으로써 당일수술 마취에 많이 이용되고 있다. 또한 좀더 적극적이고 예방적인 주술기 통증치료가 요구되는 소아에서도 일부 부위마취 테크닉들은 진통 효과와 환자의 안전 및 만족도를 향상시키기 위해서 추천되고 있다. 근래에 들어서 부위마취 영역에 초음파 및 카테터 테크닉이 도입 확대되면서 당일수술을 위한 부위마취 분야에도 많은 변화가 오게 되었으며 저용량 ketamine, propofol 및 dexmedetomidine 등의 진정제 사용의 발전은 부위마취의 성장 및 인기와 관련이 있다.

1. 부위마취의 중요한 장점

1) 효과적인 진통효과

부위마취는 수술 부위에 특정된 마취 및 진통을 제공함으로써 주술기 아편유사진통제의 사용량을 감소시켜 그에 따른 부작용을 줄여줄 수 있다. 하지만 일회-주사 테크닉의 효과지속시간은 제한되어 있으므로 첨가제의 혼합 혹은 카테터를 통한 국소마취제의 지속적인 주입 등으로 효과지속시간을 연장시킬 수 있다.

2) PONV 감소

수술 후 PONV는 12만명을 대상으로 한 전향적 연구에서 그 발생 빈도가 13.9%에 이르는 수술 후 가장 많이 발생되는 부작용이라고 하였으며, 2014년도 발표된

PONV에 대한 Society for Ambulatory Anesthesia의 지침은 PONV의 발생 가능성이 높은 환자의 경우는 전신마취보다는 부위마취를 시행할 것을 추천하였다.

3) 예기치 않은 입원의 빈도감소 및 퇴원촉진

당일수술 후 예기치 않은 입원은 통증과 PONV가 주요원인이며 성공적인 부위마취는 이러한 요인들을 감소시킬 수 있다. 또한 정형외과수술 시에 부위마취는 전신마취에 비해서 회복실 우회 가능성을 증가시키며 또한 퇴원시간을 단축시키는 것으로 보고되고 있다. 회선건판 수술의 경우 장시간작용 국소마취제를 사용하는 사각근간 상완신경총 블록은 전신마취에 비해 당일수술의 회복에 있어서 여러 가지 장점을 제공하는 것으로 보고되어 있다.

4) 효율성 증진

부위마취는 수술실의 회전율을 감소시킬 수 있으나 정형외과 내시경어깨수술의 경우 사각근간 상완신경총 블록은 마취와 관련된 작업흐름(workflow) 시간을 전신마취에 비해 향상시킨다고 한다. 즉, 회복실 재실시간을 전신마취 70분에 비해 45분으로 감소시켰다.

5) 환자 만족도의 향상

환자만족도는 주술기의 환자경험에서 중요한 요소이다. 많은 수의 환자들은 전신마취에 비해 부위마취를 선호하며, 일부 환자들은 부위마취를 제공받을 수 있는 병원을 골라서 선택하기도 한다. 연구에 의하면 부위마취를 받은 환자들 중 95%가 수술을 다시 받게 된다면 말초신경블록을 다시 받을 것이라고, 90%의 환자들은 시행된 부위마취에 관한 사전교육에 만족을 했다고 한다. 하지만 부위마취에 동의하지 않는 환자들에게 전신마취가 절대금기가 아니라면 강요를 해서는 안 된다.

6) 외과의사들의 선호

당일수술 부위마취 프로그램에서 외과 의사들의 참여는 매우 중요하다. 만일 외과 의사들이 부위마취에 협조할 뜻이 없는 경우는 부위마취 시에 문제의 발생과 실패의 가능성이 증가될 수 있다. 또한 수술의 연기를 최소화하기 위해서는 과 사이의 긴밀한 협조도 필요하며, 부위마취의 실패를 대비할 계획을 수립하고 합병증에도 대처할 수 있는 체계를 갖추도록 외과의사들은 협력해야 한다. 그러기 위해서는 부위마취가 제공할 수 있는 부분에 대한 외과 의사들의 현실적인 이해가 필요하며 부위마취의 장점에 대해서도 외과 의사들이 확신을 갖도록 하는 것이 중요하다.

2. 당일수술 부위마취의 준비를 위한 실질적인 계획

1) 환자교육 및 검사

당일수술 부위마취를 성공적으로 시행하기 위해서는 구체적인 기대치와 목표를 설정하는 것이 중요하다. 먼저, 수술 전 면담을 통해서 충분한 정보를 제공하고, 궁금한 점들을 해소시킨다. 그리고 수술 전 교육은 부위마취를 시술하는 동안에 불필요한 스트레스를 줄여줄 수 있다. 문헌에 따르면 마취통증의학과 의사와의 대화 기회가 불충분 했거나 제공된 정보가 부족했다고 환자가 느낄 때 부위마취에 대한 환자의 만족도가 떨어지는 것으로 알려져 있다. 따라서 부위마취에 대한 인쇄물 혹은 동영상 자료를 수술 전에 환자에게 제공하는 것도 바람직하다.

검사를 통해서 환자가 당일수술에 적합한지 여부를 평가할 수 있으며 수술의 연기 혹은 취소를 피할 수 있도록 환자를 최적의 상태로 만들어 줄 수 있다. 당일수술에서 부위마취를 시행 받을 환자의 적절한 선정은 매우 중요하다. 심폐질환, 신장 및 간 질환 그리고 혈액응고장애 등의 심각한 동반질환은 세심한 위험-편익 평가를 거쳐야 하며, 환자의 거주지와 병원 간의 거리도 고려되어야 한다. 또한 부위마취에 의해 발생되는 생리학적 변화 역시 환자의 기저질환에 영향을 줄 수 있다는 점도 인식이 되어있어야 한다.

2) 장비 및 인력

부위마취를 위해 표준화된 임상기술과 전문적 지식을 갖춘 의사들로 구성된 팀이 외과 및 간호 파트와 좀 더 강한 업무관계를 유지하는 것으로 알려져 있다. 마취통증의학과 전문의 외에 부위마취 팀에는 전공의 및 간호사들이 포함되며, 부위마취 전문간호사(block nurse)는 시술의 효율성을 증가시킬 뿐 아니라 환자 확인, 수술 및 부위마취 부위 등을 기록하는 부위마취 전 체크리스트의 관리를 담당하여 시술의 안전성을 증가시킬 수 있다. 또한 가능하면 부위마취 전용실을 갖추는 것이 수술실 이용시간의 감소와 같은 수술실 운영의 효율성을 향상시키며, 시술되는 부위마취의 수와 종류도 증가시킬 수 있다. 부위마취 전용실은 공간이 충분히 넓어야 하며, 적절한 환자감시장치 및 심폐소생장비 그리고 훈련된 인력 등을 갖추어야 한다.

부위마취는 신경자극기 그리고 초음파 기계 등의 장비들을 필요로 한다. 그리고 블록카트에는 다양한 물품들이 준비된다. 신경부위 카테터를 사용하려면 약물 주입기구들이 필요하며, 기도확보기구, 지질유탁액 등의 심폐소생 장비들과 국소마취제독성을 치료하기 위한 알고리듬 등도 즉시 활용이 가능해야 한다.

적절한 기록도 매우 중요한데, 시술기록 혹은 간호기록에는 환자의 활력증후, 진정 정도, 투여된 약제들, 소독액, 환자의 자세, 사용되는 바늘의 굵기와 길이, 신경자극기 혹은 초음파 사용 여부, 국소마취제 종류, 용량 및 같이 투여된 첨가제, 혈액의 흡인 여부, 주사통증 및 저항 여부 등이 포함된다. 모든 환자들은 기존의 신경병증, 혈액응고 문제, 또한 부위마취에 영향을 미칠 수 있는 기저질환 등에 특별한 주의를 기울이면서 병력청취 및 이학적검사를 시행해야 한다.

3. 부위마취 방법

수술부위에 따라 가능한 부위마취법은 신경축 블록과 말초신경 블록으로 나뉘어 구성된다.

1) 신경축 블록(Neuraxial block)

당일수술에서 신경축 블록은 장점도 있지만 몇 가지 제약이 있는데, 척추마취 후 발생되는 일시적인 신경학적 증상과 배뇨장애 등이 대표적이다.

(1) 척추마취(Spinal anesthesia)

척추마취는 전신마취의 위험성이 큰 일부 환자들에게 당일수술을 가능하게 해줄 수 있다. 장점으로는 필요한 경우에는 수술 중간에 환자와 수술 과정에 대해 상의할 수 있다는 점 그리고 보다 나은 수술 후 진통효과를 제공할 수 있는 점 등이 있다. 전립선절제술 혹은 요실금수술 등의 비뇨생식계 수술, 발 및 발목수술 등의 하지 수술, 그리고 하복부수술 등 다양한 종류의 당일수술들이 척추마취에 적합하다고 할 수 있으며 지속시간이 짧은 국소마취를 사용하면서 당일수술에서 적응되는 수술들의 범위가 확대되고 있다. 척추마취에서는 퇴원을 지연시킬 수 있는 장시간의 운동신경 차단, 교감신경계 차단 혹은 관절 위치의 이상, 배뇨장애, 경막천자후 두통 등을 예방하는 것은 매우 중요하다. 척추마취에 사용되는 바늘은 구경이 작은 형태도 많으며 연필심 형태의 바늘은 의도하지 않은 경막천자후 두통의 빈도를 0.5-1%로 낮춰준다. 최근 선택적 척추마취, 즉 가벼운 건드림, 온도감각, 고유감각, 운동신경, 교감신경계 기능 등은 보존하면서 수술에 적합한 마취를 제공하는 방법이 이용되고 있다. 이 선택적 척추마취는 심혈관 기능이 매우 안정적이지만 블록의 성공여부를 확인하는 것이 어려울 수 있어서 환자의 협조가 중요하다. 또한 척추마취는 수술 후 배뇨장애를 유발할 수 있는데, 노인환자에서 더 흔하게 발생되며 특히 서혜탈장 수술 후에 특히 그 빈도가 증가된다고 한다.

Lidocaine 혹은 chloroprocaine 등의 작용시간이 짧은 국소마취제를 이용한 당일수술을 위한 척추마취는 빠른 퇴원을 가능하게 한다. 그러나 lidocaine은 일시적 신경학적 증상을 유발할 수 있으며, chloroprocaine은 신경학적 손상의 가능성이 있고, bupivacaine은 일시적 신경학적 증상의 빈도는 낮아서 안전하지만 지속시간이 길어서 당일수술 척추마취에는 부적합할 수 있다.

당일수술 척추마취에 사용되는 국소마취제의 재조명

당일수술 척추마취의 선호도가 증가되면서 오래 전 사용되었던 국소마취제가 다시 평가되고 그 사용빈도 역시 늘고 있다. 이들 중에서 prilocaine, procaine, articaine, 그리고 2-chloroprocaine 등이 선호되고 있다. 고비중 prilocaine은 신속한 작용발현시간과 짧은 지속시간을 보여주는데, 2% 고비중 prilocaine 40 mg 투여 후에 귀가가 가능한 시간은 208분 정도이다. 그러나 고비중 prilocaine은 일시적 신경학적 증상의 가능성은 있는 것으로 알려져 있다. 반면에 2-chloroprocaine은 지속시간이 저용량의 bupivacaine과 articaine 보다 짧으며, bupivacaine과 lidocaine에 비해서 배뇨장애 및 일시적 신경학적 증상의 위험성이 낮다고 한다. 또한 슬관절내시경 당일수술에서 2-chloroprocaine을 사용한 군에서 bupivacaine과 lidocaine을 사용한 군에 비해서 감각 및 운동신경 블록으로부터의 회복시간이 가장 짧았다고 한다. 지속시간이 짧은 국소마취제에 의존하는 당일수술 척추마취는 선택적 척추마취와 심혈관 안전성에서 비교될 수 있는데, prilocaine 50 mg과 fentanyl 20 μg을 혼합했을 때 bupivacaine 7.5 mg과 fentanyl 20 μg을 혼합한 것보다 임상적으로 심각한 저혈압의 빈도가 더 낮다고 한다. 지속시간이 짧은 국소마취제를 이용한 척추마취는 당일수술에서 정형외과 수술, 산부인과 수술, 회음부 수술 및 비뇨기과 수술들에 적용이 가능하다.

(2) 경막외마취

경막외마취는 성인의 당일수술에서 거의 사용되지 않는다. 경막외마취 시 카테터를 이용하여 지속시간을 연장시킬 수 있으나 효과가 나타나는 시간이 길고, 성공이 불확실하며, 경막천자 및 혈관 내 투여의 위험성 등으로 인하여 그 유용성은 상쇄될 수 있다. 소아에서 0.25% levobupivacaine 1.5~1 ml/kg를 이용하는 미추마취 (caudal anesthesia)는 수술 후 통증 관리에 널리 사용되고 있다. 미추마취는 양측수술 그리고 창상침윤마취에서 수술범위가 넓어서 국소마취제의 투여용량이 최대용량을 초과될 가능성이 있는 경우에 효과적이다. 그러나 운동신경 차단 및 보행 장애의 우려가 있다.

2) 말초신경 블록(Peripheral nerve block)

말초신경 블록은 신경축 블록에 비하여 많은 장점을 갖고 있어 최근 그 사용이 부위마취 분야에서, 특히 대학병원 중심으로 크게 증하고 있다. 말초신경 블록은 신경축 블록에 비해서 수술 부위만을 좀더 특정하여 블록을 할 수 있으며, 두경부 수술과 흉곽의 상부수술에도 적용이 가능하고, 하지수술의 경우는 일측의 수술 부위만 블록을 함으로써 보행이 가능한 장점이 있다. 또한 뇌압이 상승된 환자 혹은 척추에 심각한 변형이 있는 환자들에서도 시행이 가능하고, 배뇨장애의 위험성이 거의 없으며, 블록에 따른 합병증의 발생빈도가 낮으며 합병증이 발생된 경우에도 그 정도가 심하지 않다. 그리고 혈액응고장애가 있는 경우에도 비교적 안전하게 시행할 수 있는 장점도 있다. 그러나 복부수술의 경우 내장통을 차단하는데 어려움이 있고, 양측 하지의 광범위한 수술의 경우는 국소마취제의 용량의 제한 때문에 말초신경 블록을 시행하는데 한계가 있을 수 있다. 말초신경 블록에서 목표신경을 찾는 방법(neurolocalization)에서의 패러다임은 초기의 랜드마크 테크닉에서 신경자극기를 이용한 테크닉으로, 그리고 최근에는 초음파 테크닉으로 변하게 되었다. 특히 초음파를 이용한 말초신경 블록은 목표신경 및 그들이 분포하는 해부학적 부위를 영상으로 확인할 수 있을 뿐 아니라, 바늘의 위치와 주입된 약물의 확산 등도 같이 확인이 가능하여 많은 장점을 갖고 있다. 그러나 초음파의 단독 사용보다는 신경자극기를 병용하는 테크닉(dual guidance technique)이 신경손상의 예방을 위해서 권장되기도 한다.

진통효과의 지속시간에 한계가 있는 일회-주사 말초신경 블록을 보완하기 위해서 첨가제의 혼합 혹은 카테터를 이용한 지속말초신경 블록 테크닉으로 진통효과의 지속시간을 연장시킬 수 있으며, 이로 인해서 좀더 복잡하고 통증이 심한 수술을 받은 환자들에서 당일퇴원을 가능하게 하여 말초신경 블록이 적용되는 당일수술의 범위가 확대되고 있다. 또한 지속시간이 72시간에서 96시간까지 지속되는 extended-release liposomal bupivacaine의 개발은 고무적이기는 하지만 아직은 창상침윤마취에서의 사용만이 미국 Food and Drug Administration의 허가를 받은 상태이다. Extended-release liposomal bupivacaine을 이용한 말초신경 블록에 관한 연구들이 계속 발표되고 있지만 당일수술을 위한 말초신경 블록에 관한 연구들은 현재로는 많지 않은 실정이다. 또한 말초신경 블록의 지속시간을 연장시키기 위해서 다양한 첨가제들이 사용되고 있는데, 그 중 dexmedetomidine의 신경주변 투여는 신경독성 없이 지속시간을 연장시키는 것으로 알려져 있다. 하지만 dexamethasone의 신경주변 투여의 효과와 안전성은 아직은 논란이 있다. 반면 tramadol은 그 효과가 일정하지 않은 것으로 보고되고 있는데, 따라서 이러한 첨가제들의 사용은 효과 및 안정성 측면에서 추가적인 연구가 필요한 상태이다.

(1) 두경부 수술

말초신경 블록에 이용되는 두경부에서의 랜드마크들은 대부분 쉽게 확인되므로 두경부 블록들은 일관성이 있으면서 성공률이 높은 편으로, 국소마취와 관련된 불편함

을 최소화하기 위해서 두경부 당일수술에서 말초신경 블록들은 자주 시행되고 있다. 두경부 블록들은 일회 주사로서 넓은 범위에 마취 및 진통을 제공할 수 있어 통증이 따르는 반복주사를 피할 수 있다. 성공적인 두경부의 말초신경 블록을 위해서는 두경부를 지배하는 신경들의 위치와 분포를 잘 숙지하고 있어야 한다.

① 두피신경 블록(Scalp nerve block)

두피에 분포하는 신경은 삼차신경의 안와상신경 (supraorbital nerve), 활차상신경(supratrochlear nerve), 관골측두신경(zygomaticotemporal nerve), 이개측두신경(auriculotemporal nerve), 소후두신경(lesser occipital nerve), 대후두신경 (greater occipital nerve), 제 3경부 척추신경의 등쪽 가지 등이 분포하므로, 수술 부위에 따라서 이들 신경들을 블록한다. 대후두신경 블록은 초음파를 사용하여 좀더 근위부에서 시행할 수 있다.

② 얼굴신경 블록(Face nerve bock)

수술 부위에 따라서 삼차신경의 안(眼) 가지인 안와상신경(supraorbital nerve), 활차상신경(supratrochlear nerve), 누선신경(lacrimal nerve), 외비신경(external nasal nerve), 활차하신경(infratrochlear nerve) 등을, 삼차신경의 상악 가지인 안와하신경(infraorbital nerve), 관골안면신경(zygomaticofacial nerve), 관골측두신경 (zygomaticotemporal nerve) 등을, 삼차신경의 하악 가지인 협신경(buccal nerve), 이개측두신경 (auriculotemporal nerve), 이신경(mental nerve) 등을 블록하며 신경블록 시에 초음파를 사용하기도 한다.

③ 경신경총 블록(Cervical plexus block)

하악과 경부가 만나는 부위와 경부의 전측부 대부분, 그리고 귀의 일부 및 귀 뒤쪽 두피 등의 감각을 경신경총이 담당하고 있으며 천, 중간 및 심경신경총 블록테크닉으로 시행할 수 있다. 경추의 척추옆

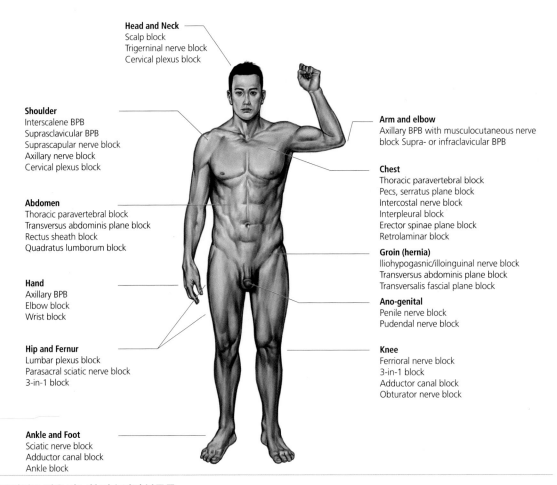

Head and Neck
Scalp block
Trigerninal nerve block
Cervical plexus block

Shoulder
Interscalene BPB
Suprasclavicular BPB
Suprascapular nerve block
Axillary nerve block
Cervical plexus block

Abdomen
Thoracic paravertebral block
Transversus abdominis plane block
Rectus sheath block
Quadratus lumborum block

Hand
Axillary BPB
Elbow block
Wrist block

Hip and Fernur
Lumbar plexus block
Parasacral sciatic nerve block
3-in-1 block

Ankle and Foot
Sciatic nerve block
Adductor canal block
Ankle block

Arm and elbow
Axillary BPB with musculocutaneous nerve
block Supra- or infraclavicular BPB

Chest
Thoracic paravertebral block
Pecs, serratus plane block
Intercostal nerve block
Interpleural block
Erector spinae plane block
Retrolaminar block

Groin (hernia)
Iliohypogasnic/illoinguinal nerve block
Transversus abdominis plane block
Transversalis fascial plane block

Ano-genital
Penile nerve block
Pudendal nerve block

Knee
Ferrioral nerve block
3-in-1 block
Adductor canal block
Obturator nerve block

그림 16-1. 부위별로 적용 가능한 말초신경 블록들

부위에서 경신경총을 블록을 하는 심경신경총 블록은 흉쇄유돌근 및 띠근육(strap muscle)들을 이완시킬 수 있지만 바늘이 경추 근처까지 깊이 도달되어야 하므로, 혈관천자, 척수 및 경막외마취 등의 심각한 합병증들이 발생할 위험성이 있어 최근에는 거의 시행되지 않는다. 하지만 심경신경총 블록도 초음파유도 하에서 시행되는 경우는 좀더 쉽고 안전하다고 보고되고 있다. 최근에는 흉쇄유돌근과 척추앞근막 사이에 국소마취제를 투여하는 중간경신경총 블록이 초음파를 이용하여 안전하고 정확하게 시행되고 있으며 천경신경총 블록과는 달리 좀

더 깊은 블록효과를 얻을 수 있으나 뇌신경의 블록과 관련된 합병증들을 유발할 수 있다고 한다.

(2) 흉벽 수술

개흉술이나 유방절제술 등의 흉벽수술은 흉부 경막외 블록으로 마취 및 진통이 가능하지만, 일반적인 경막외마취의 합병증의 위험성 외에도 높은 블록레벨에 의한 호흡 및 혈역학적 문제점들이 발생될 수 있다. 또한 유방절제술의 경우에는 흉부 경막외 블록 및 흉부척추옆 블록으로도 차단이 되지 않는 상완신경총에서 기시하는 흉근신경들로 인하여 불완전한 블록이 될 수 있으므로 이

러한 부분을 보완한 초음파를 이용한 흉벽 블록의 새로운 테크닉들이 개발되면서 흉벽수술을 위한 말초신경 블록의 선택의 폭이 넓어지게 되었으며, 일부 말초신경 블록들은 당일수술에 적용이 되고 있다.

① 흉부척추옆 블록(Thoracic paravertebral block)

흉부척추옆 공간은 뒤로는 상늑골횡돌기인대, 전외측으로는 벽측흉막, 안쪽으로는 흉척추체의 측후면, 상하로는 늑골의 두경부로 둘러싸인 쐐기 모양의 공간이며 늑간신경 및 교감신경이 지나가므로 이 공간에 국소마취제를 투여하게 된다. 흉부 척추옆 블록은 전통적인 랜드마크법 혹은 초음파유도를 이용하여 시행되는데, 최근에는 초음파를 이용한 흉부척추옆 블록에 관한 연구들이 많이 발표되고 있다. 초음파를 사용하는 경우 횡적 접근법과 종적 접근법이 이용되며 한 레벨 혹은 여러 레벨에서 시행될 수 있다. 또한 흉부척추옆 공간 내에 카테터를 거치하여 지속시간을 연장시킬 수 있다. 흉부척추옆 블록은 흉부 경막외 블록과 비교하여 비슷한 진통효과를 보이면서도 보다 나은 혈역학적 안정성을 제공한다고 한다. 하지만 흉부척추옆 블록에서 초음파유도법과 전통적인 랜드마크법은 장점에서는 큰 차이가 없는 것으로 보고되어 있으며, 합병증에 관한 비교연구는 시행된 바가 없다. 흉부척추옆 블록은 당일수술에서는 소아의 흉벽에 발생된 혈액림프관종 제거술, 유방절제술, 서혜탈장 수술 등에서 적용 및 보고되어 있다.

② Pecs 블록 및 전방거근막면 블록(serratus plane block)

Pecs I 블록은 2011년 Blanco에 의해 처음 소개가 된 초음파를 이용한 근막간(대흉근과 소흉근 사이) 블록으로 경막외마취 혹은 흉부척추옆 블록에서는 할 수 없는 상완신경총에서 기시하는 외측 및 내측 흉근신경을 블록하는 것으로 유방 보형물삽입술 후의 진통 목적으로 처음 시행되었다. 이후 Pecs I 블록의 변형으로 Pecs II 블록이 개발되었는데 이것은 Pecs I 블록에 늑간신경의 외측피부신경을 블록할 목적으로 전방거근막면 블록을 추가한 것으로 유방절제술에서 흉부척추옆 블록에 비해 겨드랑이 부위의 진통효과가 더 큰 것으로 보고되었다. 진방거근막면 블록은 초기에는 전방거근의 앞 혹은 뒤쪽에 국소마취제를 투여하여 좀 더 광범위하게 늑간신경의 외측 분지를 블록하는 술기로 기술되었는데, 최근 전방거근의 앞쪽에 투여하는 것은 천전방거근막면 블록, 그리고 뒤쪽 외늑간근 사이에 투여하는 것을 심전방거근막면 블록으로 세분하기도 한다. 심전방거근막면 블록은 기술적으로는 전방거근늑간근막면(serratus-intercostal plane) 블록과 같으며 천전방거근막면 블록과는 달리 장흉신경의 블록을 피할 수 있다. Pecs II 블록은 당일수술의 유방절제술에서 적용이 가능하다.

③ 늑간신경 블록(Intercostal nerve block)

늑간신경 블록은 랜드마크, 초음파 혹은 방사선투시기를 이용해서 시행이 가능하지만 여러 레벨에서 시행해야 되는 단점을 갖고 있다. 늑간신경 블록에서 초음파유도의 효과에 대한 연구는 없으나 초음파유도가 국소마취제의 혈관 내 투여의 가능성을 감소시키는 것으로 보고된 바는 있다. 늑간신경 블록은 당일수술로 시행되는 유방확대술과 유방절제술 후 재건수술에서 효과적이라고 하며, 초음파유도 하에서 시행되는 늑간신경 블록은 성공률, 합병증 및 결과 등에 대한 추가적인 연구가 필요하다.

④ 흉막 내 블록(Interpleural block)

흉막 내 블록은 벽측흉막과 내장흉막 사이에 국소마취제를 투여하여 흉곽의 여러 피부절의 체신경을 블록하는 것이다. 이 블록은 일측흉곽 및 상복부의 수술 후 통증을 효과적으로 치료한다. 합병증으로 기흉, 국소마취제 전신독성 그리고 횡격신경마비 등의 발생이 가능하다. 아직 당일수술에서의 흉막 내 블록의 보고는 없으며 향후 추가적인 연구가 필요하다.

⑤ 척추기립근막면 블록(Erector spinae plane block)

소능형근과 기립근 사이의 근막면에 국소마취제를 투여하여 기본적으로는 흉부척추신경의 배측 가지를 목표로 하는데, 연구에 의하면 이곳에 투여된 국소마취제는 늑횡돌공을 통해서 늑간신경까지 블록하여 넓은 피부분절 및 늑골의 감각신경을 차단시킬 수 있다고 한다. 따라서 이 테크닉은 Pecs 블록보다 등쪽까지 좀더 넓은 범위를 커버할 수 있다. 하지만 이 테크닉은 임상적용이 초기단계에 있으며 아직은 당일수술을 포함한 다양한 수술에서의 보고는 없다.

⑥ 추궁후 블록(Retrolaminar block)

추궁후 블록은 흉추의 추궁과 척추기립근 사이에 국소마취제를 투여하여 흉곽의 몸통증을 조절하는 술기로, 최근 연구에 의하면 유방절제술 첫 24시간 동안 흉부척추옆 블록과 비슷한 진통효과를 보였으며 국소마취제의 혈중농도도 안전한 범위 내에 있는 것으로 보고 되었다. 그러나 아직은 당일수술을 포함한 다양한 수술에서의 보고는 없다.

(3) 견관절 수술

최근 견관절성형술을 당일수술로 시행하는 경우가 증가하고 있으며 환자군을 적절히 선별한다면 비교적 안전한 것으로 보고되고 있다.

① 사각근간 상완신경총 블록(Interscalene brachial plexus block)

주로 어깨수술에 적용되며 상 및 중트렁크 레벨에서 시행된다. 전완 혹은 손 수술에도 적용될 수 있으나 하트렁크(C8-T1)가 종종 불완전하게 블록이 되어서 추가적인 척골신경 블록이 필요할 수 있다. 부작용 및 합병증 중에서 가장 문제가 되는 동측횡격신경마비가 100% 발생될 수 있으며, 이런 경우 폐기능은 25% 정도 감소된다. 또한 경신경근 근처에서 시행되는 사각근간 상완신경총 블록은 신경학적 및 척수 손상의 위험성이 있을 수 있다. 국소마취제 투여 시에 감각 이상 혹은 통증 등의 경보성 징후들이 일관성 있게 척수에 바늘이 접촉하는 상황을 알려줄 수는 없으나, 일부 환자들은 이러한 경보성 징후를 호소하는 경우도 있으므로 전신마취 혹은 깊은 진정 하에서의 블록은 성인에서는 추천되지 않는다. 당일 어깨수술 환자에서 국소마취제 양을 16-20 ml를 사용하는 초음파유도 사각근간 상완신경총 블록은 초음파를 사용하기 전에 비하여 초기 수술 후 신경학적 증후군의 발생빈도는 낮은 것을 보고되었다.

② 쇄골상 상완신경총 블록(Supraclavicular brachial plexus block)

쇄골상 상완신경총 블록은 팔꿈치, 전완, 손 및 어깨 수술 등에 적용되며 블록은 원위부 트렁크 혹은 근위부 디비젼 레벨에서 시행한다. 이 부위에서 상완신경총은 조밀해서 적은 양의 국소마취제로도 신속하게 블록이 잘 된다. 또한 팔의 자세에 관계없이 블록이 가능한 장점이 있으나 손까지 블록이 되어 수술 후 불편할 수 있다. 자료에 의하면 쇄골상 상완신경총 블록은 사각근간 상완신경총 블록에 비해 내시경을 이용한 어깨 수술에서 감각블록은 조금 떨어지지만 아편유사진통제의 사용량에는 차이가 없었으며, 운동신경 블록능력은 더 강하고, Horner's 중후군의 발생빈도는 낮았다고 한다. 그러나 횡격신경의 마비의 빈도는 사각근간법에 비해서 일관성 있게 낮게 보고되고 있지는 않다. 초음파의 사용은 상완신경총 외에 쇄골하 동맥과 제1늑골 하부에서 흉막을 관찰할 수 있어 안전성을 증가시킬 수 있다.

③ 견갑상신경 블록(Suprascapular nerve block)

견갑상신경은 상완신경총의 상트렁크에서 기시하며,

어깨부위에 분포하는 가장 중요한 신경들 중의 하나이고 어깨 관절의 운동신경 및 주요 감각신경을 포함한다. 하지만 이 신경은 원위부로 내려갈수록 해부학적 변형들이 자주 발생되어 근위부에서 블록하는 것이 추천되기도 한다. 전신마취 하에서 견갑상신경 블록과 액와신경 블록의 병용으로 어깨수술에서 사각근 간 상완신경총 블록과 패턴은 다르지만 횡격신경을 보호하면서도 임상적으로 적절한 통증완화, 특히 수술 후 24시간 시점에서 더 나은 안정 시 진통효과를 보여주면서도 부작용의 발생빈도는 더 낮았다는 보고가 있다. 하지만 이에 대한 추가적인 연구가 필요하다.

④ 액와신경 블록(Axillary nerve block)

액와신경은 C5, 6의 배쪽 가지에서 형성되어 견관절 및 삼각근 피부 부위의 감각뿐 아니라 삼각근, 소원근 그리고 상완삼두근의 긴쪽 머리에 분포한다. 이 신경은 후상완회선동맥 근처의 사각형 공간으로 지나가며 초음파 영상으로 쉽게 확인된다. 액와신경 블록은 견갑상신경 블록과 병용하여 사용될 수 있다.

⑤ 경신경총 블록(Cervical plexus block)

천경신경총 블록은 어깨수술 시에 피부 절개에 의한 통증을 차단하기 위해서 추가로 시행되기도 하는데 이런 경우 쇄골상 가지만 선택적으로 블록할 수 있다.

(4) 팔 및 손 수술

문헌에 따르면 당일수술의 손수술에서 1회 주입 부위마취는 오심의 감소 및 조기퇴원의 장점을 보여주었고, 초기 통증의 경감에는 효과적이었지만 1일 이후에서 통증의 경감은 보여주지 못하였다고 하였다.

① 쇄골상 상완신경총 블록(Supraclavicular brachial plexus block)

쇄골상 상완신경총 블록은 당일수술의 팔과 손수술에서 성공적으로 기흉의 발생 없이 적용되었으며, 소아에서 외상에 의한 팔꿈치 관절수술에서도 효과적인 마취 및 진통을 제공하였다. 쇄골상 상완신경총 블록은 쇄골하 상완신경총 블록에 비하여 30분 경과 후 척골신경 감각 블록이 좀더 효과적인 것으로 알려져 있다.

② 쇄골하 상완신경총 블록(Infraclavicular brachial plexus block)

쇄골하 상완신경총 블록은 팔과 손의 마취 및 진통을 제공한다. 이 블록은 상완신경총의 코드레벨에서 시행되므로 근피신경과 액와신경을 블록하면서 기흉을 피할 수 있는 장점과 팔의 자세와 관계없이 블록을 시행할 수 있다는 장점을 갖고 있다. 하지만 신경총을 찾을 때에 랜드마크로 사용될 수 있는 촉지가 가능한 해부학적 구조물이 없으므로 신경자극기 혹은 초음파를 사용하여야 한다. 초음파를 사용하는 경우 액와동맥 주변으로 신경들을 영상으로 확인할 수 있으며 국소마취제의 확산 역시 확인이 가능하다. 하지만 과다하게 바늘을 내측으로 진입할 경우 기흉의 위험성이 있을 수 있다. 문헌에 따르면 쇄골하 상완신경총 블록은 지혈대로 인한 통증이 적으며 신경자극기를 사용할 경우 원위부의 후코드가 목표가 되어야 한다고 한다. 쇄골하 상완신경총 블록은 1회 주사법 보다는 2회 혹은 3회 주사법이 좀더 완벽한 요골신경 블록을 이룰 수 있다. 초음파유도로 시행했을 경우 횡경막마비의 발생빈도는 쇄골상 상완신경총 블록에 비하여 적다고 한다.

③ 액와 상완신경총 블록(Axillary brachial plexus block)

액와접근법은 쉽고, 효과적이고 안전해서 많이 시행되고 있다. 블록은 상완신경총의 말단부위에서 시행되는데, 근피신경 블록이 항상 되지는 않으므로 근피신경 블록은 액와 혹은 팔꿈치에서 추가로 시행될 수 있다. 적응증은 팔꿈치, 아래팔 및 손의 수술이다. 액와 접근법은 당일수술 혹은 소아에서 적합하지만 상완 및 어깨수술에는 적합하지 않고 블록을 시행하기 위해서는 팔을 내전시켜야 하는 불편함이 있다. 수기는 이상감각법, 신경자극법 혹은 초음파유도 등으로 시행될 수 있다. 하지만 액와접근법 동안 신경자극법에 의한 전기적인 자극은 당일수술의 손수술을 받는 53%의 환자들에서 통증으로 인식이 되지만 대다수의 환자들은 액와접근법에 대해 만족하는 것으로 보고되었다.

④ 손목 블록

손목 블록은 정중(median), 척골(ulnar) 및 요골(radial) 신경들의 가지를 블록하는 테크닉으로 비교적 간단하며 손과 손가락 수술에서 매우 효과적으로 마취 및 진통을 제공한다. 이 블록은 당일수술에 적합하며 금식이 안된 환자들에게도 안전하게 시행될 수 있다. 손목 블록은 초음파를 이용하여 효율적으로 시행이 가능하며, 상완신경총 블록 후 부족한 블록을 보강하는 구조블록(rescue block)으로도 이용될 수 있다. 손목 지혈대는 팔 지혈대에 비해 좀더 긴 시간인 120분 정도를 환자들이 견딜수 있다고 한다.

(5) 복부 수술

과거 랜드마크법으로 복벽에서 시행되던 말초신경 블록들은 많은 장점에도 불구하고 성공률이 시행자의 능력에 과도하게 의존되었고 또한 심각한 합병증들이 발생되기도 하였다. 하지만 최근에는 초음파의 도움으로 안전하고 효과적으로 복벽 블록들을 시행할 수 있게 되면서 많은 관심들이 집중되고 있다.

① 배가로근면 블록(transverse abdominis plane block, TAP block)

복횡근막면 블록은 T7-L1 척추신경의 전, 측방 가지의 블록을 목표로 하는 테크닉으로 주로 배꼽아래 쪽 수술에 적용된다. 복횡근막면 블록은 전방, 측방 혹은 중액와 접근법 모두 배꼽상부의 절개에는 충분한 진통효과를 제공할 수 없으므로, 경사늑골하 접근법이나 요방형근 블록으로도 호칭이 되고 있는 후방접근법 등이 추가로 소개가 되었다. 후방 복횡근막면 블록의 효과는 흉부척추옆 공간이나 경막외 공간으로의 국소마취제의 확산 혹은 혈관이나 림프계를 통한 국소마취제의 전신적 흡수와 관련이 있을 것으로 추정되고 있다. 현재 복횡근막면 블록은 복강경 혹은 개복수술, 복벽 내의 기구 삽입, 당일수술로 시행되는 복막투석카테터의 삽입, 그리고 장골능선 뼈수확 등 다양한 수술에서 시행되고 있다. 초음파유도로 복강천자의 가능성을 줄여 안전성이 증가되었지만 간의 손상이 보고된 바가 있으므로 초음파유도 하에서도 주의가 필요하다. 당일수술로 시행된 서혜탈장수술에서 카테터를 이용한 복횡근막면 블록은 지속적인 진통효과를 보였으나, 당일수술로 시행된 복강경 완전자궁적출술에서 복횡근막면 블록의 효과는 대조군과 큰 차이를 보이지 않아 논란의 여지가 있다. 당일수술 복강경 담낭절제술에서 복횡근막면 블록이 기침에 의한 통증과 아편유사진통제의 요구량을 감소시키는 장점이 있다는 보고는 있으나, 배꼽상부의 절개가 요구되는 수술에서 복횡근막면 블록의 효용성 및 적절한 접근법에 관해서는 추가적인 연구가 필요한 상태이다.

② 복직근초 블록(Rectus sheath block)

복직근초 블록은 오래 전에 개발되었지만 새롭게 관심을 끌게 된 테크닉이다. 이 테크닉은 복횡근막면 블록과 마찬가지로 T7-L1의 전방가지의 블록을 목표로 하는 것으로 내장통에는 효과가 없지만 복부의 중간선절개 시에 발생하는 몸통증(somatic pain) 블록에는 유용하다. 하지만 복직근초 블록은 소아 배꼽탈장수술에서 창상침윤마취와 비교했을 때 진통효과에서 상반된 결과를 보였다.

③ 요방형근 블록(Quadratus lumborum block)

요방형근 블록은 2007년 Blanco에 의해서 후방 복횡근막면 블록 형태로 처음 기술되었는데 2011년 Carney 등에 의해서 1회 주입으로도 배꼽상부수술도 효과적인 진통을 제공할 수 있게 발전적으로 향상되었다. 이후 양측요방형근 블록으로 개복수술, 일측블록으로는 소아에서 신장절제술 그리고 복부의 신경병성 통증 등에 적용되었으나 당일수술에 이용된 바는 아직 없으며 이 블록의 기전 및 임상적 효과에 대해서는 좀더 연구가 필요할 것으로 판단된다.

(6) 서혜부

① 장골서혜/장골하복신경 블록(ilioinguinal/iliohypogastric nerve block)

장골서혜/장골하복신경 블록은 기술적으로는 복횡근막면 블록과 유사하며 소아에서 가장 흔하게 시행되는 말초신경 블록 중의 하나이고 서혜부수술 (L1 피부분절)에 효과적인 진통을 제공한다. 이 블록들은 초음파유도 없이도 가능한 테크닉이지만, 초음파유도 하에서의 블록은 랜드마크법에 비해서 적은 용량에도 좋은 결과를 보였다. 당일수술 고환고정술을 받는 소아에서 아편유사진통제의 정맥주사보다 빠른 회복과 적은 부작용을 보였으며, 소아에서 보통 당일수술로서 서혜탈장, 고환고정술, 음낭수종, 그리고 덩굴정맥류 등의 수술에서 시행된다.

② 횡근막면 블록(Transversalis fascia plane block)

2010년 Hebbard 등이 처음 기술하였으며 T12 및 L1의 외측 피부 가지를 블록하기 위해 개발되었는데, 이 두 신경가지들은 복횡근막면 블록 시에 해부학적 구조 및 변형 때문에 블록에 실패하는 경우가 발생될 수 있어서 이를 보완하기 위해 좀더 근위부에서 블록을 하는 것이다. 임상적으로는 충수절제

술, 서혜탈장, 장골능선 뼈수확 등에 적용되어 효과적인 진통효과를 보였으나 당일수술에서 연구된 바는 아직 없다.

(7) 항문-생식기 수술

① 음경신경 블록(Penile nerve block)

포피와 음경수술은 소아에서 흔하게 시행되고 있는데, 12-24시간 정도 통증 조절이 필요하며 주로 당일수술로 시행된다. 음경의 신경분포는 음부신경의 종단 가지인 후 음경신경이 주로 담당한다. 음경신경 블록은 치골상 접근법으로 시행되며 비교적 긴 지속시간을 보이고 있어 효과적이다. 치골상 공간에 국소마취제를 투여하는 음경신경 블록은 랜드마크법 혹은 초음파유도로 시행이 가능하다.

② 음부신경 블록(Pudendal nerve block)

음부신경은 외부생식기관을 포함한 골반강 내의 장기들의 감각 및 운동신경을 제공한다. 음부신경 블록의 랜드마크는 좌골결절과 항문이다. 일반적으로 국소마취제 0.1 ml/kg 정도의 양은 음낭의 뒤쪽부위 정도만을 블록하므로 장골서혜/장골하복 및 음부대퇴 신경 블록의 보조로 사용하기에 충분하다. 하지만 국소마취제 0.3-0.4 ml/kg의 양을 투여하면 후음경신경을 포함하여 회음부 전체를 블록할 수 있으며, 블록은 신경자극기 및 초음파의 도움으로 가능하다. 당일수술의 항문직장수술에서 음부신경 블록이 효과적이고 환자의 만족도가 높았다는 보고가 있다.

(8) 고관절 수술

최근 완전 고관절성형술을 당일수술로 시행하는 것에 대한 관심이 증가되고 있으며 장점들이 있는 것으로 인식이 되고 있다. Klein 등에 의하면 당일수술로 시행되는 완전 고관절성형술은 적절하게 선별된 환자들에서 시행된다면 안전하고 효과적이라고 한다. 또한 당일수술로 시

행되는 고관절 내시경수술에서도 지속적 요신경총 블록이 효과적이라는 보고가 있다. 후방 접근법으로 고관절을 수술할 경우 절개부위는 외측대퇴피부신경, 하전신경이 담당하며, 근육과 뼈는 대퇴신경, 좌골신경, 하전신경이 주로 담당한다. 고관절부위는 폐쇄신경이 일부 관여하는 것으로도 알려져 있다. 따라서 요신경총 블록으로 대퇴신경, 외측대퇴피부신경 및 폐쇄신경의 블록이 가능하며, 좌골신경 블록은 하전신경, 후대퇴피부신경을 같이 블록하기 위해서 선골옆 접근법으로 시행한다.

① 요신경총 블록(Lumbar plexus block)

블록 시의 체위는 수술체위와 같이 앙와위로 하여 요신경총 블록을 시행하며, 볼록형의 탐색자를 이용하는 초음파와 신경자극기를 병용하여 Shamrock 접근법을 사용한다. 요척추체를 중심으로 대요근, 요방형근 그리고 척추기립근을 같이 보여주는 shamrock view로 보면서, 제 3요추의 횡돌기를 먼저 확인 후 탐색자를 꼬리쪽으로 기울여 횡돌기가 없어지는 곳을 목표로 한다. 요신경총은 대요근 안에서 등쪽으로 신경총이 모여있는 것을 확인할 수 있다. 이때 신경자극기를 같이 사용하면 도움이 된다.

② 선골옆 접근법 좌골신경 블록(Parasacral approach of sciatic nerve block)

요신경총 블록에 이어서 천골옆 접근법 좌골신경 블록을 시행한다. 먼저 좌골신경과 같이 주행하는 상전동맥을 칼라도플러로 확인하면서 혈관천자를 피하면서 이상근의 아래에 국소마취제를 주입하여 효과를 볼 수 있다.

③ 3-in-1 블록(Three-in-one block)

이 테크닉은 요신경총 블록의 혈관주변 접근법으로 원위부쪽은 압박하면서 대퇴관 내에 많은 양의 국소마취제를 투여하여 국소마취제가 허리근구획(psoas compartment) 안쪽으로 몸쪽 확산을 유발함으로써 요신경총을 블록하고자 하는 테크닉이다.

대퇴경부 혹은 대퇴돌기 골절 등의 마취 및 진통에 적응될 수 있으며, 고관절 인공삽입물수술에서 장골근막구획 블록과 유사한 효과를 보이는 것으로 보고되어 있다.

(9) 슬관절 수술

당일수술로 시행되는 슬관절의 관절경수술의 경우는 지속시간이 짧은 국소마취제를 이용한 척추마취를 적용할 수 있으며, 대퇴신경 및 좌골신경 블록을 이용한 환자군과 비교했을 때 퇴원시간에는 차이가 없었다고 한다. 슬관절성형술은 정형외과적 대수술이지만, 최근에는 수술 후 회복증진 프로토콜의 도입으로 슬관절성형술에서도 신속한 회복 후 조기퇴원이 점차 보편화되고 있다. 하지만 이를 위해서는 환자의 선정도 중요한데, 환자는 가능한 젊고, 남성이면서 환자주변에 좋은 사회지지망을 갖고 있는 경우가 대상이 될 수 있다. 또한 병원 내에서도 여러 전문분야적 접근이 필요하며, 주치의는 슬관절성형술 프로토콜 및 수술 후 합병증과 퇴원의 지연을 피할 수 있는 방법을 확립해 놓아야 한다. 슬관절의 대부분은 대퇴신경이 지배를 하지만 경골은 좌골신경이 지배하므로 대퇴신경블록만으로는 수술 후에 슬와부의 통증이 발생될 수 있으므로 시간절약을 위해서 좌골신경 블록을 생략하고 국소침윤마취를 병용하기도 한다. 또한 폐쇄신경 블록을 추가로 시행할 수 있다.

① 대퇴신경 블록(Femoral nerve block)

대퇴신경 블록은 서혜인대 부위에서 시행되며 신경자극기를 사용할 경우 바늘이 대퇴동맥 외측에 위치한 대퇴신경의 후가지를 자극하여 대퇴사두근이 수축될 때 국소마취제를 투여한다. 초음파유도 하에서 대퇴신경은 대퇴동맥 외측에서 삼각형 모양으로 관찰된다. 슬관절성형술 시에 대퇴신경 블록만을 했을 경우, 지혈대로 인한 통증 그리고 좌골신경 및 폐쇄신경 영역으로부터 통증을 느낄 수 있음을 주지하고 있어야 한다.

② 내전근관 블록(Adductor canal block)

내전근관은 넙적다리의 중앙 1/3에 위치하는 근육 내 건막터널로, 내전근관은 전측부는 대퇴사두근, 내측으로는 봉공근, 후면은 큰모음근 사이의 삼각형 모양을 갖고 있다. 내전근관에는 대퇴동맥, 대퇴정맥, 폐쇄신경, 그리고 복재신경과 내측광근으로 들어가는 신경들이 주행한다. 초음파의 도입으로 내전근관 블록은 성공률이 높아졌으며, 대퇴신경 블록에 비해서 블록 후 진통효과가 떨어지지 않으며 대퇴사두근의 힘을 좀더 보존하는 것으로 보고된 바 있다.

③ 선택적 경골신경 블록(Selective tibial nerve block)

선택적 경골신경 블록은 슬와부위에서 좌골신경이 비골신경과 경골신경으로 분지가 되는 지점을 초음파로 찾아서 경골신경 부위에만 국소마취제를 투여하는 방법이다. 슬관절 후면의 수술 후 통증 감소에 도움이 되지만 발바닥의 저림이나 발목 뒤굽힘의 쇠약 등이 발생될 수 있다.

④ 폐쇄신경 블록(Obturator nerve block)

폐쇄신경은 기본적으로는 운동신경이며 L3, 4에서 기시하고 드물게 L2가 관여한다. 이 신경은 폐쇄관에 위치하면서 요근의 내측경계로 내려가는데 폐쇄관을 떠나면서 전, 후 가지로 분지를 한다. 전 가지는 고관절과 전외전근을 담당하며 또한 넙적다리 안쪽의 피부에 분포한다. 후 가지는 심외전근에 분포하며 슬관절에도 분포되는 것으로 알려져 있어 이견은 있으나 슬관절수술을 위한 부위마취에 폐쇄신경 블록이 포함되기도 한다.

⑤ 3-in-1 블록(Three-in-one block)

이 테크닉은 요신경총 블록을 위한 접근법 중의 하나이지만, 자기공명영상을 통한 연구에 의하면 3-in-1 블록 시에 국소마취제는 몸쪽 확산보다는 외측, 내측 그리고 꼬리쪽으로 확산이 되면서 외측

대퇴피부신경과 폐쇄신경 블록을 유발한다고 한다. 이 블록은 슬관절성형술, 대퇴골몸통의 골절, 슬관절 내시경수술, 전십자인대 재건술 등의 마취 및 진통 목적으로 시행될 수 있다.

(10) 발 및 발목 수술

① 슬와 접근법 좌골신경 블록(Popliteal sciatic nerve block)

좌골신경(L4 & L5, S1-3)은 하지의 네 가지 말초신경들 중에서 가장 굵은 신경으로 경골 신경 및 비골신경 부분으로 구성되어 있다. 좌골신경 블록은 좌골신경의 넓은 감각분포로 인하여 복재신경 혹은 대퇴신경의 블록과 병용하여 넙적다리 지혈대가 필요 없는 슬관절 아래쪽 수술들에서 사용될 수 있다. 이러한 형태의 블록들은 교감신경차단 효과가 없으므로 심한 대동맥판협착증과 같이 혈역학적인 변화가 위험한 환자들의 마취에 도움이 될 수 있다. 좌골신경 블록의 접근법으로는 전통적인 후방 접근법, 둔부아래 접근법, 전방 접근법 그리고 슬와 접근법 등이 있다. 슬와 접근법은 종아리 지혈대가 필요한 경우 발목블록 보다 더 선호된다. 슬와 접근법은 후방 혹은 측방 접근법으로 시행될 수 있으며 종아리 지혈대 혹은 Esmarch 붕대를 사용하거나 발의 내측부위를 수술하는 경우에는 복재신경 블록을 추가로 해 줄 필요가 있다. 신경자극기를 사용하는 경우는 발목의 내번이 성공적인 블록을 예측할 수 있는 가장 확실한 운동 반응이다. 초음파의 사용은 좌골신경이 경골신경과 비골신경으로 나뉘어지는 포인트를 찾는데 도움이 되며 이곳에서는 일회 주사로도 성공률이 높다고 한다.

② 발목 블록(Ankle block)

발목부위에서 블록이 가능한 신경은 후경골 신경(posterior tibial nerve), 비복신경(sural nerve) 그리고 천 및 심 비골신경(peroneal nerve)이다. 발목

블록은 발목 부위의 상부에 지혈대를 거치할 필요가 없는 발수술에 적절한 마취를 제공해주며, 랜드마크 혹은 초음파유도로 블록이 가능하다.

(11) 하지정맥류 수술

당일수술로 시행되는 하지정맥류 수술에서 3-in-1 블록을 단독으로 시행한, 그리고 대퇴신경 블록과 음부대퇴(genitofemoral)신경 블록을 병용하여 성공적으로 시행한 보고들이 있다.

카테터를 이용한 지속말초신경 블록

당일수술에서 카테터를 이용한 지속말초신경 블록은 다른 치료방법으로 쉽게 조절되지 않는 중등도-중증 통증을 유발하는 수술에 적응이 되며, 이미 무작위 대조시험을 통해서 위험-편익 평가 상으로 장점이 있다고 평가되었다. 적용되는 정형외과 수술들에는 쇄골, 견관절 및 근위 상완골 수술, 팔꿈치, 전완 및 손 수술, 슬관절 수술, 그리고 하지, 발목 및 발 수술 등이 있다. 최근에는 정형외과 수술에서 적용 범위가 확대되고 있는데, 성공적인 지속말초신경 블록은 통증치료를 위해 입원이 필요했던 수술들을 당일수술로 전환시킴으로써 당일수술을 좀 더 복잡하고 통증이 심한 수술까지 확대시키는 역할을 하고 있다. 또한 정형외과 수술 외에도 당일 유방수술에서 지속 흉부척추옆 블록이 일회-주사 흉부척추옆 블록에 비해 수술 다음날까지 진통효과가 높다고 보고가 되어 있다. 지속말초신경 블록은 소아 및 청소년들의 당일수술에서도 성공적으로 적용되고 있는데, 대부분의 환자 및 보호자들이 만족하는, 가정에서도 유지가 가능한 수술 후 통증관리 수단으로 평가되고 있다. 당일수술에서 적용되는 지속말초신경 블록의 장점으로는 당일퇴원을 촉진시키고, 진통시간의 연장으로 아편유사진통제를 포함한 진통제 필요량을 줄여주며 환자의 만족도를 증가시키고, 보행 등 기능적 향상을 도와줄 수 있다는 것들이며 또한 계획에 없던 왕진 요청의 빈도를 줄일 수 있다는

점도 포함된다. 카테터는 블록바늘의 안 혹은 밖을 통해서 거치되는데, 신경자극용 바늘, 카테터 그리고 휴대용 주입펌프 등의 발전으로 인하여 지속말초신경 블록의 성공률과 인기가 높아지고 있다. 그러나 당일수술에서 지속말초신경 블록의 성공적인 적용을 위해서는 적절한 환자의 선정과 교육 그리고 위험성의 최소화 및 효과의 극대화를 위한 적절한 계획이 필요하다. 당일수술에서 지속말초신경 블록은 심각하면서 영구적인 합병증을 유발하는 경우는 매우 드물며, 카테터 이탈, 초기블록의 효과가 종료된 후 카테터를 통해 투여되는 낮은 농도의 국소마취제로 인하여 추가블록의 효과가 감소되는 이차적 블록실패, 감염 등의 소소한 문제점들이 발생될 수 있다. 하지만 사각근간 상완신경총 블록 후에 발생될 수 있는 합병증들, 예를 들면 일측횡경막마비가 지속블록으로 시행될 경우에는 그 증상이 장시간 동안 지속될 수 있으므로 주의를 해야 한다. 지속말초신경 블록은 대부분의 부위마취에 적용이 가능하지만 정형외과 이외의 당일수술에 적용되는 지속말초신경 블록에 대한 자료들은 현재로서는 많지 않다.

① 지속말초신경 블록의 시행 조건

당일수술에서 시행되는 지속말초신경 블록은 환자의 선별과 교육이 매우 중요한데 선별에서 제외되는 기준은 표 16-1에 기술되어 있다. 기본적으로 환자들은 믿을 수 있는 보호자, 연락이 가능한 전화, 언제든 이용할 수 있는 교통수단, 그리고 깨끗하고 회복에 도움이 되는 거주환경 등을 갖추고 있어야 한다. 최근에는 소아환자들에서도 지속말초신경 블록의 적용이 증가되고 있는데 그 적응증 및 금기증들은 성인에서와 유사하다. 환자와 보호자는 기본적으로 주입펌프의 안전한 사용법 그리고 부위마취가 환자의 운동 및 감각신경에 미치는 영향에 대해서 인지하고 있어야 한다. 또한 국소마취제 독성의 위험성, 징후 및 증상들에 대한 교육과 감염을 예방하기 위해서 카테터 주변을 무균 상태로 유지하도록

표 16-1 당일수술에서 지속말초신경 블록의 제외 기준

기준	이론적 근거	예
인지 장애	통증평가 및 합병증 진단이 어려움	다발경색치매, Alzheimer 질환, 정신질병
신뢰 부족	지시에 따르지 않거나, 따를 수 없음	정신질환, 언어장벽 및 통역사를 사용할 수 없는 상황, 연락이 안 되는 경우
가정적 환경이 부적합한 경우	응급상황 혹은 합병증이 발생한 경우에 도움을 받을 수 없음	독거, 신뢰할 수 없는 보호자를 동반한 소아 환자
보행장애의 기왕력	낙상의 위험성 증가	류마티스관절염 환자, 중풍에 의한 반부전마비 환자, 기존의 신경병증 혹은 근육병증으로 쇠약이 있는 경우
심각한 장기 기능장애	신경학적 혹은 심장 독성의 가능성이 증가될 수 있는 병태생리적 변화의 가능성	국소마취제의 지속투여 동안 약물 및 활성 대사물의 제거를 지연시키거나, 장기의 관류가 증가될 수 있는 심부전증 환자

하는 보호자의 교육이 필요하다.

② 카테터 삽입 테크닉, 카테터 종류 및 주입펌프

카테터의 삽입테크닉은 장비에 따라 catheter-through-needle 테크닉과 catheter-over-needle 테크닉 두 가지가 사용되고 있다. 이 두 가지 테크닉을 비교한 자료는 아직은 없으나 의사의 숙련 정도에 따라서 양쪽 모두 성공적으로 이용될 수 있다. 지속말초신경 블록에서는 이차적 블록실패가 가장 우려되는 점인데, 이차적 블록실패는 희석된 국소마취제가 지속적으로 주입되면서 진통효과가 감소하는 것으로 연구에 의하면 10% 정도에서 발생된다고 한다. 카테터 삽입할 때 자극카테터와 비자극카테터가 성공률에 미치는 영향은 큰 차이가 없는 것으로 밝혀져 있다. 주입펌프는 다양한 제품으로 시판되고 있으나 각각 이점과 한계를 갖고 있으므로 주어진 임상적 상황에 부합하는 최적의 장비를 결정해야 한다.

③ 추적관리

퇴원 후 지속말초신경 블록을 효과적으로 유지하려면 추적관리가 매우 중요하다. 추적관리는 주로 경험이 많은 마취통증의학과의 담당자에 의한 전화 혹은 직접방문으로 시행될 수 있다. 추적관리의 목표에는 퇴원 후에 받을 수 있는 문의에 대해서 적절한 답변을 하고, 환자와 보호자를 안심시키고, 또한 집에서 카테터를 통한 국소마취제의 투여가 예기치 않게 중단되어 발생되는 환자의 상태변화를 조속히 확인하는 것 등이 포함된다.

당일수술 후에 자택에서도 적용이 되는 카테터를 이용한 지속말초신경 블록은 수술 후 통증관리에서 고식적 치료에 비해 뛰어난 효과를 보이고 있으며, 이 테크닉의 성공적인 완성은 통합적인 환자의 평가에 이은 환자 및 보호자에 대한 적절한 교육, 그리고 수술 후 추적관리에 의해서 이루어질 수 있다. 최근에는 지속말초신경 블록의 안전성이나 효율성 보다는 합병증의 평가, 국소마제의 용량의 감소, 그리고 초음파 혹은 자극카테터를 이용한 이차적 블록실패의 예방 등에 초점이 맞춰지고 있다.

말초신경 블록에서 국소마취제의 선택

말초신경 블록에서 국소마취제의 선택은 수술 소요시간 및 수술 후 통증의 정도 등과 연관된다. Bupivacaine이나 ropivacaine 같이 지속시간이 긴 국소마취들은 진통효과는 뛰어날 수 있지만 수술 후 통증의 지속시간이 짧은 당일수술에는 적합하지 않을 수 있다. 또한 너무 높은 농도로 국소마취제를 말초신경 블록에 사용하는 것은 적절하지 않아서 0.75% bupivacaine, 0.75% ropivacaine, 2% lidocaine, 2% mepivacaine, 그리고 3% 2-chloroprocaine 등은 추천되지 않으며, 같은 농도의 국소마취제가 투여될 때, 신경총 블록의 경우가 혈관 분포상태가 달라서 일반 신경 블록보다 지속시간이 짧을 수 있다는 점도 고려되어야 한다. 또한 전신마취 하에서 시행되는 말초신경 블록의 경우는 운동신경 블록이 필요 없기 때문에 저농도의 국소마취제를 투여해도 충분한 수술 후 진통효과를 얻을 수 있다. 신경의 수초형성이 미성숙한 소아에서는 국소마취제의 신경흡수가 빠르기 때문에 농도를 낮추어도 성인과 비슷한 블록효과를 보일 수 있으며, 소아에서는 국소마취제 독성을 피하기 위해서는 국소마취제의 용량계산에 각별한 주의를 해야 한다. 서로 다른 국소마취제를 혼합 사용하는 것은 국소마취제의 작용발현시간, 지속시간 및 역가의 예측을 어렵게 할 수 있으며, 혼합 시에 약물오류로 인한 사고의 위험성이 증가될 가능성이 있다.

참고문헌

1. American Society of Anesthesiologists Task Force on Acute Pain M. Practice guidelines for acute pain management in the perioperative setting: An updated report by the american society of anesthesiologists task force on acute pain management. Anesthesiology 2012; 116: 248-73.
2. Armstrong KP, Cherry RA. Brachial plexus anesthesia compared to general anesthesia when a block room is available. Can J Anaesth 2004; 51: 41-4.
3. Bansal V, Shastn U, Gupta R, et al. Continuous perineural catheters for postoperative pain from an ambulatory surgery center. Reg Anaesth Pain Med 2016; 41: 543.
4. Blanco R. The 'pecs block': A novel technique for providing analgesia after breast surgery. Anaesthesia 2011; 66: 847-8.
5. Brolin TJ, Mulligan RP, Azar FM, et al. Outpatient total shoulder arthroplasty in an ambulatory surgery center is a safe alternative to inpatient total shoulder arthroplasty in a hospital: A matched cohort study. J Shoulder Elbow Surg 2017; 26: 204-8.
6. Carney J, Finnerty O, Rauf J, et al. Studies on the spread of local anaesthetic solution in transversus abdominis plane blocks. Anaesthesia 2011; 66: 1023-30.
7. Chou R, Gordon DB, de Leon-Casasola OA, et al. Management of postoperative pain: A clinical practice guideline from the american pain society, the american society of regional anesthesia and pain medicine, and the american society of anesthesiologists' committee on regional anesthesia, executive committee, and administrative council. J Pain 2016; 17: 131-57.
8. Cozowicz C, Poeran J, Zubizarreta N, et al. Trends in the use of regional anesthesia: Neuraxial and peripheral nerve blocks. Reg Anesth Pain Med 2016; 41: 43-9.
9. Elvir-Lazo OL, White PF. The role of multimodal analgesia in pain management after ambulatory surgery. Curr Opin Anaesthesiol 2010; 23: 697-703.
10. Forero M, Adhikary SD, Lopez H, et al. The erector spinae plane block: A novel analgesic technique in thoracic neuropathic pain. Reg Anesth Pain Med 2016; 41: 621-7.
11. Forster JG, Rosenberg PH. Revival of old local anesthetics for spinal anesthesia in ambulatory surgery. Curr Opin Anaesthesiol 2011; 24: 633-7.
12. Gan TJ, Diemunsch P, Habib AS, et al. Consensus guidelines for the management of postoperative nausea and vomiting. Anesth Analg 2014; 118: 85-113.
13. Hadzic A, Karaca PE, Hobeika P, et al. Peripheral nerve blocks result in superior recovery profile compared with general anesthesia in outpatient knee arthroscopy. Anesth Analg 2005; 100: 976-81.
14. Hofer J, Chung E, Sweitzer BJ. Preanesthesia evaluation for ambulatory surgery: Do we make a difference? Curr Opin Anaesthesiol 2013; 26: 669-76.
15. Ironfield CM, Barrington MJ, Kluger R, et al. Are patients satisfied after peripheral nerve blockade? Results from an international registry of regional anesthesia. Reg Anesth Pain Med 2014; 39: 48-55.
16. Kim JS, Lee J, Soh EY, et al. Analgesic effects of ultrasound-guided serratus-intercostal plane block and ultrasound-guided intermediate cervical plexus block after single-incision transaxillary robotic thyroidectomy: a prospective, randomized, controlled trial. Reg Anesth Pain Med 2016; 41: 584-8.
17. Klein GR, Posner JM, Levine HB, et al. Same day total hip arthroplasty performed at an ambulatory surgical center: 90-day complication rate on 549 patients. J Arthroplasty 2017; 32: 1103-6.
18. Koyyalamudi V, Sen S, Patil S, et al. Adjuvant agents in regional anesthesia in the ambulatory setting. Curr Pain Headache Rep 2017; 21: 6.

19. Ludwin DB. Setting up an ambulatory regional anesthesia program for orthopedic surgery. Anesthesiol Clin 2014; 32: 911-21.

20. Lux EA, Stamer U, Meissner W, Wiebalck A. Postoperative pain management after ambulatory surgery. A survey of anaesthesiologists]. Schmerz 2011; 25: 191-4.

21. Machi AT, Ilfeld BM. Continuous peripheral nerve blocks in the ambulatory setting: an update of the published evidence. Curr Opin Anaesthesiol 2015; 28: 648-55.

22. Moore JG, Ross SM, Williams BA. Regional anesthesia and ambulatory surgery. Curr Opin Anaesthesiol 2013; 26: 652-60.

23. Neal JM, Barrington MJ, Brull R, et al. The second ASRA practice advisory on neurologic complications associated with regional anesthesia and pain medicine: Executive summary 2015. Reg Anesth Pain Med 2015; 40: 401-30.

24. Neal JM. Ultrasound-guided regional anesthesia and patient safety: Update of an evidence-based analysis. Reg Anesth Pain Med 2016; 41: 195-204.

25. Piracha MM, Thorp SL, Puttanniah V, et al. "A tale of two planes": Deep versus superficial serratus plane block for postmastectomy pain syndrome. Reg Anesth Pain Med 2017: 42; 259-62.

26. Serra M, Vives R, Canellas M, Planell J, et al. Outpatient multimodal intravenous analgesia in patients undergoing day-case surgery: Description of a three year experience. BMC Anesthesiol 2016; 16: 78.

27. Suresh S, Wheeler M. Practical pediatric regional anesthesia. Anesthesiol Clin North America 2002; 20: 83-113

28. Teunkens A, Vermeulen K, Van Gerven E, et al. Comparison of 2-chloroprocaine, bupivacaine, and lidocaine for spinal anesthesia in patients undergoing knee arthroscopy in an outpatient setting: A double-blind randomized controlled trial. Reg Anesth Pain Med 2016; 41: 576-83.

29. Thienpont E, Lavand'homme P, Kehlet H. The constraints on day-case total knee arthroplasty: The fastest fast track. Bone Joint J 2015; 97-B: 40-4.

30. Visoiu M, Joy LN, Grudziak JS, et al. The effectiveness of ambulatory continuous peripheral nerve blocks for postoperative pain management in children and adolescents. Paediatr Anaesth 2014; 24: 1141-8.

PART **04**

수술장 외 마취

Non-operation room
anesthesia

Chapter 17 개론

Chapter 18 소화기내시경 시술 마취

Chapter 19 신경중재치료의 마취

Chapter 20 심혈관중재시술의 마취

Chapter 21 진단적 목적의 영상감시를 위한
진정치료

Chapter 22 전기경련요법을 위한 마취

개론

전통적인 마취는 수술실 내에서 시행하는 것이었다. 그러나 지난 수년간 과학의 발달과 함께 새롭고 더욱 복합적인 진단과 치료 기술이 급격하게 개선되면서 시술하는 동안 움직임이 없어야 하고 각성 없이 무의식 상태를 요구하게 되었다. 이와 함께 마취 약물과 기구, 감시 장비의 변화와 발달로 수술실 밖에서도 수술실 내와 같은 마취 관리가 가능하게 되었다. 이처럼 수술실 밖에서 복잡하고 침습적인 진단적, 치료적 술기가 증가함에 따라 마취통증의학과 전문의 역시 수술장 밖에서의 역할이 중요해졌고, 이를 반영하듯 최근 몇 년간 수술장 외 마취(non-operating room anesthesia)는 크게 증가하였다. 본 장에서는 수술장 외 마취에서 마취통증의학과 전문의 참여의 중요성과 이에 대하여 고려해야 할 사항들에 대해 개괄해 보고자 한다.

1. 수술장 외 마취와 마취통증의학과 전문의의 참여

수술실 밖에서 시행되는 진단적, 치료적 시술들은 다양하며(표 17-1), 그 예로는 소화기내과의 위장관 내시경, 호흡기내과의 기관지 내시경, 심장내과의 심장도관삽입(cardiac catheterization), 박동조율기(pacemaker) 삽입 등과 혈액종양내과에서 골수 체취와 이식, 영상의학과에서 혈관조영, MRI, CT 촬영, 비뇨기과에서 체외충격파 쇄석술, 방광경을 이용한 요석 또는 종양 제거, 응급실에서 골절 정복 및 간단한 처치, 소아 환자를 위한 진단과 검사를 위한 시술 등이 있다. 그 외 수술실 밖에서 제공되는 시술로서는 산과의 인공수정과 착상을 위한 시술, 정신건강의학과의 전기경련충격요법 등이 있다. 간단한 시술은 마취통증의학과 전문의 없이 담당 주치의가 직접 시행하는 국소마취 또는 진정제 투여만으로 시행되는 경우가 있는데 환자의 안전을 위한 교육과 관리에 매우 신중하여야 할 것이다. 수술의 침습 정도와 범위 및 부위에 따라서 다양한 깊이의 진정과 부위마취 또는 전신마취를 필요로 하게 되며, 이는 마취통증의학과 의사의 감시하에 이뤄지게 된다. 수술실 밖에서 마취를 시행 받는 경우 당일 수술 센터처럼 ASA 1, 2에 해당하는 외래 환자도 있지만, 입원 환자 중에 수술을 받지 못하고 시술로 대신할 수 밖에 없는 ASA 3, 4에 해당하는 환자도 있다. 그러나 수술실 밖의 환경은 수술실에서처럼 응급 상황을 대비한 모든 장비가 완벽하게 갖춰져 있지 않고, 함께 일하는 의료인이나 의료기사들은 응급 상황에 대처 능력이 부족하거나 훈련이 잘 안 되어 있을 수 있다. 따라서 수술실 밖에서 진정이나 마취를 시행하였을 때는 합병증 발생의 위험이 수술실 안에서보다 더 높아질 수 있음을 명심해야 한다. 실제로 미국 마취통증의학과학회(ASA) 데이터베이스를 이용, 미국 내 의료소송(claim)건 분석을 통해 수술실 밖에서 마취 시 위험과 안전에 대해 알아본 논문에서는 소송 건수 중 사망이 발생

표 17-1 수술실 밖에서 진정으로 시행 가능한 시술들

분야	술기
위장관계 내시경	상부, 하부 위장관계 진단 및 치료 내시경, 내시경적 역행성 담췌관 조영술, 경피적내시경 위창냄술(percutaneous endoscopic gastrostomy)
심혈관계	부정맥 절제술(ablation), 경동맥 stent 거치술, 관상동맥 혈관조영술, 관상동맥 stent 거치술, 심장페이스메이커, 제세동기 거치술, 경피적 승모판, 대동맥판, 판막절개술, 심장막천자술, 카테터 거치술, 경식도 심장초음파, 말초동맥 stent 거치술, 혈관조영술
방사선 검사	동맥 색전술, 생검, 배농과 배액을 위한 카테터 거치, 뇌혈관조영술 CT, 하대정맥 filter 거치, MRI, 콩팥창냄술, 각종 튜브 거치술, 혈관확보를 위한 카테터 거치, 혈관 stent 거치술, Vertebroplasty/kyphoplasty
외과	동정맥누관술(AV fistula), 유방생검술, 미용성형수술, 코성형술, 안검성형술, 주름절제술, 병소절제술, 서혜부탈장성형술
호흡기	기관지 내시경
응급의학과	요추 천자, 탈골과 골절의 정복술, 이물질 제거술, 창상 봉합술, 봉합사 제거술, 흉강천자술, 심장막천자, 진단적 복강세척
정신과	전기경련요법
비뇨기과	체외충격파 쇄석술, 방광경 검사
중환자실	중심정맥로 확보, 기관내삽관, 경피적기관절개술, 기관지 내시경, 골수천자, 뇌실창냄술
안과	안압검사, 망막조영술, 선택적 안과수술
치과	발치, 방사선촬영

한 빈도가 수술실 밖(54%)이 안(29%)에서보다 훨씬 높았다고 보고하고 있다. 국내에서도 최근 대한마취통증의학회(KSA) 데이터베이스를 이용하여 2009년부터 2014년까지 마취 관련 의료분쟁과 관련된 분석하여 발표하였다. 총 105건의 사고 중 39건이 진정을 시행한 경우였고, 이 중 92.3%에 해당하는 36건이 마취통증의학과전문의가 아닌 시술을 시행하는 의사에 의해 진정을 시행하였다고 보고하고 있는데, 이를 통해 진정과 관련된 사고는 대부분이 수술방 외에서 이뤄졌음을 알 수 있다. 수술방밖에서 시행되는 마취에서는 환자의 안전을 확보하고 만족도를 제고하며, 안정적으로 마취를 유지함으로써 진단 및 시술을 성공적으로 마칠 수 있는 것이 목표가 되어야 한다. 따라서 수술장 외 마취에서 마취통증의학과 의사는 환자의 안전과 편안함을 보장하기 위하여 수술실 밖에서 이뤄지는 모든 절차를 감시, 감독할 수 있어야 한다.

2. 환자의 선택과 평가

수술장 외 마취 관리에서 환자의 선택은 당일 수술에서 적용하는 지침에 준하여 적용할 수 있다. 외래 환자는 ASA 1,2에 해당하는 경우가 대부분이지만, 소아와 노인 환자이며 심장, 폐, 등 다른 장기의 이상이 동반되어 위험도가 높은 미국마취통증의학과학회 신체등급 분류 3, 4에 해당되는 응급 환자, 입원 환자들도 대상이 될 수 있다. 시술 전 준비는 수술실에서 시행되는 것과 다를 바 없으나 대부분의 경우 진정을 시행하게 되는 경우가 많고 수술방과 다른 환경이기 때문에 특별히 주의하여야 할 사항은 표 17-2와 같이 정리할 수 있다.

3. 마취 방법의 계획과 적용

수술방 밖에서 시행되는 진단 및 시술의 절차, 시간, 침습도 등을 이해할 수 있어야 하며 진정이 필요한 경우 진정의 깊이를 어디에 어떻게 유지할 것인지, 또한 진정

표 17-2 수술장 외 마취를 하면서 주의 또는 확인하여야 할 사항들

환자의 협조 정도(예; 지적 능력이 결여된 환자)
심한 위식도 역류
위식도 역류를 유발할 수 있는 상태(예; 당뇨, 위마비(gastroparesis))
좌위호흡(orthopnea)
심한 뇌압 상승
의식 저하 또는 기도 보호반사 저하
기관내삽관 곤란
치아, 구강, 두 개 및 안면, 목 또는 흉부 이상으로 기도 유지가 어려운 경우
상기도 감염 또는 원인을 모르는 발열 반응
폐쇄성 무호흡
심한 비만
기도유지에 영향을 줄 수 있는 수술
길고 복합적이며 통증이 심한 수술
복와위 또는 부적합 체위
급성 손상
나이(예; 노인과 소아)

또는 진통만으로 가능한 시술인지, 시술 중에 응급 처치(예; 얕은 진정으로 추가 진정 또는 진통, 과도한 진정에 따른 용량 조절과 기도 확보 등)의 가능성이 높은지 등에 대하여 고려해서 마취 방법을 계획하게 된다.

4. 기도 관리

기도관리의 어려움은 마취 관리에서 제일 중요한 부분이다. 수술실 밖에서는 대부분에서 감시마취관리를 예정하므로 환자의 기도 특성에 대한 분석이 되지 않을 수 있으며 기관내삽관이 어려운 경우가 발생한다면 기구의 준비가 되지 않아서 심각한 합병증을 초래하게 될 수 있다. 그러므로 마취통증의학과 의사는 기관내삽관을 위한 기구 외에 2가지 이상의 기도 유지를 위한 방법과 기구 사용에 숙달되고 준비를 하여야 한다. 수술장 외 마취에서 기도유지는 상후두 기도유지기가 선호되지만 위 식도 내시경을 한다면 LMA와 같은 상후두 기도유지기는 사용하기에 어려움이 있다는 것을 인지하여야 한다.

5. 안전 관리

마취통증의학과 전문의, 시술하는 의사, 간호사 등 처치와 감시에 종사하는 의료진은 환자 관리에서 안전을 위하여 유연성 있는 체계를 유지하면서, 법적 측면에서 관리 지침에 대한 기준과 적용을 위한 지속적인 관심과 교육이 필요하다. 수술실 밖에서 시술을 위한 마취를 하게 될 경우에 안전을 위하여 다음 사항들을 고려해 볼 수 있다.

- 병원 내에서 시술을 시행하는 위치
- 시술을 하면서 준비된 기구상태(예; 산소 공급, 흡인기, 마취기계, 심폐소생술 기구 등)
- 의료진의 구성과 안전을 위한 보호 장비(예; 방사선 노출, 마취가스 배출 기구 등)
- 시술 전 검사와 분석 결과의 확인
- 실내 온도와 환자의 체온 유지를 위한 감시와 기구 준비
- 시술 전 금식 상태
- 마취 약물과 수기 준비 상태

수술방 밖의 환경은 수술방 내에서와는 전혀 다를 수 있으므로 다음 사항들을 주의하여 수술장 외 마취에 임해야 할 것이다.

- 마취통증의학과 의사는 환자에서 먼 거리에 위치하여 조절과 감시를 하여야 한다.
- 큰 장비들로 인하여 좁은 공간에서 마취와 감시를 하여야 한다.
- 장비의 유지관리를 위하여 낮은 온도를 유지하므로 환자는 저체온이 초래될 수 있다.
- 환자 주위에 충분히 밝은 공간을 확보하지 못할 수 있다.
- 산소공급, 흡인 등 처치를 위한 기구가 충분하지 못할 수 있다.
- 수술실 외에서 하게 되므로 마취 기구 등 장비들이 오래된 기구들로 구성될 수 있다.

– 마취통증의학과 의사에게 익숙하지 못한 주위 환경이다.

6. 부작용과 합병증의 예방 및 관리

부작용과 합병증으로는 저체온, 위 내용물의 폐 흡인, 호흡억제와 무호흡, 혈압저하, 저혈량증, 수술 중 각성, 기도관리의 어려움, 알러지, 통증, 오심과 구토, 말초혈관 손상과 사망 등이 초래될 수 있다. 또한 마취가스 배출의 어려움이 있고 방사선 또는 전자파에 노출될 수 있다. 마취통증의학과 의사도 과도하게 자기장, 방사선, 전자파 등에 노출되지 않도록 하여야 한다. 그리고 장비와 전기 등을 연결하는 배선이 바닥 또는 천장에 위치하여 바쁘게 움직이면서 익숙하지 못한 의료진이 손상을 입을 수 있으므로 주의하여야 한다.

이와 같이 합병증이 발생하는 원인들은 심폐소생술 기구 등 치료에 필요한 장비들의 준비가 불충분하거나, 충분하지 못한 감시기구의 적용, 이상 발현의 지연 발견, 치료의 지연, 경험의 부족과 의료진의 실수, 약물의 과용량, 불충분한 수술 전 평가, 실내 온도 조절의 어려움, 불충분한 수술 후 평가 등이 있을 수 있다. 따라서 합병증의 발생 가능성과 원인을 숙지하여서 발생할 수 있는 합병증들을 예방 및 관리할 수 있는 자세가 필요하다.

7. 숙련된 의료진

수술실 밖에서 진정을 비마취통증의학과 의사가 직접 시행하는 경우에는 시술에 집중하게 되므로 환자의 감시와 관찰에 소홀할 수 있기 때문에 함께 근무하는 간호사와 의료진들의 환자 감시와 도움이 중요하다. 이러한 경우 대부분의 의료진이 응급상황에 대한 지식과 경험이 부족할 수 있으므로 지속적인 의견 교환과 교육으로 안전에 대한 준비를 하는 것이 필요하다. 마취통증의학과 의사들은 마취 전에 충분한 시간을 가지고 외과 의사와

수술장 외 마취에 대한 의견 교환과 함께 안전한 마취 관리와 합병증 예방을 위한 환자에 대한 분석과 감시 및 마취 장비 등 각 부분에 대하여 교육과 함께 점검하고 확인하여야 한다.

8. 환자 감시 및 장비

아직 국내에서는 병원은 물론이고 의원급 수술실에서 갖추고 있어야 할 기본적인 마취와 감시 장비에 대한 규정은 미비하여 미국의 표준 감시 장비 규정을 참조하고 있다. 그러나 환자에게 안전하게 마취와 감시를 할 수 있는 최소한의 장비는 갖추어야 할 것이다. 감시 장비에는 혈압, 심전도, 산소포화도, 호기말이산화탄소 농도, 체온 등은 반드시 감시할 수 있어야 하며, 마취 기계는 부위마취, 감시마취관리와 전신마취 모두를 시행할 수 있으며, 심폐소생술도 가능하도록 준비를 하여야 할 것이다. 또한 장비를 거치하였어도 부정맥, 산소포화도 저하, 무호흡 등과 같은 이상을 발견하는 데에는 20-40초 이상 지연될 수 있으므로 유의하여야 한다. 감시마취관리, 정맥마취를 실시하여도 산소 공급, 기도유지기구 및 호흡관리가 가능한 마취 장비를 준비하여야 하며, 마취 심도를 감시할 수 있는 BIS는 수술 중 각성, 지연 회복의 위험과 비용부담을 저하시킬 수 있을 것이다. 그러나 ketamine과 같은 일부 마취제는 BIS 적용이 도움이 되지 않을 수 있으므로 주의하여야 한다.

수술실 밖에서 시술 할 경우에는 환자를 관리할 수 있는 장비가 다른 시술을 위한 장비로 인하여 환자에게서 멀리 떨어져 있을 수 있으므로 미리 방문하여 구조를 확인하는 것이 좋으며, 환자의 안전을 위하여 시술자와 서로 방해가 되지 않고 즉시 적용할 수 있는 거리에 위치시킬 수 있도록 준비하여야 한다. 대부분의 경우에서 마취와 감시 장비를 오래된 것으로 사용하도록 하는 경우가 많으므로 사용 전에 기구의 안전성을 점검하여야 한다. 짧은 시간이 소요되는 처치를 시술하더라도 진정과 진통

을 목적으로 약물을 투여 한 다음에는 환자 감시에 유의
하여야 한다.

9. 환자의 만족

안전한 마취 관리에서 질적 발전의 중요 인자는 환자의
만족도이다. 환자 불만의 원인이 될 수 있는 불안, 통증,
오심과 구토, 불충분한 마취 깊이의 유지, 부작용과 합병
증 발생 등을 적절하게 관리하여 제거할 수 있어야 한다.
또한 의료진의 교육과 함께 수술 전과 후에 마취 관리 및
수술과 주의사항 등에 대한 상세한 설명과 설명서를 제공
하는 것이 효과적이다.

10. 마취 후 관리

마취 후 관리에서도 수술실에서와 다를 것이 없다. 시
술하는 곳과 회복실이 가능하다면 가깝게 위치하여 이
동거리를 짧게 하는 것이 환자 관리에서 위험을 저하시
킬 것이다. 시술이 끝나면 회복실에서 회복에 대한 관리
를 받아야 한다. 회복실 근무자에게 환자 상태에 대하여
확실하게 전달하여 실수가 없도록 한다. 다른 당일수술
에서와 같이 회복과 퇴원에 관한 관리 지침을 적용하면
된다.

참고문헌

1. Bhananker SM, Posner KL, Cheney FW, Caplan RA, Lee LA, Domino KB. Injury and liability associated with monitored anesthesia care: a closed claims analysis. Anesthesiology 2006; 104: 228-34.
2. Blike GT, Christoffersen K, Cravero JP, Andeweg SK, Jensen J. A method for measuring system safety and latent errors associated with pediatric procedural sedation. Anesth Analg 2005; 101: 48-58.
3. Bonnet F, Marret E. Anaesthesia outside the operating room: conflicting strategies? Curr Opin Anaesthesiol 2008; 21: 478-9.
4. Campbell K, Torres L, Stayer S. Anesthesia and sedation outside the operating room. Anesthesiol Clin 2014; 32: 25-43.
5. Capuzzo M, Gilli G, Paparella L, Gritti G, Gambi D, Bianconi M, et al. Factors predictive of patient satisfaction with anesthesia. Anesth Analg 2007; 105: 435-42.
6. Kotob F, Twersky RS. Anesthesia outside the operating room: general overview and monitoring standards. Int Anesthesiol Clin 2003; 41: 1-15.
7. Melloni C. Morbidity and mortality related to anesthesia outside the operating room. Minerva Anestesiol 2005; 71: 325-34.
8. Metzner J, Domino KB. Risks of anesthesia or sedation outside the operating room: the role of the anesthesia care provider. Curr Opin Anaesthesiol 2010; 23: 523-31.
9. Metzner J, Posner KL, Domino KB. The risk and safety of anesthesia at remote locations: the US closed claims analysis. Curr Opin Anaesthesiol 2009; 22: 502-8.
10. Perrott DH. Anesthesia outside the operating room in the office-based setting. Curr Opin Anaesthesiol 2008; 21: 480-5.
11. Pino RM. The nature of anesthesia and procedural sedation outside of the operating room. Curr Opin Anaesthesiol 2007; 20: 347-51.
12. Robbertze R, Posner KL, Domino KB. Closed claims review of anesthesia for procedures outside the operating room. Curr Opin Anaesthesiol 2006; 19: 436-42.
13. Roh WS, Kim DK, Jeon YH, Kim SH, Lee SC, Ko YK, et al. Analysis of anesthesia-related medical disputes in the 2009-2014 period using the Korean Society of Anesthesiologists database. J Korean Med Sci 2015; 30: 207-13.
14. Souter KJ, Davies JM. Diversification and specialization in anesthesia outside the operating room. Curr Opin Anaesthesiol 2012; 25: 450-2.
15. Van De Velde M, Kuypers M, Teunkens A, Devroe S. Risk and safety of anesthesia outside the operating room. Minerva Anestesiol 2009; 75: 345-8.
16. Van de Velde M, Roofthooft E, Kuypers M. Risk and safety of anaesthesia outside the operating room. Curr Opin Anaesthesiol 2008; 21: 486-7.
17. Worthington LM, Flynn PJ, Strunin L. Death in the dental chair: an avoidable catastrophe? Br J Anaesth 1998; 80: 131-2.

Chapter 18

소화기내시경 시술 마취

소화기내시경을 이용한 진단 및 치료 시술은 수술장외 마취가 요구되는 아주 흔한 경우이다. 모든 소화기내시경 검사에 마취통증의학과 전문의의 개입이 필요한 것은 아니다. 실제로 내시경 전문의들은 많은 시술에서 진정 및 진통을 직접 시행하면서 동시에 내시경을 시행하고 있다. 그러나 내시경 시술이 복잡하고 난이도가 높거나, ASA class 3 이상에 해당하는 환자, 노인, 소아, 기도관리에 주의를 요해야 하는 환자 등을 시술할 때는 환자의 안전과 편안함을 보장함과 동시에 내시경 전문의가 시술에 집중할 수 있도록 마취통증의학과 전문의가 진정, 진통, 나아가 전신마취를 시행하는 사례가 증가하고 있다.

1. 마취 전 준비 및 환자 평가

소화기내시경 시술 시 마취 방법의 선택은 환자의 상태, 시술 시간, 시술의 침습도 등에 따라 달라질 수 있으며 이는 기도관리 계획에서부터 시작된다. 기도 평가는 전신마취 전 환자 평가에 준하여 시행되어야 하며, 어려운 기도관리의 가능성 및 흡인 위험 요소에 특히 주의하여 시술 전 철저한 평가가 선행되어야 한다. 마취 기계가 반드시 필요한 것은 아니지만 양압 호흡이 가능한 호흡 회로, Ambu bag, 내시경 안면마스크(endoscopy face mask), 안면 마스크(face mask), 구인두/비인두기도유지기(oropharyngeal/nasopharyngeal airway), 상후두 기도유지기(supraglottic airway), 기관내튜브(endotracheal tube) 등 기도관리를 용이하게 하고, 흡입산소농도(FiO_2)를 올릴 수 있는 기구들을 갖추는 것이 중요하다.

소화기내시경 시술을 받는 외래 환자들은 대개 ASA class 1-2에 해당하는 환자들이 많으며, 대부분의 시술

은 진정으로 진행이 된다. 그러나 흡인의 병력이나 위험이 있는 경우, 상부기도와 관련하여 수술을 받은 기왕력이 있거나 기관식도루가 있는 경우에는 진정제와 진통제의 사용 없이 진행할 수 없는 시술이라면 전신마취의 고려 대상이 된다. 또한 고령, 당뇨병, 위암 등으로 인해 위 절제술을 받은 환자 등 위 배출시간이 지연되어 있는 경우에는 충분한 시간 금식을 했음에도 불구하고 위내시경 삽입 시 잔여음식물이 남아있는 경우가 있다. 따라서 위 배출시간의 지연이 예상되는 환자들에서는 금식 시간의 준수와 함께 금식 전 고형식 섭취에 대해서도 다른 프로토콜을 제시할 필요가 있으며 진정제를 투여할 시에는 흡인의 위험성을 고려할 수 있어야 한다.

2. 호흡 관리

상부 위장관 내시경 시술 시에는 내시경 팀에서 환자에게 바이트 블록을 거치하고, 입을 통해 내시경을 삽입하게 된다. 기도관리를 행할 수 있는 공간과 시술을 위해

필요한 공간이 공존하게 되고 시술 중 입을 통해 기도 유지 기구를 사용할 수 없기 때문에 기도관리가 다소 제한적이다. 따라서 산소 공급은 대개 비강을 통해 이뤄지며 필요 시 비인두기도유지기를 거치할 수 있다. 흡입산소농도 (FiO₂)를 올리기 위해서 비인두기도유지기를 통해서 호흡회로가 연결시킬 수 있고 100% 산소를 후두 입구에서 전달함과 동시에 제한적이긴 하나 양압 환기를 가능케 할 수 있다. 이와 같은 설정에서 고유량 비강 캐뉼라나 고주파 제트환기 또한 고려해 볼 수도 있을 것이다. 출혈 경향이 있거나 항응고제를 복용하고 있어 출혈의 위험이 높은 환자의 경우 혈관 수축 비강 스프레이로 전처치를 하거나 작은 사이즈의 비인두기도유지기를 사용하여 비인두기도유지기로 인한 비강 내 출혈의 위험을 최소화할 수 있어야 한다. 호흡회로를 내시경 안면마스크 (endoscopy face mask)에 연결하여 안면마스크를 통해 내시경이 삽입될 수 있도록 할 수 있는데 이때는 보다 안정적으로 양압 환기를 시행해 볼 수 있다.

정상적인 기도 해부학 및 생리학을 가진 대부분의 환자에서는 비강캐뉼라(nasal cannula)를 이용하여 산소를 공급하며, 필요 시 삼중기도처치법(triple airway maneuver)을 적용하거나, 비인두기도유지기를 거치하는 것으로 원활한 진정 및 진통을 유지할 수 있다. 그러나 고난이도 시술의 경우 깊은 진정이 필요할 수 있고, 진통 또한 적극적으로 접근해야 하는데 이러한 경우 호흡 억제 가능성이 높아지기 때문에 기도관리에 유의해야 한다. 또한 어려운 기도관리가 예상되거나 호흡기 질환 등으로 호흡 관리에 주의를 기울여야 하는 환자의 경우 발생 가능한 다양한 합병증들에 대하여 미리 대비하고 즉각적으로 대처할 수 있어야 하겠다. 일반적으로 위내시경의 삽입은 매우 자극적인 과정이며 이로 인한 기침, 구역 반사는 진정 전 인후두 부위 표면에 국소마취제를 뿌려 도포하거나 깊은 진정을 유도함으로써 둔화시킬 수 있다.

3. 시술에 따른 마취관리

1) 상부위장관

상부위장관 내시경 치료 시술 중 흔하게 시행되는 것이 내시경점막하박리술(endoscopic submucosal dissection, ESD)이다. 병변의 위치, 크기 병변 주위 조직의 혈관 분포 등에 따라 시술의 시간은 달라지며, 난이도가 높은 경우 1시간 이상으로 시술 시간이 길어질 수 있다. 또한 점막하층 박리과정에서 통증을 동반하기 때문에 진정과 동시에 적절한 진통에 대한 고려를 해야 한다. 시술 중 내시경의 교체, 조직의 확인 등으로 내시경 삽입이 여러 번 시행될 수 있으므로 진정의 깊이를 일정하게 유지하는 것이 필요하다. 병변의 위치가 식도 근처에 위치한다면 내시경 자체로 인한 자극의 정도가 심해질 수 있고, 흡인의 위험이 높아지기 때문에 전신마취를 고려할 수 있다.

식도, 위, 십이지장 등 상부위장관 스텐트삽입술은 시술시간이 내시경점막하박리술보다 짧지만 좁아진 부위를 검사하고 스텐트를 거치시킬 때 통증을 유발할 수 있다. 또한 스텐트삽입술을 시행 받는 환자들은 고령이거나 암 등의 질환이 동반되어 있는 경우가 많기 때문에 진정, 진통 시 약제 적정과 환자 감시에 더욱 주의를 요해야 할 것이다.

상부위장관 초음파 내시경은 진단적 내시경을 통해 점막하 종양이나 위암 등이 발견되었을 때, 점막 아래쪽으로 병변의 침윤 정도를 확인할 수 있다. 보통은 위장관 내시경 시행 시 검사 및 시술을 정확하고 원활하게 진행하기 위해 공기나 이산화탄소를 주입하나 초음파 위내시경의 경우 공기를 통과할 수 없기 때문에 물을 채워서 검사를 진행하게 된다. 따라서 다른 검사에 비해 흡인의 위험이 높으며, 진정을 시행하였다가 호흡억제가 발생하여 양압 환기를 시행해야 하는 경우에는 위에 채워진 물이 흡인으로 직결될 수 있으므로 진정제 사용에 상당한 주의가 필요하다. 병변의 위치가 식도와 가깝거나, 기도관리가 어려울 것으로 예상되는 환자에서 진정이 반드시 필요한 경우에는 흡인의 위험을 피하기 위해 전신마취를 고려할 수 있다.

체중감량 수술을 계획중인 병적으로 비만인 환자의 경우 수술 전 위장관 내시경 검사를 시행 받는 경우가 많다. 이러한 환자는 진정 시 폐쇄성 수면 무호흡증이 매우 흔하며, 때때로 기도관리가 굉장히 어려울 수 있기 때문에 기도관리 및 산소공급에 예민하고 적극적으로 대처할 필요가 있으며 어떠한 경우에라도 어려운 기관내삽관을 위한 장비가 준비되어 있어야 할 것이다.

응급 내시경적 지혈술의 경우는 다른 치료내시경 시술과는 달리 진정 없이 진행되는 경우가 많으나 금식 시간이 충분하고, 활동성 출혈(active bleeding)이 아닌 경우에는 진정으로 시행해 볼 수 있다. 그러나 응급으로 시행되는 경우 환자 평가가 불충분할 수 밖에 없고, 출혈이 의심되는 환자이기 때문에 흡인의 위험이 상대적으로 높으며, 출혈로 인해 환자의 전신상태가 약화되었을 경우 진정제 투여로 혈역학적 불안정 상태를 야기하거나 의식 저하의 구분에 어려움을 초래할 수 있으므로 진정의 여부는 환자가 원하더라도 신중하게 선택해야 할 필요가 있다.

2) 췌담도

췌담도 내시경 시술 중 대표적인 것이 내시경적 역행성 담췌관 조영술(endoscopic retrograde cholangiopan-creatography, ERCP)이다. 주로 복와위 자세로 시술이 진행되며 시술은 난이도가 높고 복잡한 경우가 많아 시술이 길어질 수 있다. 가장 흔한 원인은 총담관결석이며 결석을 빼내는 과정에서 통증이 유발될 수 있다. 성공적이고 안정적인 시술을 위해서는 진정과 진통을 적절하게 제공해주어야만 하는데, 내시경적 역행성 담췌관 조영술을 시행 받는 환자들은 대개 기저 질환이 있거나 전신 상태가 약화된 응급 환자가 대부분이고, 고령의 환자가 많기 때문에 수술장 외 마취 분야에서도 약제 사용 및 환

자 관리가 어렵고 까다로운 시술 중 하나이다. 더욱이 복와위 자세는 복부비만이 있는 경우 진정 후 부적절한 환기의 가능성이 높아질 수 있으므로 유의해야 하겠다. 췌장위낭포(pancreatic pseudocyst)가 있는 환자에서는 초음파 내시경 유도하 세침흡인 생검을 시행할 수 있으며, 이 때는 앞서 설명한 초음파 내시경에 준하여 대응할 수 있어야 한다.

3) 하부위장관

하부위장관 내시경 시술의 경우 상부위장관 내시경에서처럼 입을 통한 내시경의 삽입이 없기 때문에 기도관리 방법에 있어서 선택의 폭이 넓으며 이것은 진정을 주도하는 마취통증의학과 전문의 입장에서는 큰 장점이 될 수 있다. 그러나 진단적 위내시경의 경우 시술 시간이 짧은 반면에 대장 내시경의 경우 진단 목적으로 시행하더라도 시술 시간이 상대적으로 길고 공기 주입에 따른 복부 팽만과 내시경 조작으로 인한 장관의 신전으로 인해 환자가 자세를 안정적으로 유지하지 못하고 통증을 호소하는 경우가 발생할 수 있다. 대장내시경 검사의 경우 항문을 통해 내시경 삽입 후 말단 회장(terminal ileum)까지 진행 후 다시 내시경을 빼가면서 본격적인 검사를 진행하게 되는 경우가 대부분인데 내시경 삽입 시에는 환자에게 자극을 가하게 되고 통증을 유발하지만, 내시경을 빼면서는 환자에게 가해지는 자극이 줄어들기 때문에 약제의 요구량이 감소할 수 있으므로, 이 부분을 고려하여 진정제와 진통제를 사용할 수 있어야 한다. 또한 위내시경의 경우 측와위로 시술을 진행하게 되지만 대장내시경은 측와위로 시작했다가 앙와위로 체위 변경을 시도하는 경우가 있다. 앙와위에서는 진정 상태에 있는 환자의 혀가 뒤로 밀리면서 호흡 양상이 점진적으로 폐쇄적으로 바뀔 수 있으므로 이 부분을 놓치지 않고 철저하게 감시하여 기도를 관리할 수 있어야 하겠다. 이처럼 대장내시경에서 자극 정도의 변화와 체위 변경의 가능성이 있으며 이로 인해 기도 관리가 달라질 수 있음을 고려하였을 때 시술

시간을 고려하여 약제를 적절하게 사용하되 환자의 협조가 가능할 수 있도록 깊은 진정보다는 환자의 의식 수준을 수시로 평가하면서 중등도의 깊이에서 진정을 유지하는 것이 필요할 수 있다. 치료적 시술은 주로 폴립절제술과 점막하박리술이 흔하게 시행되며, 진단적 시술보다 시술 시간이 길어질 수 있어 약제 요구량이 높아질 수 있다. 그 외에 기도관리와 관련된 부분은 진단적 대장내시경에서와 유사하게 적용할 수 있겠다.

이중풍선소장내시경(double balloon enteroscopy)은 과거의 소장내시경과 비교하였을 때 삽입법이 상당히 발전하였지만, 여전히 시술의 침습도를 비중 있게 고려해야 하고 시술 시간 또한 1–2시간으로 길다. 경항문 또는 경구 이중풍선소장내시경으로 진행될 수 있으며 항문으로 접근하는 경우 대장내시경에 준하여 입으로 접근하는 경우 침습적인 치료 위내시경에 준하여 기도관리를 시행할 수 있다.

이처럼 시술 별로 시술의 특성에 따라 진정 깊이 설정과 기도관리 시 고려할 점에 대하여 정리해 보았지만 결국 중요한 것은 우리가 평소에 마취통증의학과 의사로서 알고 있는 기본 사항을 지키는 것이다. 즉 환자를 정확하게 평가할 수 있으면 기도 관리 및 응급 상황에서의 대비가 어렵지 않고, 환자의 정확한 평가와 더불어 시술의 과정과 특성을 면밀히 이해함으로써 시술에 따른 자극과 통증의 정도를 알고 있으면 마취의 방법에 대한 계획을 안정적으로 세울 수 있다. 대개의 진정의 깊이는 중등도를 목표로 하게 되지만 시술의 난이도나 침습도의 정도에 따라 깊은 진정이 필요한 경우가 있다. 시술에 따라 진정의 깊이를 어느 유지해야 하는지에 대한 연구는 다양한 의견으로 보고되고 있지만, 환자에게 편안함을 제공하고 환자의 안전을 확보하면서 시술을 안정적이고 성공적으로 시행할 수 있기 위해서는 중등도 또는 깊은 진정을 목표로 진정을 시행하는 것이 일반적이다.

4. 회복 관리

시술이 종료되면 환자는 회복기로 들어서게 된다. 실제로 위내시경은 종종 구강의 기도유지기처럼 작용하여 혀가 뒤로 이동하는 것을 막아줄 수 있다. 따라서 시술이 끝난 후 내시경이 제거되면 기도유지 기능이 사라지므로 혀가 뒤로 이동하여 기도의 폐쇄를 야기할 수 있다. 이러한 가능성을 고려할 때 시술이 끝나서 위내시경을 빼낸 후에도 환자가 정상적인 호흡과 의식을 회복할 때까지 환자 감시와 기도 관리에 소홀해서는 안 될 것이다. 회복 시 환자가 진정의 깊이나 전신마취 시행 여부와 관계없이 구역과 구토를 호소할 수 있는데 이는 위장관의 팽창감에 기인할 수 있다. 내시경 검사 시 내시경의 시야를 개선하고 병변을 확인하기 위해 공기로 상하부 위장관을 팽창시키게 되며 시술 후 주입된 공기를 빼게 되지만, 시술 시 투여되는 위장관운동억제제 등의 작용과 맞물려서 팽창감이 남아있을 수 있기 때문이다.

참고문헌

1. Practice guidelines for sedation and analgesia by non-anesthesiologists. Anesthesiology 2002; 96: 1004-17.
2. Bhananker SM, Posner KL, Cheney FW, Caplan RA, Lee LA, Domino KB. Injury and liability associated with monitored anesthesia care: a closed claims analysis. Anesthesiology 2006; 104: 228-34.
3. Cooper GS, Kou TD, Rex DK. Complications following colonoscopy with anesthesia assistance: a population-based analysis. JAMA Intern Med 2013; 173: 551-6.
4. Frey WC, Pilcher J. Obstructive sleep-related breathing disorders in patients evaluated for bariatric surgery. Obes Surg 2003; 13: 676-83.
5. Goudra BG, Singh PM, Sinha AC. Outpatient endoscopic retrograde cholangiopancreatography: Safety and efficacy of anesthetic management with a natural airway in 653 consecutive procedures. Saudi J Anaesth 2013; 7: 259-65.
6. Hug CC, Jr. MAC should stand for Maximum Anesthesia Caution, not Minimal Anesthesiology Care. Anesthesiology 2006; 104: 221-3.
7. Lin JP, Zhang YP, Xue M, Chen SJ, Si JM. Endoscopic

submucosal dissection for early gastric cancer in elderly patients: a meta-analysis. World J Surg Oncol 2015; 13: 293.

8. Liu H, Waxman DA, Main R, Mattke S. Utilization of anesthesia services during outpatient endoscopies and colonoscopies and associated spending in 2003-2009. Jama 2012; 307: 1178-84.

9. McQuaid KR, Laine L. A systematic review and meta-analysis of randomized, controlled trials of moderate sedation for routine endoscopic procedures. Gastrointest Endosc 2008; 67: 910-23.

10. Osborn IP, Cohen J, Soper RJ, Roth LA. Laryngeal mask airway--a novel method of airway protection during ERCP: comparison with endotracheal intubation. Gastrointest Endosc 2002; 56: 122-8.

11. Tohda G, Higashi S, Sakumoto H, Sumiyoshi K, Kane T. Efficacy and safety of nurse-administered propofol sedation during emergency upper endoscopy for gastrointestinal bleeding: a prospective study. Endoscopy 2006; 38: 684-9.

12. Triantafillidis JK, Merikas E, Nikolakis D, Papalois AE. Sedation in gastrointestinal endoscopy: current issues. World J Gastroenterol 2013; 19: 463-81.

Chapter 19

신경중재치료의 마취

신경중재는 뇌, 두경부 및 신경혈관 질환에 대한 비수술적 접근을 통해 진단 및 치료하는 영역으로 영상진단 장비와 각종 도구의 발달에 의해 점차 그 범위를 넓혀가고 있는 추세이다. 과거에는 마취의의 참여 없이 간단한 진정(sedation)만으로 시술이 많이 진행되어 왔으나 근래에 들어서 시술이 다양해지고 보다 복잡한 시술이 늘어남에 따라 깊은 진정(deep sedation)이나 감시마취관리(monitored anesthetic care), 나아가 전신마취(general anesthesia)까지 마취의의 필요성이 점차 늘어나고 있다.

1. 개론

신경중재치료의 마취에 있어서 전반적으로 고려되어야 할 사항은 1) 신경중재치료실은 복잡한 영산진단 장비와 조명등의 이유로 대부분의 센터에서 수술장과 떨어진 공간에 독립되어 존재하기 때문에 응급상황 시 적절한 도움을 받기 어려울 수 있고 2) 영산진단 장비에서 발생하는 방사선의 노출을 줄이기 위해 환자와 마취의 사이에 거리가 멀리 떨어져 있어 기도 관리나 정맥 주입로의 관리에 더욱 신경을 써야 하며 3) 치료 시 적절한 영상을 얻을 수 있어야 하기에 근이완이 충분히 필요할 수 있다. 또한, 4) 시술의 종료 후 즉각적인 신경학적 검사(neurologic examination)가 이루어 질 수 있도록 빠르고 명료한 회복이 되어야 하고 5) 적절한 항응고작용을 (anti-coagulation) 유지하여야 하고 6) 갑자기 발생 가능한 합병증에 대처할 수 있어야 한다는 점이다.

마취 전 평가는 전반적인 전신 마취에 준해서 준비를 하되 환자의 응고 상태(coagulation profile), 이전 조영제나 protamine에 대한 과민반응의 여부 등을 충분히 고려하여야 한다.

신경중재치료의 마취 방법을 선택할 때 전신마취와 감시마취관리 중 어떠한 방법이 좋다고 결론지어진 바는 없고 시술시간, 환자의 움직임(immobility), 전신 상태, 시술자의 선호도 등을 고려하여 적절한 마취 방법을 선택하여야 한다.

전신마취의 경우 환자의 근이완이 충분히 된 상태에서 시행이 되므로 호흡에 따른 영상 품질의 저하가 적고, 두개내압(intracranial pressure, ICP)이 상승한 환자에서 조절 환기(controlled ventilation)를 통한 저탄산혈증(hypocapnia)을 유발함으로써 뇌관류압의 조절이 가능하고 환자의 불안이 감시마취관리 비해 적다는 장점이 있으나 시술 중 환자의 신경학적 검사가 불가능하고, 기관내삽관과 발관 시 의도치 않은 두개내압 상승을 초래 할 수 있다는 단점이 있다. 반면 감시마취관리의 경우 환자의 호흡에 의한 영상의 질 저하가 발생가능하고, 장시간에 걸친 시술의 경우 환자가 불편할 수 있다는 단점이 있으나 시술 중 환자의 협조가 필요한 경우나 신경학적 검사를 시행하면서 시술을 하는 경우에는 도움이 될 수 있다.

2. 뇌동맥류(Cerebral aneurysm)

뇌동맥류는 뇌혈관의 내벽이 손상되어 혈관벽이 부풀어 올라 새로운 공간을 형성하는 것으로 파열 시 지주막하출혈(subarachnoid hemorrhage, SAH)을 유발하게 된다. 뇌동맥류의 평생 발병률은 1.5~8.0% 정도이고 20% 정도의 환자에서는 다발성으로 발생하는 것으로 알려져 있다.

뇌동맥류의 치료 원칙은 정상적인 뇌혈관과 부풀어오른 공간 사이의 교통(communication)을 제거함으로써 출혈을 방지하는 것이다. 전통적으로는 클립을 이용한 외과적 수술치료가 주가 되었지만 근래에 들어서는 많은 기관에서 경피적 접근을 통한 색전술(embolization)이 주가 되고 있다.

초창기 뇌동맥류 색전술은 분리형 풍선(detachable balloon)을 이용하여 시행되었으나 1990년대에 접어 들어 백금코일(platinum coil)을 이용해 동맥류 내에 혈전 형성을 유도하는 방식으로 변화하였다. 하지만 백금코일이 처음의 위치에서 이동하여 다른 혈관을 막는 등의 문제가 보고 되어 근래에는 금속 인계선(metallic guide wire)를 통해 적절한 위치에 코일을 거치시킨 후 작은 전류를 흘려 보내 코일을 분리시키는 방식, 분리형

백금코일(Guglielmi detachable coils, GDC, Boston Scientific, Natick, Mass)을 이용하여 이 문제를 해결하고 있다.

뇌동맥류의 색전술 마취는 대부분의 기관에서 전신마취를 선호하나, 시술이 복잡하지 않거나 시술시간이 짧을 것으로 예상되는 경우에는 감시마취관리로도 충분히 시술을 시행할 수 있다. 하지만 파열된 동맥류(ruptured aneurysm)의 경우에는 전신마취를 시행하여야 한다. 마취 시 가장 주의를 기울여야 할 점은 급격한 혈압의 변동이 없도록 하는 것이다. 급격한 혈압의 상승은 파열되지 않은 동맥류의 파열을 유발할 수 있고, 파열한 동맥류의 재출혈(rebleeding)을 유발 할 수 있다. 특히 기관내삽관 시 급격한 혈압 상승이 예측 가능하므로 아편유사제를 적절히 사용하거나 beta-blocker를 사용하는 것이 도움이 될 수 있다.

시술 중 발생 가능한 합병증은 동맥류의 파열, 혈관 연축(vasospasm), 조영제 부작용 등이 있다. 동맥류의 파열은 조영제가 동맥류 밖으로 새는 것이 조영술 상에 나타나거나 갑작스런 혈역학적 변화(고혈압이나 서맥)가 발생할 경우 의심 가능하다. 만약 감시마취관리 중 동맥류가 파열된다면 즉시 전신마취로 전환하여야 하고, protamine을 주어 heparin 효과를 역전시킨다. 만

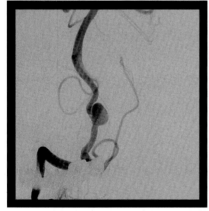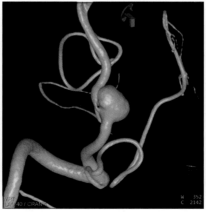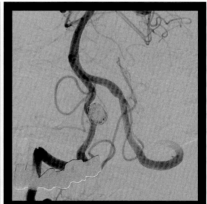

그림 19-1. Vertebral artery에 발생한 aneurysm의 색전술

A), B) Vertebral artery의 aneurysm의 4-vessel angiography와 3D reconstruction 사진, C) Coli embolization 이후 4-vessel angiography

약 출혈량이 많아 두개내압의 상승이 의심된다면 과호흡이나 mannitol의 주입을 통해 두개내압을 낮추도록 한다. 혈관연축은 동맥류나 뇌혈관의 미세 출혈 등에 의해 갑작스럽게 혈관이 수축하여 신경학적 증상을 악화시킬 수 있으므로 즉각적인 치료가 필요한 상태이다. 마취의는 시술자와 긴밀하게 대화하여 혈관연축을 빠르게 진단하고 이를 해소시키기 위해 3H (hypertension, hemodilution, hypervolemia)를 시행하도록 한다. 시술자는 혈관 내에 직접 calcium channel blocker를 사용할 수 있고 이에 혈압이 감소할 수 있음을 알아야 한다.

3. 동정맥기형(Arteriovenous malformation, AVM)

동정맥기형(Arteriovenous malformation, AVM)은 비정상적으로 증식된 혈관이 뭉쳐 하나의 큰 병소(nidus)를 만드는 것으로 보통 여러 개의 영양동맥(feeding artery)과 여러 개의 유출 정맥(draining vein)으로 구성되어 있다. 주된 증상은 두통, 발작(seizure), 신경학적 결손(neurologic deficit), 출혈 (hemorrhage) 등이 있고, 가장 흔하게 발견되는 원인은 출혈에 의한 것이다.

치료는 수술적 절제, 색전술, 방사선 수술 (radiosurgery)의 세 가지 방법으로 이루어진다. 이 중 색전술은 완전 치료 목적 이외에도 수술적 절제나 방사선 수술에 적합하도록 병소의 크기 조절을 위해서도 시행될 수 있다. 뇌동맥류에 사용되는 coil이 아닌 polyvinyl alcohol (PVA), cyanoacrylate, N-butyl cyanoacrylate (NBCA), Isobutyl cyanoacrylate (IBCA) 등이 사용될 수 있다. 이러한 물질들은 혈관에 주입되면 단기간에 혈전을 형성하여 영양동맥이나 유출 정맥을 막아 병소의 크기를 줄이나 이 자체로 인한 출혈이 발생 가능하다. Onyx는 최근 많이 사용되는 혈관색전물질로 NBCA보다 경화 속도가 느려 시간의 제약을

덜 받으며 시술을 시행할 수 있다는 장점이 있으나 비용 등의 문제로 제한적인 용량만이 사용된다.

뇌동맥류의 색전술 보다 미세한 혈관에 이루어지므로 호흡에 따른 영향을 더 받고, 시간도 오래 걸리는 경향이 있으므로 감시마취관리에 비해 전신마취를 더 선호한다. 마취 시 고려하여야 할 점으로는 약간의 저혈압을 유도하는 것이 병소에 카테터를 위치시키기가 수월하고, 조절 환기를 통한 고탄산혈증을 통해 뇌관류압을 높여주는 것이 도움이 될 수 있다는 점이다. 시술 후에도 약간의 저혈압을 유지하는 것이 혈관색전물질의 이동을 적게 하여 출혈 등의 합병증을 줄일 수 있다.

4. 경동맥 스텐트(Carotid artery stent)

경동맥 스텐트(carotid artery stent)는 경동맥 협착이 있는 환자에서 시행된다. 이전까지는 수술적 치료가 주로 이루어졌지만 Carotid Revascularization Endarterectomy versus Stenting Trial (CREST)에서 경동맥 스텐트를 시행하는 것이 수술적 치료와 비교하여 뇌졸중(stroke), 심근경색, 사망률 등에서 큰 차이를 보이지 않음이 보고된 이후 점차 경피적 접근을 통한 경동맥 스텐트 시술이 증가되고 있다.

시술 도중 혈전이 날아가 뇌경색(cerebral infarction)

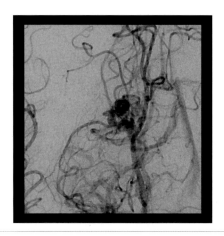

그림 19-2. 동정맥 기형의 nidus

이 발생할 가능성이 있기에 수시로 신경학적 검사를 시행하여야 하므로 주로는 마취를 하지 않거나 국소마취만을 시행하고 시술을 진행하는 경우가 많으나, 근래에는 환자의 불편 및 불안을 감소시키기 위해 감시마취관리 하에 시술을 시행하는 경우가 늘고 있다.

마취 중 주의해야 할 점으로는 시술 중 환자의 신경학적 검사를 수시로 시행하여야 하기에 환자에게 진정제 계열의 투여는 최소한으로 하는 것이 도움이 된다. 시술 중 경동맥 소체 반사(carotid body reflex)에 의한 서맥이나 저혈압이 발생 가능하므로 풍선확장술이나 스텐트 거치 시 주의하여야 하고 서맥이 심할 경우는 atropine의 투약이 도움이 된다. 만약 atropine 투여에도 서맥이 심하게 지속된다면 체외박동조율기(external pacemaker)의 거치를 고려하여야 한다.

시술 후에는 허혈이 있던 부위에 갑작스럽게 많은 혈류가 흐르면서 출혈이나 부종을 유발하는 과관류 증후군(cerebral hyperperfusion syndrome)이 발생할 수 있다. 따라서 시술 후 철저한 혈압 관리가 필요하고 이 때 직접 혈관을 확장시키는 calcium channel blocker나 nitroprusside, glyceryl trinitrate 같은 계열은 오히려 뇌 혈류를 증가시킨다는 보고가 있어 추천되지 않고 있다.

참고문헌

1. Brott TG, Halperin JL, Abbara S, Bacharach JM, Barr JD, Bush RL, et al. 2011 ASA/ACCF/AHA/AANN/AANS/ACR/ASNR/CNS/SAIP/SCAI/SIR/SNIS/SVM/SVS guideline on the management of patients with extracranial carotid and vertebral artery disease: executive summary: a report of the American College of Cardiology Foundation/American Heart Association Task Force on Practice Guidelines, and the American Stroke Association, American Association of Neuroscience Nurses, American Association of Neurological Surgeons, American College of Radiology, American Society of Neuroradiology, Congress of Neurological Surgeons, Society of Atherosclerosis Imaging and Prevention, Society for Cardiovascular Angiography and Interventions, Society of Interventional Radiology, Society of NeuroInterventional Surgery, Society for Vascular Medicine, and Society for Vascular Surgery. J Am Coll Cardiol 2011; 57: 1002-44.
2. Brott TG, Hobson RW, 2nd, Howard G, Roubin GS, Clark WM, Brooks W, et al. Stenting versus endarterectomy for treatment of carotid-artery stenosis. N Engl J Med 2010; 363: 11-23.
3. Joung KW, Yang KH, Shin WJ, Song MH1, Ham K, Jung SC, et al. Anesthetic consideration for neurointerventional procedures. Neurointervention 2014; 9: 72-7.
4. Lee YM, Hwang SM, Kim EH, Lee DG, Shim JH, Suh DC. Current status of neurointerventional activities in Korea. Neurointervention 2013; 8: 65-7.
5. Molyneux AJ, Kerr RS, Yu LM, Clarke M, Sneade M, Yarnold JA, et al. International subarachnoid aneurysm trial (ISAT) of neurosurgical clipping versus endovascular coiling in 2143 patients with ruptured intracranial aneurysms: a randomised comparison of effects on survival, dependency, seizures, rebleeding, subgroups, and aneurysm occlusion. Lancet 2005; 366: 809-17.
6. Newell DW, Eskridge J, Mayberg M, Grady MS, Lewis D, Winn HR. Endovascular treatment of intracranial aneurysms and cerebral vasospasm. Clin Neurosurg 1992; 39: 348-60.
7. Schulenburg E, Matta B. Anaesthesia for interventional neuroradiology. Curr Opin Anaesthesiol 2011; 24: 426-32.
8. Tietjen CS, Hurn PD, Ulatowski JA, Kirsch JR. Treatment modalities for hypertensive patients with intracranial pathology: options and risks. Crit Care Med 1996; 24: 311-22.
9. van Mook WN, Rennenberg RJ, Schurink GW, van Oostenbrugge RJ, Mess WH, Hofman PA, et al. Cerebral hyperperfusion syndrome. Lancet Neurol 2005; 4: 877-88.
10. van Rooij WJ, Sluzewski M, Beute GN. Brain AVM embolization with Onyx. AJNR Am J Neuroradiol 2007; 28: 172-7; discussion 8.
11. Varma MK, Price K, Jayakrishnan V, Manickam B, Kessell G. Anaesthetic considerations for interventional neuroradiology. Br J Anaesth 2007; 99: 75-85.
12. Young WL. Anesthesia for endovascular neurosurgery and interventional neuroradiology. Anesthesiol Clin 2007; 25: 391-412, vii.

Chapter 20

심혈관중재시술의 마취

지난 10여년 동안 판막 및 구조적 심장 질환을 치료하기 위한 새로운 카테터 기반의 기술 개발이 급속히 진행되었다. 지금도 많은 새로운 의학 장치들이 연구 중에 있으며 일부는 널리 적용되고 있다. 이러한 절차 중 많은 부분에서 경식도 심초음파를 이용한 검사가 필요하거나 심장으로 접근하기 위해 절개를 가해야 하는 경우가 있기 때문에 마취통증의학과 전문의의 참여가 필요하다. 기존의 심폐우회술을 이용한 수술보다는 덜 침습적이지만 그럼에도 불구하고 심각한 혈역학적 불안정성의 가능성이 있기 때문에 동일하게 마취통증의학과 전문의의 세심한 환자 감시와 관리가 필요하다.

1. 경피적 대동맥판막치환술

대동맥판막협착증(aortic stenosis, AS)은 대동맥판막의 염증(inflammation), 석회화(calcification), 섬유화(fibrosis) 등의 원인으로 대동맥판막이 좁아져 심부전(heart failure), 협심증(angina), 실신(syncope) 등의 증상을 일으키는 질환이다.

선천성(congenital)이 아닌 퇴행성(degenerative) 변화로 인한 성인의 대동맥판막협착증은 보통 서서히 좁아지게 되며 이에 따라 좌심실은 압력과부하(pressure overload)를 받게 되고 이에 따라 동심비대(concentric hypertrophy), 이완기 장애(diastolic dysfunction)가 발생하고 관상동맥 예비력(coronary reserve)이 감소하여 심근허혈(myocardial ischemia)을 유발하게 되어 결국에는 수축기 장애(systolic dysfunction)에 이르게 된다.

치료 방법으로는 대동맥판막치환술(aortic valve replacement, AVR)이 유일하게 유용하다고 알려져 있으나, 30~40%의 환자에서 고령, 동반질환 등의 이유로 수술을 하지 못하는 경우가 발생한다. 이러한 환자의 경우는 보존적인 치료법으로 약물치료(medication), 풍선확장술(balloon valvuloplasty)을 시행하였으나 그 효과는 미미하여 덜 침습적으로 대동맥판막치환술을 시행하는 방법으로 개발된 것이 경피적 대동맥판막치환술(transcatheteric aortic valve replacement, TAVR)이다.

경피적 대동맥판막치환술은 2002년 Cribier 등이 대퇴동맥(femoral artery)을 통한 접근법으로 처음으로 시행된 이후 PARTNER (placement of aortic transcatheter valves) trial을 통해 고위험 환자에서 보존적인 치료법인 약물치료나 풍선확장술에 비해 예후가 좋고, 수술과 비슷한 성적을 보임이 입증되었다.

시술에 있어 중요한 점으로는 다양한 분야의 전문가들이 팀을 이루어 환자의 적응증, 시술 시 사용할 혈관의 선택, 마취방법, 적절한 판막의 크기, 수술 후 관리 등을 의논하며 진행하여야 한다는 것이다. 다음으로 언제라도 개흉술을 할 수 있다는 점을 고려하여 고해상도의 영상장비와 수술 장비를 모두 갖춘 하이브리드 수술방(hybrid operating room)을 갖추고 있어야 한다.

마취 시 주의하여야 할 점은 1) 환자의 적응증 자체가 수술에 고위험군일 정도로 여러 가지 동반 질환을 가지고 있으므로 시술 전 환자의 위험 관리에 신경을 써야 하고 2) 시술 중에는 시술 도구의 직접 자극, 임시심박동기의 사용 등에 의한 부정맥이 잘 발생하므로 심박수의 유지에 신경을 써야 하고 외부용 제세동기(external defibrillator)를 시술 전 거치시켜야 한다. 또한 3) 시술에 따른 실혈이 적지 않으므로 적절한 수액을 공급해 주어야 한다.

마취 방법의 선택에서 고려해야 할 부분은 시술이 이루어지는 혈관을 수술적으로 접근해야 하는가 여부, 환자의 자세유지, 심혈관계나 호흡기계 기저질환의 유무, 기도 상태 등을 고려하여 전신마취 여부를 결정한다. 마취 방법에 따른 이득과 손해는 다음의 표와 같다(표 20-1). 일반적인 대퇴동맥을 이용한 접근의 경우 미국은 전신마취를 선호하나 유럽의 경우에는 감시마취관리가 선호된다.

1) 경대퇴동맥 접근법(Transfemoral approach)

가장 흔하게 시술이 이루어지는 방법이다(그림 20-

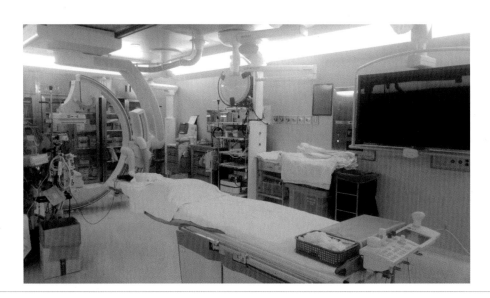

그림 20-1. 하이브리드 수술방(hybrid operating room)

표 20-1 마취 방법에 따른 이득과 손해

	위험(Risk)	편익(benefit)
전신마취(general anesthesia)	기관내삽관 등으로 인한 위험성 증가 경식도 초음파 거치로 인한 위험성 신경근차단제 잔여 효과 전신마취제에 의한 부작용	환자의 편의 침습적 모니터 거치 가능 실시간으로 경식도 초음파 거치 호흡 조절 가능
감시마취관리 (monitored anesthesia care)	과진정(oversedation)이나 고탄산혈증(hypercarbia)의 가능성 환자의 움직임 가능성 환자의 불편함 혈역학적 불안정성이 있을 경우 환자가 증상을 느낄 수 있음 실시간 감시 장비로 투시검사(Fluoroscopy)가 유일함	실시간으로 신경학적 검사 가능 혈관 손상이나 출혈 발생 가능성이 적음 경식도 초음파 거치로 인한 위험을 줄일 수 있음 마취제로 인한 혈역학적 불안정성을 줄임 시술 시간이 줄어듦

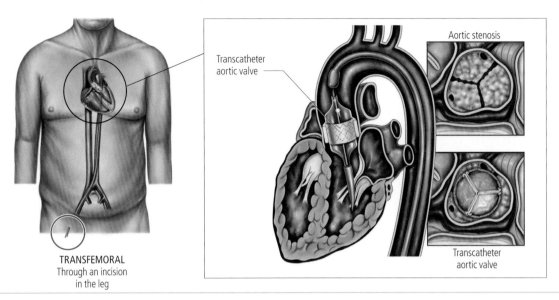

그림 20-2. **Transfemoral approach를 통한 TAVR의 모식도**

1). 환자의 한쪽 대퇴정맥을 통해 우심실에 임시심박동기를 거치시킨다. 동측 대퇴동맥으로는 조영술을 시행하기 위한 Pig tail catheter를 삽입한다. 반대쪽 대퇴동맥으로 인계선(guide wire)을 삽입하여 역행적으로 좌심실에 guide wire를 위치시킨다. 이후 풍선을 이용한 풍선확장술을 시행하게 된다(그림 20-3). 풍선확장술을 시행하는 이유는 대동맥스텐트가 적절한 위치에 안착하도록 도와주고 인계선이 기구가 좁아진 대동맥판막을 통과하기 쉽게 도와주며 스텐트가 펴질 때까지 심박출량을 유지하도록 도와준다. 이때 대동맥의 혈류를 일시적으로 정지시키기 위해 분당 180~200회로 빠른 심박동(rapid ventricular pacing)을 유발한 후 시행한다. 이때 빠른 심박동은 심근허혈이나 부정맥을 유발할 수 있으므로 최소한(15초 미만)으로 유지한다. 이 시기에 혈압은 후부하(afterload)를 높여 유지하고 평균 동맥압(mean blood pressure)을 75 mmHg 이상으로 유지한다. 이후 대동맥스텐트를 적절한 위치에 거치시키고 다시 한번 빠른 심박동을 유발하고 판막을 펼친다. 1세대 기구들은 한번 판막을 거치시키면 위치의 변경이 불가능하여 적절한 위치 선정이 매우 중요하였으나 이후 펼쳤던 판막을 다시 접어 위치의 변경이 가능한 판막들이 개발되고 있다.

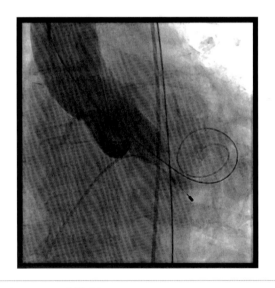

그림 20-3. **풍선 확장술**
대동맥스텐트가 적절한 위치에 안착하도록 도와주고 인계선이 기구가 좁아진 대동맥판막을 통과하기 쉽게 도와주며 스텐트가 펴질 때까지 심박출량을 유지하도록 도와준다.

마취는 앞서 기술한 바와 같이 환자의 특성을 고려하여 전신마취 혹은 감시마취관리로 이루어진다.

2) 경심첨부 접근법(Transapical approach)

환자의 대퇴동맥이나 하행대동맥에 심각한 협착(stenosis)이나 죽상경화증(atherosclerosis)이 동반된 경우 시행된다. 대퇴동맥 접근법과 마찬가지로 한쪽 대퇴정맥을 통해 우심실에 임시심박동기를 거치시킨다. 동측 대퇴동맥으로는 조영술을 시행하기 위한 Pig tail catheter를 삽입한다. 이후 환자의 왼쪽 늑간강(intercostal space)에 절개창을 넣고 심첨(apex)을 통해 인계선을 직접 삽입하여 대동맥판막을 통과시킨다. 일반적으로 이 과정에서 일측폐 환기(one-lung ventilation)는 필요하지 않으므로 이중관 튜브(double lumen tube)의 거치는 필요하지 않다. 이후 시술은 대퇴동맥을 통한 방법과 동일하다.

마취는 환자에게 가해지는 침습성 때문에 전신마취를 시행하여야 하고 심첨에 직접 구멍을 뚫고 시술이 이루어지기에 출혈에 따른 전부하(preload) 유지에 더욱 신경을 써야 한다(그림 20-4).

3) 경피적 대동맥판막치환술의 합병증(complications of TAVR)

(1) 신경학적 손상

PARTNER trial에 의하면 수술에 비해 뇌졸중(stroke)의 발생률이 증가한다고 알려져 있다. 발생 원인은 시술 기구가 직접적으로 대동맥의 혈전을 날려 보낼 수 있고, 부적절한 항응고제의 투입으로 인해 혈전이 형성되기도 한다. 따라서 시술 전후 환자의 신경학적 검사를 충분히 하여야 하고 전신마취를 시행한 경우에는 시술 중 cerebral oxymeter의 적용이 도움이 될 수 있다.

(2) 심장차단(Heart block)

고식적인 수술에 비해 동방 결절(SA node)의 손상이 더 많이 발생할 수 있다. 이는 특히 Corevalve (Medtronic)에서 흔한 것으로 알려져 있다. 따라서 이와 같은 기구를 사용하는 경우에는 시술 후 임시 심박동기를 유지하는 것이 좋고 장기간 지속되는 경우에는 영구 심박동기의 삽입이 필요할 수도 있다.

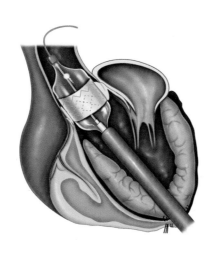
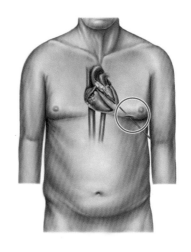

TRANSFEMORAL
Through an incision
between the ribs

그림 20-4. Transapical approach를 통한 TAVR의 모식도

(3) 혈관 손상

시술 중, 후 언제든 혈관 손상의 발생이 가능하다. 기구가 딱딱하므로 기구에 의한 동맥 박리(dissection), 천공(perforation) 등이 발생 가능하며, 기구가 지나가는 어느 장소에서나 발생 가능하다. 드물게는 좌심실, 대동맥 등에서도 발생이 가능하다. 심각한 박리나 천공이 발생 할 경우 수술적 치료가 필요할 수 있고 크기가 적거나 양이 많지 않다면 치료하지 않고 관찰이 가능하다.

2. 심방중격결손(Atrial septal defect, ASD)

심방중격결손은 선천성 심기형 중 가장 흔한 질환으로 좌심방과 우심방 사이 격막(arterial septum)에 구멍이나 좌심방에서 우심방으로 단락(shunt)이 발생하고 이를 치료하지 않으면 우심방에 부하가 걸려 심부전이나 심할 경우 아이젠멩거 증후군(eisenmenger syndrome)으로까지 발전하는 질환이다.

난원공(foramen ovale)은 대부분 1세 이전에 해부학적으로 막히게 되지만 어떠한 요인으로 인해 난원공이 막히지 않은 막히지 않은 상태를 난원공개존(patent foramen ovale)이라고 한다. 난원공개존 환자는 대부분 치료하지 않으나 이 구멍을 통한 기이색전(paradoxical embolism)이 발생할 경우 수술이나 시술을 할 수 있다. 두 질환 모두 진단은 심장초음파(echocardiography)를 통해 단락을 관찰하는 것으로 이루어진다(그림 20-5).

영상장치와 기구의 발달로 인해 심방중격결손이나 난원공개존의 경피적폐쇄술이 발전하여 왔고 최근 연구들에서 수술적 치료와 비교하여 성공률에 차이가 없다는 보고들이 있어 근래에는 적응증이 되는 환자에서는 우선적으로 고려되는 치료방법이다. 시술기구는 다양하지만 국내에서는 주로 AGA medical의 Amplatzer septal occluder가 사용되고 있다. 이 기구는 두 개의 원판(disk)이 각각 우심방과 좌심방에 자리하고 이 두 원판이 맞물려 구멍을 막는 구조로 되어있다(그림 20-6).

시술은 대퇴 정맥(femoral vein)을 통해 인계선(guide wire)을 삽입하여 우심방을 통해 좌심방까지 인계선을 이동시키고 기구를 좌심방과 우심방 사이에 거치 시킨 후 위치를 경식도 초음파(transesophageal echocardiography)와 영상장치를 통해 확인한 다음 기구를 분리시킨다(그림 20-7).

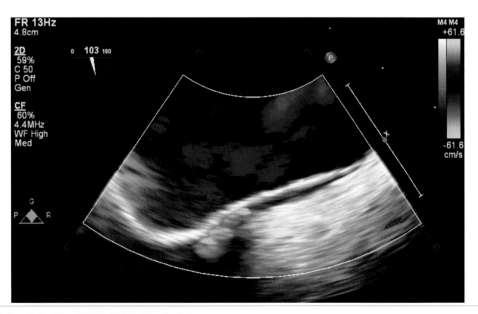

그림 20-5. **경식도 초음파를 이용한 난원공개존의 진단**

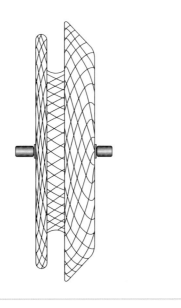

그림 20-6. Amplatzer septal occluder의 모식도
두 개의 disk가 맞물리는 형태로 되어 있다.

대부분의 센터에서 경식도 초음파의 삽입으로 인한 폐흡인의 가능성을 줄이기 위해 전신마취를 시행한다. 흡입마취나 정맥마취 어떤 것으로도 마취가 가능하지만 N_2O는 술 중 bubble의 크기를 키울 수 있으므로 피하는 것이 좋다. 최근에는 심장 내 초음파(intracardiac

echocardiography)나 경흉부 초음파를 사용하여 시술을 하는 경우 감시마취관리로도 시행할 수 있다는 보고가 있다.

시술에 따른 합병증으로는 공기 색전증(air embolism), 부정맥, 기구의 이탈, 심장 천공 등이 발생할 수 있다.

3. 혈관내동맥류재건술(Endovascular aneurysm repair, EVAR)

대동맥류(aortic aneurysm)는 대동맥의 혈관벽이 정상 직경의 50% 이상 확장된 상태로 점차 대동맥의 혈관벽이 얇아져 파열(aortic rupture)에 이르게 되는 질환이다. 파열에 의한 사망률은 90% 이상으로 보고 되고 있으며 이에 대한 치료는 수술로 대동맥류를 제거하고 인조혈관으로 대치해주는 것이었다. 대동맥류의 치료에 있어 혈관내동맥류재건술(endovascular aneurysm repair, EVAR)은 흉부 및 복부 대동맥류에서 기존의 수술적 치료와 비교하여 대동맥의 교차 감자(cross clamp)가 필요치 않아 합병증 발생률과 사망률을 유의하게 낮춘다.

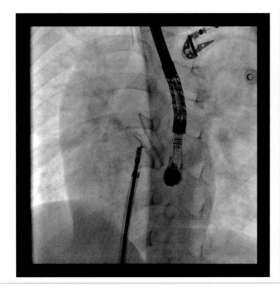
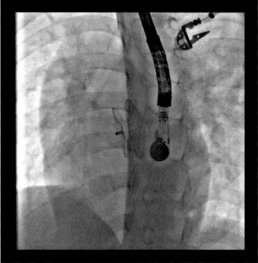

그림 20-7. Amplatzer septal occluder를 ASD에 거치시킨 후 기구를 분리하고 있다. 이 때 경식도 초음파를 이용하여 shunt flow가 사라진 것을 확인 후 분리하여야 한다.

대부분의 대동맥류 환자는 심혈관계의 동반질환(고혈압, 관상동맥질환, 고지혈증) 등을 동반하고 있으므로 시술 전 이에 대한 평가를 충분히 하여야 하고, 시술 중 외과적 수술로의 전환이 가능하기 때문에 수술에 준하는 전 처치를 하여야 한다. 또한 다량의 조영제 투여와 신동맥(renal artery) 근처의 조작으로 인한 혈전이 신기능 악화를 초래 할 수 있으므로 신장 기능의 평가 또한 충분히 이루어져야 한다.

마취는 전신마취와 감시마취관리 모두 가능하며 마취의 목표는 1) 시술 기간 중 환자의 자세 유지 2) 조영제로 인한 신기능 저하를 줄이기 위한 적절한 수액 공급 3) 적절한 항응고제의 투여 4) 적절한 혈압관리이다. 대부분의 EVAR는 국소마취 또는 감시마취관리로 진행하게 되나 환자의 자세 유지가 힘들거나 대퇴동맥으로의 접근이 어려워 수술적 접근을 하는 경우, 시술 중 호흡 정지(breathing hold)가 필요할 경우는 전신마취를 시행 할 수 있다. 마취 방법에 따른 사망률과 합병증 발생률을 비교한 무작위연구는 없으나 전신마취와 비교하여 감시마취관리 또는 국소마취가 가지는 잠재적 장점은 재원기간의 단축, 마취제 자체로 인한 혈압 저하의 감소, 기관내 삽관 또는 발관 시 생길 수 있는 급격한 혈압 변동의 최소화, 폐 합병증의 감소 등이 있다. 반면 전신 마취의 경우 환자의 불안과 불편을 줄이고, 스텐트 거치 시 호흡 정지가 확실하며 신경근차단제 투입되기에 환자의 움직임이 없어 시술 중 영상의 질을 높일 수 있다는 점이 있다.

시술 중 급격한 혈압의 변동은 대동맥류의 파열을 유발 할 수 있으므로 마취 관리에서 가장 중요한 것은 급격한 혈압의 변동을 줄이는 것이다. 시술 중 모니터링은 기본적인 전신마취에 준해서 하되 침습적 동맥압 감시를 통해 혈압의 변화를 지속적으로 감시한다. 일반적인 환자에서 중심정맥압 감시는 불필요하고 대량의 수액을 공급할 수 있는 굵은 정맥로를 확보하지 못한 경우나 승압제의 지속 투약이 필요한 경우는 중심 정맥로의 확보가 도움이 될 수 있다.

시술과 관련된 합병증은 대동맥의 파열, 시술 기구로 인한 색전, 신기능 손상, 척수 허혈증이 있다. 이중 척수 허혈은 대동맥의 20 cm 이상에 걸쳐 스텐트를 거치하는 경우나 이전 대동맥 치환의 수술력이 있는 경우 그 위험이 증가하게 된다. 이를 예방하기 위한 방법으로의 뇌척수압 감시와 배액에 대해서는 그 효과에 논란이 있지만 시행이 가능하다. 뇌척수액을 배액 하는 경우 척수의 관류압을 60 mmHg 이상으로 유지해야 하며 이를 위해 평균동맥압을 70 mmHg 이상으로 유지하며 뇌척수압은 10 mmHg 미만으로 유지하는 것을 추천하고 있다.

복부 대동맥류나 하행 대동맥에 생기는 대동맥류와 달리 대동맥궁(aortic arch)에 생기는 동맥류의 경우 일반적인 EVAR만을 시행할 경우 머리로 가는 혈관(그림 20-8)을 막아 뇌 허혈을 유발할 수 있으므로 수술적으로 이 혈관들의 주행을 옮긴 후 스텐트를 거치 시키는 하이브리드 수술을 시행 할 수 있다. 하이브리드 수술방이 없는 경우 수술적 혈관 우회술을 먼저 시행 후 스텐트를 거치 하는 단계적 접근이 이루어 졌으나 근래에는 하이브리드 수술방에서 한번에 이루어지는 경우가 많다. 마취는 전신마취를 시행하여야 하고 개흉술에 준하는 준비를

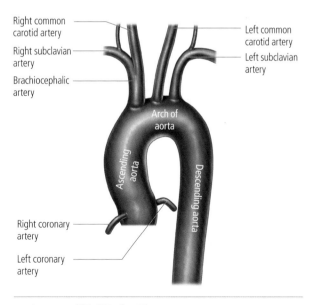

그림 20-8. **대동맥궁의 모식도**

하고 시행하여야 한다.

참고문헌

1. Cribier A, Eltchaninoff H, Bash A, Borenstein N, Tron C, Bauer F, et al. Percutaneous transcatheter implantation of an aortic valve prosthesis for calcific aortic stenosis: first human case description. Circulation 2002; 106: 3006-8.

2. De Virgilio C, Romero L, Donayre C, Meek K, Lewis RJ, Lippmann M, et al. Endovascular abdominal aortic aneurysm repair with general versus local anesthesia: a comparison of cardiopulmonary morbidity and mortality rates. J Vasc Surg 2002; 36: 988-91.

3. Fedorow CA, Moon MC, Mutch WA, Grocott HP. Lumbar cerebrospinal fluid drainage for thoracoabdominal aortic surgery: rationale and practical considerations for management. Anesth Analg 2010; 111: 46-58.

4. Fleisher LA, Fleischmann KE, Auerbach AD, Barnason SA, Beckman JA, Bozkurt B, et al. 2014 ACC/AHA guideline on perioperative cardiovascular evaluation and management of patients undergoing noncardiac surgery: executive summary: a report of the American College of Cardiology/American Heart Association Task Force on Practice Guidelines. Circulation 2014; 130: 2215-45.

5. Frohlich GM, Lansky AJ, Webb J, Roffi M, Toggweiler S, Reinthaler M, et al. Local versus general anesthesia for transcatheter aortic valve implantation (TAVR)--systematic review and meta-analysis. BMC Med 2014; 12: 41.

6. Hanna JM, Andersen ND, Aziz H, Shah AA, McCann RL, Hughes GC. Results with selective preoperative lumbar drain placement for thoracic endovascular aortic repair. Ann Thorac Surg 2013; 95: 1968-74; discussion 74-5.

7. Holmes DR, Jr., Mack MJ, Kaul S, Agnihotri A, Alexander KP, Bailey SR, et al. 2012 ACCF/AATS/SCAI/STS expert consensus document on transcatheter aortic valve replacement: developed in collabration with the American Heart Association, American Society of Echocardiography, European Association for Cardio-Thoracic Surgery, Heart Failure Society of America, Mended Hearts, Society of Cardiovascular Anesthesiologists, Society of Cardiovascular Computed Tomography, and Society for Cardiovascular Magnetic Resonance. J Thorac Cardiovasc Surg 2012; 144: e29-84.

8. Karagoz H, Yilbas AA, Ayhan B, Kaya EB, Kanbak M. Anesthesia for percutaneous transcatheter closure of atrial septal defects in adults. Anadolu Kardiyol Derg 2012; 12: 371.

9. Karthikesalingam A, Thrumurthy SG, Young EL, Hinchliffe RJ, Holt PJ, Thompson MM. Locoregional anesthesia for endovascular aneurysm repair. J Vasc Surg 2012; 56: 510-9.

10. Kasel AM, Shivaraju A, Schneider S, Krapf S, Oertel F, Burgdorf C, et al. Standardized methodology for transfemoral transcatheter aortic valve replacement with the Edwards Sapien XT valve under fluoroscopy guidance. J Invasive Cardiol 2014; 26: 451-61.

11. Kristensen SD, Knuuti J. New ESC/ESA Guidelines on non-cardiac surgery: cardiovascular assessment and management. Eur Heart J 2014; 35: 2344-5.

12. Leon MB, Smith CR, Mack M, Miller DC, Moses JW, Svensson LG, et al. Transcatheter aortic-valve implantation for aortic stenosis in patients who cannot undergo surgery. N Engl J Med 2010; 363: 1597-607.

13. Ruggeri L, Gerli C, Franco A, Barile L, Magnano di San Lio MS, Villari N, et al. Anesthetic management for percutaneous aortic valve implantation: an overview of worldwide experiences. HSR Proc Intensive Care Cardiovasc Anesth 2012; 4: 40-6.

14. Schermerhorn ML, O'Malley AJ, Jhaveri A, Cotterill P, Pomposelli F, Landon BE. Endovascular vs. open repair of abdominal aortic aneurysms in the Medicare population. N Engl J Med 2008; 358: 464-74.

15. Smith CR, Leon MB, Mack MJ, Miller DC, Moses JW, Svensson LG, et al. Transcatheter versus surgical aortic-valve replacement in high-risk patients. N Engl J Med 2011; 364: 2187-98.

Chapter 21

진단적 목적의 영상 검사를 위한 진정치료

진단 목적의 CT나 MRI 등의 검사에서 환자의 불안과 통증 및 움직임을 제한하기 위하여 진정 치료를 필요로 할 수 있다. 과거 마취통증의학과 의사가 아닌 의사가 통상적으로 얕은 깊이의 진정을 시행해오고 있었으나, 환자의 내과적 중증도 증가 및 장비의 발달, 특히 소아 환자에서의 깊은 진정 요구도 증가로 인하여 환자의 안전을 증진시키고 부작용의 발생을 감소시키면서 적절한 영상의 획득하기 위한 전문적인 진정 관리에 대한 필요성이 증가하고 있다. 마취통증의학과 의사들은 수술실에서의 환자 안전을 증진시키기 위한 전문가로서 안전 규범 및 안전 실무 구축에 힘써온 바 이러한 안전 규범을 수술실 밖 영역으로 확대하여 검사실이라는 특수한 상황에 맞도록 적용 및 전달할 의무가 있다. 반면 검사실이라는 특수한 환경 및 외과 의사가 아닌 의료 인력과의 소통 등 그 동안 마취통증의학과 의사에게는 친숙하지 않았던 상황에 대한 대비 또한 필수적이다. 따라서 본 장에서는 검사실의 특수한 환경 및 이에 대한 주의 사항과 진단 목적의 검사를 위한 진정치료에 대하여 소개하고자 한다.

1. 정의 및 목적

환자의 불안과 통증 및 움직임 제한, 적합한 영상의 획득 및 검사지연 등으로 인한 비용절감 등의 목적으로 진정치료를 실시할 수 있다(표 21-1).

진정은 크게 4단계로 나뉘어진다(표 21-2). 이는 명확하게 구분된 것이 아니며, 환자는 의도치 않게 빠른 속도로 더 깊은 단계의 진정 상태에 이를 수 있다. 대부분의

표 21-1 진정치료의 목적

통증조절 및 불편완화
불안 최소화, 의식 및 기억 소실
움직임 제어
시술 및 검사의 성공률 극대화
신속한 회복 및 일상 생활로의 복귀
비용절감
환자안전

검사에서 영상을 얻기 위하여 환자의 움직임을 제한하는 것이 요구되기 때문에 구두 및 촉각 자극에 반응하는 중등도 진정 이상이 요구되며, 이는 빠르게 깊은 진정 또는 전신마취 상태로 진행할 수 있으므로 이러한 상태에서 환자의 기도관리 및 소생술을 시행할 수 있는 의사가 진정치료를 시행하는 것이 타당하다.

2. 대상

극도의 불안, 만성적인 통증, 폐쇄공포증, 정신장애, 운동장애, 비만, 협조가 불가능한 소아나 노인 등 장시간 검사대에 누워 같은 자세를 유지하기 힘든 환자들에게 적용할 수 있다.

표 21-2 진정의 단계

	최소 진정 (Minimal Sedation, Anxiolysis)	중등도 진정 (Moderate sedation/Analgesia, Conscious Sedation)	깊은 진정 (Deep sedation/Analgesia)	전신마취 (General anesthesia)
반응 정도	정상 구두 반응	구두 또는 가벼운 접촉에 의미 있는 반응	반복적인 또는 통증 자극에 의미 있는 반응	통증 자극에 반응 없음
기도 유지	영향 받지 없음	추가 처치 필요 없음	추가 처치가 필요할 수 있음	추가 처치가 필요함
자발호흡	영향 받지 없음	충분	불충분할 수 있음	불충분
심혈관계기능	영향 받지 않음	대개 유지됨	대개 유지됨	기능 장애 발생 가능

3. 감시

안전한 환자 관리 및 진정 수준의 유지를 위하여 적절한 감시가 필수적이다. 검사실 환경에서 진정치료를 실시한 경우 발생한 환자 안전 사고의 대부분은 부적절한 환자 감시에서 비롯되며 이는 수술실에서 발생한 경우보다 더 유해하고 심각한 손상으로 이어질 수 있다. 이러한 감시 장비의 필요성에 익숙하지 않은 검사실 의료진과의 협력 하에 적절한 감시 장비를 갖추고 환자의 활력 징후 및 의식 변화에 따른 진정 상태를 적절하게 유지하는 것이 중요하다.

1) 생리학적 감시

모든 환자들은 수술실 환경에서와 같이 ASA에서 제시한 "Standards for Basic Anesthesia Monitoring"에 준하여 감시되어야 한다. 맥박산소계측기는 산소공급(oxygenation) 및 환기(ventilation)의 적절성을 평가하기 위한 감시 장비로 널리 사용되어 왔다. 마취 사고와 감시에 대한 조사에서 유용성이 입증된 바 있으나, 수술실 밖 환경에서 마취통증의학과 의사가 아닌 의료진에게 오해석의 가능성이 높고, 저환기에 대한 반응이 느리다는 단점이 있다. 저환기는 임상적으로 호기 가스 중 이산화탄소 분압을 직접적으로 측정하는 호기말이산화탄소분압측정(capnography)을 통해 조기 발견할 수 있다. 안면 마스크 또는 경비카테터를 통하여 쉽게 측정 가능하

며 거치가 간단하고 비용 부담도 적다(그림 21-1). 동맥과 호기말 이산화탄소분압 차이의 증가, 구강호흡, 카테터 폐색, 투여 산소의 희석 등과 같은 문제점들이 정확한 측정을 제한할 수 있다. 검사실 환경에서 널리 갖추어져 있는 장비는 아니나, 환기의 적절성을 감시하기 위한 기본 감시 장비로서 capnography는 반드시 갖추어져야 할

그림 21-1. **호기말 이산화탄소분압 감시** A. 안면 마스크를 이용한 호기 가스 체취 방법 B. capnography에서의 변화 곡선

것으로 추천된다.

2) 진정 수준의 감시

진정제에 대한 반응은 환자에 따라서 현저하게 차이가 있다. 또한 검사에 맞는 적절한 진정 깊이의 유도 및 지속을 위하여 의식 수준의 감시가 필수적이다. 진정 수준의 감시에는 주관적 척도를 이용한 방법과 BIS 등의 장비를 이용한 객관적 척도를 이용한 방법이 있다. 대표적인 주관적 척도로는 Ramsay scale 또는 Observer's Assessment of Alertness/Sedation Scale (OAA/S)에서 반응에 대한 항목만 이용한 Modified Observer's Assessment of Alertness/Sedation Scale (MOAS/S) 등을 사용할 수 있다(표 21-3, 21-4). 심한 통증이 없는

진단적 검사인 경우 일반적으로 Ramsay scale 3 이상, MOAA/S 4 이하에 해당하는 눈을 감고 있으나 구두 반응이 있는 정도의 진정 수준을 요하나, 소아 환자나 협조가 어려운 환자의 경우 이보다 더 깊은 진정 상태를 요할 수 있다. 객관적 척도로서 BIS와 AEP 등을 이용하여 진정의 깊이를 측정할 수 있으나, 안구 운동으로 인한 간섭이나, 지속적인 청각 자극이 필요하다는 단점 등으로 인하여 그 사용에 제한이 있다.

4. 산소 공급

언제든 산소 공급이 가능하도록 oxygen cylinder 또는 wall unit과 함께 산소 공급 장치를 갖추고 있어야 한다. 산소 공급 장치로는 단순 안면마스크(simple facial mask), 비강캐눌라(nasal cannula), 저장낭이 달린 비재호흡마스크(non-rebreathing mask) 등을 사용할 수 있으며, 21-100% 농도의 산소를 공급할 수 있다. 산소 유량은 정상 호흡을 유지할 수 있는 충분한 흡입산소농도를 유지할 수 있도록 조절한다(표 21-5). 산소 공급 장

표 21-3 Ramsay Scale

Level	Characteristics
1	Patient awake, anxious, agitated, or restless
2	Patient awake, cooperative, orientated, and tranquil
3	Patient drowsy, with response to commands
4	Patient asleep, brisk response to glabellar tap or loud auditory stimulus
5	Patient asleep, sluggish response to stimulus
6	Patient has no response to firm nail-bed pressure or other noxious stimuli

표 21-4 Modified Observer's Assessment of Alertness/Sedation Scale

Level	Characteristics
6	Appears alert and awake, responds readily to name spoken in normal tone
5	Appears asleep but responds readily to name spoken in normal tone
4	Lethargic response to name spoken in normal tone
3	Responds only after name is called loudly or repeatedly
2	Responds only after mild prodding or shaking
1	Does not respond to mild prodding or shaking

표 21-5 산소 공급 장치 및 산소 유량에 따른 흡입 산소 농도

장치	산소 유량	흡입 산소 농도
비강캐눌라	1 L/min	21-24%
	2 L/min	25-28%
	3 L/min	29-32%
	4 L/min	33-36%
	5 L/min	37-40%
	6 L/min	41-44%
단순안면마스크	6-10 L/min	35-60%
저장낭이 달린 비재호흡마스크	6 L/min	60%
	7 L/min	70%
	8 L/min	80%
	9 L/min	90%
	10-15 L/min	95-100%

치는 필요로 하는 산소 농도, 검사 종류 및 환자의 순응도에 따라 선택할 수 있다. 미숙아나 선천성 심기형 및 단락 수술을 시행 받은 소아, 만성폐쇄성폐질환으로 이산화탄소혼수(CO_2 narcosis)의 위험이 있는 환자에서는 고농도 산소의 사용을 주의하여야 한다.

5. 환자의 준비

진정 치료가 계획된 환자에서도 치료 전 금식이 필요하다. 진정제 투약 후 환자의 진정 깊이는 정확하게 예측하기 어려우며 중등도 또는 깊은 진정에서 언제든지 기도 반사의 소실 가능성이 있다는 점에서 ASA에서는 전신 마취와 마찬가지로 금식 시간을 준수할 것을 제시하고 있다. 미국 소아과 학회(American Academy of Pediatrics)에서는 소아 환자의 진정 전 금식에 대하여 ASA와 유사한 기준을 제시하고 있다(표 21-6). 그러나 이러한 기준은 계획된 진정 치료의 경우에 해당되며, 응급 상황의 경우 검사의 지연으로 인한 위험이 흡인의 위험을 상회하지 않는지 고려하는 것이 필요하다. 이와 함께 금식 시간을 지키는 것이 진정 치료의 예후를 변화시키는데 근거가 불충분하다는 점을 들어 미국 응급의학회(American College of Emergency Physicians)에서는 시술의 응급도 및 소요 시간, 환자의 중증도, 섭취한 음식물의 종류와 목표한 진정 깊이에 따른 다양한 금식 기준을 제시하고 있다(표 21-7). 검사실 관련 의료진의 경우 금식 시간 준수의 필요성 및 이로 인한 검사의 지연에 익숙하지 않은 경우가 많고 소아 환자의 경우 검사를 위한 금식 시간 준수에 대하여 보호자의 이해 및 협조가 어려워 불만의 소지가 되는 경우가 있다. 따라서 각 기관

표 21-6 진정치료 전 금식 가이드라인

맑은 유동식(물, 과육이 없는 과일 주스, 탄수화물 음료, 맑은 차, 블랙 커피): 2시간
모유: 4시간
분유, 우유 및 고형식: 6시간

별로 표준 지침을 마련하고 이에 대해 충분히 교육을 실시하는 것이 중요하다.

6. 진정 전 평가

성공적인 진정 계획을 위해 진정 전 환자의 병력을 확인하고 위험 신호를 감지하며 적합한 이학적 검사를 시행하는 것이 중요하다.

환자 면담 및 의무 기록 리뷰를 통해 환자의 호흡기계, 심혈관계 및 기타 병력을 확인하고 현재 복용하고 있는 약물 및 알레르기 등을 파악한다. 이전 진정 치료 또는 전신 마취의 경험이 있는 환자의 경우 기도 관리 및 정맥로 확보에 관련된 어려움이나 구역, 구토, 진정제에의 증가된 혹은 감소된 반응, 진정 중 중재적 처치의 필요성 및 의도치 않은 입원 등의 진정 관련 부작용 등이 있었는지 확인한다. 특히 소아 환자의 경우 보호자에게 금식 시간에 대해 주의 깊게 확인하는 것이 필요하다. 또한 기도 평가, 호흡상태 및 volume status를 파악하기 위한 이학적 검사를 시행한다.

해부학적으로 비정상적인 기도를 보일 수 있는 선천성 질환을 가진 환자(표 21-8), 특히 소아의 경우 진정 전 세심한 평가가 필수적이며 유사시 기도 확보를 위한 구체적인 계획이 필요하다. 이전 진정 치료 경험 및 기관절개술(tracheostomy) 여부, 연하장애나 역류, 코골이 및 잦은 기도폐쇄 증상이 있는지 확인한다. 또한 이학적 검사 상 혀의 크기나 모양, 입을 크게 벌릴 수 있는지 여부와 Mallampati classification을 확인한다. 아래턱뼈(anterior ramus of mandible)에서 목뿔뼈(hyoid bone)까지의 거리를 측정하는 것도 중요한데, 이 거리가 짧아질수록 어려운 기도관리가 예상된다.

폐쇄성수면무호흡증후군 환자의 경우 진정 치료를 시행하는데 더욱 주의가 필요하므로 이와 관련된 증상 및 중증도를 파악하는 것이 중요하다. 관련 있는 인자로는 중간얼굴 및 아래턱뼈 저형성(midfacial and

표 21-7 미국 응급의학회 금식 가이드라인

Standard risk				
Oral intake in the prior 3 hours	Urgency of the Procedure			
	Emergent	Urgent	Semi-Urgent	Non-Urgent
Nothing	All levels of sedation	All levels of sedation	All levels of sedation	All levels of sedation
Clear liquids only	All levels of sedation	All levels of sedation	Up to and including brief deep sedation	Up to and including extended moderate sedation
Light snack	All levels of sedation	Up to and including brief deep sedation	Minimal sedation only	Minimal sedation only
Heavy snack or meal	All levels of sedation	Up to and including extended moderate sedation	Minimal sedation only	Minimal sedation only
Higher risk				
Oral intake in the prior 3 hours	Urgency of the Procedure			
	Emergent	Urgent	Semi-Urgent	Non-Urgent
Nothing	All levels of sedation	All levels of sedation	All levels of sedation	All levels of sedation
Clear liquids only	All levels of sedation	Up to and including brief deep sedation	Up to and including extended moderate sedation	Minimal sedation only
Light snack	All levels of sedation	Up to and including dissociative sedation; non-extended moderate sedation	Minimal sedation only	Minimal sedation only
Heavy snack or meal	All levels of sedation	Up to and including dissociative sedation; non-extended moderate sedation	Minimal sedation only	Minimal sedation only
Procedural Sedation and Analgesia Targeted Depth and Duration				
→Increasing Potential Aspiration Risk→	Minimal sedation only			
	Dissociative sedation; brief or intermediate-length moderate sedation			
	Extended moderate sedation			
	Brief deep sedation			
	Intermediate or extended-length deep sedation			

Brief: 〈10 min, Intermediate: 10-20 min, Extended: 〉20 min

mandibular hypoplasia), 아래턱후퇴증(retrognathia), 큰혀증(macroglossia), 설하수(glossoptosis), 아데노이드 비대, 타액 증가, 비만, 전신저긴장증(hypotonia) 등이 있다. 코골이, 역행호흡, 무호흡, 구호흡, 행동장애, 수면장애 여부 및 수면 중 산소 공급 필요 여부, bilevel positive airway pressure (BiPAP) 적용 유무, 수면 중에 특정 자세를 취해주는 것이 필요한지에 대하여 환자 또는 보호자에게 확인할 수 있다. 이 밖에 동반 질환, 환자의 나이, 퇴원 후 환경 및 요구하는 진정의 깊이 등을 같이 고려하여 호흡기계 합병증 발생 위험도 및 외래를

표 21-8 기도 유지에 어려움이 예상되는 선천성 질환들

Apert syndrome
Airway mass/tumor
Arteriovenous malformation
Arthrogryposis
Beckwith-Wiedemann syndrome
Cornelia de Lange syndrome
Cri du chat
Crouzon syndrome
DiGeorge syndrome
Down syndrome
Dwarfism
Goldenhar syndrome
Klippel-Feil syndrome
Mucopolysaccharidosis
Pierre Robin sequence
Treacher Collins syndrome
Rheumatoid Arthritis

통한 진정 치료가 가능한 환자인지 파악해야 한다.

또한 수정연령 60주 이전의 미숙아의 경우 무호흡의 위험으로 인하여 외래를 통한 진정 마취가 불가능하므로 환자의 재태연령 및 수정연령을 확인해야 한다.

상기도감염 증상이 있는 소아 환자의 예정된 진정 치료의 시행에 있어서 널리 합의된 기준은 아직 알려진 바 없다. 따라서 진정 치료를 제공하는 마취통증의학과 의사는 환자의 증상을 파악하여 검사 진행 여부와 환자 관리 등에 대하여 결정하여야 한다. 단순한 감기 증상에는 미열, 콧물, 재채기, 인후통 등을 들 수 있으며 고열이나 쌕쌕거림, 화농성 가래 등이 동반 된 경우에는 더 심각한 형태로 간주될 수 있다. 대부분에서 가벼운 단순상기도감염의 경우 기도 조작 등을 필요로 하지 않는 시술 또는 검사를 위한 진정 또는 마취를 추가적인 위험도의 증가 없이 시행할 수 있는 것으로 알려져 있다.

7. 진정제의 선택

환자의 안전을 해치지 않으면서 효과적으로 불안 및 불편감을 해소하고, 기억 상실을 유도하며, 움직임을 적절히 제한하여 검사가 제대로 이루어질 수 있도록 하면서도, 가능한 빠르고 안전하게 환자를 퇴원시킬 수 있는 진정제를 적절히 선택하는 것이 중요하다. 특히 검사에 따라 요하는 진정의 깊이를 파악해야 하는데 CT의 경우 불안 감소 또는 경도의 진정으로도 충분할 수 있으나 MRI나 핵의학 검사의 경우에는 불충분할 수 있다. 또한 6세 이하의 소아나 발달 장애가 있는 경우에는 더 깊은 수준의 진정을 요할 수 있으므로 진정 치료를 담당하는 의사는 환자의 반응에 따라 더 깊은 진정을 유도할 수 있도록 숙련되어 있어야 한다. 소량의 진정제의 점진적인 투여(titration)을 통해 최소한의 효과적인 용량을 사용하면서도 호흡 억제 및 흡인 등을 일으킬 수 있는 과진정(oversedation)을 피할 수 있다.

1) Chloral hydrate

빠르게 활성 물질인 trichloroethanol 형태로 환원되어 GABA-receptor에 barbiturate-like effect를 타낸다. 대부분 경구로 투여되나 항문으로의 투여도 보고된 바 있다. 소아 환자에서 중등도의 진정 유도를 위해 효과적으로 사용되어 온 약물이나, 반복적인 사용으로 인한 발암성에 대한 우려가 있다. 작용 발현이 느리고 긴 반감기로 인하여 회복이 지연될 수 있으며 특유의 맛으로 위장관 자극을 일으켜 오심과 구토를 유발할 수 있고, 운동 불균형, 흥분, 공격적인 행동, 안절부절 하는 행동, 지남력장애(disorientation) 및 호흡 억제 등의 부작용으로 부모의 불만족 정도를 증가시킬 수 있다.

2) Dexmedetomidine

alpha2 아드레날린 수용체 작용제로서 진정, 진통 및 불안 감소 효과를 나타낸다. 정맥으로 투여하며, 소아 환자에서는 구강 점막, 비강, 또는 근육 내 투여도 가능하다. 호흡 억제를 거의 일으키지 않으면서 진정 및 진통 작용을 나타내므로 호흡 억제에 따른 합병증 위험이 높은 환자에서 지속 주입으로 안전하게 진정을 유도할 수 있다는 장점이 있다. 부작용으로는 저혈압, 서맥, 동정지

(sinus arrest), 일시적인 혈압 상승 등이 있다.

3) Ketamine

Phencyclidine 유도체로서 진통과 진정 및 기억 상실을 유도하는 해리성 마취제이다. 정상 인후두 반사 유지, 근육 긴장도 증가, 심혈관계 및 호흡기계 자극과 같은 특징을 나타내며, 불안, 악몽, 수술 후 흥분 등을 유발할 수 있어 성인 보다는 소아 환자에서 선호된다. 정맥뿐 아니라 근육 내 투여가 가능하여 정맥로 확보가 어려운 경우 4 mg/kg 근육 주사로 진정을 유도할 수 있다. 패혈증 또는 혈역학적으로 불안정한 환자에서 midazolam이나 propofol 등과 병용하여 사용할 경우 매우 효과적이고 안전하게 진정 및 진통 효과를 나타내는 것으로 보고된 바 있다. 고혈압 및 빈맥을 유발할 수 있어 혈압 상승을 주의해야 하는 환자에서는 사용할 수 없으며 타액 분비를 증가시키고 후두 경련을 유발할 수 있어 상기도 감염이나 천식이 있는 환자에서 사용을 주의하여야 한다. 또한 뇌압 및 안압을 상승시킬 수 있어 수두증, 뇌실복강 션트 기능에 문제가 있는 환자 및 심한 뇌손상 등에서는 금기이다. 그 외에 근육 긴장도 증가로 간질 및 발작 증세와 유사해 보일 수 있는 근간대성운동(tonic and clonic movements)을 보일 수 있으며, 오심과 구토, 각성 중 흥분, 호흡 억제 및 무호흡 등이 나타날 수 있다.

4) Midazolam

Benzodiazepine계 약물로서 불안 감소와 함께 경도의 진정 작용을 나타내므로 짧고 간단한 검사에 적합하다. 정맥, 근육 내 또는 구강 투여가 가능하다. 반감기가 짧고 빠른 회복이 가능하나 반복된 투여로 인한 축적 작용으로 과 진정을 초래할 수 있다. 환자에 따른 감수성 차이가 커 세심한 용량 조절이 필요하다. 부작용으로 저산소증, 무호흡, 모순반응(paradoxical reaction), 딸꾹질(hiccough), 유사발작활동(seizure-like activity) 및 안구진탕(nystagmus) 등이 나타날 수 있으며 대부분의

기도 관련 사고는 다른 중추신경계 작용 약물 및 진정제와의 병용 투여와 관련되어 발생한다.

5) 흡입마취제

Sevoflurane 또는 아산화질소(N_2O)와 같은 흡입마취제를 이용한 진정치료는 조절이 쉽고, 진정 유도 및 회복이 빠르다는 장점이 있다. 정맥로가 확보되지 않은 상태에서도 적용 가능하여 짧은 검사 및 정맥로 확보를 위한 진정을 위하여 사용될 수 있다. 낮은 가스 유량(fresh-gas flow)으로 수술실 오염을 최소화 할 수 있으나 안면 마스크 등의 적용 시 완전 밀봉에 어려움이 있다.

아산화질소는 무색, 무취, 무미의 기체로서 dissociative euphoria, floating sensation을 동반한 불안 감소 및 중등도의 진정, 진통 및 기억 상실을 유도할 수 있다. 투여 농도에 따라 반응에 차이가 있으므로 감시에 유의하여야 한다(표 21-9). 대개 5분 이내의 빠른 유도가 가능하며, 회복 역시 빨라서 대부분의 소아에서 15분 이내에 퇴원 가능 상태로의 회복이 가능하다. 기흉, 공기색전증 등 체내에 공기가 포착되어 이의 팽창이 위험할 수 있는 환자에서는 사용할 수 없으며 그 외에 상기도 감염이나 편도-아데노이드 비대증, 만성폐쇄성폐질환 환자, 임신 등에서 사용을 주의하여야 한다. 이 외에 부작용으로 구역, 구토, 흥분 또는 섬망, 저산소증, 천명, 발작, 발한, 딸꾹질 및 다량의 객담 배출 등이 나타날 수

표 21-9 아산화질소 투여 농도에 따른 반응의 차이

농도	환자의 반응
5-25%	중등도의 진정과 진통 인후두 반사 유지 손가락, 발가락, 입술의 감각 둔화
25-55%	해리성 진정과 진통 인두 반사 저하, 후두 반사 유지 감각 이상 부위의 확대-청각, 미각, 시각 둔화
50-70%	완전한 진통 인후두 반사 저하 구두 반응 소실

있다.

6) Propofol

Alkylphenol 유도체로서 각성 유도 신경 전달 물질인 히스타민 분비의 GABA 매개성 억제를 통하여 무의식을 유도한다. 빠르고 넓게 분포하며 빠르게 체내에서 제거되어 빠른 진정 유도 및 빠른 회복을 제공하며, 회복기에 졸음, 기억 상실, 구역 및 구토가 적은 장점이 있다. 1-3 mg/kg의 초기 용량 투여 후 100-200 mcg/kg/min의 용량으로 지속 주입 시 MRI 등의 검사를 위한 진정 유도 및 유지가 가능하다. 소아 환자의 MRI 검사에 있어 propofol의 사용과 midazolam, midazolam+fentanyl, pentobarbital, midazolam+pentobarbital+fentanyl 및 dexmedetomidine의 사용과의 비교 연구들에 의하면 propofol은 빠른 진정 유도 및 회복을 제공하며, 효과적인 진정을 제공하였다. 그러나 소아 환자들에서 흔한 부작용으로 호흡 억제 및 무호흡이 발생할 수 있으며 저산소증의 예방을 위해 주의 깊은 감시가 필요하다. 37개 의료 기관에서 49,836건의 propofol 사용 소아 진정 시 발생한 부작용에 대한 연구에 따르면 10,000건당 154건에서 산소 포화도 90% 이하로의 저산소증이 발생하였고 중추성무호흡 및 기도 폐색이 10,000건당 575건에서 발생하였다고 보고하였다. 사망 및 심폐 소생술 같은 심각한 합병증은 적었으나 이를 위해서는 각 기관이 안전한 진정 치료에 대하여 의욕적이고 조직적인 진료 및 교육 체계를 갖추고, 덜 심각한 부작용들에 대하여 즉각적으로 대응할 수 있어야 한다고 권고하였다. 이 외에도 저혈압, 심박출량 감소, 주입 부위의 통증, 발진 및 가려움과 같은 부작용을 나타낼 수 있다. 용매제의 특성으로 인하여 계란, 콩 및 이와 관련된 제품에 알레르기를 보이는 환자에서 사용을 제한해왔으나 일부 연구에서는 계란 알레르기에 의한 아나필락시스의 과거력이 없는 계란 알레르기 소아환자에서 안전하게 사용할 수 있다고 보고된 바 있다.

7) Flumazenil

Benzodiazepine 수용체 길항제로서 midazolam과 같은 benzodiazepine계 약물로 인한 진정 상태에서의 회복에 사용할 수 있다. 대개 정맥 내로 투여하나, 소아 환자에서 근육 내, 비강, 구강, 항문을 통한 투여도 보고된 바 있다. Midazolam으로 인한 과 진정을 즉각적으로 역전시킬 수 있으나 flumazenil의 반감기가 1시간인데 비하여 midazolam의 반감기는 2-4시간이므로 투여 후 재진정이 초래될 수 있어 조기 퇴원 시 주의하여야 한다.

8. 비약리학적으로 환자의 진정을 도울 수 있는 방법들

환자의 불안을 해소하고 안정과 편안함을 제공하기 위하여 다음과 같은 방법들을 사용할 수 있다.

환자를 따뜻하게 하여주고 부드러운 매트리스의 제공 및 베개로 무릎 아래를 지지해주며 음악을 제공하고 검사실의 소음을 줄인다. 또한 대화를 나누고 손을 잡아주는 등의 행위도 도움이 될 수 있다.

특히 소아 환자들에게 있어서 병원은 낯선 광경과 소음, 냄새 및 낯선 옷차림의 어른들이 바쁘고 부산하게 움직이는 어리둥절하고 무서운 공간일 수 밖에 없다. 따라서 약물을 사용하는 것 외에도 다른 방법들을 통해 환아의 불안 및 스트레스를 감소시키고 환아 및 보호자의 적응 능력을 향상시키며 미래에 받게 될 시술들에 대해 협조를 촉진시키고 가족의 만족도를 증가시킬 수 있어야 한다. 의료진이 환아의 불안 정도 영향을 미칠 수 있으므로 단어의 선택 및 기구 등을 다루는 데 주의하여야 한다. 또한 환아가 안전하다고 느낄 수 있는 공간을 조성하는 것이 중요한데, 가능한 의료 장비나 기구 등이 보이지 않게 하고 불필요한 장비 및 불필요한 출입을 피하며 소아에게 친숙한 장난감이나 장식품들로 꾸며져 있는 것이 좋다. 환아와 보호자 모두 진정 유도 과정 동안 함께 하고 싶어하나, 이전 연구 결과들에 따르면 단순히 부모의 동반이 아닌 부모의 성향이 환아의 불안 감소에 영향을 준다는 것이 밝혀진 바 있다. 부모의 불안 정도가 증가할수록 환아의 불안 및 스트레스 정도가 증가할 수 있다. 따라서 환아의 불안 정도뿐 아니라 부모의 불안 정도 또한 파악하여 부모와의 동반 여부를 결정하는 것이 중요하며, 환아의 진정 유도 및 병원에의 적응을 이끌어 줄 수 있는 역할을 제대로 수행해내기 위한 보호자의 교육 프로그램이 도움이 될 수 있다. 또한 각 발달 단계 별 병식에 대한 이해 및 적응 방식의 차이를 이해하고, 이에 적합한 방법을 사용할 수 있어야 한다. 예를 들어 0-2세의 나이에는 아이를 안아서 흔들어 주는 부드러운 신체적 접촉이 도움이 될 수 있는 반면, 3-5세의 나이에는 비누 방울이나 장난감 등을 이용하여 협조를 유도하는 방법이 도움이 될 수 있다. 6-10세의 학동기에는 더욱 활동적인 게임 등이 도움이 될 수 있으며, 11-15세의 사춘기에는 자존감 및 프라이버시를 지켜주고 존중해주는 것이 중요하다.

9. 진정 치료의 실패

약물의 투여량을 증가시켜도 환자가 공격적이거나 협조 불가능한 경우 또는 충분한 진정 깊이에도 불수의적 움직임으로 검사를 완료하지 못하는 경우가 발생할 수 있다. 또한 진정 중 호흡억제 또는 상기도폐쇄 등으로 인한 저산소증 또는 심혈관계 불안정성으로 검사를 진행하지 못하는 경우 등이 있을 수 있다. 진정치료의 실패는 사용하는 약물, 환자 상태 및 시술의 종류 등에 따라서 차이는 있으나 발생 빈도는 0.5~3% 정도라고 하였다. 진정 전 충분한 환자 병력 조사 및 이학적 검사를 통해 가능한 이와 같은 가능성을 예측하고 환자와 보호자에게 미리 설명하는 것이 중요하다.

10. 진정 후 회복 관리

수술실 내 전신마취 환자들과 마찬가지로 진정 후 회복 관리가 필요하며 이를 위한 적절한 공간이 갖추어져 있어야 한다. 활력 징후 감시를 위한 모니터 및 산소, 흡인(suction) 장비, 소생 장비 및 숙련된 인력이 필수적이다. 진정 및 회복 관리에 관여하는 의료진은 환자의 진정 전 심박동수, 혈압, 호흡수, 산소포화도 및 나이에 따른 정상 수치에 대하여 숙지하고 있어야 한다. 또한 퇴원 시 구두 및 인쇄물 형태의 퇴원 안내가 제공되어야 한다. 퇴실 기준으로는 여러 척도가 사용될 수 있으나 Modified Aldrete 척도가 가장 일반적이며 9점 이상인 경우 퇴실 가능한 것으로 간주한다.

11. 특수 환경 및 고려 사항

CT나 MRI와 같은 검사의 경우 각자 특화된 공간에 한정되어 시행되어야 하며 이러한 장소들에서 시행될 경우도 수술실 내에서와 같이 높은 수준의 안전한 의료를 제공해야 하므로 마취통증의학과 의사는 각 공간의 특성을 이해하고 안전성 여부를 미리 조사해야 한다. 특히 커다란 방사선 기계로 인한 공간적 제한이나 방사선 노출 위험, 강력한 자기장 위험 등 주의 사항을 숙지하고 안전한 진정 및 마취를 위한 계획을 수립하는 것이 중요하다.

1) 방사선 안전성
방사선 노출의 위험성에 대하여 충분히 인지하고 있어야 하며 노출을 최소화 하기 위하여 노력하여야 한다. 가능한 노출 시간을 줄이며, 방사선 발생 장치로부터의 거리를 가능한 멀리 유지하고, 차단 장비(lead shield)를 사용하여 노출 정도를 감소시킬 수 있다. 필요한 경우 납 에이프런, 갑상선 실드 및 보호 안경을 착용하여야 하며 이동식 납 스크린을 사용할 수 있다. 또한 방사선 측량계(radiation badges)를 착용하여 노출 정도를 다달이 측정 및 모니터링 할 수 있다.

2) 조영제의 사용

검사 중 투여된 조영제로 인하여 유사아나필락시스반응(anaphylactoid reaction)이 발생할 수 있다. 이는 후두 부종, 기관지 경련, 폐부종, 저혈압, 호흡 정지 및 발작 등과 같이 매우 심각한 형태로 나타날 수 있다. 응급 처치를 위하여 산소, 에피네프린 및 기관지확장제 등의 사용이 추천 되며, 이와 같은 조영제 관련 부작용의 과거력이 있는 환자의 경우 steroid 또는 diphenhydramine의 전 처치가 필요하다.

3) 컴퓨터단층촬영(Computed Tomagraphy)

CT는 신체 여러 부위의 종양이나 혈관 기형, 해부학적 구조 등의 검사를 위하여 사용될 수 있다. 검사 부위 및 환자 상태에 따라서 특별한 주의가 필요할 수 있으므로 이를 파악하는 것이 중요하다. 예를 들어 종양 또는 농양 및 혈관 기형에 의하여 상기도 및 기도폐쇄가 의심되는 환자나 후두연하증이나 기도연하증이 의심되는 소아 및 선천성심기형으로 수술 전 검사를 시행 받는 미숙아 및 신생아의 경우 진정 치료 시 위험도가 증가할 수 있다. 촬영기 내에 환자가 위치하여야 하며 방사선으로 인하여 환자로의 접근이 즉각적으로 이루어지기 힘든 면이 있어 심각한 동반 질환을 가진 환자(비만, 호흡기계 또는 심혈관계부전, 만성통증 또는 어려운 기도관리의 과거력)의 경우 미리 기관내삽관 등을 통하여 기도를 확보하는 것이 필요할 수 있다. 호흡회로 및 정맥로, 모니터링 장비들이 엉기거나 단절되지 않도록 충분히 길게 확보되어야 한다.

4) 자기공명영상(Magnetic Resonance Imaging)

MRI 검사는 매우 강력한 자기장, 고주파 전자기 파장, 펄스 자기장 등으로 인한 심한 소음, 전신 또는 국소 부위 가열 및 철 금속 등의 돌발적인 발사 및 접착 등의 특수한 위험을 내포하고 있다. 또한 검사 시간이 길고 환자의 움직임에 의한 허상의 가능성으로 극도의 불안, 폐쇄공포증 및 통증, 협조가 불가능한 정신 장애나 소아 환자의 경우 중등도 이상의 진정을 요할 수 있다. 따라서 마취통증의학과 의사는 이러한 특수한 상황에 대한 충분한 이해를 통해 환자에게 안전한 진정 및 마취를 제공할 수 있어야 한다.

먼저 의료진 및 환자에 있어서 강자성의 외부 물질 및 체내의 이물질, 삽입 된 기구들에 대해 사전 점검이 필요하다. 가위, 펜, 열쇠, 청진기 등의 물건이 자기장 내에 들어올 경우 글자 그대로 날아와 환자나 의료진에 심한 상해를 입힐 수 있다. 또한 박동조율기(pacemaker)나 삽입형심장제세동기(cardioverter defibrillator), 신경자극기(nerve stimulator)의 존재 여부, surgical clip이나 shunt, 기계심장판막(prosthetic heart valve), pierced jewelry나 철 성분이 함유 된 영구 아이라이너 등에 대하여 환자에게 사전에 확인하는 것이 필요하다. 박동조율기나 삽입형심장제세동기의 경우 유도 전류에 의한 전극의 가열, reed 스위치 기능 불량, 박동조율기 정지 또는 부적절한 모드로의 전환, 프로그램 변화, 신호 방출 방해, 자동심장제세동기 비활성화 등의 문제가 발생할 수 있어 이러한 장치를 가진 환자의 경우 MRI 촬영은 금기이다. 반드시 MRI의 촬영이 필요한 경우 검사를 처방한 주치의 및 영상의학과, 심장 내과 전문의 및 필요에 따라서 삽입 장치의 제조사와 함께 긴밀히 협조하여 환자의 관리에 대한 계획을 세우는 것이 필요하다. 그 외에 신경자극기나 인공와우와 같은 장비들로 인한 조직 손상, 장비의 기능 이상, 허상 및 장비의 위치 변이 같은 문제가 발생할 수 있으므로 검사 전 영상의학과 및 신경외과 또는 이비인후과 전문의 등과 안전성을 확인해야 한다. 혈관 수술이나 신경외과 수술에 사용되는 클립과 같은 몇몇 생체 기구의 제작에 있어서 철 금속성이 적은 합금을 사용하려는 노력이 진행 중이며, 이러한 삽입형 기구들의 철 금속성에 대하여 제작사에서 만든 안내서를 통해 확인할 수 있다.

검사 중 환자에게 접근하기 어렵고 환자로의 시야 확보가 힘들며, 자기장의 균일성을 방해할 수 있어 검사 도중 마취 기계나 감시 기구를 움직일 수 없다는 점에서 마취통증의학과 의사는 마취 기구와 감시 기구의 위치 및 작동 여부 등을 미리 확인해야 한다. 이를 위하여 영상의학과 의료진 및 기술진과의 협력이 필요하다. 수술실에서와 마찬가지로 필요한 모든 장비 및 약물이 갖추어져 있어야 하며 다음과 같은 것들이 포함된다. 1) 마취기 및 의료용 가스 공급로와 제거체계(scavenging system), 2) 흡인(suction) 장비, 3) 전기 공급로와 조명, 4) 마취 관리에 필요한 장비와 약물 및 저장 공간. 이러한 것들은 또한 환자의 나이와 규격에 맞게 갖추어져 있어야 한다. 환자와 감시 기구에 대한 시야가 확보되어야 하며, 마취 심도의 조절 및 빠른 처치를 위하여 마취 장비가 적절히 위치하여야 한다. 이를 위하여 비자기성 물질로 만들어지고 알루미늄 가스 실린더를 이용하며 자기장에 노출되었을 때 온도가 보상된 특수 마취가스 기화기 등이 부착된 MRI실 호환성 마취기를 촬영기로부터 적절히 떨어진 곳에 위치시켜 사용할 수 있으며, 비자기성의 MRI실 호환성 펌프와 이에 연결 된 원격 조종기를 이용하여 촬영실 밖에서 손쉽게 진정 약물의 투여 용량을 조절할 수 있다. 기관내삽관이 필요한 경우 대부분 MRI실 인접한 곳에서 시행 후 환자를 철 성분이 함유되어 있지 않은 스테인리스로 된 이송 침대를 사용하여 촬영실로 옮기게 되는데, 이러한 방법 및 장소는 응급 상황 발생 시 환자를 밖으로 이송하여 환자 소생술을 시행하는 데도 중요하다. MRI실에서 후두경의 사용이 필요할 경우 일반적으로 쓰이는 아연 전지는 강한 자성을 띠므로 플라스틱으로 된 후두경에 리튬 전지와 알루미늄 후두경날을 사용하여야 한다. 모니터는 MRI실 환경에서도 사용 가능한 것이어야 하는데, 고주파여과기를 이용한 맥박산소측정기, 호기말이산화탄소분압측정기 등은 보통 만족스럽게 사용될 수 있다. 그러나 심전도의 경우 강한 자기장에 의해 대동맥에 흐르는 혈류에 발생하는 전압으로 인해 ST와 T파에 이상이 발생할 수 있어 ST분절의 분석이 정확하지 않을 수 있으며, 진동하는 고주파장으로 인한 감시 전극 부위의 화상 위험성이 있을 수 있다.

환자에게 발생할 수 있는 흔한 기도 관련 문제들에 대비하여 MRI실 환경에서 사용 가능한 기구들에 대하여 숙지하고 이에 대처하기 위한 계획을 미리 수립하여야 한다. 또한 심폐정지 등의 응급 상황에 대비한 계획이 필요한데, 즉각적으로 도움을 요청할 수 있어야 하고, 환자를 강한 자기장 구역으로부터 바로 이송할 수 있어야 하며, 이후 즉시 심폐소생술을 시행할 수 있는 공간을 확보해 두어야 한다. 이러한 공간에는 제세동기 및 활력징후 감시 장비, 소생 약물 및 기도 유지 장비, 산소, 흡인(suction) 장비 등이 갖추어져야 한다.

12. 앞으로의 미래

환자의 안전과 검사의 질을 향상 시키기 위한 보다 전문적인 진정 치료의 요구는 계속해서 증가해오고 있다. 앞으로도 목표로 하는 진정의 정도를 더욱 정밀하게 예측하고 그러한 목표 정도에 정확히 도달하며, 적절한 진통과 기억 상실을 유도하기 위하여 노력하는 것이 필요하다. 이를 위하여 진정 정도의 측정을 보다 객관화할 수 있어야 하고 의식의 정도를 모니터링 할 수 있는 감시 장비 등의 개발을 통해, 과 진정을 피하면서 검사에 따른 적절한 진정 깊이를 세밀하게 조절할 수 있도록 하는 것이 중요하다. 또한 빠르게 진정 및 진통, 기억 상실을 유도하면서도 호흡 억제 등의 부작용이 적으면서, 세밀한 용량 조절이 가능하고, 빠르게 회복 가능한 이상적인 진정 약제의 개발이 필요하며 특히 소아 환자에게 있어 불편감을 감소시키기 위한 투약 경로의 개발 또한 중요하다 하겠다. 또한 안전한 진정 마취의 제공을 위하여 마취통증의학과 의사의 관리 하에 기관별 표준화 된 치료 지침 및 교육 프로그램을 마련하여 내과, 소아과, 응급의학과

등과 같은 의사들도 안전하게 깊은 수준의 진정 치료를
수행할 수 있도록 하는 노력이 필요하다.

참고문헌

1. 박영철. 수술장외마취. In: 마취통증의학과학. 서울: 군자출판사. p. 1763-81, 2009.
2. 양홍석. 진정마취. In: 당일수술에서 마취와 진통. 서울: 군자출판사. p. 219-50, 2010.
3. Aldrete JA. The post-anesthesia recovery score revisited. J Clin Anesth 1995; 7: 89-91.
4. American Academy of Pediatrics Committee on Drugs and Committee on Environmental Health: Use of chloral hydrate for sedation in children. Pediatrics 1993; 92: 471-3.
5. American Society of Anesthesiologists: Continuum of depth sedation: Definition of general anesthesia and levels of sedation, last amended on 2014. http://www.asahq.org.
6. American Society of Anesthesiologists: Standards for basic anesthetic monitoring, last affirmed on 2015. http://www.asahq.org.
7. Bryan YF, Hoke LK, Taghon TA, Nick TG, Wang Y, Kennedy SM, et al. A randomized trial comparing sevoflurane and propofol in children undergoing MRI scans. Paediatr Anaesth 2009; 19: 672-81.
8. Chernik DA, Gillings D, Laine H, Hendler J, Silver JM, Davidson AB, et al. Validity and reliability of the Observer's Assessment of Alertness/Sedation Scale: study with intravenous midazolam. J Clin Psychopharmacol 1990; 10: 244-51.
9. Cote CJ, Wilson S. Guidelines for Monitoring and Management of Pediatric Patients Before, During, and After Sedation for Diagnostic and Therapeutic Procedures: Update 2016. Pediatrics 2016; 138.
10. Cravero JP, Beach ML, Blike GT, Gallagher SM, Hertzog JH. The incidence and nature of adverse events during pediatric sedation/anesthesia with propofol for procedures outside the operating room: a report from the Pediatric Sedation Research Consortium. Anesth Analg 2009; 108: 795-804.
11. Green SM, Roback MG, Miner JR, Burton JH, Krauss B. Fasting and emergency department procedural sedation and analgesia: a consensus-based clinical practice advisory. Ann Emerg Med 2007; 49: 454-61.
12. https://dailymed.nlm.nih.gov/dailymed/drugInfo.cfm?setid=bb912318-2e22-4469-b0a2-774803ee1bb8. Accessed 28 Feb 2017.
13. http://dailymed.nlm.nih.gov/dailymed/lookup.cfm?setid=0be63f63-6a93-4782-8f9c-d13ca5ae44bd. Accessed 28 Feb 2017.
14. http://dailymed.nlm.nih.gov/dailymed/lookup.cfm?setid=28d7ba00-f824-4e55-139a-03f509c099db. Accessed 28 Feb 2017.
15. Koroglu A, Teksan H, Sagir O, Yucel A, Toprak HI, Ersoy OM. A comparison of the sedative, hemodynamic, and respiratory effects of dexmedetomidine and propofol in children undergoing magnetic resonance imaging. Anesth Analg 2006; 103: 63-7.
16. Kurth CD, Spitzer AR, Broennle AM, Downes JJ. Postoperative apnea in preterm infants. Anesthesiology 1987; 66: 483-8.
17. Lightdale JR, Valim C, Newburg AR, Mahoney LB, Zgleszewski S, Fox VL. Efficiency of propofol versus midazolam and fentanyl sedation at a pediatric teaching hospital: a prospective study. Gastrointest Endosc 2008; 67: 1067-75.
18. Machata AM, Willschke H, Kabon B, Kettner SC, Marhofer P. Propofol-based sedation regimen for infants and children undergoing ambulatory magnetic resonance imaging. Br J Anaesth 2008; 101: 239-43.
19. Mahmoud M, Gunter J, Donnelly LF, Wang Y, Nick TG, Sadhasivam S. A comparison of dexmedetomidine with propofol for magnetic resonance imaging sleep studies in children. Anesth Analg 2009; 109: 745-53.
20. Mason KP, Lubisch NB, Robinson F, Roskos R. Intramuscular dexmedetomidine sedation for pediatric MRI and CT. AJR Am J Roentgenol 2011; 197: 720-5.
21. Murphy A, Campbell DE, Baines D, Mehr S. Allergic reactions to propofol in egg-allergic children. Anesth Analg 2011; 113: 140-4.
22. Overly FL, Wright RO, Connor FA, Jr., Fontaine B, Jay G, Linakis JG. Bispectral analysis during pediatric procedural sedation. Pediatr Emerg Care 2005; 21: 6-11.
23. Philip BK, Simpson TH, Hauch MA, Mallampati SR. Flumazenil reverses sedation after midazolam-induced general anesthesia in ambulatory surgery patients. Anesth Analg 1990; 71: 371-6.
24. Philip JH, Myers TP, Philip BK. Inhalation sedation/analgesia with sevoflurane. J Clin Anesth 1997; 9: 608-9.
25. Practice advisory on anesthetic care for magnetic resonance imaging: an updated report by the american society of anesthesiologists task force on anesthetic care for magnetic resonance imaging. Anesthesiology 2015; 122: 495-520.
26. Ramsay MA, Savege TM, Simpson BR, Goodwin R. Controlled sedation with alphaxalone-alphadolone. Br Med J

1974; 2: 656-9.

27. Roback MG, Bajaj L, Wathen JE, Bothner J. Preprocedural fasting and adverse events in procedural sedation and analgesia in a pediatric emergency department: are they related? Ann Emerg Med 2004; 44: 454-9.

28. Tobias JD. Applications of nitrous oxide for procedural sedation in the pediatric population. Pediatr Emerg Care 2013; 29: 245-65.

29. Yuen VM, Irwin MG, Hui TW, Yuen MK, Lee LH. A double-blind, crossover assessment of the sedative and analgesic effects of intranasal dexmedetomidine. Anesth Analg 2007; 105: 374-80.

30. Zier JL, Tarrago R, Liu M. Level of sedation with nitrous oxide for pediatric medical procedures. Anesth Analg 2010; 110: 1399-405.

전기경련요법을 위한 마취

전기경련요법(electroconvulsive therapy, ECT)은 약물치료에 반응을 하지 않거나 약물치료에 부작용이 심한 환자에서 전기경련을 인위적으로 유발하여 치료에 활용하는 방법이다. 이 장에서는 ECT에서 마취관리에 대해 알아보도록 한다.

1. ECT의 치료 기전

ECT의 치료 기전은 명확히 밝혀지지 않았지만 예측되는 기전은 신경생리학적, 신경내분비학적 및 신경화학적 체계 변화에 의한 것으로 추측되고 그 기전은 다음과 같다.

반복된 ECT 적용은 중추신경계에서 몇 가지 신경전달 물질에 영향을 주게 되는데 serotonin 수용체(5-Hydroxytripamine 수용체)를 감작시켜 전달신호를 증강시키고, Norepinephrine과 dopamine의 기능을 저하시키며, locus coeruleus와 substantia nigra에 있는 auto-receptor를 억제한다. 또, 장기간 ECT를 적용하면 대뇌변연계(limbic system) 부위에 brain-derived neurotrophic factor (BDNF)와 수용체 및 Tyrosine kinase B (TrkB) 등이 증가된다.

ECT의 치료적 효과는 우울증 환자의 70~90%에서 증상의 완화가 있다고 보고되고 있으며 이는 항우울제보다 우월한 것으로 알려져 있다. 적응증이 되는 질환은 표 22-1과 같다.

ECT의 적용은 급성기에는 일주일에 3번씩 적용하여 전체 6~12회 적용한다. 일반적으로는 3~5회 적용 되었을 때 성공적인 결과를 얻을 수 있다. 이 후 재발 방지를 위한 방법으로 적용 간격을 증가시켜 주 1회에서 월 1회 정도로 적용을 한다. 감시 장비는 기존의 전신마취와 같이 적용을 하되 추가로 뇌파를 감시할 수 있는 장비를 부착하고 팔 또는 발목에 지혈대를 적용하여 혈류를 차단해 전기 자극에 따른 근육 경련의 지속시간을 측정한다.

표 22-1 ECT 적용이 효과적인 정신과 질환

우울증; 일차 또는 재발 모두에서
양극성(bipolar) 우울증; 우울형(depressed) 또는 혼합협(mixed)
조증; 양극성, 조병(mania) 또는 홍합형
정신분열증(schizophrenia); 긴장증(catatonia), 정신분열형(schizophreniform) 또는 분열정동형(schizoaffective disorder)
비정형정신질환(atypical psychosis)
기타 정신질환; 기질성 망상장애(organic delusion disorder), 기질선 기분이상(organic mood disorder), 급선 정신병적 이상(acute psychotic disorder)
기타질환; 파킨슨병(Parkinson's disease), 이차성 긴장증(secondary catatonia), 치명적 긴장증(lethal catatonia), 신경이완성 악성증후군(neuroleptic malignant sysndrome)

2. ECT에 따른 생리적 변화

전기 자극이 뇌에 가해지면 일시적으로 부교감 신경계 자극으로 서맥이 나타났다가 이후 뇌파 (electroencephalography, EEG)에서 spike와 wave activity를 동반한 전신경련과 함께 교감신경계가 항진되어 catecholamine의 분비가 촉진된다. 이는 뇌혈류와 뇌압이 증가를 유발하고 심혈관계 항진 반응이 나타난다.

뇌혈류량이 증가하는 것에 비해 뇌대사량과 산소 요구량은 경련 동안에는 더욱 증가하게 된다. 이는 일시적인 신경학적 허혈, 뇌출혈, 짧은 시간의 기억상실, 인지 기능 장애 등을 유발 할 수 있으나 이것이 뇌세포의 손상을 직접적으로 유발한다는 근거는 부족하다.

심혈관계 항진으로 인한 빈맥과 혈압 상승이 나타날 수 있으며 이는 심근의 산소소모량을 증가시키게 된다. 일측성 전극보다는 양측성 전극을 사용하는 경우 이 반응은 더욱 증가하게 된다. 심장 기능에 이상이 있는 환자에서는 심근허혈과 심근 경색이 초래 될 수 있으며 심장 질환이 없는 환자에서도 시술 후 6시간 이내에 좌심실의 수축기 및 이완기 기능이 저하될 수 있다.

교감신경항진 후 부교감 신경이 일시적을 항진되면서 경련 후 타액분비가 증가하고 이에 의한 폐흡인이 발생할 수 있으므로 주의하여야 한다.

3. ECT를 위한 마취약물들

급성 우울증에서 ECT의 효과는 경련의 지속시간과 연관이 있는데 25-50초간 지속되는 경련이 효과적으로 알려져 있다. 경련이 15초 이하 또는 120초 이상 지속되는 경우 치료 효과는 저하된다. 대부분의 마취 약제는 항경련 효과를 가지므로 경련의 지속시간은 투여된 마취 약제의 용량과 관계가 있다. 마취 약제 이외에 경련의 역치에 영향을 주는 인자는 표 22-3과 같다.

1) Methohexital

Methohexital은 barbiturate 금기증이 아닌 경우 ECT를 위한 최선의 약물로 선호되고 있다. 통상적인 용량은 1.2~1.8 mg/kg가 권장되고 있으나 시술 당시 장기간 alcohol의 섭취, 중추신경 억제제 등을 복용하고 있다면 마취약의 용량은 증가되어야 한다.

2) Thiopental

Thiopental (1.5~2.5 mg/kg)은 methohexital과 비교하여 ECT에 의한 경련 시간을 단축시킨다. 동성 서맥 (sinus bradycardia)과 심실기외수축의 빈도를 증가시킨다고 보고하고 있다.

표 22-2 ECT와 관련되어 나타나는 반응과 부작용

반응	
중추신경계	뇌혈류속도, 뇌압, 뇌대사 등의 상승; 어지러움, 기억상실, 혼미, 흥분과 두통
심혈관계	혈압, 심박수, 심박출량의 증가; 심부정맥
근골격계	Myotonic-clonic contraction, 골절과 탈구, 근육통과 관절통
기타	타액분비 증가, 오심과 구토, 치아 손상, 구강점막 열상

표 22-3 경련 역치(seizure thereshold)에 영향을 주는 인자

역치를 증가시키는 인자들
나이
두개골의 두께
양측 전기자극
반복된 전기자극
약물들(barbiturate, benzodiazepine, anticonvulsants)

역치를 저하시키는 인자들
선천성 경련(Genuine seizure)
저이산화탄소혈증 / 과환기
여성
과산소화
약물들(caffeine, antidepressants, clozapine)

3) Etomidate

Etomidate (0.15−0.3 mg/kg)는 methohexital, thiopental과 비교하여 경련시간을 연장시킨다. 최대 자극에서도 경련시간이 20초 미만인 경우 약제의 사용을 고려 할 수 있다. 또한 심혈관계 억제효과가 적으므로 경련직후 급격한 혈역학적 변화를 개선할 수 있다.

4) Propofol

Propofol (1.0−1.5 mg/kg)은 다른 정맥마취제보다 강한 항경련 효과를 가지므로 경련 지속시간이 너무 긴 경우 약제의 사용을 고려한다. Propofol은 심혈관계 억제 작용이 다른 약제에 비해 심할 수 있으므로 주의하여 사용한다.

5) Dexmedetomidine

Dexmedetomidine은 그 자체로는 마취 영향이 작아 단독으로 사용하는 것은 힘들지만 다른 약제와 같이 사용시 혈역학적 안정을 유지할 수 있고, 회복기의 과역동성 반응을 억제할 수 있어 마취보조제로 사용된다.

6) 신경근차단제

ECT를 신경근차단제 없이 사용하면 경련이 지속되는 동안 신체적 억제를 해야 하고 탈구나 골절을 초래할 수 있으므로 합병증의 예방을 위해 신경근차단제가 필요하다. 가장 흔하게 사용되는 약제는 Succinylcholine이다. 투여량은 0.5 mg/kg가 권장되지만 임상에서는 0.75−1.5 mg.kg까지도 사용된다. 하지만 악성고열증(malignant hyperthermia)의 감수성이 있거나 neuroleptic malignant syndrome (NMS)이 있는 환자에서는 소량의 투여에도 합병증이 발생할 수 있어 주의하여야 한다. 최근 rocuronium의 길항제인 Sugamadex가 개발되어 Succinylcholine 대신 rocuronium을 사용할 수 있으나 길항제의 비용이 너무 비싸 제한적으로 사용되고 있다.

7) 아편유사제

Alfentanil (10 µg/kg 정주)은 methohexital 또는 propofol과 함께 사용 시 약제의 요구량을 감소시키며 경련지속시간을 연장시킨다. 이는 Remifentanil (0.05−1.0 µg/kg/min)의 경우에도 유사하므로 ECT에 따른 경련 지속시간이 충분하지 못한 환자에서 혈역학적 변화를 적게 하기 위해 작용시간이 짧은 아편유사제의 사용은 도움이 된다.

8) β 차단제

Esmolol과 labetalol은 ECT에 따른 교감신경계 반응을 완화 시킨다. ECT 시행 전 Esmolol (1.0−1.3 mg/kg) 또는 labetalol (0.1−0.2 mg/kg)를 투여한다면 심혈관계 반응을 개선시킬 수 있으므로 ECT 직후 심한 빈맥의 발현이 예상되는 환자의 경우 전 투약을 하는 것이 도움이 된다.

4. ECT를 위한 일반적인 마취관리

기본 요소로 1) 빠른 의식 소실 2) 혈역학적 반응의 효과적인 억제 3) 경련에 따른 환자의 움직임을 최소화 4) 경련에 대한 효과를 최대화 5) 의식과 자발호흡의 빠른 회복 등을 제공할 수 있는 빠르고 짧은 작용시간을 갖는 마취약물을 선택하게 된다.

대부분의 경우 정맥마취제를 이용하여 의식을 소실시킨 후 마스크를 이용하여 환기를 시키면서 succinylcholine을 투여하여 근육을 이완시킨 후 치아 손상을 막기 위해 mouthpiece를 거치시키고 전기자극을 실시한다. 전기자극 후 마스크를 이용한 보조환기를 시행하며 자발호흡을 회복시키므로 기관내삽관은 하지 않는 것이 일반적이다.

일반적인 수술과 동일하게 수술 전 처치를 하고 추가로 시술 후 근육통을 예방하기 위해 aspirin 또는 acetaminopen을 전투약에 포함시킨다. 시술 전 항우울증 치료제는 중단하는 것이 권장되고 있다. 기본 모니터를 거치하되 뇌동맥류나 심근경색을 가지고 있는 환자와 같은 고위험 군에서는 침습적동맥압감시를 시행할 수 있다. 표준뇌파와 전기근전도감시와 함께 신경근차단제를 투여하기 전에 팔 또는 발목에 지혈대를 거치하여 순환에서 격리(200-300 mmHg)시켜 팔 또는 발에서 경련시간을 측정한다. Bite-block은 ECT를 적용하기 전에 치아, 혀 입술의 손상을 예방할 수 있도록 조심해서 거치하여야 하며 양쪽 어금니에 맞도록 거치한다.

회복기에 많은 부작용으로는 혼미, 흥분, 기억상실, 두통 등이 나타날 수 있다. 이는 ketoroloc으로 예방하는 것보다 5-hydroxytryptamine1 (5HT1)의 경비투여가 효과적으로 알려져 있다. 표준 감시장비는 회복 후 30분 이상 감시하여야 한다.

참고문헌

1. Akcaboy ZN, Akcaboy EY, Yigitbasl B, Bayam G, Dikmen B, Gogus N, et al. Effects of remifentanil and alfentanil on seizure duration, stimulus amplitudes and recovery parameters during ECT. Acta Anaesthesiol Scand 2005; 49: 1068-71.

2. Avramov MN, Husain MM, White PF. The comparative effects of methohexital, propofol, and etomidate for electroconvulsive therapy. Anesth Analg 1995; 81: 596-602.

3. Begec Z, Toprak HI, Demirbilek S, Erdil F, Onal D, Ersoy MO. Dexmedetomidine blunts acute hyperdynamic responses to electroconvulsive therapy without altering seizure duration. Acta Anaesthesiologica Scandinavica 2008; 52: 302-6.

4. Cook A, Stevenson G, Scott AIF. A survey of methohexitone use by anesthetists in the clinical practice of ECT in Edinburgh. Journal of Ect 2000; 16: 350-5.

5. Ding ZN, White PF. Anesthesia for electroconvulsive therapy. Anesthesia and Analgesia 2002; 94: 1351-64.

6. Duman RS, Vaidya VA. Molecular and cellular actions of chronic electroconvulsive seizures. Journal of Ect 1998; 14: 181-93.

7. Fu W, Stool LA, White PF, Husain MM. Acute hemodynamic responses to electroconvulsive therapy are not related to the duration of seizure activity. Journal of Clinical Anesthesia 1997; 9: 653-7.

8. Geretsegger C, Rochowanski E, Kartnig C, Unterrainer AF. Propofol and methohexital as anesthetic agents for electroconvulsive therapy (ECT): A comparison of seizure-quality measures and vital signs. Journal of Ect 1998; 14: 28-35.

9. Herriot PM, Cowain T, McLeod D. Use of vecuronium to prevent suxamethonium-induced myalgia after ECT. British Journal of Psychiatry 1996; 168: 653-4.

10. Kelly D, Brull SJ. Neuroleptic Malignant Syndrome and Mivacurium - a Safe Alternative to Succinylcholine. Canadian Journal of Anaesthesia-Journal Canadien D Anesthesie 1994; 41: 845-9.

11. McCormick ASM, Saunders DA. Oxygen saturation of patients recovering from electroconvulsive therapy. Anaesthesia 1996; 51: 702-4.

12. Nguyen TT, Chhibber AK, Lustik SJ, Kolano JW, Dillon PJ, Guttmacher LB. Effect of methohexitone and propofol with or without alfentanil on seizure duration and recovery in electroconvulsive therapy. British Journal of Anaesthesia 1997; 79: 801-3.

13. Saffer S, Berk M. Anesthetic induction for ECT with etomidate is associated with longer seizure duration than thiopentone. Journal of Ect 1998; 14: 89-93.

14. Saito S, Kadoi Y, Nara T, Sudo M, Obata H, Morita T, et al. The comparative effects of propofol versus thiopental on middle cerebral artery blood flow velocity during electroconvulsive therapy. Anesthesia and Analgesia 2000; 91: 1531-6.

15. Wagner KJ, Mollenberg O, Rentrop M, Werner C, Kochs EF. Guide to anaesthetic selection for electroconvulsive therapy. Cns Drugs 2005; 19: 745-58.

16. Weinger MB, Partridge BL, Hauger R, Mirow A, Brown M. Prevention of the Cardiovascular and Neuroendocrine Response to Electroconvulsive-Therapy .2. Effects of Pretreatment Regimens on Catecholamines, Acth, Vasopressin, and Cortisol. Anesthesia and Analgesia 1991; 73: 563-9.

PART **05**

의원 마취
Office-based anesthesia

▌ **Chapter 23** 의원 마취

의원 마취

의원 마취(office-based anesthesia)란 선진 의료기술, 제도를 가지고 있거나 민영 의료제도가 발달된 미주나 유럽에서 시작된 개념으로 외래마취의 많은 부분을 차지하고 있으며 그 범위가 점점 더 확대되고 있는 분야이다. 의료비 경감이나 일상 생활로의 빠른 복귀 등의 이유로 생활 습관이 서구화되고 경제적으로 선진화된 나라일수록 그 영역이 점점 더 확대되어가고 있다. 미국에서의 예를 들자면 office-based anesthesia란 의료기관의 외래, 독립화된 당일수술센터 또는 진단이나 치료를 위한 센터에서 행해지는 수술이나 침습적인 시술을 위한 마취를 의미한다. 이러한 시술이나 수술에는 일반적으로 두개강 내, 흉강 내 또는 복강 내 조직은 포함되지 않고, 기본적으로 응급을 요하지 않으며 생명에 지장이 없는 시술을 대상으로 한다. 이 때 환자는 해당 의료기관에서 시술 당일에 퇴원을 하게 되는데 일부 주에서는 의료기관에서 24시간 이내까지 상주하는 것까지 그 범위를 확대 해석하는 경우도 있다. 그러나, 나라마다 의료 약제나 기구의 사용 등 의료 수준이 제각기 다르고 생활 습관, 경제, 문화적인 차이 등으로 인해 office-based anesthesia의 범위를 정의하는 것은 매우 어렵고 일률적이지 않다. 국내의 의료 현실과 비교하였을 때 office-based anesthesia는 비교적 소규모의 의원급에서 시행되는 수술이나 검사 등의 침습적인 시술이나 비교적 간단한 수술을 위한 마취라고 하면 크게 무리가 없을 듯 하여 이 장에서는 office-based anesthesia를 의원 마취라고 하겠다. 의원 마취는 그 대상이 중증의 기저질환이나 합병증이 없는 환자들이 대다수이고 응급 처치를 요하는 상태가 아니므로 수술 전 평가와 준비가 비교적 경제적이고 간단하며 수술과 수술 후 처치 등의 모든 과정은 대개 의료기관 내의 하나의 구역에서 이루어지게 되는 편리성을 가지게 된다. 의원 마취의 또 다른 장점은 환자의 편의와 사생활이 최대로 보장될 수 있으며 저비용이고, 수술 스케줄을 환자나 보호자의 사회, 경제적인 일정에 맞추어 더욱 유연하게 조정할 수 있다는 이점이 있어 2000년대 이후로 국내뿐만 아니라 전 세계적으로도 급속히 늘어나고 있는 추세이다.

1. 수술 전 평가

의원 마취에서는 적절한 환자 및 시술의 선택이 매우 중요하다. 만약 새로운 종류의 시술이나 처음 접해보는 시술을 시도한다면 집도의와 마취통증의학과 의사는 입원이 아닌 외래에서 관리하기에 어려운 합병증이 생길 가능성이 있는지를 반드시 함께 검토해야 한다. 이렇듯 가능한 시술 방법이 결정된 후에는 환자에 대한 검토가 이루어져야 한다. 환자에게 미리 비치된 마취 전 설문지에 답하도록 준비를 하게 하면 의학적 평가와 진료 시 필요한 질문을 예상할 수 있어 도움이 되므로 의원 마취를 시행하는 의료기관에서는 이러한 설문지를 각각의 의료기관의 시스템에 맞게 작성하여 구비하여 두는 것이 환자와 의료진 모두에게 안정성은 물론 시간적, 경제적 효과를 위하여 좋다.

의원 마취를 위한 환자의 수술 전 평가사항들은 모든 외래 수술과 동일하다. 특히 환자에 대한 검토 시에는 의원 마취에 적합한 환자인지 입원을 고려해야 하는 환자인지에 대한 검토가 반드시 이루어져야 한다(표 23-1).

신체검진상 어려운 기도관리가 예상되거나 이미 알고 있는 경우에는 의원 마취를 피해야 한다. 또한 수면무호흡증이 있는 경우에도 주술기 폐 합병증의 위험이 높고 수술 후 회복실에서 기도 보조가 필요할 수 있다. 만성통증환자에서의 수술 후 통증 조절도 효율적인 퇴원에 걸림돌이 될 수 있다. 환자를 집까지 데려다 줄 수 있는 보호자의 존재 등의 문제도 함께 고려되어야 한다.

기본적인 혈액 검사나 심전도 등의 수술 전 검사는 수술에 앞서 이루어져야 한다. 기저질환이 있는 환자는 병력 청취와 신체검진을 통해 의학적으로 안정된 상태인지 새로운 변화가 생겼는지 반드시 확인해야 한다. 환자가 마취통증의학과 의사에게 개인적으로 신체검진을 받지 않았다면 당일수술을 받기에 앞서 적절한 진찰을 받을 수 있도록 충분한 시간적 여유를 두고 방문해야 한다.

의원 마취를 시행하는 의료기관에서는 이러한 내용들에 대하여 각각의 의료기관의 실정과 시스템을 고려하여 환자의 안전을 최우선시하고 합병증을 최소로 줄일 수

있는 문서화된 가이드라인을 반드시 마련해 놓는 것이 진료 시 환자의 선택과 안전을 위해 많은 도움을 줄 수 있다.

2. 마취 장비 및 준비사항

의원 마취를 하게 되는 시술이나 수술 시에도 일반적인 다른 수술에서 행해지는 모니터와 장비를 포함한 모든 기본적인 기준을 반드시 따라야 한다. 마취통증의학과 의사가 마취의 모든 과정에 반드시 상주하여야 하며 환자의 말초혈액 산소포화도, 호흡, 순환, 체온은 지속적으로 평가되어야 한다. 깊은 진정 및 전신마취를 시행하는 경우에는 적절한 환기가 이루어지는지 확인하기 위해 호기말 이산화탄소 농도를 지속적으로 감시하여야 한다.

자동제세동기는 반드시 의원 마취를 시행하는 장소에 비치해 놓아야 하며 마취 카트와 모니터는 쉽게 이용할 수 있는 곳에 위치해야 한다. 산소를 양압으로 전달할 수 있는 공급원을 갖추어야 하며, 휴대용 응급산소탱크는 가득 채워져 있어야 하며 기존의 전달 시스템에 문제가 생길 경우를 대비하여 항상 비치되어 있어야 한다. 흡인기 또한 모든 곳에서 사용 가능해야 한다. 흡입마취를 사용할 계획이라면 기화기를 포함한 마취 장비가 필요한데 움직임이 좋고 제한적인 공간에서 사용하도록 개발된 장비를 선택하는 것이 좋다. 시술이나 수술 후 마취에서 각성된 후에 가게 되는 회복 구역 역시 적절한 모니터, 산소, 흡인기가 반드시 갖추어져 있어야 한다.

전신마취를 시행하는 경우 마취기, 모니터링 장비 등 일반적인 수술실과 같은 장비를 갖추어야 한다. 수술실에는 전문심장소생술(advanced cardiovascular life support, ACLS)을 시행하기 위한 모든 필요한 도구와 약제가 반드시 구비되어 있어야 하고 이를 정기적으로 감시하여야 한다.

악성고열증을 치료하기 위해 권장되는 양의 dantrolene을 갖추고 있는 것이 추천되나 국내의 의

표 23-1 의원 마취가 어려울 것으로 예상되는 환자

수면무호흡증의 과거력이 있는 경우
만성폐쇄성폐질환 환자
조절되지 않는 당뇨 또는 고혈압 환자
불안정협심증 환자
최근 심근경색의 과거력이 있는 경우
최근 뇌졸중의 과거력이 있는 경우
고도비만 환자
악성고열증의 과거력이 있는 경우
약물중독 환자이거나 기왕력이 있는 경우
인지장애 환자
분노조절장애와 같은 정신과적 질환을 동반한 경우
의사소통에 문제가 있거나 협조가 되지 않는 환자

료 현실과 여건 상 이는 거의 불가능하다. 만약에 악성고열증을 일으킬 수 있는 전신마취나 흡입마취제, succinylcholine 등의 약제들이 의원 마취에서 사용되거나 사용이 가능하다면, 악성고열증 발생 시 환자의 처치에 바로 사용할 수 있도록 적어도 12 바이알의 dantrolene이 구비되어 있는 인근 보건소나 종합병원 혹은 대학병원과의 연락 관계를 유지하여야 한다.

깊은 진정 또는 전신마취를 하는 경우 응급으로 기도관리를 하기 위해 발현시간이 빠르고 작용시간이 짧은 신경근차단제를 반드시 구비하고 있어야 하며 이의 선택적 가역제제도 구비하는 것이 추천된다.

의원 마취를 시행하더라도 수술이나 시술을 받는 환자 관리의 효율성을 증대시키기 위해 보통 회복실은 분리되어 있는 것이 추천되며 권장되는 모니터, 산소공급장치, 흡인기를 갖추고 있어야 한다. 회복실에서 근무하는 간호사는 응급상황을 대비하기 위해 최신의 ACLS 교육을 받고 숙지하도록 하는 것이 권장된다. 진정 또는 감시마취관리도 의원 마취에서 많이 이루어지는데 이 경우에도 모든 기본적인 장비들은 갖추어져야 한다.

3. 마취 방법의 선택

의원 마취에서 시행할 수 있는 가장 간단한 마취방법은 국소마취이다. 국소마취를 시행하는 경우 일부 국가에서는 마취통증의학과 전문의가 환자의 활력징후를 감시하고 관리를 해주는 경우도 있으나 국내에서는 집도의 외에 마취통증의학과 의사가 혹시나 발생 가능한 국소마취의 부작용을 위해 환자를 모니터링 하는 경우는 거의 없는 것이 현실이다. 의료비 상승이나 기존의 의료 관행, 사회 문화적인 국민의 의식 차이 등이 그 이유라 할 수 있다. 그러나 국소마취를 위한 국소마취제의 사용 후 국소마취제의 부작용(혈관으로의 주입에 의한 부작용, 아나필락시스 등)이 발생할 경우 이에 대한 응급 처치가 환자의 생명과 직결되고 매우 중요하므로 집도의나 이를 보조

하는 간호 인력에게도 이에 대한 교육과 함께 국소마취 시 환자의 철저한 모니터링의 필요성에 대한 교육도 반드시 필요하다.

앞에서도 언급하였듯이 의원 마취는 국소마취부터 얕은 수준의 진정, 중등도의 진정, 전신마취, 부위마취, 감시하 마취관리 등 모든 종류의 마취방법이 사용될 수 있다. 마취 방법에 대한 결정은 집도의 및 환자(환자가 어리거나 고령인 경우, 지적 판단을 할 수 없는 경우 등은 보호자)와 함께 충분히 상의되어야 하며 지원 가능한 시설 및 인력 등도 함께 고려되어야 한다. 그러나 국내의 의료 현실은 이와는 좀 동떨어져있다. 얕은 수준의 진정이나 감시마취관리 등은 마취통증의학을 전공하지 않은 일반의나 타과 전문의가 적절한 장비나 시설을 갖추지 않고 임의대로 시행을 하는 경우가 거의 대부분이다. 이는 환자의 안전을 매우 위협하는 준 살인행위라고도 할 수 있다. 심지어는 중등도의 진정을 시행함에 있어서도 교육을 제대로 받지 못한 간호인력만을 두고 진행하는 경우도 있는데 이는 한국 의료의 선진화와 미래 그리고 무엇보다도 환자의 안전을 위해서 바뀌어야 할 의료 현실로 이에 대한 대한마취통증의학회 차원의 보다 적극적인 활동과 대국민 홍보, 보건 당국자들의 의식 개선, 정부 차원의 제도 개선 등이 반드시 필요하다고 할 수 있겠다.

4. 마취약제

일반적인 의원 마취의 유도와 유지에는 정맥마취와 흡입마취 모두가 이용될 수 있다. 얕은 수준의 진정부터 중등도의 진정, 전신마취, 부위마취, 감시마취관리 등 모든 종류의 마취방법이 사용되는데, 기본적으로 발현시간이 빠르고 작용시간이 짧은 약물을 선택하는 것이 가장 적합하며, 합병증 발생이 적고 다른 약제와의 상호 작용이 적은 경우 다양하게 사용될 수 있다. 마취를 제공하기 위한 약물이나 기술만큼 중요한 것은 환자를 수술이나 시술 후 정상적인 생리적 기능으로 빠르게 회복시키고 수술

후 통증, 오심과 구토 등 발생 가능한 다른 부작용을 최소화하여 일상 생활로의 복귀를 빠르게 하는 것이다.

하지만 이들 약물은 부주의하게 사용될 경우 혈압감소, 호흡 저하 등 치명적인 부작용을 일으킬 수 있고 약제의 발현시간이 빠르기 때문에 부작용이 한 번 발생한 경우 빠른 시간 내에 적절한 처치가 이루어지지 않는다면 사망까지 초래될 수도 있다. 따라서 이들 약물을 사용하는 경우에는 약동학, 약력학 등에 대하여 충분히 숙지를 하고 있으며 발생 가능한 부작용에 대해 대처 능력을 가지고 있는 마취통증의학과 전문의에 의하여 사용되는 것이 바람직하다. 의원 마취를 시행하는 경우, 몇 차례의 사용 경험이나 주변 의료인의 사용 경험을 듣고 이러한 약물들이 비 마취통증의학 전문의에 의해 널리 사용되는 국내 의료 현실은 지양되어야 할 점이다.

1) 마약성 진통제

의원 마취를 주로 시행하는 개원의는 마약류 및 향정신성 의약품에 대한 정부의 규칙 및 요건을 준수해야 한다. 마약성 진통제는 보통 진정, 진통, 마취의 목적으로 사용될 수 있다. 국내 현실을 볼 때, 의원 마취가 주로 이루어지는 소규모의 영세한 의원급 의료기관에서는 이러한 마약류 및 향정신성 의약품에 대한 관리 및 사용에 있어서 제약과 어려움이 크기 때문에 잘 사용하지 않거나 사용을 최소화 하려는 경향이 있다. 그러나, 적절히 사용된 마약성 진통제는 중등도 이상의 심한 통증이 발생하는 수술 후에 통증을 충분하게 조절하여 귀가 후 경구용 진통제로의 전환을 가능하게 하며 시기 적절한 퇴원을 용이하게 한다.

Remifentanil과 같은 속효성 제제는 비용이 많이 들고, 매우 단기간 작용하기 때문에 수술 후 환자에게 적절한 진통효과를 제공하지 못할 수 있다. 또한 과량의 마약성 진통제 사용은 오심과 구토를 유발할 수 있고 회복 시간을 지연시켜 결과적으로 퇴원까지의 시간을 연장시킬 수 있으므로 의원 마취가 시행되는 의원급 의료기관에서

사용되는 마약성 진통제의 선택은 환자의 상태, 수술이나 시술의 종류 등 많은 부분을 고려하여 적절하게 사용되어야 한다.

2) 진정제

중등도의 진정과 정맥마취의 한 부분으로서 propofol의 사용은 전세계적으로 급격히 증가되어 왔다. 국내에서도 거의 모든 진정 치료를 위한 첫 번째 약제로 propofol을 사용하고 있다. Propofol의 빠른 발현 및 회복, 우수한 진정효과, 강력한 항구토 효과 등의 매력적인 특징 때문에 의원 마취를 시행하는 작은 의원급 의료기관에서 특히 유용하다. 그러나 국내에서 비 마취통증의학 전문의들의 propofol 사용 실태와 부작용 발생 현황을 보면 환자의 안전을 위해 사용하는 약제가 오히려 환자의 안전을 위협하는 약제로 탈바꿈하기도 한다. 약제의 약동학, 약력학에 대한 지식이 부족하여 습관적으로 사용하는 용량만 알고 투여하거나 이 약제를 진통제로 오인하여 환자가 통증을 느낄 때 추가 용량을 투여하는 경우가 많으며 부작용 발생 시 대처 능력이 부족하여 사망에 이르게까지 하는 경우 등이 이에 해당한다.

Ketamine은 해리성 마취제로 외래를 기반으로 하는 수술의 마취제로 일부에서 쓰인다. Ketamine의 특성으로는 강력한 진통효과, 기억상실 효과, 혈역학적 안정성 등이 있고 사용 후 악몽, 안구진탕, 기도 분비물 증가가 발생할 수 있다. 또한 ketamine은 인두반사는 유지시키고 후두반사는 억제시키므로 적절한 용량을 사용할 경우 자발 호흡이 유지된다는 장점이 있다. 그러나 적절한 용량 이상을 사용하거나 반복 투여를 할 경우 골격근 긴장, 호흡 억제 등의 심각한 부작용을 초래할 수도 있다. 적은 용량의 ketamine과 propofol 병용 투여는 propofol에 의한 저환기를 감소시키고, 수술 후 지각 변화 없이 긍정적인 기분 변화를 일으키며, 초기 인지 기능 회복을 제공할 수 있음이 밝혀졌다. 하지만, 다른 진정제와 병용 투여 시 과량 투여 되기 쉬우며, 깊은 진정에서 전신 마취

로 전환되는 경우가 있어 기도 및 심혈관계 합병증이 증가할 수 있으므로 환자에 대한 주의 깊은 감시가 반드시 이루어져야 한다. 또한 ketamine을 투여 받은 환자는 혈압상승, 두개뇌압 및 안압 증가, 환각 등이 발생할 수 있어 이에 대한 주의도 필요하다.

Midazolam과 같은 barbiturate계 약제 또한 다른 진정제와 함께 사용할 수 있는데 주의 깊게 적절히 사용한다면 적은 양의 약제 사용량으로도 만족할 만한 효과를 얻을 수 있다. 최근 들어 midazolam의 술 후 섬망, 치매 유발 가능성이 높아진다는 문헌이 많이 보고되고 있어 그 대체제로 dexmedetomidine의 사용도 많이 늘어나는 추세인데 특징으로는 호흡 억제 효과를 최소로 하며 얕은 진정 상태를 유지할 수 있는 장점이 있다.

3) 흡입마취제

흡입마취제는 보통 전신마취를 시행하는 경우 사용된다. 시술이 빠른 시간 내에 이루어지며 비용에 민감한 효율성 중심의 의원급의 의료 환경에서는 부드럽고 빠른 유도, 최적의 수술 조건 및 최소의 부작용을 동반한 빠른 회복을 제공하는 이상적인 전신마취 기술을 사용해야 한다. 이에 대해서는 아직도 많은 연구 및 시도가 이루어지고 있다. 흡입마취제는 desflurane, sevoflurane, isoflurane 등이 사용되고 있는데 desflurane은 기화기의 비용 때문에 국내 의원급 의료 기관에서는 다소 보급률이 낮다. 아산화 질소는 수술 후 구역 및 구토 발생률을 증가시킬 수 있어 마취를 담당하는 의사의 경험과 성향에 따라 꺼려지기도 한다.

4) 정맥마취제와 보조제

정맥마취는 깊은 진정과 전신마취에서 사용되며, 심도는 수술에 따라 다양하다. Propofol이 가장 널리 이용되고 있으며 midazolm과 fentanyl은 반복적인 정맥주사로 쉽게 투여 가능하다. 잔류효과가 환자의 각성도에 영향을 미칠 수 있어, 수술 마지막 90분 동안은 사용을 중

단하는 것이 추천되며, 필요 시 propofol을 투여할 수 있다. Ketamine은 신중하게 사용되며, 전형적으로 마취 시작 시 해리 및 진통 특성을 위해 사용하지만, 불쾌한 영향을 피하기 위해 총 25 mg 이상 사용하지 않는 것을 권하며, 특히 산소 공급이 제한적인 레이저 시술 중에 유용한 약이다. 게다가, propofol 등과 혼합해 사용함으로써 적은 투여량으로도 적절한 진정수준을 유도할 수 있다. 최근, 정맥마취의 구성요소로서 dexmedetomidine의 사용을 모색 중이지만, 아직까지는 급여의 제한, 보험 문제, 비용 문제 등 국내 의료 현실의 제약 때문에 광범위한 사용이 제한적이다.

5. 주술기 관리

수술 당일 모든 환자는 마취 전에 마취통증의학과 전문의를 직접 만나서, 수술과 마취에 대한 각각의 동의서를 다시 확인하고 서명해야 한다. 금식기간과 귀가 방법 또한 다시 확인 받아야 한다. 모든 술기가 행해지기 이전에 수술 받는 쪽과 부위에 대한 표시를 받고 마취를 받기 전에 확인해야 한다. 주술기 중에 모든 환자는 전신마취나 감시마취관리, 부위마취 등을 시행 받을 수 있다. 균형마취(balanced anesthesia)와 다면적 진통(multimodal analgesia) 등도 동일하게 적용받을 수 있다.

환자에 대한 모니터링은 병원이나 외래수술센터 시설과 같은 수준으로 시행되어야 한다. 환자의 맥박, 혈압, 산소 포화도, 체온 등은 지속적으로 측정되어야 하며, 환자의 기본적인 마취 모니터링에 대한 미국마취통증의학과학회의 기준에 의하면 중등도에서 깊은 정도의 진정을 하게 되는 모든 환자에게는 호기말이산화탄소분압에 대한 모니터링이 반드시 시행되어야 한다. 호기말이산화탄소분압 모니터는 전신마취를 하는 모든 시설에 있어야 하지만, 국내 실정상 진정 수준의 마취를 하는 시설에는 없을 수도 있다. 그러나, 호흡저하나 기도폐쇄에 대한 조기

발견과 치료는 심각한 합병증이나 사망에 이르는 것을 피할 수 있어 이에 대한 모니터링이 적극 추천된다.

6. 의원 마취가 가능한 시술의 종류

의원 마취가 가능한 수술의 종류는 매우 많으나 그 모든 것을 자세히 설명하기는 무리가 있어 대표적인 의원 마취가 가능한 시술이나 수술에 대하여 간단히 기술하고자 한다(표 23-2).

1) 국소마취 수술

국소마취로 진행될 수 있는 시술이나 수술은 통계에 따라 다르나 국내의 경우 일반적으로 전체 수술의 약 20-40% 정도를 차지한다. 대부분의 의료기관에서 국소마취로 진행되는 수술의 경우 의료비 경감과 환자의 편의를 도모하기 위하여 수술 전 환자 평가를 소홀히 하는 경우가 많으나 이는 바람직하지 않다. 모든 환자들에게 모든 수술 전 검사를 할 필요는 없으나 철저한 병력 청취를 통하여 환자의 상태를 정확히 진찰 후 필요한 검사를 하는 것이 바람직하다 할 수 있겠다. 또한 국소마취제의 경우 사용하기 전 피부반응검사를 통하여 발생 가능한 아나필락시스 반응을 줄이는 것도 권장된다.

2) 안과적 수술

국내에서 시행되는 수술 중 단일 수술로 가장 많은 수술이 백내장 수술이다. 인구의 고령화와 의료 기술의 발달로 계속 그 수는 증가추세이고 대부분의 병, 의원급에서 국소마취로 진행된다. 치매와 같이 의사소통이 어렵거나 선천성 안질환 같은 특수한 경우에만 전신마취로 진행되는데 이러한 경우 의원 마취에서 시행하기에는 무리가 있다. 최근 감시마취관리로 백내장 수술을 진행하는 경우 집도의와 환자 모두에게 만족도가 높다는 보고들이 나오고 있는데 국내의 의료 현실에서 대학 병원급의 병원이 아닌 의원급에서도 이를 적용할 수 있는지는 아직 미지수다.

3) 외과적 수술

의원 마취로 가능한 외과적 수술의 경우는 하지정맥류 수술, 동정맥루 수술, 피부나 피하의 종괴 제거술, 탈장 수술, 충수돌기염 수술, 항문 주위의 수술 등이 있다. 이 중 탈장 수술과 충수돌기염 수술, 항문 주위의 수술 등은 대부분 포괄수가제에 포함되어 있고 다른 수술들은 행위수가제에 해당한다. 의원급 의료기관에서 가장 많이 시행되는 수술로는 하지정맥류 수술이 있는데 젊은 세대에서 미용 목적으로 하는 경우도 있지만 통증이 있는 경

표 23-2 국내에서 의원 마취로 주로 진행되는 수술 및 시술의 종류.

안과적 수술 - 백내장, 안검하수 등
외과적 수술 - 하지정맥류, 동정맥루, 피부나 피하의 종괴 제거술, 탈장, 항문 주위의 수술 등
정형외과적 수술 - 수근관증후군, 결절종(ganglion)
성형외과적 수술 및 시술 - 쌍꺼풀, 코 성형, 리프팅, 주름제거술, 유방확대술, 지방흡입술 등
피부과적 시술 - 레이저시술, 박피술, 모발이식 등
내과적 시술 - 내시경시술(위, 장), 관상동맥조영술, 내시경적역행성담췌관조영술, 담도내시경 등
소아과적 검사 - 영, 유아에서의 진단을 위한 다양한 검사 등
이비인후과적 수술 및 시술 - 고실성형술, 귀주변이루공, 내시경하 부비동염 치료 등
산부인과적 시술 - 시험관아기시술, 난자채취, 자궁경부암 검사, 복강경수술 등
비뇨기과적 수술 - 음낭수종, 포경수술, 정관수술, 정관복원수술 등
치과적 수술 및 시술 - 사랑니 발치, 임플란트 시술 등
마취통증의학과적 시술 및 수술 - 다양한 중재적 통증 시술 및 수술(STE, EB, TELA, SELD, etc)
그 외 국소마취로 가능한 수술 및 시술

STE: selective transforaminal epidural block, EB: epidural block, TELA: transforaminal epiduroscopic laser annuloplasty, SELD: sacral epiduroscopic laser decompression.

우나 혈전이 떨어져나가 색전증도 유발할 수 있는 정도가 심한 경우도 있다. 정맥류의 치료는 경중에 따라 마취 방법이 달라질 수 있다. 레이저치료나 경화요법의 경우 국소마취나 얕은 수준의 진정으로 가능하고 하지 내측으로 국한되어 있는 경우는 대퇴신경차단으로도 가능하다. 이보다 더 진행된 경우에는 척추마취나 경막외마취와 같은 부위마취, 대퇴신경차단과 dexmedetomidine, ketamine 등의 칵테일 요법을 이용한 깊은 진정, 전신마취 등이 사용된다. 환자에게 수술방법뿐만 아니라 가능한 마취 방법에 대하여도 충분히 설명을 해 주고 의료진과 같이 마취 방법을 선택하는 것이 가장 바람직하다 할 수 있겠다.

4) 성형외과적 수술 및 시술

성형외과에서 이루어지는 수술들로는 신체의 비정상적인 구조에서 기능 향상 및 정상과 유사한 형태로 만들기 위한 재건수술과 환자의 외형 및 자신감을 증진시키기 위해 신체의 정상적인 구조를 고치는 미용수술로 구분될 수 있다. 이 수술들 중 국내에서는 주로 미용수술이 의원급에서 흔하게 시행되는데, 대표적인 미용수술에는 유방 확대술, 얼굴 리프트, 복부 성형술, 및 지방흡입 등이 포함된다. 이러한 시술들은 비교적 위험도가 적은 시술들로 알려져 있지만 문제 발생의 위험성은 언제나 존재하고 문제 발생시에는 환자의 안전에 치명적일 수 있다는 것을 명심해야 한다.

(1) 주름제거술

얼굴 리프트의 목적은 과도한 피부의 제거와 안면 근막과 조직의 지지를 통해 피부 주름을 줄이고, 얼굴을 젊어 보이게 하는 것이다. 정맥마취제를 이용한 진정 마취나 전신마취가 많이 이용되는데 집도의의 마취 방법에 대한 선호도는 환자의 안전보다는 그들의 수련과정과 시술 시 편안함에 의해 주로 결정되는데 이는 바람직하지 않다. 주름 제거술의 경우 노인인 경우가 많아 철저한 병

력 청취와 동반 질환에 대한 검사가 필요하고, 수술 전 환자가 복용하고 있는 약제 중 혈액응고에 영향을 미칠 수 있는 성분에 대해 철저히 검토하여 유의해야 한다. 수술 전 midazolam 등의 전처치는 진정을 위해 유용할 뿐만 아니라 혈역학적 조절에 도움이 될 수도 있으나 술 후 섬망 가능성 때문에 최근 들어 그 사용 빈도는 많이 줄어들고 있다.

시술 중 혈압 조절이 중요한데, 절개를 하는 동안 20-30% 낮게 유지한 다음 봉합 전에 기준선 가까이 다시 올려야 한다. 환자의 혈압이 정상범위에 도달하게 되면 집도의는 수술부위를 닫기 전에 출혈 여부를 확인할 수 있다. 출혈량에 맞춰 수액을 최소한으로 주입하는데, 과도한 수액 주입은 얼굴 부종 발생을 일으킬 수 있기 때문이다. 환자가 기침을 할 경우 정맥 환류와 출혈이 증가하기 때문에 가능한 기침이 없이 발관을 하는 것이 좋다. 대부분의 집도의들은 시술 후 출혈을 최소화 하기 위해 봉합부위에 압력을 가하는데, 너무 압박되지 않는지 확인하며, 가능한 빨리 머리를 올리는 것이 시술 후 부종을 줄이는데 도움이 된다. 얼굴 리프트에 국소 마취제가 사용되기 때문에, 수술 직후 통증은 크지 않으나 구역 및 구토가 가장 문제가 될 수 있다.

(2) 유방 확대술

유방 확대술은 국내에서 매우 인기가 있는 시술이다. 가장 일반적인 성형 수술 중 하나이며 많은 환자들이 40대 미만이지만, 모든 연령대의 환자들이 수술 받을 수 있다. 수술 후 통증 조절이 중요한 관건이며, 통증의 양상은 보통 압박감과 무거움(heaviness)으로 나타난다. 환자의 가슴에 중량이 추가되고, 가슴을 둘러싼 단단한 압박 드레싱을 하기 때문에 이러한 통증은 호흡 시에 강렬하게 경험하게 된다. 수술 중 피부 견인으로 인해 종종 어깨와 등의 깊은 통증으로 나타난다. 임플란트의 삽입 위치가 통증 발생에 많은 영향을 끼치는데 근육 아래로 임플란트를 삽입하기 위해 근육을 박리하는 경우 수술 후

유방의 모양이나 촉감 등에서는 이점이 있지만 통증 발생의 측면에서 보면 수술 후 심한 근육통 발생의 원인이 된다.

내시경을 이용한 유방 확대술도 이루어지는 등 기술의 발달로 수술 후 합병증 발생률이 현저히 줄었으나 기흉, 지속되는 출혈 등 의원 마취를 시행하는 의료기관에서 해결할 수 없는 합병증이 발생한 경우 응급실이나 타 병원으로의 환자 이송 및 입원에 대한 계획이 반드시 있어야 한다. PECS block을 이용하여 유방확대술을 성공한 보고가 나온 이후 최근에는 초음파를 이용한 PECS I & II block을 통하여 유방확대술을 시행하고 술 후 통증 조절을 하는 경우가 늘어나고 있다.

(3) 지방흡입술, 복부성형술

지방흡입술을 의료진들도 체중 감량을 위한 시술로 알고 있으나 이는 체형 교정 시술이다. 지방흡입 중 가장 많이 사용되는 방법은 팽창 기술이다. 이는 희석된 lidocaine (0.05-0.1%)과 epinephrine (1:1,000,000)을 혼합한 생리 식염수를 지방성형 부위로 주입하는 것인데 팽창 혼합물(tumescent solution)은 지방 세포를 분해하기 위한 시간을 주며 지방 흡입에 보다 도움이 되고 혼합물 속의 리도카인은 진통효과를 제공하며, 에피네프린은 지혈을 돕는다.

지방흡입술은 중등도의 침습적인 성격을 가지는데, 가장 흔한 사망 원인은 혈전색전증이다. 수술 전 철저한 병력청취를 통해 혈전색전증의 위험을 증가시킬 수 있는 경구피임약등의 약물 등에 특별한 주의를 기울여야 하고 정맥 저류 예방을 위한 조기 보행과 운동에 대해서도 충분한 교육이 이루어져야 하겠다. 마취관리 시 주의해야 할 점은 환자의 수액요법이다. 수액 투여는 최소로 유지하는 것을 권장하며 4000 ml 이상의 많은 양의 지방흡입을 한 경우, 4000 ml가 넘는 흡입물 ml 당 0.25 ml의 정질액으로 보충하는 것이 추천된다.

특히 대용량 지방 흡입은 특히 위험이 증가하는 것으로 알려져 있고 미국 성형외과 학회도 총 지방흡입량을 5,000 ml로 제한하는 것을 권장하고 있으며 대용량 지방 흡입과 복부성형술 동시 시술은 가급적 시행하지 않는 것이 추천된다.

지방흡입술의 합병증으로 장천공, 폐부종, 혈관 천공, 지방 색전증, 국소마취제 독성 등이 있는데 이처럼 환자의 생명에 위협을 줄 수 있는 합병증이 발생한 경우에는 최대한 신속히 치료가 가능한 의료기관으로의 이송을 할 수 있는 시스템을 갖추고 있어야 한다. 환자는 수술 중 지속적으로 저체온의 위험에 노출되어 있기 때문에 흔한 부작용으로 저체온증이 발생할 수 있는데 마취통증의학과 의사뿐만 아니라 모든 의료진들은 환자의 체온에 주의를 기울여야 한다. 환자의 체온을 올리기 위한 방법으로는 가온된 팽창 혼합물(tumescent solution)의 사용, 강제 온풍 장치와 수술실 온도를 정상보다 높게 유지하는 것 등이 포함된다.

복부성형술은 술 후 폐색전증 발생의 위험성이 높은 것으로 알려져 있다. 심부정맥혈전증(deep vein thrombosis)의 병력이 있거나 여러 가지 위험 인자(흡연, 비만, 호르몬치료 또는 경구 피임제 복용, 임신 등)가 있는 경우 심부정맥혈전증이 발생할 위험이 더 높다. 심부정맥혈전증이나 폐색전증의 예방을 위해서는 환자에게 다리를 압박하거나 꽉 끼는 의류를 피하도록 하고, 적어도 수술 1주일 전에는 경구 피임약과 같은 혈전 생성 약물의 복용을 중단하도록 교육한다. 수술 중에는 베개 등을 사용해 환자의 무릎을 살짝 굽혀 슬와정맥의 환류를 향상시키고 환자가 편안한 자세를 유지하도록 한다. 고위험 환자의 경우에는 저분자량 헤파린 투여를 고려할 수 있으나 위험성이 높을 경우 의원 마취를 시행하지 않는 것이 바람직하다.

5) 치과시술

일반적으로 의원 마취를 하는 치과에서는 보통 얕은 수준에서 중등도 수준 정도의 진정을 필요로 하며 주로 구강외과, 치주과, 보철과, 소아치과 등에서 많이 요구가 되지만 마취통증의학과 전문의를 초빙하여 마취를 하는 경우는 국내에서는 일반적이지 않다. 대부분의 치과의사가 환자의 치과 치료에 대한 공포감이나 불편함을 조절하는 목적으로 진정을 하게 되는데 산소와 아산화질소를 30~50% 정도로 혼합하여 사용하고 있으며, 최근 들어 dexmedetomidine 등을 사용하는 경우도 증가 추세에 있다. 그 외에 잇몸 수술, 치아 임플란트 시술, 스케일링 등에 마취를 사용하기도 하나 국내에서는 대부분이 국소마취로 이러한 시술들이 진행되고 있다.

구강 외과 의사들은 매복치아를 발치 할 때 가장 흔하게 마취를 요하게 되는데 시술 시간은 보통 30분 전후이며 중등도 정도의 진정을 요하게 된다. 치과 시술은 시술 부위가 얼굴쪽이므로 환자의 호흡에 대한 감시가 어려울 수 있음을 명심해야 하고 기도의 보호 반사가 감소되고 폐 흡인의 위험성이 증가한다는 것에 주의하여야 한다.

6) 소아마취

소아를 대상으로 한 의원 마취는 현실적으로 매우 어려운 것이 현실이다. 보통 소아에서 CT, MRI, 초음파 검사, 청력검사, 안과검사, 이비인후과 검사, 봉합 제거, 치과 치료 등을 대상으로 하게 되는데 소아에게 공포심을 감소시키고 시술이나 검사에 대한 협조를 용이하게 하는 목적으로 많이 사용한다. 효과적인 마취를 위해서는 환아에게 두려움이나 공포감을 갖지 않도록 하는 것이 중요하며 이를 위해 진료실을 소아 친화적으로 꾸미고 가족을 적극적으로 참여시키는 것이 큰 도움이 될 수 있겠다.

7) 중재적 통증 시술

사회의 고령화로 인해 만성 통증 환자가 점진적으로 증가하면서 이들 환자에게 시행하는 중재적 통증 시술 또한 증가하고 있는 실정이고 이는 의원 마취로 충분히 가능하다. 대부분의 환자에서 진정이 필요하지 않을 수 있지만, 불안과 시술에 대한 공포가 있는 경우 환자의 편안함과 순응을 위해 진정 치료가 제공되기도 하는데 적은 양의 정맥용 진정제 또는 항불안제가 환자의 안정을 위해서 적절히 사용될 수 있다. 마약성 제제들은 계획된 중재를 시행하기 위한 자세를 취할 때 참지 못하는 통증을 호소하거나 안정시에도 심한 통증을 호소하는 경우를 위해 준비될 수 있다.

척수신경 손상을 일으킬 수 있는 주사를 맞는 환자에서 진정을 시행할 경우 극도로 주의를 기울여야 한다. 신경차단술이 시행되는 동안 너무 깊은 진정보다는 얕은 진정상태를 유지하면서 환자와 의사소통을 하는 것이 권장되는데 그 이유는 바늘을 진입할 때 신경에 직접적으로 진입하는 경우나 조영제나 약물이 혈관으로 주입되었을 때의 부작용을 빨리 알아차리고 대처할 수 있기 때문이다. 즉, 중재적 통증 치료 시 신경손상의 가능성이 있는 환자들의 경우, 특히 척추 3번 요추(L3) 위 쪽으로 바늘이 진입하는 경우 가벼운 촉각이나 언어적 자극에 반응할 수 있어야 한다는 것을 의미한다. 특히 몇몇 시술들은(예; 고주파 열치료, 척수 자극, 레이저 사용 등) 환자의 협조와 피드백이 반드시 필요하므로, 시술 전 집도의와 의사 소통하는 것이 적합한 진정 계획을 세우는 데 도움이 될 것이다.

시술 장소에서 형광투시기계(C-Arm)와 모니터, 고주파기계, 경피적 디스크 감압 기계 등 사용되는 기계가 많으므로 시술자가 시술 장면을 잘 볼 수 있도록 충분한 공간 확보가 중요하며, 방사선 기계를 사용하는 모든 시설에서는 반드시 기본적인 방사선 안전 및 해당되는 규칙들을 따라야 한다. 방사선 안전의 가장 기본적인 개념은 방사선원에 가까울수록 더 많이 노출된다는 것이다. 그러므로, 의료진이 방사광선에서 가능한 멀리 있을 수 있도록 위치해야 한다.

7. 수술 후 환자 관리

수술 직후 관리는 동일한 수술실에서 이루어지거나 인접한 곳에 지정된 회복실에 적절히 인계되어 행해질 수 있다. 의원 마취를 하는 의료기관의 시설에도 마취 및 수술 후 관리를 위한 기본적인 모든 환자 감시가 이루어져야 하며 이는 전신마취, 부위마취, 감시마취관리뿐만 아니라 진정을 받은 모든 환자들을 대상으로 한다. 회복실 의료진은 응급 상황 발생해 대비해 전문심장소생술 교육을 이수하도록 하는 것이 바람직하다.

1) 조기 회복과 퇴원

퇴원은 객관적이고 계획적이어야 하며, 객관적인 퇴원을 위해서는 몇 가지 데이터 시트를 사용할 수 있다. 환자의 의료기관 재원 시간의 단축은 의원 마취에서 가장 필요하고 효율적인 방법이다. 마취 후 회복의 목표는 수술 후 환자가 깨어나 정신이 명료하며, 수술실 침대에서 회복실 침대로 도움 없이 움직일 수 있게 하는 것이다. 마취통증의학과 의사는 환자의 수술 후 상태가 안정적일 때만 회복실 직원의 관리에 맡길 수 있다. 그 후에는, 대부분의 회복실 문제를 해결하는데 마취통증의학과 의사의 존재가 반드시 필요하지는 않다. 회복실과 수술실의 근접성이 관리를 용이하게 하며, 추가적인 관리가 필요한 경우 지속적인 커뮤니케이션을 유지하는 것이 중요하다. 모든 환자는 수술 후 의료진의 지침을 따르도록 하고, 환자에 대한 평가는 반드시 문서화 되도록 해야 한다.

2) 급성 통증 관리

대부분의 시술이나 수술은 통증을 동반한다. 각성 전 충분한 진통제 투여가 회복실에서의 빠른 퇴원에 중요하다. 견딜 수 있는 안락함을 가지고 깬 환자는 퇴원을 준비하는데 더 좋을 것이다. 비용-효과적인 측면에서 환자에게 보다 유리하고 편안하게 적시에 퇴원할 수 있게 하기 위해 수술 중 fentanyl이 사용될 수 있다. 환자는

퇴원 후 집에서 통증을 느끼기 시작하면 처방 받은 경구 진통제를 복용할 수 있다. 응급 진통제는 환자에 대한 통증 점수가 평가된 후 투여하도록 하는 것이 좋다. Nalbuphine과 같은 약제는 혼합된 작용제/대항제 아편유사제로서, 좋은 진통효과를 가지며 호흡 억제가 제한적으로 나타나므로 정맥 투여 후 환자를 모니터링하고 안전하게 환자를 퇴원시킬 수 있다. 하지만 많은 양이 투여된 경우 졸음과 같은 의도치 않은 부작용이 종종 유발되어 퇴원을 지연시킬 수도 있다. 또한 많은 외과의들은 수술 후 불편함을 감소시키고 진통제의 사용량을 감소시키기 위해 마취 종료 전 절개부위에 국소마취제를 주입하기도 하며, 다른 방법으로는 늑간신경차단술 같은 국소 신경 차단을 사용할 수도 있다. 많은 외과의들은 출혈 위험의 증가에 대한 우려로 비스테로이드소염제(nonsteroidal anti-inflammatory drugs, NSAIDs) 사용에 반대하며, cyclooxygenase-2 (COX-2) 억제제의 심혈관계 합병증에 관한 최근의 논쟁은 일부 환자와 외과 의사들로 하여금 사용을 기피하게 하였다.

3) 오심 구토

의원 마취를 시행하는 의사뿐만 아니라 모든 마취통증의학과 의사들의 관심사 중 하나가 수술 후 메스꺼움과 구토이다. 체계화된 PONV 위험 예측 점수에는 여성, 멀미나 PONV 병력, 비흡연자, 수술 후 아편유사제의 사용 등이 포함되어 위험도를 예측하는데 사용이 되고 있으나 이것이 절대적인 기준을 제시하지는 않는다. 고용량 마약성 진통제가 메스꺼움 증진과 관련이 있지만, 저용량 마약성 진통제 사용의 경우 아직 논란의 여지가 많다. 한 연구에 따르면, 외래 수술 과정에 사용된 통상적인 마약성 진통제 투여량은 수술 후 오심이나 구토 발생률을 증가시키지 않는다고 밝혔지만, 다른 연구에선 주술기에 사용된 fentanyl 75 μg 만큼의 적은 용량도 PONV 발생의 위험성을 증가시키는 것으로 나타났다.

Ondansetron과 같은 5-HT$_3$ 차단제는 최대 효능

을 위해 수술 종료 직전에 투여될 수 있으나 5-HT₃ 차단제의 2차 투여는 추가 투여 약물로서 효과가 없는 것으로 알려져 있다. 마취 종료 시 보다는 마취 유도 직후 dexamethasone의 예방적 정맥 투여가 PONV 예방에 효과적인 것으로 알려져 있으며, dexamethasone 단일 예방 용량은 다른 건강한 환자에서 임상적으로 관련된 독성을 나타내지 않았다. dexamethasone과 5-HT₃ 차단제의 병용 투여는 각각 따로 투여하는 것보다 더 효과적으로 알려져 있고, ondansetron 경구용 제제는 퇴원 후 오심을 줄이기 위한 다형 요법의 일부로 국내에서 사용되고는 있으나 보험 급여의 문제 등으로 성형 및 미용 수술 후 등에 국한적으로 사용되고 있는 실정이다.

8. 응급 상황 관리

의원 마취 환경에서 응급 상황 관리의 핵심은 응급약물과 응급기구의 사용 및 응급상황에 대비한 훈련의 준비이다. 모든 응급 소생 약품은 정부와 대한심폐소생협회에서 제안하고 추천하는 약물로 구비되어야 하고 정해진 상자에 라벨을 붙이고 구성해야 한다. 만약 전문심장소생술(ACLS) 교육 알고리즘이 변경되었다면 모든 비상용품을 확인하고 업데이트 하도록 한다. 비상시 기도관리 물품들은 따로 일회용 가방에 보관하도록 하며 마취 및 환자 감시에 관여하는 모든 의료진은 전문심장소생술 교육(ACLS) 교육을 받고 자격을 유지하도록 하는 것이 바람직하다.

수술 중 및 회복실에서 응급 상황이 발생한다면 즉각적인 처치가 이루어져야 하나, 만약 즉각적인 해결이 어렵다면 의원급 의료기관의 한계를 이해하고 필요에 따라 해결 가능한 병원으로 옮기는 것을 결정해야 한다. 구급차가 도착할 때까지 적절한 전문심장소생술(ACLS) 교육 알고리즘을 적용해야 하므로 응급상황을 대비한 훈련은 역할분담을 통해 반드시 미리 연습을 하도록 해야 한다.

일반적으로 국내의 현실에서 마취통증의학과 전문의는 환자의 퇴원 후 응급상황에는(예; 안면 리프트나 유방 보형물 삽입 후 출혈 등) 관여하지는 않으나, 위험도가 높고 혈역학적으로 불안정성을 동반할 수 있는 수술의 경우 퇴원 후에도 응급 상황이 발생할 수 있다는 사실을 다른 의료진이 항상 명심할 수 있도록 교육이 이루어져야 한다.

참고문헌

1. Practice guidelines for postanesthetic care: a report by the American Society of Anesthesiologists Task Force on Postanesthetic Care. Anesthesiology 2002; 96: 742-52.

2. Anesthesia ACoASCSCoO-B. Office-Based Anesthesia: Considerations for Anesthesiologists in Setting up and Maintaining a Safe Office Anesthesia Environment. 2008.

3. Apfel CC, Laara E, Koivuranta M, Greim CA, Roewer N. A simplified risk score for predicting postoperative nausea and vomiting: conclusions from cross-validations between two centers. Anesthesiology 1999; 91: 693-700.

4. Bitar G, Mullis W, Jacobs W, Matthews D, Beasley M, Smith K, et al. Safety and efficacy of office-based surgery with monitored anesthesia care/sedation in 4778 consecutive plastic surgery procedures. Plast Reconstr Surg 2003; 111: 150-6; discussion 7-8.

5. Cepeda MS, Gonzalez F, Granados V, Cuervo R, Carr DB. Incidence of nausea and vomiting in outpatients undergoing general anesthesia in relation to selection of intraoperative opioid. J Clin Anesth 1996; 8: 324-8.

6. Gan TJ, Meyer T, Apfel CC, Chung F, Davis PJ, Eubanks S, et al. Consensus guidelines for managing postoperative nausea and vomiting. Anesth Analg 2003; 97: 62-71, table of contents.

7. Iverson RE, Facilities ATFoPSiO-BS. Patient safety in office-based surgery facilities: I. Procedures in the office-based surgery setting. Plast Reconstr Surg 2002; 110: 1337-42; discussion 43-6.

8. Iverson RE, Lynch DJ, American Society of Plastic Surgeons Committee on Patient S. Practice advisory on liposuction. Plast Reconstr Surg 2004; 113: 1478-90; discussion 91-5.

9. Kenkel JM, Lipschitz AH, Luby M, Kallmeyer I, Sorokin E, Appelt E, et al. Hemodynamic physiology and thermoregulation in liposuction. Plast Reconstr Surg 2004; 114: 503-13; discussion 14-5.

10. Kurrek MM, Twersky RS. Office-based anesthesia: how to start an office-based practice. Anesthesiol Clin 2010; 28: 353-67.

11. Lee A. Fleisher MDRP, M.D., M.B.A.; Paul G. Barash, M.D.; Gerard Anderson, Ph.D. Safety of Outpatient Surgery in the Elderly: The Importance of the Patient, System and Location of Care. Anesthesiology 2002; 96: A1127.

12. Letts M, Davidson D, Splinter W, Conway P. Analysis of the efficacy of pediatric day surgery. Canadian Journal of Surgery 2001; 44: 193-8.

13. McHugh GA, Thoms GMM. The management of pain following day-case surgery. Anaesthesia 2002; 57: 270-5.

14. Mezei G, Chung F. Return hospital visits and hospital readmissions after ambulatory surgery. Annals of Surgery 1999; 230: 721-7.

15. Moon EJ, Kang KW, Chung JY, Kang JM, Park JH, Joh JH, et al. The comparison of monitored anesthesia care with dexmedetomidine and spinal anesthesia during varicose vein surgery. Annals of Surgical Treatment and Research 2014; 87: 245-52.

16. Na HS, Song IA, Park HS, Hwang JW, Do SH, Kim CS. Dexmedetomidine is effective for monitored anesthesia care in outpatients undergoing cataract surgery. Korean J Anesthesiol 2011; 61: 453-9.

17. Pavlin DJ, Chen C, Penaloza DA, Polissar NL, Buckley FP. Pain as a factor complicating recovery and discharge after ambulatory surgery. Anesthesia and Analgesia 2002; 95: 627-34.

18. Shapiro FE, Punwani N, Rosenberg NM, Valedon A, Twersky R, Urman RD. Office-based anesthesia: safety and outcomes. Anesth Analg 2014; 119: 276-85.

19. Warner MA, Shields SE, Chute CG. Major morbidity and mortality within 1 month of ambulatory surgery and anesthesia. Jama 1993; 270: 1437-41.

20. Woodwell DA, Cherry DK. National Ambulatory Medical Care Survey: 2002 summary. Adv Data 2004: 1-44.

PART **06**

수술 후 고려사항
Postoperative
consideration

Chapter 24 회복과 퇴원

Chapter 25 외래마취 후 합병증과 통증관리

회복과 퇴원

외래 마취를 통해 수술을 받는 회복의 단계는 당일수술 후 당일 수술센터에서 퇴원하는 경우와 수술 후 입원하여 회복을 거치는 경우의 두 가지로 나뉜다. 이 장에서는 일반적인 회복의 과정과 수술 후 당일 퇴원하는 경우 퇴원 기준, 그에 따른 주의 사항에 대해 알아보도록 한다.

1. 환자 회복(recovery) 과정

마취에서 회복은 마취가 끝난 시점부터 수술 전 정신신체상태로 돌아올 때까지의 시간을 말하며, 회복과정은 초기, 중기, 후기 3단계로 분리할 수 있다.

1) 초기 회복기(phase 1)

마취제 투여를 중지한 후부터 의식을 회복하고 기도반사와 같은 보호반사, 근육의 활성이 회복되기까지를 말한다. 전통적으로 제1차 회복실에서 세심한 감시와 간호사의 간호와 관찰이 함께 이루어지는 과정이다. 초기 회복기의 평가는 혈압, 호흡수 감시와 같은 생리적인 변화의 측정과 관련이 있다. Aldrete score 값이 9점 이상이 되면 다음 과정으로 이동할 수 있다.

2) 중기 회복기(phase II)

초기 회복기 이후 당일 수술센터에서 퇴원할 수 있는 조건이 충족되는 시기까지를 말하며 환자가 가정생활을 할 수 있거나 임상적으로 안정되고 가정에서 휴식을 할 수 있는 시기까지를 말한다.

3) 후기 회복기(phase III)

가정으로 퇴원된 후부터 모든 정신과 운동 기능이 수술 전 상태와 같이 정상으로 회복이 되는 시기까지를 말한다. 혼자서 거리를 걸을 수 있으며 통상적인 활동을 할 수 있는 상태를 말한다.

Desflurane, sevoflurane, propofol 등과 같은 짧은 작용시간의 마취제가 소개되면서 환자는 회복 단계를 빠르게 지나게 되면서 회복 후기의 부담이 감소하게 되었다.

회복의 각 단계에서 소모되는 시간은 마취통증의학과 의사가 사용하는 약제와 수기 모두의 영향을 받는다.

2. 회복실의 단계적 운영

회복실(postanesthesia care unit, PACU)의 정의는 나라에 따라서 차이가 있다. 편의상 전문용어로는 1차와 2차 회복실로 사용한다.

1) 1차 회복실

일반적으로 회복실이라고 하는 곳이다. 수술 후부터 급성기 회복을 관리하는 곳으로 입원 환자와 같은 지침을 가지고 간호 관리와 감시를 적용한다.

목적: 간호사의 면밀한 감시가 더 이상 필요하지 않는 회복 정도까지 머무른다.

2) 2차 회복실

일반적으로 병동 또는 차 단계를 뜻한다.

목적: 책임질 수 있는 보호자의 도움과 함께 당일수술 센터에서 안전하게 퇴원을 할 수 있는 단계에 도달하게 한다. 가정에서 관리할 수 있는 정도로 최소한의 오심과 구토 및 통증이 조절되어야 한다.

3. 퇴실 기준

퇴실에 사용되고 있는 대표적인 기준을 보면 Aldrete Scoring System과 Post Anesthetic Discharge Scoring System (PADSS) 두 가지가 있고 이러한 수치화된 기준 이외에 임상적인 판단기준을 동시에 적용하기도 한다.

1) Aldrete Scoring System

Aldrete Scoring System은 1970년 Dr. J. A. Aldrete에 의해서 개발되었다(표 24-1). Aldrete Scoring System은 초기 회복기(phase I)에서 중기 회복

표 24-1 **퇴원점수 기준**

Aldrete 점수 시스템		마취 후 퇴원 점수 시스템(PADSS)	
호흡		활력징후	
심호흡과 기침을 할 수 있음	= 2	수술 전 혈압과 맥박 ±20%	= 2
얕은 호흡이나 호흡곤란	= 1	수술 전 혈압과 맥박 ±20-40%	= 1
무호흡	= 0	수술 전 혈압과 맥박 ±40%	= 0
산소포화도		움직임	
공기호흡으로 92% 이상	= 2	혼자 걸을 수 있고 어지럼증이 없음	= 2
산소를 공급해야만 90% 이상	= 1	걸을 때 도움이 필요함	= 1
산소를 주어도 90% 미만	= 0	걷지 못함	= 0
의식		오심과 구토	
완전 각성상태	= 2	약하게 나타나며 약물로 조절 가능	= 2
부르면 깨어남	= 1	중등도로 나타나며 먹는 약으로 조절 가능	= 1
자극에 반응 없음	= 0	계속적인 치료에도 심하게 나타남	= 0
순환		통증	
수술 전 혈압수치 ±20 mmHg	= 2	먹는 진통제로 조절 가능	= 2
수술 전 혈압수치 ±20-50 mmHg	= 1	먹는 진통제로는 조절 불가능	= 1
수술 전 혈압수치 ±50 mmHg	= 0	출혈	
움직임		출혈이 없어 붕대 교환이 불필요	= 2
팔과 다리를 자유롭게 움직임	= 2	출혈로 2회 이하의 붕대 교환 필요	= 1
팔 혹은 다리만 움직임	= 1	출혈로 3회 이상의 붕대 교환 필요	= 0
팔과 다리를 움직이지 못함	= 0		

기(phase II)로 넘어가는 과정을 확인할 수 있게 설계 되어있어서 마취제 투여 중단 후 보호 반사기능과 운동기능의 회복 정도를 자세히 알 수 있다.

2) Post Anesthetic Discharge Scoring System (PADSS)

PADSS는 1991년 Dr. Frances Chung에 의해서 개발되었으며(표 24-1) 1995년에는 앞서 발표한 기준 중 pain score만을 VAS (visual analogue scale)를 기준으로 3단계로 다시 나눈 Revised postanesthetic discharge scoring system (PADS)을 발표하였다(표

표 24-2 **개정된 회복실 퇴원점수(revised postanesthetic discharge scoring system, PADS)**

활력징후	
수술 전 혈압, 맥박의 ±20% 이내	= 2
수술 전 혈압, 맥박의 ±20-40%	= 1
수술 전 혈압, 맥박의 ±40% 이상	= 0
움직임	
혼자 걸을 수 있고 어지럼증이 없음	= 2
걸을 때 도움이 필요함	= 1
걷지 못함	= 0
오심과 구토	
치료가 필요하지 않음	= 2
치료가 필요하나 약으로 조절 가능	= 1
치료해도 효과가 없음	= 0
통증	
VAS 0-3: 약한 통증	= 2
VAS 4-6: 중등도 통증	= 1
VAS 7-10: 심한 통증	= 0
출혈	
출혈이 없어 붕대 교환이 불필요	= 2
출혈로 2회 이하의 붕대 교환 필요	= 1
출혈로 3회 이상의 붕대 교환 필요	= 0

VAS: visual analogue scale

24-2). PADSS는 중간 회복기에서 후기 회복기(phase III)로 넘어가는 과정을 확인할 수 있어서 집으로 퇴원할 수 있는지 집에서 수술 전 상태로 완전히 회복되었는지를 판단할 수 있다. 기준들은 병원에 따라 조금씩 다르게 적용되기도 하지만 대체로 5항목 점수의 합이 9점 이상일 때 퇴원이 가능한 것으로 판단한다 Aldrete Scoring System을 단독으로 적용할 경우 통증과 오심과 구토 유무를 알 수 없기 때문에 당일수술 환자들의 퇴원기준으로 적합하다고 보기 힘들며 주로 입원환자의 병실로의 이송 여부를 판단하는데 적절하다고 할 수 있다. 그러므로 당일수술환자의 퇴원을 위해서는 PADSS 혹은 PADS를 평가하거나 임상적 퇴원기준 등도 같이 평가하는 것이 필요하다.

3) 임상적 퇴원 기준(Clinical discharge criteria)

위 두 가지 수치화된 기준이 사용되기 이전에 사용했던 기준이며(표 24-3) 현재는 위 두 가지 기준과 동시에 적용시켜 판단하는 경우가 많다. 하지만, 임상적 기준을 단독으로 적용해서 환자를 퇴원 시키지는 않는다.

4) 빠른 회복과 퇴원(Fast-Tracking)

최근 일부 환자들은 수술실에서 직접 2차 회복실로 이동하는 경향이 있다. 당일수술에서 빠른 회복 과정을 제공할 수 있다는 의미는 완전한 회복과 수술에 따른 합

표 24-3 **임상적 퇴원 기준**

- 최소 한 시간 이상의 안정적인 활력징후
- 심한 통증, 출혈, 오심이 없음
- 도움을 받으면 옷 입고 걷는 것이 가능
- 퇴원 당일 밤을 함께 할 사람이 있음
- 식이, 활동제한, 약물복용, 외래예약 등에 대한 교육
- 퇴원 후 필요할 경우 해당 전문가와 바로 연락이 가능한 시스템
- 배뇨가 가능(비뇨기과 시술, 직장수술, 뇨저류의 과거력 등 제외)
- 시간, 장소, 사람에 대한 지남력
- 특별한 경우를 제외하면 물 종류의 구강 섭취가 가능해야 함

병증 없이 회복실에서 머무르는 시간을 줄여서 가족과 사회생활로 빠르게 복귀시키고자 하는 데에 있다. 소아에서도 환자와 수술의 종류를 적절하게 선택하여 적용한다면 편리하고 유익한 방법이다. 빠른 회복에 작용하는 위험인자들로는 나이, 환자 상태, 마취 약물과 수기, 수술 종류와 시간, 수분 공급 정도 등이 있다. 그 외 마취 중에 마취 깊이를 감시할 수 있는 방법 또는 장비(예; bispectral index, BIS)를 적용한다면 도움이 될 것이다. 전신마취를 받은 당일수술 환자는 통상적으로 수술실에서 1차 회복실로 이동을 하며 이후 회복 기준에 부합되면 2차 회복실로 이동하게 된다. 그러나 새로운 마취 약제가 개발되면서 수술실에서 바로 2차 회복실로 이동이 가능하게 되었다. 예를 들면 정맥마취제(예; propofol)와 아편유사제(예; remifentanil), 흡입마취제(예; desflurane과 sevoflurane)와 작용발현이 빠르고 짧은 작용시간의 신경근차단제(예; mivacurium, rocuronium)와 길항제(예; sugammadex) 등과 같은 약물 및 후두마스크와 같은 자극이 적은 상후두 기도유지기와 수기의 개발이 그것 이다.

수기와 약물의 발전에 따라 환자는 마취에서 인지기능, 호흡기능의 완전하고 빠르게 회복이 됨과 함께 활력 징후가 안정되고, 당일수술에서 마취와 관련이 적은 인자들인 수술 전에 동반된 질환의 안정된 치료와 함께 수술 후 합병증(예; 오심과 구토, 통증, 출혈, 장폐색 등)을 저하시킬 수 있으면서 수술실에서 퇴원 기준을 만족시키게 된다면 환자는 수술실에서 직접 2차 회복실로 이동하게 될 것이다. White 등은 Aldrete scoring system과 PADSS를 결합시켜 빠른 회복과 퇴원 기준을 만들어서 사용하였는데(표 24-4), 이 기준에 의하면 환자는 14점 만점에 12점 이상을 만족시켜야 하고 한 항목도 0점이 되는 항목이 없다면 바로 2차 회복실로 갈 수 있는 조건이 된다. 빠른 회복과 퇴원은 간호사 일의 양과 병원비를 절감시킬 것으로 예측된다.

5) 퇴원점수 기준들의 장점과 단점

증거에 기초한 수치화된 퇴원기준들은 실질적인 임상적 용시에 일부 제한점들을 가지고 있지만 더 많은 장점들을 가지고 있기 때문에 전세계적으로 널리 사용되고 있다. 환자의 퇴원에 확실한 기준 또는 점수제의 적용은 분

표 24-4 빠른 회복과 퇴원 기준

1. 의식 상태	
지남력 있음	= 2
가벼운 자극에 깨어남	= 1
흔들어 깨워야 반응을 보임	= 0
2. 움직임	
명령에 대해 사지를 잘 움직임	= 2
사지를 움직이나 약함	= 1
사지를 움직이지 못함	= 0
3. 활력징후	
수술 전 혈압 ±15%	= 2
수술 전 혈압 ±30%	= 1
수술 전 혈압 ±50%	= 0
4. 호흡	
심호흡이 가능하고 호흡수 10-20회/min	= 2
기침 가능하나 20회를 초과하는 빠른 호흡	= 1
약한 기침과 호흡곤란	= 0
5. 산소포화도	
공기호흡으로 92 이상	= 2
산소를 공급해야만 90% 이상	= 1
산소를 주어도 90% 미만	= 0
6. 통증	
없거나 가벼운 통증	= 2
약물로 조절 가능한 중등도 통증	= 1
약물로 조절 안 되는 지속적 통증	= 0
7. 오심, 구토	
없거나 가벼운 증상	= 2
증상이 있으나 약물로 조절 가능	= 1
약물로 조절 되지 않는 오심과 구토	= 0

명한 장점이 있으며 환자의 편안함, 안전과 법의학적 이유로 중요하다. 퇴원에 대하여 환자의 서명과 함께 문서화는 효과적인 임상정책이며 꼭 필요한 것이다. 퇴원점수 시스템과 관련된 장, 단점을 정리하면 표 24-5와 같다.

6) 일반적인 회복실에서 문제점들과 대책

회복실에서 문제점들은 환자의 회복 단계에 영향을 받는다. 제1차 회복실의 흔한 문제점들은 조절되지 않는 통증, 오심과 구토, 혈압의 상승과 저하이다. 제2차 회복실에서 문제점들은 Wetchler가 주장한 바와 같이 어지러움, 졸음, 허약과 저혈압이 단독으로 나타나거나 실신 등과 동반되어 나타나기도 한다. 이러한 경우 가능한 범위에서 빠른 치료 계획을 수립하여 지연 퇴원 또는 예상치 않은 입원을 예방해야 한다.

그러므로 회복실에서 적절한 감시는 안전에 매우 중요하고, 특히 길고 복잡한 당일수술에서 더욱 그러하다. 적합한 교육으로 숙련된 인력이 관리하는 입원 환자의 회복실과 같은 안전기준이 적용되어야 하며, 회복실 의료진은 당일수술 환자의 요구사항과 특성에 숙달되어서 초기

회복에서 퇴원까지 최소한의 합병증으로 진행되어야 한다. 개개인 환자의 특성과 수술 후 오심과 구토, 통증을 위한 초기 치료 지침을 인식하고 관리하여야 한다. 최근 경향은 비용부담을 최소화 하기 위해 회복실 체류시간을 줄이는 방향으로 진행되고 있다. 숙달된 수술 수기, 새로운 짧은 작용시간의 마취제, 개선된 부위마취와 진정마취 수기 및 신뢰성 있는 퇴원지침들은 회복시간을 단축시킨다. 그러나 일차적으로 고려하여야 할 사항은 환자의 안전과 편안함이다.

4. 환자의 퇴원

1) 퇴원을 지연시키는 인자

현재의 당일수술 시스템은 매우 안전해서 대부분의 경우 수술 후 환자가 적절한 회복을 거치면 시간에 맞추어 퇴원이 가능하다. 당일수술환자 38,958명을 대상으로 조사한 바에 따르면 수술 한달 이내에 사망할 확률은 11,273명 중 1명 꼴로 나타나 매우 낮은 수치를 나타냈다. 심근경색, 뇌졸중, 폐색전증 등의 발생 빈도도 당일

표 24-5 퇴원점수 기준의 장, 단점

장점	단점
1. 잘 만들어진 점수 시스템은 환자 회복에 대한 평가를 용이하게 한다.	1. 환자의 특이성, 수술의 방법, 마취방법의 차이에 의한 민감도 때문에 같은 점수라도 다르게 해석해야 할 부분이 있을 수 있다.
2. 점수를 이용하면 JCI (joint commission international)와 같은 국제 기구나 공신력 있는 기관이 제시하는 기준을 따르기가 용이하다.	2. 현재 사용중인 점수체계에는 포함되지 않는 부분들이 있어 이 부분은 따로 고려해야 한다. 예; 뇨저류, 악성고열증, 척추마취의 경우 등
3. 점수화된 기준이 임상적인 기준보다 높은 신뢰도(reliability)를 줄 수 있다.	3. 수술 전 활력징후(vital sign)가 비정상적으로 높거나 낮게 측정된 경우 수술 후 수치를 해석하는데 문제가 있을 수 있다.
4. 평가자가 사용하기 편리하다.	
5. 의료기관이나 평가자가 다르더라도 일관된 평가를 할 수 있다.	
6. 평가시간을 단축시킬 수 있다.	
7. 정량화가 가능하기 때문에 시간에 따른 변화를 정확하게 비교할 수 있다.	
8. 수치화로 회복 정도를 평가하게 되면 다음 회복 단계로의 이동이나 퇴원 시기 등을 쉽게 알 수 있어서 궁극적으로 환자 안전에 도움이 된다.	

수술을 받지 않은 비슷한 나이의 집단에 비해 높지 않았다. 그러므로 퇴원시간의 단축이나 수술 후 당일 수술센터에서 머무르는 시간의 감소가 당일 수술센터를 운영하는데 있어서 매우 중요한 관심사라 할 수 있다.

수술 전(preoperative), 중(intraoperative), 후(postoperative)에 퇴원을 지연시키는 원인을 살펴보면 (표 24-6) 고령, 이비인후과나 사시수술, 울혈성 심부전 등 환자 요인이나 수술 종류 등이 퇴원시간 연장에 영향을 주는 수술 전 요소에 해당한다. 수술 중 요인으로는 전신마취, 긴 수술시간, 수술 중 심장 관련 문제발생 등이 있으며, 수술 후 요인으로는 통증과 오심과 구토 유무가 가장 중요한 요인이 된다.

통증은 퇴원을 지연시키는 가장 중요한 인자로 알려져 있으며 회복실 환자의 13-30% 정도가 통증으로 인해 퇴원이나 퇴실이 지연되고 있다고 한다. Chung 등이 10,008명의 당일 수술 환자를 대상으로한 연구에 따르면 1차 회복실의 5.3% 환자에서 2차 회복실의 1.7% 환자에서 심한 통증을 호소했다고 하며 정형외과 수술에서 통증을 호소하는 비율이 높았다고 한다. 수술 시간도 통증에 영향을 주어서 90분 이상 수술한 경우 10%에서 120분이상 수술한 경우 20%의 환자가 심한 통증을 나타냈다. 또한 비만인 환자에서 통증을 호소하는 빈도가 높았

는데 이것은 진통제의 용량조절에 실패할 확률이 높아서일 것으로 생각된다.

또 다른 주요인자 중 하나인 오심과 구토의 빈도는 30-50%로 알려져 있다. 당일수술 환자 16,411명을 조사해본 결과 오심과 구토가 당일수술에서 퇴원을 지연시키는 가장 중요한 인자로 조사되기도 했다. Apfel 등은 4가지 수술 후 오심과 구토를 잘 일으키는 요인을 조사했는데: 여성, 수술 후 오심과 구토 기왕력이나 멀미(motion sickness), 비흡연자, 진통제로 아편유사제 사용이 이에 포함된다. 이러한 인자가 없는 경우, 한 가지, 두 가지, 세 가지, 네 가지가 있는 각각의 경우에 따라 수술 후 오심과 구토 발생률은 10%, 20%, 40%, 61%, 79%로 나타났다. 추가적인 위험인자로는 60분 이상의 수술 시간, 복강경 수술, 개복수술, 중이수술(middle ear surgery)등이 포함된다. 그 밖에 빈도가 아주 높지는 않으나 인후통(sore throat), 두통, 어지럼증 등도 퇴원시간을 연장시키는 인자이다.

수술 전에 20 ml/kg 정도의 등장성수액(isotonic fluid)을 미리 투여하는 것이 수술 후 발생하는 갈증, 구역, 어지럼증을 줄여 줄 수 있다는 연구 결과도 있다.

퇴원에 영향을 주는 다른 요인으로는 집도의의 숙련도를 들 수 있다. 숙련도가 높지 않은 집도의가 수술한 경우와 같은 수술을 숙련도가 높은 집도의가 했을 때와 퇴원시간을 비교하면 유의한 차이가 나타났다.

종합해 보면, 퇴원시간을 연장시키는 인자를 완전히 제거하기는 매우 힘든 일이기 때문에 어떠한 요인들이 지연인자인지를 정확하게 인지하고 마취통증의학과, 집도과, 회복실 간호사 등의 모든 관련 의료진들이 협조를 통해 적극적인 대처를 하는 것이 가장 최선의 방법일 것으로 생각된다.

표 24-6 당일수술의 퇴원을 연장시키는 요인들

수술 전 요인
여성
고령
심부전

수술 중 요인
60분 이상의 긴 수술 시간
전신마취
척추마취

수술 후 요인
오심과 구토
통증
어지럼증
동반보호자 없음

2) 당일수술 후 예기치 못한 입원의 원인 인자들

당일수술 후 예기치 못한 입원의 원인 인자들은 수술, 마취, 내과에 따른 문제점과 사회적인 문제로 구분할 수

있으며 대부분의 센터에서 평균 1–2% 정도로 보고하고 있다(표 24-7). 소아당일수술 10,772건을 분석한 결과를 보면 242명(2.2%)의 입원이 있었고 더 세부적으로 보면 수술적 원인 54%, 마취통증의학과적 원인 16%, 사회적 원인 14%, 내과적 원인 11%, 기타 4%로 나타났다.[1] 당일수술에서 입원을 예상할 수 있는 구체적인 예들로는 남자, 미국마취통증의학과학회 신체 등급 II와 III, 긴 수술(예; 2시간 이상), 오후 늦게 끝나는 수술, 수술 후 출혈, 심한 통증, 오심과 구토, 심한 어지러움 또는 졸음 등이 있다.

3) 당일 수술센터 퇴원 시 논란의 여지가 있는 고려사항

(1) 퇴원 전에 수분을 섭취할 필요가 있는가?

경구 수분 섭취는 더 이상 퇴원 전에 필요사항이 아니다. 소아와 성인 모두에서 퇴원 전에 경구 수분섭취를 하게 되면 오심과 구토로 인하여 퇴원이 지연된다. 그러므로 수술 후 4–6시간 수분 섭취를 금지하는 방법이 오심과 구토 예방에 효과적이다. 특히 아편유사제를 사용한 환자에서는 경구 수분섭취를 금지하여야 한다. 하지만 다른 결과로 Jin 등은 퇴원 전 수분섭취와 오심과 구토 발생 및 퇴원 지연과는 관계가 없다고 하였다. 그러므로 퇴원 전 경구 수분섭취의 결정은 환자 상태와 수술 종류

표 24-7 예상치 못한 입원과 관련된 원인들

수술 전 요인
통증
출혈
수술 후 합병증
개복수술
이비인후과, 비뇨기과 수술
마취적 요인
오심과 구토
졸음
흡인
사회적 요인
동반보호자 없음
내과적 요인
당뇨, 심혈관질환과 관련된 합병증
무호흡 증후군

등에 따라서 결정하여야 할 것이다.

(2) 퇴원 전에 배뇨가 가능해야 하는가?

전신마취와 척추마취는 방광 배뇨근 기능에 영향을 줄 수 있다. 장시간 방광이 팽창하게 되면 배뇨 후에 방광 무긴장증(atony) 또는 배뇨기능 이상, 요저류의 재발 등 심각한 위험을 초래하게 된다. 수술 후에 요저류의 위험 인자는 표 24-8과 같이 정리할 수 있으며 당일수술 환자에서 요저류의 위험이 없어도 5–11%에서 퇴원이 지연될 수 있다. 요저류는 600 ml 이상에서 배뇨를 하지 못하는 경우를 말하며 빈도는 당일수술 환자의 1% 이하이다. 척추마취에서 lidocaine보다 bupivacaine을 사용하면 방광의 용적을 1.6배 증가시킨다고 하였다. 짧은 작용시간 국소마취제를 사용한다면 요저류 현상을 줄일 수 있다고 한다.

방광에 대한 초음파 검사는 카테터의 적용을 결정하는 데에 도움을 준다. 초음파 검사에서 방광용적이 300 ml 이하에서는 배뇨가 필요하며, 500–600 ml에서는 퇴원 전에 카테터를 이용하여 배뇨를 시켜야 할 것이다.

(3) 악성고열증의 위험이 있는 환자

악성고열증의 위험이 있는 환자에서는 반드시 하루 입원을 하여야 할 필요는 없다. 마취에서 유발인자가 아닌 마취제와 신경근차단제를 사용하였으며 수술 후 최소한 4시간이 경과하여도 체온에 변화가 없다면 위험은 없다. 그러나 퇴원 전에 어떻게 체온을 측정하고 위험을 나타내는 증상을 어떻게 인지할 것인가에 대한 설명과 안내서를 제공하여야 한다.

표 24-8 당일수술 후 뇨저류가 발생 가능성이 높은 위험 인자

수술 종류(항문, 직장, 탈장, 부인과 수술)
고령
남성
척추, 경막외 마취
수술 시간 60분 이상
수술 중 수액투여량 750 ml 이상

(4) 부위마취를 한 환자의 퇴원

당일수술에서 빠른 회복과 퇴원에 대한 개념이 도입되면서 기본 조건의 하나인 부위마취에 대한 관심은 점차 증가되고 있다.

부위마취의 장점은 수술 후 통증이 개선되고 오심과 구토의 위험도 저하되며, 빠른 퇴원의 가능성 증가와 함께 만성통증증후군(chronic pain syndrome)의 빈도를 저하시킬 수 있다. 상박신경총 차단(예; 사각근간 차단), 서혜부 신경 차단 등은 수술실에서 시간 소모가 적으며, 병원 체류시간의 단축, 통증 감소, 뇨저류 위험이 전신마취와 척추마취보다 낮다.

척추마취는 당일수술에 적합한 마취 방법이지만 마취 후에 일시적인 신경결함이 나타날 수 있어 lidocaine 보다는 2-chloroprocaine을 권장한다. 당일수술에서 척추마취를 제한하는 인자 중 하나는 경막천자후두통(post dural, PDPH)으로 예방을 위하여 천자 바늘은 가는 것을 선택한다. 빈도는 1% 이하이며 대부분에서 경미하며 자연 치유된다. 척추마취 후 환자가 움직이기 전에 감각, 운동, 교감신경이 회복되어야 한다. 차단에서 회복을 나타내는 기준으로 항문 주위 감각(S4-5), 발의 바닥 쪽 굽힘, 엄지발가락의 고유감각이 회복되어야 한다.

부위마취를 한 환자에서는 퇴원과 함께 다음과 같은 안내서를 제공하여야 한다.
1. 발의 감각이 회복될 때까지 운전은 금지한다.
2. 감각이 둔한 팔과 다리에 뜨거운 것을 피하여야 한다(화상위험).
3. 팔과 다리의 부종을 예방하기 위하여 첫 24시간 동안 높이하고 있어야 한다.
4. 다리에 감각 이상이 있다면 지팡이, 의자 등을 이용한다.
5. 진통제는 감각 이상이 없어지기 전에 복용한다.

(5) 환자가 퇴원할 때에 무엇을 설명할 것인가?

마취 약제가 투여되었던 모든 환자는 퇴원 전에 최소한 24시간 동안 관찰되어야 할 일반적인 안전 수칙을 알아야 한다. 환자가 지켜야 할 주의사항은 다음과 같다.
1. 자동차, 오토바이를 운전하거나, 자전거를 타서는 안 된다.
2. 알코올이 함유된 어떠한 음료도 마셔서는 안 된다.
3. 중요한 사항의 판단과 결정(예, 중요 서류의 결제, 등)은 24시간 내에는 하지 않는다.
4. 대중교통을 혼자서 이용하지 않는다.
5. 요리 또는 위험한 기계의 작동은 하지 않는다.
6. 운동, 힘든 일 또는 무거운 물건의 운반은 하지 않는다.
7. 의사의 처방 없이 약제의 복용을 금지한다(예, 진정제 등).

또한 수술과 관련된 주의사항도 포함된다. 모든 주의사항의 안내는 환자에게 구두 설명과 함께 인쇄되어 제공되어야 한다. 이러한 주의사항은 수술에 따라서 또는 외과 의사에 따른 특별한 주의사항, 당일 수술센터와 지역과 나라에 따라서 각각 적합한 내용을 포함하여 당일 수술센터의 의료진이 제공한다.

퇴원 설명서에는 수술 과정과 퇴원 후 과정 특히 진통제의 필요성, 사회활동으로 복귀 등을 도울 수 있는 사항이 준비되어 있어야 하며 간결하고 쉽게 이해할 수 있어야 한다. 인쇄된 퇴원 설명서는 독자를 생각하고 제작하여야 한다. 디자인과 지면 배정이 내용보다 중요하다. 내용이 복잡하거나 중요하지 않다면 읽게 되지 않는다.

(6) 언제 운전을 할 수 있는가?

환자는 최소한 24시간 동안은 운전을 삼가야 한다고 확실하게 주의시켜야 한다. 그렇지 않다면 환자는 직접 운전하여 병원에 올 것이며 수술 후 귀가를 하면서도 운전을 할 것이다. 마취약제로부터 회복은 알코올 음료의 섭취 병력, 진정제 또는 강한 진통제의 복용 등으로 지연될 수 있으므로 경구 투약은 담당 의사의 처방에 따라야 한다.

조기에 회복되는 새로운 짧은 작용시간 약물이 소개되었음에도 불구하고 운전은 환자의 안전과 법의학적 문제로 제한되고 있다. 짧은 작용시간 약제는 빠른 회복과 조기에 사회활동으로 복귀할 수 있도록 하지만 수술에 따른 스트레스로 수면 부족, 마취약물의 잔류효과, 수술 후 통증 등으로 운전에 영향을 줄 수 있으며, 가정으로 퇴원(home readiness)과 운전능력(street fitness)은 차이가 있다. 정신운동 장애를 가진 환자에서는 이동 도중 또는 가정에서 사고와 관련이 있으므로 주의하여야 한다.

(7) 가정에서 진통제 복용

환자에게 수술 후 적절한 진통제 복용에 대한 주의사항을 구두 설명과 함께 인쇄된 설명서를 제공하여야 하며, 가정에서 진통제 복용으로 편안함을 느낄 수 있어야 한다. 두 가지 또는 그 이상의 진통제(예, NSAIDs, 아편유사제, 기타 진통제 등)를 처방한다면 통증의 심한 정도에 따라서 복용할 약제를 확실하게 설명하여야 한다. 최고 효능을 위하여 함께 복용하도록 하려면 복합 처방(예, NSAIDs와 아편유사제를 함께 처방)을 제공하여야 한다. 처방되지 않은 진통제 등 약제의 단독 또는 함께 복용을 하지 않도록 하여야 한다. 귀가 후 주의 사항에 대한 설명서를 분리하여 제공하는 것도 도움이 된다.

당일수술 후 통증은 흔한 문제점이다. 분명한 설명과 함께 적절한 진통제 처방은 중요하고, 환자는 진통제의 부작용에 대하여 분명하게 이해를 하여야 한다. 변비 가능성(아편유사제와 관련된)과 문제점들의 간단한 치료방법을 설명하여야 한다. 그 외 안내사항의 설명과 함께 심한 부작용이 나타나면 즉시 담당 의료진에게 연락하도록 한다.

(8) 누가 책임질 수 있는 보호자인가?

보호자는 여러 가지로 해석될 수 있다. 각 당일 수술센터와 나라의 정책과 기준에 따라서 의료진이 결정한다. 책임질 수 있는 보호자는 통상적으로 신체적, 정신적 이상이 없는 16세 이상의 성인(예, 정신 지체가 없는)을 말한다. 책임질 수 있는 보호자가 없다면 퇴원은 절대 금기이며 반드시 지켜야 한다. 당일수술에서 보호자가 없을 빈도는 0.2% 이하이다.

설명하여야 하고 또 해결해야 할 문제점들은 다음과 같다.

① 누가 책임질 수 있는 보호자의 능력을 평가할 것인가?
② 당일 수술센터 의료진은 환자의 퇴원 후 계획에서 무엇을 조절할 것인가?
③ 가정에서 보호자가 함께 기거하지 않는다는 것을 의료진이 알고 있었다면 퇴원을 허용하여서는 안 된다.
④ 가정환경이 적절하지 못하다면 책임과 의무를 할 수 있는 곳은 어디인가?

(9) 누가 환자를 퇴원시킬 것인가?

퇴원 기준 점수를 만족시킨 후에 외과 의사와 마취통증의학과 의사가 퇴원을 결정하지만 환자가 퇴원할 때에 의료관리자가 반드시 있어야 할 필요는 없다. 간호사는 퇴원 점수를 정확하게 적용시켜야 하며 엄격한 계획에 따라서 환자를 퇴원시켜야 한다.

(10) 당일 수술센터에서 퇴원 후 합병증의 치료

환자는 당일 수술센터에서 퇴원한 후 출혈, 치료되지 않는 통증, 오심과 구토, 어지러움, 졸도, 정신집중 장애, 수면 장애 등과 같은 합병증을 호소할 수 있다. 그러므로 환자는 병원에서 1시간 이내의 이동 거리에서 거주하는 것이 효과적이다. 그러나 환자의 상태와 수술의 종류에 따라서 그 이상의 거리에서 거주하여도 가까운 곳에 응급처치를 할 수 있는 의료시설이 있다면 가능하다.

외과 의사 또는 병원과 연락할 수 있는 전화번호와 응급실의 근무시간 이후의 전화번호를 퇴원과 함께 제공하여야 한다. 또한 환자는 전화를 이용할 수 있어야 한다.

연락할 수 있는 인쇄물을 제공하여 환자의 수술 이름, 마취방법, 퇴원 처방 및 주의사항과 어떤 합병증이 발생하였는가를 알려줄 수 있도록 하여야 한다. 만일 환자가 지역의 주치의와 접촉을 원한다면 이러한 인쇄물은 중요한 전달 수단이 된다. 환자의 주치의와 컴퓨터로 연결을 할 수 있다면 당일 수술센터에서 직접 제공할 수도 있다.

참고문헌

1. Abdullah HR, Chung F. Postoperative issues: discharge criteria. Anesthesiol Clin 2014; 32: 487-93.

2. Aldrete JA, Kroulik D. A postanesthetic recovery score. Anesth Analg 1970; 49: 924-34.

3. Apfel CC, Laara E, Koivuranta M, Greim CA, Roewer N. A simplified risk score for predicting postoperative nausea and vomiting - Conclusions from cross-validations between two centers. Anesthesiology 1999; 91: 693-700.

4. Awad IT, Chung F. Factors affecting recovery and discharge following ambulatory surgery. Can J Anaesth 2006; 53: 858-72.

5. Awad IT, Moore M, Rushe C, Elburki A, O'Brien K, Warde D. Unplanned hospital admission in children undergoing day-case surgery. Eur J Anaesthesiol 2004; 21: 379-83.

6. Bryson GL, Chung F, Cox RG, Crowe MJ, Fuller J, Henderson C, et al. Patient selection in ambulatory anesthesia - an evidence-based review: part II. Can J Anaesth 2004; 51: 782-94.

7. Chung F. Are discharge criteria changing? J Clin Anesth 1993; 5: 64S-8S.

8. Chung F. Recovery pattern and home-readiness after ambulatory surgery. Anesth Analg 1995; 80: 896-902.

9. Chung F, Imasogie N, Ho J, Ning XQ, Prabhu A, Curti B. Frequency and implications of ambulatory surgery without a patient escort. Canadian Journal of Anaesthesia-Journal Canadien D Anesthesie 2005; 52: 1022-6.

10. Chung F, Mezei G. Factors contributing to a prolonged stay after ambulatory surgery. Anesthesia and Analgesia 1999; 89: 1352-9.

11. Chung F, Ritchie E, Su J. Postoperative pain in ambulatory surgery. Anesth Analg 1997; 85: 808-16.

12. Coloma M, Zhou T, White PF, Markowitz SD, Forestner JE. Fast-tracking after outpatient laparoscopy: reasons for failure after propofol, sevoflurane, and desflurane anesthesia. Anesth Analg 2001; 93: 112-5.

13. Ead H. From Aldrete to PADSS: Reviewing discharge criteria after ambulatory surgery. J Perianesth Nurs 2006; 21: 259-67.

14. Gan TJ. Postoperative nausea and vomiting - Can it be eliminated. Jama-Journal of the American Medical Association 2002; 287: 1233-6.

15. Jain NB, Pietrobon R, Guller U, Ahluwalia AS, Higgins LD. Influence of provider volume on length of stay, operating room time, and discharge status for rotator cuff repair. J Shoulder Elbow Surg 2005; 14: 407-13.

16. Jin FL, Norris A, Chung F, Ganeshram T. Should adult patients drink fluids before discharge from ambulatory surgery? Anesthesia and Analgesia 1998; 87: 306-11.

17. Junger A, Klasen J, Benson M, Sciuk G, Hartmann B, Sticher J, et al. Factors determining length of stay of surgical day-case patients. Eur J Anaesthesiol 2001; 18: 314-21.

18. Kamphuis ET, Ionescu TI, Kuipers PWG, de Gier J, van Venrooij GEPM, Boon TA. Recovery of storage and emptying functions of the urinary bladder after spinal anesthesia with lidocaine and with bupivacaine in men. Anesthesiology 1998; 88: 310-6.

19. Liu SS, Strodtbeck WM, Richman JM, Wu CL. A comparison of regional versus general anesthesia for ambulatory anesthesia: a meta-analysis of randomized controlled trials. Anesth Analg 2005; 101: 1634-42.

20. Mulroy MF, Salinas FV, Larkin KL, Polissar NL. Ambulatory surgery patients may be discharged before voiding after short-acting spinal and epidural anesthesia. Anesthesiology 2002; 97: 315-9.

21. Pavlin DJ, Chen C, Penaloza DA, Polissar NL, Buckley FP. Pain as a factor complicating recovery and discharge after ambulatory surgery. Anesthesia and Analgesia 2002; 95: 627-34.

22. Pavlin DJ, Pavlin EG, Gunn HC, Taraday JK, Koerschgen ME. Voiding in patients managed with or without ultrasound monitoring of bladder volume after outpatient surgery. Anesthesia and Analgesia 1999; 89: 90-7.

23. Pittoni G, Toffoletto F, Calcarella G, Zanette G, Giron GP. Spinal anesthesia in outpatient knee surgery: 22-gauge versus 25-gauge Sprotte needle. Anesth Analg 1995; 81: 73-9.

24. Rawal N. Postdischarge complications and rehabilitation after ambulatory surgery. Current Opinion in Anesthesiology

2008; 21: 736-42.

25. Schneider M, Ettlin T, Kaufmann M, Schumacher P, Urwyler A, Hampl K, et al. Transient neurologic toxicity after hyperbaric subarachnoid anesthesia with 5% lidocaine. Anesth Analg 1993; 76: 1154-7.

26. Song D, Greilich NB, White PF, Watcha MF, Tongier WK. Recovery profiles and costs of anesthesia for outpatient unilateral inguinal herniorrhaphy. Anesth Analg 2000; 91: 876-81.

27. Song D, Joshi GP, White PF. Fast-track eligibility after ambulatory anesthesia: a comparison of desflurane, sevoflurane, and propofol. Anesth Analg 1998; 86: 267-73.

28. Warner MA, Shields SE, Chute CG. Major morbidity and mortality within 1 month of ambulatory surgery and anesthesia. Jama 1993; 270: 1437-41.

29. Wetchler BV. Outpatient anesthesia. What are the problems in the recovery room? Can J Anaesth 1991; 38: 890-4.

30. White PF. Criteria for fast-tracking outpatients after ambulatory surgery. J Clin Anesth 1999; 11: 78-9.

31. Yogendran S, Asokumar B, Cheng DC, Chung F. A prospective randomized double-blinded study of the effect of intravenous fluid therapy on adverse outcomes on outpatient surgery. Anesth Analg 1995; 80: 682-6.

Chapter 25

외래마취 후 합병증과 통증관리

외래마취가 활성화 되기 위해서 기본이 되는 것은 외래를 통해 수술을 진행하여도 입원 환자와 비교하여 수술의 진행에 질적으로 차이가 없어야 하고 수술 후 특히 퇴원 후 안전하여야 한다는 점이다. 이런 관점에서 봤을 때 수술 후 발생하는 통증의 관리와 합병증의 발생을 줄이는 것의 중요성은 아무리 강조하여도 지나치지 않다. 이 장에서는 외래마취 후 발생하는 합병증의 종류와 관리, 외래마취 후 통증 관리에 대해 알아보도록 한다.

1. 외래마취 후 합병증의 종류와 관리

현재 외래마취를 시행하는 환자들과 수술의 특징을 고려할 때 생명에 지장을 주거나 심각한 장애를 초래하는 합병증(심근경색, 폐색전, 호흡부전, 심각한 출혈 등)의 발생률은 낮다. 하지만 그렇지 않은 경미한 합병증(통증, 오심과 구토, 어지러움, 인후통 등)의 경우는 그 발생률이 상대적으로 높다.

대부분의 합병증은 수술 후 48시간 이내에 발생하게 되며, 심각한 합병증의 경우 수술 후 첫 3시간 이내에 발생하게 되므로 주의가 필요하다. 외래마취 후 합병증 중 예상치 못한 입원의 경우는 기본적으로 외래마취의 실패를 의미하기에 중요하며 빈도는 0.1-5%까지 보고 되고 있다. 대부분의 경우에는 예상외의 광범위한 수술처럼 수술 그 자체와 관련된 이유가 크지만 마취와 관련된 이유인 오심과 구토 등에 의한 경우도 10% 가까이 된다.

마취와 관련된 합병증을 피하는 방법으로는 수술 전 충분한 수분의 섭취, propofol을 사용한 정맥마취, 가능하다면 기관내삽관 보다는 후두마스크(laryngeal mask airway, LMA)의 사용, 선행진통제의 사용, 예방적 항구

토제의 사용 등이 추천되고 있다.

1) 수술 후 오심과 구토(Postoperative nausea and vomiting, PONV)

수술 후 오심과 구토(Postoperative nausea and vomiting, PONV)는 외래마취 후 가장 흔한 합병증 중의 하나로 한 연구에 의하면 수술을 받는 환자에서 수술 후 오심을 없앨 수 있다면 현재보다 더 큰 통증이나 기면 등의 다른 합병증을 감수할 수 있다고까지 말할 정도로 환자들이 기피하고 싶어하는 합병증이다. 또한 PONV는 마취의 종류와 상관없이 발생가능하며 봉합부위의 파열, 식도파열, 전해질 불균형과 탈수 등을 초래할 수 있으며 구토에 따른 위 내용물의 폐흡인과 폐렴, 피하기종 또는 기흉 등의 2차 합병증의 유발이 가능하고 이로 인한 재원시간이 증가하며 심한 경우 계획에 없던 입원을 하여야 할 수도 있다.

외래마취 후 발생하는 PONV는 대부분 회복 중에 발생하지만 퇴원 후에도 발생할 수 있다. 한 보고에 따르면 퇴원 후 35%에서 PONV를 경험하였으나 대부분이 회복 중에는 발생하지 않았다고 하고 있다. 이렇듯 PONV는

증상이 가볍지도 않고 짧은 시간 동안의 문제도 아니며 2차 합병증으로 발전할 수 있기에 외래마취에 종사하는 사람들은 이에 대해 주의를 기울여야 한다.

먼저 용어의 정의가 필요하다고 생각이 되는데 오심이란 관찰자가 아닌 환자가 직접 느끼는 증상으로 근육의 움직임이 없이 토할 것 같은 느낌을 말하는 것이고, 구토(vomiting)란 실제 위 내용물이 배출되는 경우를 말한다. 이 사이에 구역(retching)이 있는데 이는 위 내용물의 배출이 없는 움직임으로 위가 비어있음을 의미한다. 기전은 약간의 차이가 있는데 오심의 경우 대뇌피질의 활동으로 나타나는 반응인 반면 구역이나 구토는 뇌간의 반사작용으로 나타나며 인두부의 근이완, 연구개의 상승, 횡격막 하강과 함께 호흡근육과 복부근육의 발작적 경련이 동반된다.

PONV를 감소시키기 위해서는 위험도가 높은 수술을 찾아내어 예방목적의 항구토요법을 고려하며, PONV를 최소화 할 수 있는 마취 방법을 선택하여야 한다. PONV를 유발하는 인자는 크게 수술과 관련된 인자, 환자와 관련된 인자, 마취와 관련된 인자로 분류할 수 있다(표 25-1) 먼저 수술과 관련된 인자로는 수술의 종류, 긴 수술 시간이 있고 PONV의 위험도가 높은 수술은 복강경

표 25-1 수술 후 오심과 구토(Postoperative nausea and vomiting, PONV)의 위험인자

수술과 관련된 인자
수술의 종류(복강경수술, 치과수술, 난자채취)
긴 수술 시간
환자와 관련된 인자
나이(소아, 젊은 성인)
여성
비흡연자
동요병(motion sickness)의 과거력
PONV의 과거력
마취와 관련된 인자
흡입마취제의 사용
아산화질소의 사용
근이완 길항제의 과도한 사용
수술 중 사용된 아편유사제

수술(특히 불임수술과 담낭절제술), 치과수술, 난자채취이다. 환자와 관련된 인자로는 어린 나이, 여성, 동요병(motion sickness)의 병력, 비흡연자, PONV의 병력 등이 있다. 특히 여성의 경우 남자보다 2-4배 발생률이 높으며 증상도 심하며 이는 생리 주기와 관련이 있다는 보고가 있다. 마지막으로 마취와 관련된 인자는 흡입마취제와 아산화질소의 사용, 아편유사제의 사용, 수술 후 사용되는 길항제(예; neostigmine)의 과도한 사용 등이 있다. 마취 유도제 중 Propofol의 경우는 PONV를 오히려 줄여준다는 보고가 있어 외래마취를 할 경우 마취유도제로 특별한 금기증이 없으면 propofol을 사용하는 경우가 많다. 또, 최근 발표된 가이드라인에는 PONV의 위험인자를 점수화시켜 그 발생확률을 보여주는데, 성인의 경우 여성, 비흡연자, PONV의 과거력, 수술 후 마약성 진통제의 사용을 각 1점으로, 소아의 경우 30분 이상의 수술, 3세 이상, 사시 수술, PONV의 과거력을 각 1점으로 점수화하는 구조를 가지고 있다(그림 25-1, 25-2).

PONV를 예방하기 위한 "Golden standard"는 존재하지 않으나 일반적인 방법으로는 환자의 불안감을 덜어주고, 제산제와 위장운동 촉진제를 전투약하고, 환자를 따뜻하게 해주고 적절한 수액을 공급하여야 한다. 과도한 양압환기로 인한 위팽창을 피하고, 불필요한 인후부의 흡인을 줄이고 수술 후 환자의 불필요한 움직임을 제한하는 것이 도움이 된다고 한다. PONV의 위험도가 높은 환자의 경우 일반적인 방법 이외에 항구토제를 예방목적으로 사용할 수 있다. 1세대 항구토제는 metoclopramide, droperidol, histamine H_1 길항제, scopolamine 패치 등이 있다. Metoclopramide는 항도파민성(D_2), 항세로토닌성($5-HT_3$), 장 운동 촉진성의 효과를 가진 약으로 10 mg의 투여가 PONV의 예방에 도움이 된다고 보고되고 있다. Droperidol은 butyrophenone으로 도파민(D_2) 수용체에 길항작용을 하여 항구역 효과를 보인다. Droperidol의 경우 효과적이며 가격이 저렴하지만 torsades de pointes, QT prolongation 등

위험인자	점수
여성	1
비흡연자	1
PONV의 과거력	1
수술 후 마약성 진통제 사용	1
총합	0~4

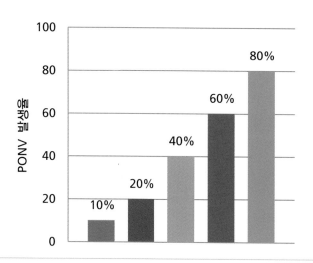

그림 25-1. 성인에서 PONV 발생률

의 부작용이 있어 통상적인 PONV의 예방법에서는 제외되었다. histamine H_1 길항제는 평형감각전도계(vestibular pathway)를 촉진시켜 항구역 효과를 가지고, scopolamine 패치는 효과적이지만 patch를 붙이고 2~4시간이 경과하여야 그 효과가 나타나므로 수술 전날 밤에 붙이는 것을 권고하고 있다.

1세대 약품 이후 5-HT$_3$ 수용체 길항제, 스테로이드, Neurokinin-1 길항제 등이 사용되어 왔다. 이 중 5-HT$_3$ 수용체 길항제는 다른 약제에 비해 부작용이 경미하여 가장 보편적으로 사용되고 있다. 초기에 개발된 5-HT$_3$ 수용체 길항제에는 ondansetron, granisetron, tropisetron이 있으며 이 약제들 사이에 항구토 효과는 유사한 것으로 알려져 있다. 예방적 목적으로 사용할 때는 수술 종료 직전에 투여하는 것이 효과적으로 알려져 있으며 부작용으로는 두통, QT prolongation, 간기능 악화 등이 있다. 근래에 개발된 palonosetron은 반감기가 40시간에 가까워 퇴원 후 구역과 구토에도 도움이 될 수 있으나 가격이 비싸 그 사용이 제한적이다. 스테로이

위험인자	점수
30분 이상의 수술시간	1
3세 이상	1
사시 수술	1
PONV의 과거력	1
총합	0~4

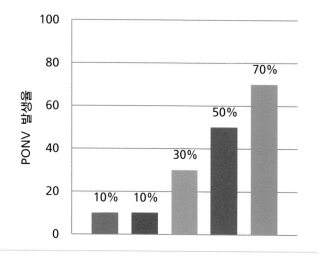

그림 25-2. 소아에서 PONV 발생률

드 중 항구토 효과가 잘 연구된 약제는 dexamethasone 으로 4~5 mg을 정주하는 것이 효과적으로 알려져 있다. Endorphin의 분비를 조절하거나 prostaglandin의 합성을 저해하여 항구토 효과를 가지는 것으로 알려져 있고 효과의 발현까지 시간이 필요하므로 마취유도 후 바로 투입하는 것을 추천하고 있다. 마지막으로 Neurokinin-1

길항제는 중추신경계와 말초신경계 수용체에 모두 작용을 하며 급성 및 만성구토 모두에서 작용하여 외래마취 후 PONV에 효과적으로 생각되나 역시 약재의 가격이 비싸 제한적으로 사용되고 있다.

이를 종합한 PONV 예방 알고리즘은 그림 25-3과 같다.

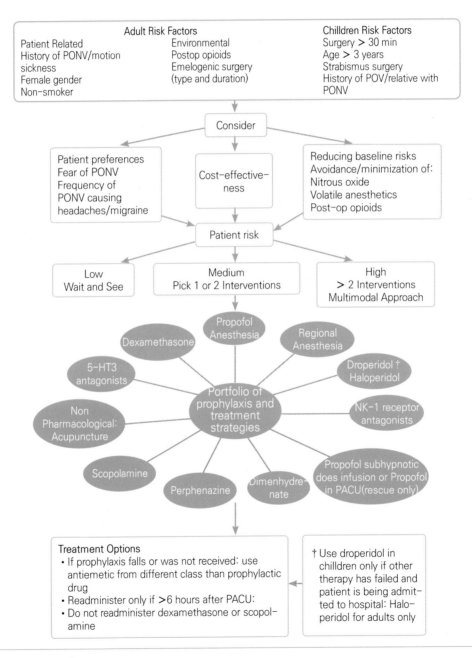

그림 25-3. PONV 예방 알고리즘

2) 대사장애

당 대사의 장애가 발생하면 고혈당을 초래할 수 있다. 과혈당은 심혈관계 이상, 감염, 신경 질환의 빈도를 증가 시킬 수 있으므로 주의하여야 한다. 앞서 서술한 대로 PONV의 예방을 위해 스테로이드를 투여할 수 있지만 이로 인해 과혈당이 발생할 수 있으므로 주의하여야 한다.

3) 졸음과 어지러움

외래마취 후 졸음의 발생빈도는 10~20%로 보고되고 있다. 졸음은 수술시간, 마취약제의 과도한 투여가 관련이 되어 있다. 외래수술의 요건상 대부분의 경우 빠른 회복과 퇴원을 요구하므로 중추신경계에 작용하는 모든 약제의 선택에서 가장 고려되어야 할 부분은 짧은 작용시간과 빠른 회복이다. 현재 많이 사용되는 흡입마취제인 desflurane이나 sevoflurane의 경우 이전까지 사용된 흡입마취제에 비해 잔류 졸음이 적으나 정맥마취제인 propofol 보다는 많다.

2. 외래마취 후 통증관리

외래마취를 진행함에 있어 충분한 통증 치료는 기본이 되는 요건이다. 통증 치료의 목적은 환자의 편안함을 증진시키고 불필요한 입원을 줄이며 일상생활로의 조속한 복귀를 돕는 것이다. 이를 위해서는 수술의 계획 단계부터 수술 후 통증에 대한 다각적이고 지속적인 평가와 치료 계획의 수립이 필요하다.

수술 후 통증의 심한 정도에 영향을 줄 수 있는 요소 또는 요인으로는 수술 전 불안의 정도가 심할수록, 여성, 연령(젊은 층), 비만도가 높을수록, 수술시간이 길수록 증가한다고 알려져 있으며 수술 종류에 따라서는 정형외과의 어깨 수술이나 비뇨기과의 고환 절제술 등의 통증이 심하고 백내장 수술이나 임신중절수술 등은 통증이 적다고 알려져 있다.

1) 통증의 평가

적절하고 효과적인 통증 조절을 위해서는 환자가 느끼는 통증의 정도를 측정하는 것이 중요하며 가장 보편적으로 사용되는 방법은 visual analogue scale (VAS), 또는 verbal rating scale을 사용한다. VAS는 길이가 10 cm인 수직선이나 수평선을 그리고 시작점을 통증이 없는 상태, 선의 끝을 상상할 수 있는 최악의 통증으로 하고 환자가 현재 느끼는 통증의 정도를 표시하게 하는 방법으로 직관적이고 측정이 간단하다는 장점이 있지만 인지기능이 저하되거나 운동장애가 있는 사람에게는 적용이 어렵다는 단점이 있다. 이를 보완하기 위해 Numerical rating scale(그림 25-4)을 사용할 수 있는데 이는 10 cm의 선에 1 cm마다 점수를 메기고 0점을 통증이 없는 상태, 10점을 최악의 통증으로 할 때 환자가 느끼는 통증의 정도를 점수로 말하게 하는 방법이다. 통증을 점수로 제공하기에 구두로도 측정이 간편하다는 점이 VAS와 차이점이다. 다른 방법으로는 관찰자 측정 방법(observer reporting system)이 있는데 이는 환자와 의사소통이 불가능할 경우 환자의 표정과 상태를 보고 통증의 척도를 측정하는 방법으로 측정자에 따른 차이를 보일 수 있으므로 주의하여 사용하여야 한다. 통증의 평가는 수시로 이루어져야 하며 특히 회복 초기에는 자주 측정을 하여 적절한 통증조절이 이루어지는지 확인하여야 한다.

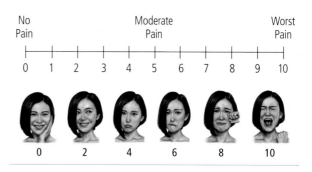

그림 25-4. Numerical rating scale, NRS

2) 수술 전 환자 평가와 준비

수술 전 환자를 평가하고 계획을 세우는 것은 외래 마취 후 통증관리에 핵심이다. 수술 전 고려하여야 할 부분은 환자의 과거병력, 과거의 통증 경험, 수술의 종류 등을 파악하여야 하고 이에 따라 통증관리 계획을 세우고 그 계획의 이해 관계를 면밀히 따져 보아야 한다. 이를 위해서는 환자의 통증 과거력을 직접 파악하고, 이학적 검사를 시행하는 것이 추천되고 있다.

수술 전 환자의 준비 사항으로는 금식 기간에 기존 투약 중이던 약을 투여 중단하여 발생하는 금단 현상을 줄이기 위해 약제의 투약을 유지하거나 조절하여야 하고, 환자의 불안과 기저 통증을 조절하고, 선행 진통을 시행하며, 퇴원 후 통증 관리를 위한 교육이 충분하게 이루어져야 한다. 퇴원 후 통증 조절의 교육은 통증 자가 조절 장치(patient-controlled analgesia, PCA)의 사용에 관한 내용을 포함하여야 하고 통증을 유발하는 자세나 행위 등에 대한 교육 역시 포함되어야 한다.

3) 다단계 진통법

수술 후 통증은 단순히 침해성 자극에 의한 통증뿐 아니라 염증반응, 신경성, 내장요소에 의한 통증반응이 복합적으로 작용하므로 통증의 조절 역시 작용 기전이 다른 여러 가지 접근법을 함께 사용하는 다각적인(multimodal) 접근이 필요하고[예; 수술부위 국소침윤법과 비스테로이드소염제(nonsteroidal anti-inflammatory drugs, NSAIDs)의 조합, 이에 아편유사제의 추가투약], 진통효과를 개선시키고 약제의 부작용을 최소화 시키기 위해 두 가지나 그 이상의 진통제 또는 진통방법을 함께 사용하여 통증을 조절하는 다단계 진통법의 적용이 필요하다. 수술 이전에 신경차단이나 경구 제제의 투약을 통해 수술 후 통증을 경감시키는 선행 진통(preemptive analgesia) 방법 역시 주목 받고 있는데 경구 투약의 경우 수술 후 통증치료에 대해서 논란의 여지가 있지만 아편유사제와 마취제의 요구량을 줄이고 부

드러운 회복을 제공한다고 알려져 있다. 추천되는 다단계 통증 치료법에 예시는 그림 25-5와 같다.

4) 통증 조절 방법

외래마취 후 통증을 조절하는 방법은 다양하나 크게는 마약성 진통제의 중추신경계 주입법, 말초신경 차단, 국소마취제의 침윤, 경구투여 등이 있다.

마약성 진통제의 중추신경계 주입은 경막외 공간(epidural space)이나 척수강(intrathecal)에 진통제를 투여 함으로서 마약성 진통제의 사용양을 줄여 부작용을 최소화 시키면서 적절한 통증조절이 가능하다는 장점이 있으나 약물 투여를 위한 공간이 따로 필요하며 요저류, 소양증, 회복지연 등의 문제가 있어 외래마취 시 사용 여부에 대해서는 논란이 있다. 또 일정 시간이 지난 후에는 진통효과가 사라지므로 추가적인 통증관리 계획이 요구된다.

말초신경 차단과 국소마취제의 절개부위 침윤은 효과적으로 수술 후 진통과 함께 다른 진통제의 사용을 줄여준다는 장점이 있지만 이 역시 국소마취제의 작용시간에 한계가 있다는 단점이 있으므로 국소마취제의 선택이 중요하고, ropivacaine, bupivacaine과 같이 작용시간이 긴 약제가 선호된다.

경구투여는 편리하고 비용이 들지 않기에 외래 마취 후 통증 조절에 가장 중요한 방법이다. 경구 투여는 수분의 섭취가 가능하면 바로 시작할 수 있다는 장점이 있다.

약물치료 이외에 비 약물치료로서는 수술부위를 높이 들어올린다던가 얼음찜질을 하는 방법, 붕대를 단단히 감아 국소 부종을 줄이는 방법 등도 외래마취 후 통증의 조절에 효과가 있다고 보고 되고 있지만 초기의 중등도 이상의 통증 치료에서는 대체가 되지 않는다.

5) 통증 조절 약제

수술 후 흔히 사용되는 약제들로는 아편유사제, paracetamol, NSAIDs, cyclooxygenase-2 (COX-2)

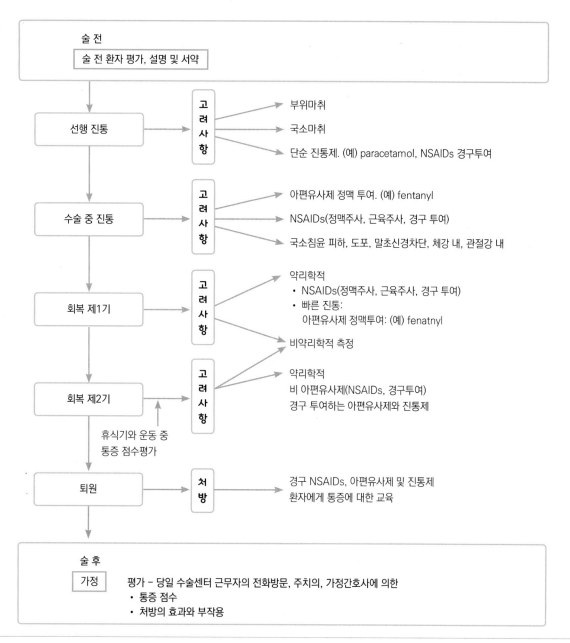

그림 25-5. **당일수술에서 다단계 통증 치료 계획**

억제제, gabapentin, 스테로이드 등이 있고 이러한 약제들은 각각의 특성에 따라 정맥투여, 근육주사, 경구투여, 직장투여 등을 결정하여야 한다. 아편유사제는 탁월한 진통효과를 가지지만 PONV, 진정과 호흡억제 등의 부작용으로 사용에 주의를 하여야 한다. 흔하게 사용되는

것은 fentanyl로 morphine과 비교하여 작용의 발현이 빠르고 PONV의 발현을 줄인다. Tramadol은 중추신경계에 작용하는 진통제로 진통역가는 morphine에 비해 5-10배 약하고 오심과 구토를 유발한다는 단점이 있지만 현저한 호흡억제가 없다는 장점이 있다. Paracetamol

은 진통, 해열제로 항염증 작용은 거의 없다. 저렴하고 부작용이 적어 다른 약제와의 병용투여에 많이 사용된다. NSAIDs는 외래수술 후 진통에서 기준이 되는 약제로 효과적인 진통작용에 더해 항염증 작용을 가지고 있어 국소 부종을 저하시킨다는 장점이 있다. 수술초기 심한 통증에서 단독 투여보다는 아편유사제와 병용투여를 추천하고 출혈 소인이 있거나 약제에 과민반응을 보인 병력이 있는 경우 투약에 주의를 하여야 한다. COX-2 억제제는 수술 중 투여하면 회복과정에서 장기능 회복과 일상생활로의 복귀에 도움이 된다고 보고되고 있으며 아편유사제의 요구량과 회복실 체류시간도 단축시켜 외래마취 후 통증 조절에 매우 유용한 약이다. Gabapentin은 통각억제와 통각과민억제의 작용을 가지는 항경련제의 일종으로 주로 만성통증치료에 사용되어 온 약이다. 최근에는 급성통증의 관리에도 많은 연구가 이루어지고 있으며 일회 투여보다는 여러 번 투약하는 것이 효과적이고 흔한 부작용으로는 졸림, 어지러움, 오심과 구토, 소양증 등이 있다. 스테로이드 중 가장 많이 쓰이는 것은 dexamethasone이고 이 약의 효과에 대해서는 주로 PONV의 예방과 관련하여 연구가 이루어 졌으나 최근에는 수술 전 1회 투여만으로도 수술 후 통증을 줄인다는 보고가 있다. 특히 이 효과는 저용량(< 0.1 mg/kg) 보다는 고용량(≥ 0.1 mg/kg)에서 더 뚜렷하게 나타난다고 보고되고 있다.

6) 소아의 통증관리

적절한 통증관리는 소아의 외래마취에서 가장 중요한 부분이다. 성인에 비해 적극적이고 충분한 통증 조절이 이루어져야 하고 이를 위해 고려해야 할 사항으로는 환자의 나이와 체중, 수술의 종류, 과거 병력 등이 있다.

적극적인 통증 조절을 위해서 선행진통법과 말초 신경 차단의 적극적인 활용이 추천되고 있는데, 선행진통법으로 추천되는 방법은 ibuprofen 시럽, diclofenac 좌약, piroxicam 용해제의 투약이 추천되나 NSAID의 경우

신독성이 있어 1세 미만이나 10 kg 미만의 환자에서는 주의해서 투약을 하여야 한다. 말초 신경 차단법으로 많이 사용되는 방법은 음경차단(penile block), 장골서혜신경차단(ilioinguinal nerve block), 장골하복신경차단(iliohypogastric nerve block), 대퇴신경차단(femoral nerve block)등이 있다. 그 외 많이 사용되는 방법으로는 미추 경막외 마취가 있다. 이는 소아의 외래마취에서 가장 널리 사용되는 방법으로 0.25% bupivacaine을 사용한다면 운동신경까지는 차단이 되지 않고 적절한 진통효과를 얻는다고 보고되고 있다. 하지만 퇴원시간을 지연시킬 수 있다는 점을 고려하여야 한다.

참고문헌

1. American Society of Anesthesiologists Task Force on Acute Pain M. Practice guidelines for acute pain management in the perioperative setting: an updated report by the American Society of Anesthesiologists Task Force on Acute Pain Management. Anesthesiology 2012; 116: 248-73.
2. Beattie WS, Lindblad T, Buckley DN, Forrest JB. The Incidence of Postoperative Nausea and Vomiting in Women Undergoing Laparoscopy Is Influenced by the Day of Menstrual-Cycle. Canadian Journal of Anaesthesia-Journal Canadien D Anesthesie 1991; 38: 298-302.
3. Campbell WI. Analgesic Side-Effects and Minor Surgery - Which Analgesic for Minor and Day-Case Surgery. British Journal of Anaesthesia 1990; 64: 617-20.
4. Carroll NV, Miederhoff P, Cox FM, Hirsch JD. Postoperative Nausea and Vomiting after-Discharge from Outpatient Surgery Centers. Anesthesia and Analgesia 1995; 80: 903-9.
5. Chung F. Postoperative pain in ambulatory surgery (vol 85, pg 808, 1997). Anesthesia and Analgesia 1997; 85: 986-.
6. Cohen MM, Duncan PG, Deboer DP, Tweed WA. The Postoperative Interview - Assessing Risk-Factors for Nausea and Vomiting. Anesthesia and Analgesia 1994; 78: 7-16.
7. De Oliveira GS, Almeida MD, Benzon HT, McCarthy RJ. Perioperative Single Dose Systemic Dexamethasone for Postoperative Pain A Meta-analysis of Randomized Controlled Trials. Anesthesiology 2011; 115: 575-88.
8. Gan TJ, Diemunsch P, Habib AS, Kovac A, Kranke P, Meyer TA, et al. Consensus guidelines for the management of

postoperative nausea and vomiting. Anesth Analg 2014; 118: 85-113.

9. Henzi I, Walder B, Tramer MR. Dexamethasone for the prevention of postoperative nausea and vomiting: A quantitative systematic review. Anesthesia and Analgesia 2000; 90: 186-94.

10. Hooper VD. SAMBA Consensus Guidelines for the Management of Postoperative Nausea and Vomiting: An Executive Summary for Perianesthesia Nurses. J Perianesth Nurs 2015; 30: 377-82.

11. King MJ, Milazkiewicz R, Carli F, Deacock AR. Influence of neostigmine on postoperative vomiting. Br J Anaesth 1988; 61: 403-6.

12. Kong VK, Irwin MG. Gabapentin: a multimodal perioperative drug? Br J Anaesth 2007; 99: 775-86.

13. Kovac AL. Prevention and treatment of postoperative nausea and vomiting. Drugs 2000; 59: 213-43.

14. Kranke P, Diemunsch P. The 2014 consensus guidelines for the management of postoperative nausea and vomiting: a leapfrog towards a postoperative nausea and vomiting-free hospital. Eur J Anaesthesiol 2014; 31: 651-3.

15. Raftery S, Sherry E. Total intravenous anaesthesia with propofol and alfentanil protects against postoperative nausea and vomiting. Can J Anaesth 1992; 39: 37-40.

16. Rowbotham DJ. Current management of postoperative nausea and vomiting. Br J Anaesth 1992; 69: 46S-59S.

17. Rowley MP, Brown TC. Postoperative vomiting in children. Anaesth Intensive Care 1982; 10: 309-13.

18. Saria A. The tachykinin NK1 receptor in the brain: pharmacology and putative functions. Eur J Pharmacol 1999; 375: 51-60.

19. Sauerland S, Nagelschmidt M, Mallmann P, Neugebauer EA. Risks and benefits of preoperative high dose methylprednisolone in surgical patients: a systematic review. Drug Saf 2000; 23: 449-61.

20. Sweis I, Yegiyants SS, Cohen MN. The management of postoperative nausea and vomiting: current thoughts and protocols. Aesthetic Plast Surg 2013; 37: 625-33.

21. Tramer M, Moore A, McQuay H. Omitting nitrous oxide in general anaesthesia: meta-analysis of intraoperative awareness and postoperative emesis in randomized controlled trials. Br J Anaesth 1996; 76: 186-93.

22. Waldron NH, Jones CA, Gan TJ, Allen TK, Habib AS. Impact of perioperative dexamethasone on postoperative analgesia and side-effects: systematic review and meta-analysis. Br J Anaesth 2013; 110: 191-200.

23. Weksler N, Ovadia L. Preliminary study of epidural nalbuphine in treatment of post operative pain: a comparison with equipotent dose of epidural morphine. J Anesth 1989; 3: 54-7.

24. Werner J, Fernandez S, Awad H. The role of smoking history in the development of postoperative nausea and vomiting. Anesthesiology 2008; 109: 156-7; author reply 7-8.

25. White PF. The changing role of non-opioid analgesic techniques in the management of postoperative pain. Anesth Analg 2005; 101: S5-22.

26. Zelcer J, Wells DG. Anaesthetic-related recovery room complications. Anaesth Intensive Care 1987; 15: 168-74.

27. Ian Smith, M.S., Beverly K. Philip, Ambulatory (Outpatient) Anesthesia Miller's Anesthesia, 8th edition. Chapter 89: p.2612-2645.

28. Johnathan L. Pregler, P.A.K., Postanesthesia care recovery and management. Handbook of Ambulatory Anesthesia, 2nd edition. Chapter 12: p. 325-354.

찾아보기

ㄱ

감시마취관리 · 190
강자성 · 206
강직자극 · 133
강직후연축반응수(Posttetanic count stimulation, PTC) · 134
검사실 · 197
견갑상신경 블록(Suprascapular nerve block) · 160
경동맥 소체 반사(Carotid body reflex) · 188
경동맥 스텐트(Carotid artery stent) · 187
경동맥 협착 · 187
경막외마취 · 156
경비카테터 · 198
경신경총 블록(Cervical plexus block) · 157, 161
경심첨부 접근법(Transapical approach) · 192
경피적 대동맥판막치환술(Transcatheteric aortic valve replacement, TAVR) · 189
고유량 비강 캐뉼라 · 180
고주파 제트환기 · 180
고혈압 · 33
공기 색전증(Air embo-lism) · 194
과관류 증후군(Cerebral hyperperfusion syndrome) · 188
구호흡 · 201
국소마취제 · 156, 167
근간대성운동(Tonic and clonic movements) · 203
근이완 역전제 · 130
근이완의 길항 · 129
금식 · 200
금식 가이드라인 · 201
기계심장판막(Prosthetic heart valve) · 206
기관식도루 · 179
기이색전(Paradoxical embolism) · 193

ㄴ

난원공(Foramen ovale) · 193
난원공개존(Patent foramen ovale) · 193
내시경 안면마스크(Endoscopy face mask) · 179, 180
내시경적 역행성 담췌관 조영술(Endoscopic retrograde cholangiopan-creatography, ERCP) · 181
내시경 유도하 세침흡인 생검 · 181
내시경적 지혈술 · 181
내시경점막하박리술(Endoscopic submucosal dissection, ESD) · 180
내전근관 블록(Adductor canal block) · 165
뇌동맥류 · 186
뇌졸중(Stroke) · 192
뇌척수압 · 195
늑간신경 블록(Intercostal nerve block) · 159

ㄷ

다단계 진통법 · 248
단순 안면마스크(Simple facial mask) · 199
단일연축자극(Single twitch stimulation · 132
당뇨병 · 33
당일수술 · 41
대동맥궁(Aortic arch) · 195
대동맥류(Aortic aneurysm) · 194
대동맥판막협착증(Aortic stenosis, AS) · 189
대장 내시경 · 181
대퇴신경 블록(Femoral nerve block) · 164
동맥 박리(Dissection) · 193
동심비대(Concentric hypertrophy · 189
동정맥기형(Arteriovenous molformation, AVM) · 187
두개내압(Intracranial pressure, ICP) · 185

두피신경 블록(Scalp nerve block) • 157

ㅁ

마취 유도제 • 80
만성폐쇄성폐질환 • 34
말초신경 블록(Peripheral nerve block) • 156
맑은 액체 음료수 • 53
모순반응(Paradoxical reaction) • 203

ㅂ

박동조율기(Pacemaker) • 206
발목 블록(Ankle block) • 165
방사선 • 205
방사선 측량계(Radiation badges) • 205
배가로근면 블록(Transverse abdominis plane block, TAP
　　block) • 162
복직근초 블록(Rectus sheath block) • 162
부정맥 • 32
비강캐뉼라(Nasal cannula) • 199
비만 • 36, 181, 197, 206
비인두기도유지기 • 180
비재호흡마스크(Nonrebreathing mask) • 199
비탈분극성 신경근차단제 • 127
비탈분극성 차단 • 125

ㅅ

사각근간 상완신경총 블록(Interscalene brachial plexus
　　block) • 160

사연속자극(Train of four stimulation, TOF) • 132
삼중기도처치법 • 180
상기도 감염 • 30
상기도감염 • 202
상부 위장관 내시경 시술 • 179
상부위장관 스텐트삽입술 • 180
상부위장관 초음파 내시경 • 180
상후두 기도유지기 • 147, 175
상후두 기도유지기(Supraglottic airway) • 179
색전술 • 187
색전술(Embolization) • 186
선골옆 접근법 좌골신경 블록(Parasacral approach of
　　sciatic nerve block) • 164
선택적 경골신경 블록(Selective tibial nerve block) • 165
설하수(Glossoptosis) • 201
성인에서 PONV 발생률 • 245
소아에서 PONV 발생률 • 245
소화기내시경 시술 • 179
손목 블록 • 162
쇄골상 상완신경총 블록(Supraclavicular brachial plexus
　　block) • 160, 161
쇄골하 상완신경총 블록(Infraclavicular brachial plexus
　　block) • 161
수면무호흡증 • 24
수면장애 • 201
수술장 외 마취 • 173
수술 전 검사 • 44
수술 전 금식 • 53
수술 후 오심과 구토(Postoperative nausea and vomiting,
　　PONV) • 243
수술 후 오심과 구토(Postoperative nausea and vomiting,
　　PONV)의 위험인자 • 244
수정연령 • 202
수축기 장애(Systolic dysfunction) • 189
슬와 접근법 좌골신경 블록(Popliteal sciatic nerve
　　block) • 165

신경근전달 감시 · 131
신경근차단제 · 83
신경자극기(Nerve stimulator) · 206
심박동기 · 192
심방중격결손(Atrial septal defect, ASD) · 193
심장차단(Heart block) · 192
심혈관중재시술 · 189

ㅇ

아데노이드비대 · 201
아래턱후퇴증(Retrognathia) · 201
아산화질소 · 3
아산화질소(N_2O) · 203
아이젠멩거 증후군(Eisenmenger syndrome) · 193
아편유사제 · 82
악성고열증 · 138
안구진탕(Nystagmus) · 203
안면 마스크 · 198
압력과부하(Pressure overload) · 189
액와 상완신경총 블록(Axillary brachial plexus
        block) · 161
액와신경 블록(Axillary nerve block) · 161
얼굴신경 블록(Face nerve bock) · 157
엔트로피 · 113
역행호흡 · 201
연축(Vasospasm) · 186
오심 구토 · 226
오심구토(Postoperative nausea and vomiting · 95
외래마취 후 합병증 · 243
요방형근 블록(Quadratus lumborum block) · 163
요신경총 블록(Lumbar plexus block) · 164
위내시경 · 180

위 배출(Gastric emptying) · 55
유사발작활동(Seizure-like activity) · 203
유사아나필락시스반응(Anaphylactoid reaction) · 206
음경신경 블록(Penile nerve block) · 163
음부신경 블록(Pudendal nerve block) · 163
의원 마취 · 217
의원 마취가 가능한 시술의 종류 · 222
이산화탄소혼수(CO_2 narcosis) · 200
이완기 장애(Diastolic dysfunction) · 189
이중 방출자극(Double burst stimulation, DBS) · 134
이중풍선소장내시경(Double balloon enteroscopy) · 182
인계선(Guide wire) · 191
인공와우 · 206
임상 지표 · 17
임신 · 37

ㅈ

자기공명영상(Magnetic Resonance Imaging) · 206
자기장 · 206
잔류 근이완 · 137
장골서혜/장골하복신경 블록(Ilioinguinal/iliohypogastric
        nerve block) · 163
재태연령 · 202
전기경련요법 · 211
전신저긴장증(Hypotonia) · 201
전투약 · 69
전투약을 위한 약물 · 71
제2상 차단 · 126
제세동기(Cardioverter defibrillator) · 206
조영제 · 206
주관적인 방법(Subjective methods)과 객관적인 방법
        (objective methods) · 113
중간얼굴 및 아래턱뼈 저형성(Midfacial and mandibular

hypoplasia) · 200
지주막하출혈(Subarachnoid hemorrhage, SAH) · 186
진정의 단계 · 198

통증관리 · 243
통증의 평가 · 247
퇴실 기준 · 232
퇴원을 지연시키는 인자 · 235

ㅊ

차단 장 · 205
척추기립근막면 블록(Erector spinae plane block) · 160
척추마취(Spinal anesthesia) · 155
천공(Perforation) · 193
천식 · 34
청각유발전위 · 113
체중감량 수술 · 181
췌담도 내시경 시술 · 181
췌장위낭포(Pancreatic pseudocyst) · 181

ㅍ

폐쇄공포증 · 197
폐쇄성수면무호흡증 · 35
폐쇄성수면무호흡증후군 · 200
폐쇄신경 블록(Obturator nerve block) · 165
표준 감시 장비 · 176
풍선확장술(Balloon valvuloplasty) · 189

ㅋ

컴퓨터단층촬영(Computed Tomagraphy) · 206
코골이 · 201
큰혀증(Macroglossia) · 201

ㅎ

하부위장관 내시경 시술 · 181
하이브리드 수술 · 195
하이브리드 수술방 · 195
하이브리드 수술방 (Hybrid operating room) · 190
행동장애 · 201
혈관내동맥류재건술(Endovascular aneurysm repair, EVAR) · 194
호기말이산화탄소분압측정(Capnography) · 198
환자 회복(Recovery) 과정 · 231
횡근막면 블록(Transversalis fascia plane block) · 163
후두마스크 · 142
후두튜브(Laryngeal tube) · 148
후부하(Afterload) · 191
흉막내 블록(Interpleural block) · 159
흉부척추옆 블록(Thoracic paravertebral block) · 159

ㅌ

탈민감차단 · 125
탈분극성 신경근차단제 · 126
탈분극성 차단 · 125
통로 차단 · 125

흡연 · 35
흡입마취제 · 203

A

Aldrete Scoring System · 232
Atracurium · 127

B

Basic Anesthesia Monitoring · 198
BIS · 113
Bispectral index · 113

C

Cerebral oxymeter · 192
Chloral hydrate · 202
Chloroform · 3
Cisatracurium · 128
Cobra perilaryngeal airway (Cobra PLA) · 148
Combitube · 150
CT · 197, 206
Curare · 4
Cyanoacrylate · 187
Cyclopropane · 5

D

Desflurane · 90
Dexmedetomidine · 120, 202
d-tubocurarine · 4

E

Edrophonium · 130
Electroconvulsive therapy, ECT · 211
Ether · 3

F

Fast-Tracking · 14
Flumazenil · 120, 204

G

Gantacurium · 128
Guglielmi detachable coils, GDC · 186

H

Halothane • 5

I

I-gel • 149
Informed consent • 12
Isobutyl cyanoacrylate (IBCA) • 187

K

Ketamine • 203

L

Laryngeal mask airway, LMA • 93
Levobupivacaine • 106
Lewis Ferguson • 4
Lidocaine • 5
LMA • 145
Long QT syndrome • 100

M

MAC • 90, 117
Mallampati classification • 200
Mepivacaine • 5
Methoxyflurane • 4
Midazolam • 203
Minimal alveolar concentration • 90
Mivacurium • 127
Modified Aldrete • 205
Modified Observer's Assessment of Alertness/Sedation
    Scale (MOAS/S) • 199
Monitored anesthesia care • 7, 117
MRI • 197, 206
MRI실 호환성 마취기 • 207
MRI실 호환성 펌프 • 207

N

N-butyl cyanoacrylate (NBCA) • 187
Neostigmine • 130
Numerical rating scale • 247

O

Observer's Assessment of Alertness/Sedation Scale
    (OAA/S) • 199
Office-based anesthesia • 217
Office-based anesthesia • 11

Onyx · 187

P

Pancuronium · 128

Patient-controlled sedation · 121

Patient state index · 113

Pecs 블록 및 전방거근막면 블록(serratus plane
  block) · 159

Peripheral nerve block · 93

Pig tail catheter · 191

Polyvinyl alcohol (PVA) · 187

Post Anesthetic Discharge Scoring System (PADSS) · 233

Post-discharge nausea and vomiting, PDNV · 95

Postoperative cognitive dysfunction, PDCD · 87, 92

Propofol · 90

Propofol · 204

Pyridostigmine · 130

R

Ramsay scale · 199

Rapid ventricular pacing · 191

Remifentanil · 90

Rocuronium · 128

S

Sellick's maneuver · 54

Sevoflurane · 90, 105

Sevoflurane · 203

Shivering · 88

Streamlined Liner of the Pharynx Airway, SLIPA · 149

Succinylcholine · 4, 126

Sugammadex · 130

Surgical clip · 206

Surgical pleth index · 113

T

Thiopental · 5

TOF cuff · 136

TOF watch · 135

V

Vecuronium · 128

Visual analogue scale (VAS) · 247

Volatile induction and main-tenance of anesthesia,
  VIMA · 103

기타

3H · 187
3-in-1 블록(Three-in-one block) · 164, 165